COMPLOTS ET CABALES

Paru dans Le Livre de Poche :

FORTUNE DE FRANCE

Fortune de France - I.
En nos vertes années - II.
Paris ma bonne ville - III.
Le Prince que voilà - IV.
La Violente Amour - V.
La Pique du jour - VI.
La Volte des vertugadins - VII.
L'Enfant-Roi - VIII.
Les Roses de la vie - IX.
Le Lys et la Pourpre - X.
La Gloire et les Périls - XI.

L'Idole.
Le Propre de l'Homme.
Le jour ne se lève pas pour nous.

ROBERT MERLE

Fortune de France XII

Complots et Cabales

ROMAN

ÉDITIONS DE FALLOIS

Complots et Cabales
douzième volume
de Fortune de France
est affectueusement dédié
à mes six enfants
mes dix-sept petits-enfants
et à mes six arrière-petits-enfants

CHAPITRE PREMIER

Quand en novembre 1628 le siège de La Rochelle s'acheva, fort glorieusement pour nos armes, fort affreusement pour la pauvre ville huguenote qui, en un an, avait perdu de verte faim les deux tiers de ses habitants, je tombai en proie à des sentiments bien contraires : d'une part, la compassion que m'inspirèrent, à mon entrant dans la malheureuse cité, les cadavres qui jonchaient les pavés et, pis encore peut-être, trébuchant à chaque pas, les squelettiques survivants. Et d'autre part, bien que je fusse, comme avait dit Richelieu (qui savait toujours tout sur tout), « quasi souverain au château de Brézolles », et m'y sentais déjà chez moi pour les raisons que l'on devine, j'éprouvais une vive et profonde joie à la pensée, et d'aller retrouver en son hôtel à Nantes la marquise de Brézolles et de retourner avec elle et son fils, qui était aussi le mien, dans mon duché d'Orbieu. Mais appartenant, et de fait et de cœur, à la maison du roi, le servant en de délicates et toujours urgentes missions que me confiait en son nom le cardinal de Richelieu, je ne pouvais sans l'assentiment de mon maître marier Madame de Brézolles, ni même me rendre à Nantes pour lui demander sa main.

Toutefois, au moment de tenter cette démarche, je fus pris d'un doute. Fallait-il de prime toucher un mot de mes intentions à Richelieu, ou devais-je en réserver la primeur au roi ? Tous deux étaient, en effet, fort à cheval sur les égards qui leur étaient dus, le roi, parce qu'il avait été odieusement brimé en ses enfances par une mère désaimante et ses infâmes favoris, et le cardinal, parce qu'après être entré, non sans dol et labour, au Grand Conseil du roi, il avait dû en découdre avec quelques arrogants pour que son rang y fût reconnu.

Je m'avisai enfin d'un compromis qui pût me garder à carreau. De Richelieu, je n'allais quérir que d'avisés conseils, et au roi, je ferais état de mes intentions. Cependant, au premier mot que je risquai à ce sujet, Son Éminence m'interrompit, et me dit tout de gob que Sa Majesté — dont la mémoire était prodigieuse — se ramentevait parfaitement Monsieur de Brézolles, qui en ses armées, dans l'ultime combat qui avait chassé Buckingham de l'île de Ré, s'était fait tuer, et que d'après ce qu'il avait lui-même ouï, sa veuve était en tous points une dame de très grande qualité. Tant est que Sa Majesté ne ferait assurément aucune objection à cette union, si mon intention était bien de la contracter.

J'entendis par là que, maugré les écrasants soucis et l'inhumain labour que lui imposait le siège de La Rochelle, le cardinal avait pris la peine de s'informer sur Madame de Brézolles, et à y réfléchir plus outre, je n'eus aucun mal à imaginer l'excellent effet que fit sur lui cette enquête.

Car, ayant découvert que la dame était de fort bonne noblesse, et fort bien accommodée en pécunes, qu'elle gérait, du reste, au mieux de ses intérêts — comme le prouvait le procès qu'elle avait engagé contre ses beaux-parents —, il en conclut qu'elle ne me mettrait jamais sur la paille, et qu'en conséquence, je n'aurais pas à faire appel aux finances de Sa Majesté pour remplir et redorer mes coffres. En second lieu, il avait trouvé tout à plein rassurant que la dame fût née et nourrie au sein d'une bonne noblesse de province : ce qui voulait dire qu'elle n'avait jamais goûté aux poisons et délices de la Cour au milieu de ces façonnières et de ces pimpésouées que leur humeur brouillonne portait à intriguer contre le roi et son ministre, comme faisaient la duchesse de Chevreuse et les vertugadins diaboliques, pour ne parler point ici de la reine et de la reine-mère. En bref, si j'épousais Madame de Brézolles, je n'épouserais pas une femme qui pût gâter mes bonnes qualités, ni me dresser contre le pouvoir, comme, hélas ! la princesse de Conti avait réussi à faire avec Bassompierre, dès la minute où ils s'étaient secrètement mariés. Quant au roi, le cardinal l'ayant instruit de ce qu'il en était de Madame de Brézolles, il me dit sobrement qu'il approuvait fort mon projet, « le premier devoir d'un gentilhomme étant d'assurer sa lignée », adage dont mon père le marquis de Siorac s'était déjà plusieurs fois prévalu pour me pousser dans les chemins de la matrimonie.

Il est vrai que si mon père n'excluait pas le plaisir que j'y pourrais goûter, le roi, quant à lui, ne voyait là véritablement qu'un devoir dynastique qu'il assurait, quant à lui, en conscience, cinq ou six nuits par mois, poussant même le scrupule jusqu'à honorer la reine deux fois avant l'aube — ce qu'on savait le lendemain par la femme de chambre, témoin de ces royaux ébats, et dont le devoir était d'en informer dans l'instant Bouvard, le docteur du roi, lequel en informait la reine-mère, laquelle en informait la Cour.

Ces efforts de Louis étaient d'autant plus méritoires qu'ils étaient demeurés vains jusque-là, la reine n'ayant pu mener aucune de ses quatre grossesses à terme, tant est que la pauvrette se désespérait à l'idée qu'à la mort du roi elle ne serait plus rien, faute d'un héritier qui, en montant sur le trône, ferait d'elle une reine-mère honorée de tous. Mais plus vive encore assurément, quoiqu'il l'exprimât peu, était l'affliction de Louis à la pensée qu'à défaut d'un fils, lui succéderait son frère Gaston, dont il avait, non sans quelques sérieuses raisons, la plus pauvre opinion.

Pour en revenir à nos moutons, Louis me bailla le *nil obstat* et pour mon mariage et pour mon voyage à Nantes. Mais quant à ce dernier, il ne se fit pas, car la veille du jour prévu pour mon département, comme j'achevais de me vêtir, j'ouïs un grand tintamarre de cloches dans la cour de Brézolles, et jetant un œil par ma fenêtre, je vis devant les grilles une carrosse et deux ou trois coches de voyage qui demandaient l'entrant. À cet instant Hörner et ses Suisses, saillant des écuries, accoururent en armes, sans doute pour quérir des visiteurs quelle diantre d'affaire ils avaient à moi pour me visiter à une heure aussi matinale. J'en étais moi-même béant et fort empêché de deviner le « qu'est-ce et le pourquoi » de cette visite inattendue. Cependant, quand je vis que Hörner, loin de tirer son épée, retirait son chapeau et saluait profondément les visiteurs, mon cœur se mit à battre la chamade, et en pourpoint, sans hongreline et sans chapeau, je gagnai le grand escalier du château en un battement de cils et parvins en haut du perron au moment où la première carrosse, bien plus chamarrée que les coches qui la suivaient, se rangeait devant la première marche. Je vis le blason sur sa portière, je dégringolai les marches à me rompre le col, tandis que le cocher, descendu en hâte de son siège, déclosait l'huis. Madame de Brézolles apparut alors, fort souriante. Et le valet ayant déplié le marchepied, elle entreprit de saillir de la carrosse, ou plutôt de s'en extirper, l'affaire ne se faisant pas sans qu'elle se tortillât prou, étant donné le volume de son vertugadin. Elle y succéda enfin, et son pied mignon posé à terre, elle me tendit sa main, et comme je la baisais, elle me dit d'une voix douce et basse :

— Monsieur, je suis bien aise de revenir en ma maison des champs et, plus encore, de vous y retrouver. Et voici votre fils, ajouta-t-elle à voix basse. Ne laissez rien paraître de votre émeuvement.

Saillit alors de la même carrosse une nourrice qui portait comme le Saint-Sacrement cet enfantelet tant chéri, qui se trouvait être, selon les registres de l'église-cathédrale de Nantes, le fils posthume de Monsieur le marquis de Brézolles, mais qui était, en réalité, le mien, comme je l'ai conté dans le tome précédent de ces Mémoires.

Cette nourrice, que j'envisageai à peine sur l'instant, n'ayant d'yeux que pour mon fils et de cœur que pour sa mère, devint dans la suite un personnage si important dans la maisonnée de Brézolles, que j'en veux dire ici et meshui ma râtelée avant que de passer à des événements de plus grande conséquence.

La Nature avait somptueusement doté la mignote en tétins, lesquels étaient tout ensemble son patrimoine et son métier, car, je le sus plus tard, elle ne faisait rien d'autre en sa jeune et gaillarde vie que de courre se faire engrosser par son mari dès qu'une haute dame requérait ses offices, afin d'accoucher quasiment en même temps qu'elle, étant assez lachère [1] pour nourrir tout ensemble l'enfant de sa maîtresse et le sien. Elle en était à sa sixième progéniture pour laquelle elle recevait de sa cliente, comme pour les cinq qui l'avaient précédée, une petite rente versée sa vie durant, sans compter, il va sans dire, le présent salaire de ses bons services. Elle s'appelait Honorée, et pensait le devoir être, en effet, ayant reçu du Seigneur ce don émerveillable, belle et solide garce qu'elle était en outre, l'œil candide, le teint rouge comme pomme, le sourire large, la dent saine. Il me parut qu'elle se paonnait prou de ses deux fontaines de vie, car se tenant pour une sorte

1. Ayant beaucoup de lait.

de prêtresse de qui la pudeur n'était pas requise, elle n'était pas rebelute, dès que braillait l'enfantelet, à se dégrafer, quel que fût le nombre des aregardants. Et tandis que le petit braillard apaisé la tétait à gorge goulue, elle ne se contentait pas de tenir son tétin à ses lèvres entre deux doigts, mais le mignotait tendrement de la main tout entière en le louant à mi-voix de sa fécondité.

— Mon ami, me dit Madame de Brézolles quand elle atteignit avec moi le haut du perron, pardonnez-moi de vous quitter si vite, mais je cours et vole à ma chambre pour me rafraîchir et me repimplocher. Voulez-vous, de grâce, dans une petite demi-heure, me rejoindre en mon petit cabinet, où je ferai dresser une table pour déjeuner avec vous au bec à bec ?

Et quels yeux, avant le départir, elle tourna alors vers moi, je ne saurais les décrire, et d'autant que le regard fut fort bref, et que déjà les chambrières et les valets, saillant joyeusement des autres coches, et gravissant quasiment à la course les marches du perron, ne ralentissaient que pour me saluer jusqu'à terre, me tenant déjà pour leur maître. Cependant, Madame de Bazimont, apparaissant à mes côtés, mit de l'ordre dans cette envolée de moineaux et moinettes, et, en quelques ordres brefs, assigna à chacun et chacune sa tâche pour l'heure qui allait suivre. Ayant ainsi rempli ses devoirs d'intendante, elle me fit une demi-révérence, son âge ne lui permettant pas de se ployer plus outre, et me dit, les yeux brillant de larmes heureuses :

— Monseigneur, n'est-ce pas pour vous et pour nous tous un jour émerveillable ?

— Assurément, Madame, dis-je sachant combien elle aimait être « madamée », n'étant pas noble, malgré le « de » de son nom, ce « Bazimont » n'étant qu'une terre que son défunt mari avait achetée.

— Monseigneur, reprit-elle, peux-je prendre congé de vous ? Il ne suffit pas, en effet, de donner des ordres, poursuivit-elle d'un air de profonde sagesse, encore faut-il veiller à ce qu'ils soient exécutés...

J'acquiesçai et le capitaine Hörner, surgissant à mon côté, me demanda les miens.

— Quelle sorte de gens sont-ce là ? dis-je, en montrant l'escorte de Madame de Brézolles.

— Des Suisses, Monseigneur, tout comme ceux qui ont l'honneur de vous servir.

— Comment sont leurs chevaux ?

— Fourbus, et deux ou trois déferrés.

— Il faut donc, avant que Madame de Brézolles les paye et les renvoie, leur donner l'hospitalité d'un jour et d'une nuit, afin qu'ils puissent panser leurs chevaux, les nourrir, les reposer, et les referrer. Que te semble de ces gens, Hörner ?

— Ce sont des Suisses, répéta Hörner, comme si le seul nom de Suisses était le garant de toutes les vertus.

— Dès lors, dis-je, traite-les selon leurs mérites. N'épargne ni les viandes ni les vins, ceux-ci toutefois à la modération.

— J'y veillerai, Monseigneur.

Je gagnai alors ma chambre, ne touchant pas le sol en mon bonheur, et m'ôtai le pourpoint pour me raser le poil, quand on toqua à l'huis, lequel étant déclos par mes soins, Nicolas de Clérac apparut.

— Monseigneur, dit-il, avez-vous besoin de votre écuyer ?

— Nenni, Chevalier ! Retourne à ta couche. Ta belle épouse sans toi doit s'y ennuyer à mourir.

— Ah, Monseigneur, dit-il, fort heureux de pouvoir parler d'elle, Henriette est toute trémulante du retour de Madame de Brézolles. Elle craint de ne lui plaire point.

— Billes vézées [1] ! Chevalier, elle lui plaira prou, je l'affirme, et ne laisse pas de le lui aller dire.

1. Ce mot qui vient de *beille* : boyau, et de *vézé* : gonflé, s'est contracté. Mais sans changer de sens.

— Monseigneur, me permettez-vous d'ajouter un mot ?

— Je t'ois.

— Madame de Bazimont me prie de vous dire que l'enfantelet dort sur le sein de sa nourrice et ne pourra être vu de vous qu'après le déjeuner.

Là-dessus, après un nouveau salut, Nicolas me quitta et j'entrepris de me savonner la face pour y passer moi-même le rasoir, ne consentant jamais à confier ce soin à un barbier, ayant été blessé en mes vertes années par un de ces coquarts. Après quoi, j'entrepris de me testonner le cheveu, nourrissant l'espoir que le temps que je passerais ainsi à me beautifier raccourcirait les interminables moments qui me séparaient encore de ma belle. Hélas ! Ce ne fut pas le cas, les soins que prenait d'elle-même Madame de Brézolles étant, assurément, plus longs et plus minutieux que ceux que je prenais de moi. Tant est qu'une longue heure s'écoula encore, minute après minute, avant que Monsieur de Vignevieille me vînt dire que sa maîtresse m'attendait pour déjeuner en son cabinet.

Le pauvre *maggiordomo* me sembla, tandis qu'il parlait, bien las de son long voyage de Nantes à Saint-Jean-des-Sables. Et bien que portant encore à son côté une épée désormais inutile, il me parut encore plus chenu et branlant qu'à son département de Brézolles quelques mois plus tôt. Sa faiblesse ne laissa pas de m'émouvoir, et je me fis *in petto* cette remarque que c'était, assurément, un effet de la bonté de sa maîtresse qu'elle lui permît de la servir encore, alors que tant de grandes maisons l'auraient déjà relégué dans l'aigre solitude d'une moinerie pour y attendre la fin de ses terrestres jours.

La table dans le petit cabinet de Madame de Brézolles était très joliment dressée, et assurément, d'après ses directives, car elle aimait décorer les moindres choses et en faire des œuvres d'art. Mais bien que cette élégance tirât mon regard et m'attendrézît, tant elle lui ressemblait, je n'avais d'yeux que pour la porte de sa chambre, tant j'avais hâte qu'elle fût déclose. Je dis *hâte* et non *impatience,* car je savais bien que Madame de Brézolles ne me ferait pas languir, n'étant pas de ces pimpésouées de cour, qui, dès lors qu'un homme est tombé dans leurs filets, le tantalisent par des indifférences et des retardements.

Les déjeuners à Brézolles sont véritablement fort simples et ne démentent pas l'origine du mot : ils rompent le jeûne, mais sans vous empiffrer, ne comportant qu'une tisane ou du lait servi avec des tartines beurrées, et, si l'on veut, des confitures. Mais à vrai dire, ce matin-là, j'eusse jeûné volontiers, n'ayant faim et soif que de ma visiteuse, laquelle était aussi mon hôtesse. Elle parut enfin, le front lavé d'eau claire, le cheveu joliment testonné, les yeux, les lèvres et les joues pimplochés à ravir, et dès qu'elle fut là, mince et bien rondie, tout s'éclaira jusqu'au jour gris, tracasseux et maussade, qui entrait par les carreaux brouillés de pluie.

— Monsieur, dit-elle, que je suis donc aise de vous revoir ! Et que le temps, sans vous, m'a paru long !

Ce disant, elle me tendit sa main que j'eusse dévorée de baisers, tant j'avais appétit à celle qui me la tendait, si la bienséance ne m'eût retenu, mon cœur, pendant ce temps, battant à ce point la chamade que je demeurai bouche cousue. Fort heureusement, les banalités de la conversation, qui sont dans tous les cas si utiles, soit qu'on ait rien, ou beaucoup à dire, nous vinrent à rescourre, et nous asseyant au bec à bec, nous échangeâmes pendant une grande partie de ce déjeuner, distraitement avalé des deux parts, ces paroles rebattues qui font à nos oreilles un petit bruit rassurant, mais ne signifient quelque chose que parce qu'elles ne disent rien.

Tout le temps que prirent ces courtois pépiements, j'envisageai Madame de Brézolles avec la dernière ferveur. Et elle, de son côté, ne fut pas chiche en tendres regards et en petites mines languissantes. Cependant, connaissant son caractère résolu, je ne laissai pas de penser qu'elle entrerait la première dans le vif du sujet. Ce qu'elle fit, en effet, avec tact et légèreté, enveloppant son propos — tout sérieux qu'il fût — dans de petites gausseries bien dans sa manière.

— Monsieur, dit-elle, au moment où le roi érigea votre comté d'Orbieu en duché-pairie, vous m'avez écrit une lettre fort belle que j'ai lue et relue, au point de la savoir par cœur, et de la pouvoir répéter à moi-même, dès lors que me prenait l'envie de l'aller dénicher dans ma remembrance. Vous y disiez qu'étant fort heureux d'être duc, vous alliez néanmoins faire de grands efforts pour ne pas devenir piaffard, hautain et paonnant, afin de ne point vous rendre odieux à votre entourage. Mon ami, je ne saurais vous dire, poursuivit Madame de Brézolles avec un sourire, à quel point j'admirai et admire encore cette scintillante humilité.

— Madame, cette « scintillante humilité » est une trouvaille, certes, mais c'est aussi, me semble-t-il, une petite pierre dans mon jardin.

— Nenni, Monsieur ! C'est un éloge. Cela veut dire que lorsqu'on est ce que vous êtes, il est très difficile d'être modeste, sans qu'on y suspecte aussitôt, bien à tort, quelque degré d'affectation.

— Madame, il faut que vous soyez fée ou sorcière pour changer si vite une pierre aride en fleur épanouie. Cependant, il y a encore une épine sur la tige de cette fleur : le mot « affectation ».

— Si je l'enlève d'un coup d'ongle, serons-nous amis comme devant ?

— Je n'ai jamais cessé de l'être, Madame.

— Et j'espère bien, quant à moi, que vous le serez

davantage, Monsieur, si vous voulez bien ouïr ce qui suit.

— Madame, parlez ! Je suis à votre endroit tout ouïe, tout regard et tout cœur.

— Ah, Monsieur ! Quelle pitié que vous n'ayez pas, dans cette énumération, mentionné aussi le toucher !...

— C'est qu'il était implicite.

— La grand merci à vous ! Monsieur, quand vous affirmez dans votre lettre votre résolution de ne point être odieux par votre piaffe à votre entourage, vous énumérez ceux qui le composent, vous dites : « mes amis, ma parentèle », et vous ajoutez : « et par-dessus tout, ce que je chéris le plus au monde : mon fils et celle qui me l'a donné ». Vous ramentez-vous ces paroles ? Expriment-elles meshui votre pensée ?

— Du tout [1].

— Il ne vous échappe pas, mon ami, que cette phrase comporte pourtant quelques implications.

— J'entends bien.

— C'est, en fait, une déclaration d'amour qui ne va pas tout à fait jusqu'à une demande en mariage, encore qu'elle s'en rapproche fort. Et c'est là, Monsieur, où le bât me blesse. Pourquoi ce demi-mot, et cette réticence ? N'êtes-vous pas plus assuré de vos sentiments pour moi ? N'avancez-vous d'un pas vers moi que pour être déjà un peu sur le recul ? Ou vous ménagez-vous, si votre humeur change, une porte de sortie ?

— M'amie, dis-je vivement, permettez-moi de le dire bien haut : votre interprétation est tout à fait erronée. La réticence dont vous vous plaignez était, dans ladite lettre, réserve et scrupule. Vous annonçant mon avancement dans l'ordre de la noblesse, je n'ai pas voulu vous donner à penser, par une démarche trop pressante, qu'étant duc, j'étais un peu trop assuré par avance de votre acquiescement.

1. Entièrement.

— Mon ami, dit-elle, ce scrupule grandement vous honore.

— Nenni, nenni, m'amie ! Ne voyez là qu'un des effets de ma « scintillante humilité ».

À quoi elle rit, et un aimable adoucissement se répandant sur son beau visage, elle reprit, mi-rieuse, mi-trémulante :

— Donc, Monsieur, vous m'aimez.

— Oui, Madame.

— Et vous désirez me demander ma main.

— Assurément.

— Alors, de grâce, demandez-la !

— Mais, Madame, dis-je béant, n'est-ce pas ce que je viens de faire ?

— Pas du tout. Vous avez jusqu'ici répondu à mes questions. Il faut maintenant que, de votre propre chef, vous fassiez la demande.

— Madame, dis-je, n'est-il pas un tantinet absurde de se tant jucher sur la cérémonie ?

— Monsieur, dit-elle avec un sourire à croquer, maugré que vous ayez une longuissime expérience des femmes, vous ne les connaissez pas encore tout à fait bien. Vous ne sauriez imaginer, mon ami, la profonde et trémulante joie qui les envahit, quand le gentilhomme qu'elles aiment depuis des siècles leur dit tout uniment : « M'amie, je vous aime et désire vous épouser. »

— Madame, excusez-moi, mais la demande ne serait-elle pas quelque peu tardive ? N'avons-nous pas fait un enfant ensemble ?

— Mais cela n'a rien à voir. Je peux encore vous refuser !

— Madame ! qu'est cela ?

— De grâce, Monsieur, ne querellons pas plus outre, et je vous prie, faites cela que je veux...

— Madame, je le vais faire, puisque vous le voulez. Vous avouerai-je toutefois que, ce faisant, je me sentirai quelque peu ridicule.

— Mais justement, Monsieur, ce ridicule ne laissera pas de me toucher.

— Eh quoi, diablesse ! qui plus est, vous me daubez ! Fort bien donc ! Le vin est tiré, il le faut boire ! Vais-je me lever pour faire cette déclaration ?

— Cela ne sera pas tout à fait suffisant. Le mieux serait encore que vous mettiez un genou à terre devant moi.

— Madame, vous savez sans doute qu'un duc et pair ne ploie le genou que devant roi ou reine.

— Ne suis-je pas votre reine ?

— Assurément, vous l'êtes, par toutes les fibres de mon cœur. Mais cela veut-il dire que vous allez parler en maître en ma maison ? Permettez-moi de répéter ici le dicton parisien : « Ne savez-vous pas que d'un homme on se gausse, quand sa femme chez lui porte le haut-de-chausses ? »

— Fi donc, Monsieur ! Je ne suis pas faite de ce vilain métal ! Dès le moment que vous aurez prononcé la demande que je quiers de vous, je serai chez vous, pour vous et à jamais, votre humble, obéissante et dévouée servante.

— Madame, dis-je, j'en accepte l'augure.

Là-dessus, je me levai de ma chaire à bras, et me dirigeant vers Madame de Brézolles, je lui fis un profond salut, sans toutefois que mon genou touchât terre, et je lui dis avec la dernière gravité :

— Madame, je vous aime du bon du cœur et vous feriez de moi le plus heureux des hommes, si vous consentiez à m'accorder votre main.

— La voici ! dit-elle.

Mais ce n'était là qu'une façon de dire, car se levant, elle se jeta dans mes bras, et se pressant contre moi en son entièreté, elle me fit sur tout le visage, sans omettre un seul pouce carré, un violent picotis de poutounes, qui tout à la fois me remplit de bonheur et me coupa le souffle.

*

Le roi, ayant appris par le cardinal que Madame de Brézolles était de retour en son château de Saint-Jean-des-Sables, me fit savoir par Monsieur de Guron que, puisque mon intention était de la marier en l'église de Surgères, il aimerait que cela se fît le onze novembre au plus tard, devant lui-même départir le treize pour Paris. Il ajoutait que, voulant assister à mon mariage et être mon témoin, il désirait que la messe fût courte, ayant peu de temps à lui en le tohu-bohu de son département. Toutefois, ayant davantage de loisirs le douze, il aimerait que je lui présente alors la duchesse d'Orbieu plus longuement qu'à l'église, afin de l'accueillir en sa Cour. Je devais donc le venir visiter avec elle sur le coup de onze heures ce jour-là.

Oyant cela, ma belle fut en même temps fort flattée et fort déquiétée.

— Doux Jésus ! s'écria-t-elle, comment vais-je me pouvoir décemment vêtir, ayant si peu de temps devant moi si nous nous marions le onze ?

— M'amie, dis-je, étant veuve et vous remariant, la robe de mariée n'est pas de mise : votre plus belle vêture suffira.

— Encore faut-il l'approprier ! s'écria-t-elle très à la volée. Ne peut-on au moins reculer le mariage d'un jour ?

— M'amie ! dis-je, béant, voudriez-vous que je demande au roi, pour vous accommoder, de retarder d'un jour son département ?...

— Et pourquoi pas ? dit-elle, mais tout aussitôt, elle rit à gueule bec, et se jetant dans mes bras, elle continua à rire, ses lèvres contre mon cou.

Un désir exprimé par le roi étant, en fait, la forme la plus courtoise que peut revêtir un ordre, nous fûmes mariés, Catherine et moi, le onze novembre en l'église de Surgères par le curé prieur, et ce fut, en effet, la plus courte des messes, le roi se retirant dès que l'*Ite, missa est* fut prononcé. Assistèrent à la cérémonie : les ducs, les ministres et les maréchaux.

Je fus de prime surpris que Bassompierre fût de ceux-là, pour la raison qu'il avait mis depuis le début du siège tant de froideur et de distance entre lui et moi. Mais sa présence, en fait, à mon mariage s'expliquait fort bien, du fait que le roi, pour préparer son départir, lui avait demandé d'être son hôte à Laleu, où Bassompierre l'avait, en effet, reçu fastueusement. J'en conclus que le maréchal qui, sous l'influence de sa femme et des vertugadins diaboliques, était hostile à la politique royale et cardinalice, et par conséquent, au siège de La Rochelle, et n'avait pas souhaité son succès, ce jour d'hui faisait contre mauvaise fortune bon cœur et tâchait de rentrer dans les bonnes grâces de son roi, et par sa généreuse hospitalité et par sa présence au mariage d'un des plus fidèles serviteurs de Sa Majesté. En somme, il redevenait mon ami, parce que l'armée royale avait pris La Rochelle. C'est une triste vérité, lecteur, mais comme disent si bien les Anglais : « Rien ne réussit comme le succès. »

Parce que Louis ne courait pas, comme le Vert Galant, de cotillon en vertugadin, et aussi parce qu'il avait eu — comme le nonce en informa alors le pape en termes discrets et décents — quelque difficulté à « parfaire son mariage » avec Anne d'Autriche, nos bons caquets de cour répétaient à l'envi, quoique *sotto voce*, que Louis n'aimait pas les femmes.

Il serait plus équitable de dire qu'il n'aimait pas sa mère, Marie de Médicis, celle-ci ayant été pour lui, comme j'ai dit déjà, une odieuse marâtre, le rabaissant, le brimant, l'humiliant de toutes les façons et allant, dans les occasions, jusqu'à prendre les armes contre lui.

Par malheur, Louis n'eut pas davantage à se louer d'Anne d'Autriche, traîtresse à sa nouvelle patrie dès le moment de son avènement, et plus tard ennemie avérée de son époux et participant aux complots dont il était l'objet. Tant est que pour Louis, s'il avait jugé les femmes par sa mère et par son épouse, il aurait eu quelque excuse à considérer avec malaise et suspicion la plus charmante moitié de l'humanité.

Il n'en fut rien pourtant. Comme bien le prouve, quelques années plus tard, la grande amour que lui inspirèrent les « yeux bleus, pleins de feu » de Mademoiselle de Hautefort, cette passion, toutefois, demeurant platonique du fait de la piété adamantine qui habitait le roi.

Quand à Laleu, le douze novembre, ainsi que Louis en avait exprimé le désir, je me rendis avec Catherine d'Orbieu pour le visiter, il ne parut nullement indifférent à la grâce et à la beauté de mon épouse. Et quoiqu'il ne fût pas « grand parleur », comme il disait en ses enfances, il fut avec elle charmant et courtois, l'appelant « ma cousine », appellation, à la vérité, protocolaire quand le roi s'adressait à une duchesse, et qu'il n'omettait même pas, quand il écrivait à Madame de Rohan, alors même qu'elle soutenait la rébellion huguenote dans les murs de La Rochelle.

En cette présente occurrence, et bien que notre entretien fût bref, il usa sans chicheté des « ma cousine » avec Catherine, tant est que lorsque nous prîmes congé de lui, ma petite duchesse, en saillant avec moi de la maison de Bassompierre, était aux anges et ne touchait plus terre.

— Mon ami, dit-elle d'une voix trémulante, dès qu'elle fut assise à mon côté dans la carrosse, avez-vous ouï ? Le roi m'a appelée « ma cousine », et plus d'une fois ! Je sais ! Vous m'allez dire que c'est le protocole ! Mais je croyais que ce ne l'était que pour les très vieilles duchesses, issues de très vieilles familles et vivant à la Cour ! Mais moi ! Petite provinciale, née et nourrie à Nantes et qui n'ai pas plus de vingt-cinq ans ! Et le roi m'a appelée « ma cousine » ! N'est-ce pas émerveillable ? Dieu bon ! Pensez qu'on m'avait dit et redit, et chuchoté qu'il était rude et roide ! Mais c'est tout le rebours ! Je me ramentevrai jusqu'à mon dernier souffle la bonté avec laquelle il m'a si gracieusement accueillie en sa Cour.

— M'amie, dis-je, le roi est rude et roide, quand il s'agit de châtier les comploteurs, les rebelles et les traîtres, et Dieu sait s'ils foisonnent en ce malheureux royaume. Et si d'aucuns ont tâté de la Bastille, ou, pis même, du bourreau, sachez qu'ils l'avaient mille fois mérité. Mais avec ceux qui le servent avec fidélité et ferveur...

— Comme vous-même, mon ami.

— ... Louis montre qu'il possède une vertu aussi belle que rare : la gratitude. Et avec ceux-là que j'ai dits, il se montre indubitablement amical, et même s'il lui arrive par exemple de gronder et de bouder le cardinal qui l'a servi et le sert au prix d'un immense labeur quotidien, j'oserai dire qu'il va aussi avec lui jusqu'à l'affection, laquelle devient quasi filiale dans les occasions.

— En somme, dit Catherine avec un soupir, vous aimez Louis.

— Oui-da ! Ce qui m'a valu beaucoup d'ennemis et même une tentative d'assassinat sur ma personne, comme je vous l'ai déjà conté.

— J'ai observé, toutefois, qu'il vous appelle « *Sioac* », plus souvent que « mon cousin ».

— Et j'en suis infiniment touché. Car dans ses enfances il ne savait pas prononcer le « r », et c'est « *Sioac* » qu'il me nommait, quand nous jouions au soldat dans le parc de Saint-Germain-en-Laye, moi étant toute son armée, et lui mon capitaine.

— *Sioac* ! N'est-ce pas mignon en diable ! J'ai grande envie d'ores en avant de vous appeler ainsi.

— Nenni, m'amie, n'en faites rien ! Laissons à Louis ce privilège !

— Mais, n'y ai-je pas autant de droits que lui ? dit-elle en s'ococoulant à moi, la tête sur mon épaule. Ne suis-je pas, meshui, votre petite compagne de jeu ? Et n'êtes-vous pas mon capitaine ?

Ah ! lecteur ! que j'eusse aimé que ces heures joyeuses et bondissantes de la fin du siège durent la vie entière ! La Rochelle vaincue, mais renaissant à la vie, le roi la nourrissant quasi à la becquée, de jour en jour ; une armée victorieuse, commandée par un souverain compatissant, une gloire qui retentissait dans toute l'Europe et qui glorifiait, tout autant, la ténacité du vainqueur que l'héroïsme du vaincu. Et pourtant, à peine de retour en Paris, et acclamé par tout un peuple, le roi et son génial ministre sentirent se mouvoir dans l'ombre, aspirant à les séparer, les artifices des « Princes des Prêtres ». Déjà, au cours du siège, Richelieu avait soupçonné l'approche lente et sournoise de leurs tortueux desseins.

Plaise à toi, lecteur, de me permettre de revenir en ce récit de quelques mois en arrière, c'est-à-dire au moment où achevant d'élever les redoutes qui entouraient La Rochelle, le roi et le cardinal envisageaient déjà de construire la fameuse digue pour barrer à l'Anglais l'entrée du port.

Qui eût cru que le venin des dévots aurait de prime pris la forme innocente et naïve d'une lettre du cardinal de Bérulle à Richelieu ? À la pique du jour, tous les matins je me présentais à Pont de Pierre à Richelieu, bien assuré qu'il aurait quelque mission à me confier. Ce jour-là, Richelieu, la mine songeuse et ruminante, me tendit une lettre, et me dit :

— D'Orbieu, voici une lettre que m'envoie le cardinal de Bérulle, lisez-la et dites-moi ce que vous en pensez.

Je la parcourus aussitôt, et mon étonnement, puis ma stupéfaction croissant à chaque ligne, je la relus pour être assuré de ne m'être point trompé. Je regrette fort ce jour d'hui de n'avoir pas eu le temps de l'apprendre par cœur, mais si je ne peux en garantir le mot à mot, je suis bien assuré de son contenu : Bérulle confiait au cardinal qu'il avait eu, au sujet de La Rochelle comme auparavant au sujet de l'île de

Ré, une révélation du Très Haut : la ville tomberait comme un fruit mûr entre les mains du roi. Il était donc inutile de construire toutes ces redoutes, et moins encore cette ruineuse digue. La ville tomberait de soi.

— Eh bien, d'Orbieu, qu'en pensez-vous ? dit Richelieu.

— Que c'est là, Monsieur le Cardinal, une lettre bien étonnante. Peux-je quérir de vous si vous avez demandé à Monsieur de Bérulle de préciser l'heure et le jour de cette miraculeuse capitulation ?

— Je l'ai fait, en effet, par deux fois, dit Richelieu. Et la deuxième fois, le cardinal m'a répondu que la révélation ne précisait pas la date...

— C'est donc, Votre Éminence, une révélation incomplète... Et d'autre part, si c'est le Seigneur qui décide du moment où il va déterminer la chute de La Rochelle, il va sans dire, Monsieur le Cardinal, que ni Sa Majesté, ni vous-même, ni les maréchaux, ni les soldats n'auront dans l'affaire le moindre mérite.

— C'est, en effet, dit Richelieu, l'aspect un peu déplaisant de cette révélation. Avant même que de vaincre, notre gloire est déjà rabaissée.

— Il se peut aussi, dis-je, que Monsieur le cardinal de Bérulle pense que le siège de La Rochelle est inutile, et qu'il vaudrait mieux s'en prendre à l'Angleterre, véritable bastion du protestantisme en Europe...

— Il est probable, en effet, qu'il pense cela, puisqu'il recommande l'inertie devant La Rochelle, mais cela n'est pas dit dans sa lettre. Monsieur d'Orbieu, je vous remercie de vos remarques. Je les répéterai à Sa Majesté en même temps que les miennes. Il est toujours un peu déquiétant de porter un jugement sur un ami dont on a beaucoup aidé l'avancement, et qui paraît s'éloigner de vous. C'est pourquoi votre avis m'a été utile.

Au sortir de cet entretien, retrouvant Nicolas et

nos chevaux, je me ramentus tout soudain que j'avais invité à dîner le docteur médecin chanoine Fogacer, que déjà il nous attendait sans doute à Brézolles, et je pressai ma monture autant que je pus pour gagner le château. Et, en effet, Fogacer était là, grand, mince, arachnéen, ayant bras et jambes fort longs, le cheveu blanc, le sourcil mince et noir et, quand il s'égayait, relevé vers ses tempes, tandis que sa large bouche s'élargissait en un lent et sinueux sourire : ce qui lui donnait un air quelque peu diabolique, lequel correspondait en ses jeunes années à quelque réalité, étant alors bougre et, athée, mais la Dieu merci, n'était plus meshui qu'une apparence, puisqu'il avait renoncé à ses mœurs sodomiques et à sa mécréance pour entrer dans les ordres.

Madame de Bazimont, qui l'adorait, l'avait accommodé, en attendant mon retour, dans un petit cabinet d'un flacon de vin d'Aunis et de quelques friandises de gueule. Dès qu'il me vit, il se leva, et me bailla une forte brassée en y mettant, comme à l'accoutumée, une tendresse qui me gênait quelque peu, n'étant point aussi fraternelle qu'elle eût dû l'être. Je partageai alors quelque vin avec lui, mais fort sobrement, n'aimant point me gâter l'appétit avant ma repue de midi. Cependant, étant si soucieux de la lettre que je venais de lire chez Richelieu, et sachant combien Fogacer était toujours bien informé de tout, je lui demandai s'il savait que le cardinal de Bérulle avait eu une révélation touchant une reddition miraculeuse de La Rochelle.

— Oui-da ! dit-il avec son très particulier sourire, et d'après une lettre que j'ai reçue hier de Paris, on jase prou à la Cour de cette révélation, les uns la décroyant, les autres la croyant, sans aucune raison raisonnante des deux parts, mais selon que cette révélation conforte ou déconforte des partis déjà pris.

— Ce qui désigne qui, mon sibyllin ami ?

— Qu'ici même, dans le camp de La Rochelle, Monsieur de Marillac...
— Lequel ?
— Le garde des sceaux. Son frère, ayant choisi le métier des armes, agit mais ne pense pas. Cependant, dans les occasions, il se rallierait fraternellement et fougueusement au point de vue d'un aîné qui est si savant et qui a tant d'esprit.
— Et Monsieur de Marillac croirait à la révélation de Monsieur de Bérulle ?
— Il ne le dira pas au camp, car il craindrait de déplaire au cardinal et au roi. Mais je suis bien assuré qu'il y croit, ou plutôt veut y croire.
— Et pourquoi cela ?
— Mais parce qu'il est dévot.
— Mais, mon ami, le roi aussi est dévot.
— Mais pas du tout ! Le roi est pieux...
— Quelle est la différence ?
— Elle est immense ! Les pieux, du mieux qu'ils peuvent, suivent les enseignements du Christ, mais les dévots descendent en droite ligne des ligueux de la prétendue Sainte Ligue et sont des fanatiques qui désirent l'éradication totale par le fer et le feu de l'hérésie protestante. Tant est qu'ils ne seraient pas du tout hostiles à une Saint-Barthélemy à l'échelle de l'Europe. Mais, bien sûr, pour cela ils ne peuvent compter ni sur Louis qui ne révoquera jamais l'Édit de Nantes, œuvre d'un père admiré et chéri, ni sur le cardinal qui a bien plus à cœur les intérêts du royaume de France que les plus encharnés de ces dévots. C'est pourquoi nos dévots considèrent le siège de La Rochelle comme inutile et même nuisible. Car ils n'ignorent pas que, la ville prise, Louis rétablira, certes, le culte catholique dans les villes protestantes, mais sans supprimer pour autant le culte protestant. Tant est que les huguenots, cessant d'être des sujets rebelles, traîtres à leur patrie, deviendront des serviteurs fidèles du souverain, et de

ce fait, acquerront aux yeux de tous une nouvelle légitimité. D'autre part, le crédit de Richelieu, si La Rochelle est prise, sera tel et si grand auprès de Louis qu'il deviendra très difficile de le séparer du roi et de le détruire.

— De le détruire ! Dieu bon ! Et Richelieu une fois « détruit », par qui sera-t-il remplacé auprès du roi ?

— Mais, cela va sans dire, par Marillac. Marillac et Bérulle sont aiglons de même couvée, l'un et l'autre dévots, ayant bonnes dents et solides griffes l'un et l'autre, bien qu'ils soient à l'accueil si polis et si doux.

— Et que deviendrait la France sous leur chattemite tyrannie ?

— L'humble auxiliaire du roi d'Espagne...

— Diantre ! Et pourquoi cela ?

— Parce que nos dévots professent — je les cite — que « l'hérésie ne sera jamais éteinte que lorsque les catholiques, n'ayant plus à leur tête qu'un seul monarque, n'auront plus aussi d'autre intérêt que de la détruire »...

— Dieu bon ! Détruire encore ! On détruit beaucoup dans la cervelle de nos bons dévots !

— Toutefois, notez bien, je vous prie, qu'ils détruisent en toute bonne conscience, puisqu'il s'agit de la volonté de Dieu, dont nos dévots ont, comme vous savez, des révélations...

Et ce disant, Fogacer sourit de son sinueux sourire, ses minces et noirs sourcils s'étirant vers les tempes.

— Est-ce à dire, mon cher docteur médecin, que vous décroyez la révélation de Monsieur de Bérulle touchant la chute de La Rochelle ?

— Nenni ! Nenni ! Que suis-je, moi, petit chanoine, pour révoquer en doute la révélation d'un grand cardinal si proche de Dieu et si avant dans les bonnes grâces de la reine-mère.

— Vous y attachez donc créance ?

— Non plus ! Non plus ! Ne sais-je pas que le Saint-Père, dont je suis, parmi tant d'autres, l'humble soldat, voit avec méfiance et suspicion les révélations, les voix de saintes, les extases et autres liens directs de certains fidèles avec Dieu, lesquels liens empiètent pernicieusement sur la prérogative essentielle du Saint-Père, qui est de dire aux catholiques ce qu'il faut croire et décroire.

— À vous ouïr, mon cher chanoine, vous croyez et ne croyez pas tout ensemble ladite prédiction...

— Et par-dessus tout, mon jeune et sémillant ami, sauf avec vous, je me tiens là-dessus à carreau, bouche close et cousue, pour ce que je redoute fort les dévots qui sont gens redoutables. Et si vous me permettez, *in fine*, ce paternel conseil, vous devriez là-dessus imiter ma prudence. N'a-t-on pas tenté déjà de vous « détruire » ?...

*

Un an, presque jour pour jour, après la conversation que je viens de relater, à savoir, le vingt-cinq décembre 1628, me trouvant à la parfin après un longuissime voyage avec Catherine, notre enfantelet, notre bonne nourrice, et nos Suisses, en mon hôtel de la rue des Bourbons en Paris, je me couchai, à la fois fort aise de retrouver avec Catherine mes pénates parisiens, et fort déconsolé d'avoir à assister le lendemain au Louvre au Grand Conseil du roi, où allait se débattre une affaire de grande conséquence, et dont je prévoyais qu'elle serait très périlleuse, soulevant tant de colère, voire même de haine sourde et recuite contre le roi et Richelieu, et, pourquoi ne pas le dire aussi ? contre les plus fidèles de leurs serviteurs.

Ma petite duchesse, lassée de ce long voyage, chaque jour répété par route cahotante et froidure hivernal e, s'endormit en un battement de cils dès qu'elle fut entre deux draps, mais pour moi, tracasseux que j'étais, je mis un temps infini à m'ensommeiller, et quand je le fus enfin, je tombai dans les lacets de songes calamiteux, rabâchés sans arrêt en cervelle. Tant est que je fus bien aise que la pique du jour, traversant les rideaux, les fenêtres et les courtines du baldaquin, me vînt ouvrir les yeux et me retirer, par conséquent, de cette géhenne.

Mais cette bonace fut de courte durée, car quels ne furent pas mes chagrins et stupeurs, dès que j'eus déclos les yeux, de voir ceux de Catherine fixés sur moi avec colère, tandis que, soulevée sur son coude, elle me dévisageait.

— Monsieur, dit-elle, vous êtes un traître !

— M'amie, dis-je béant, un traître, moi ? Et qu'ai-je fait pour mériter cette messéante accusation ?

— Méchant ! reprit-elle de plus belle, vous n'avez cessé dans vos songes de parler à voix haute de Casal. Et qui est cette garcelette, où l'avez-vous encontrée, et quel est votre lien avec elle ? C'est ce que je vous requiers de me dire !

À quoi, sans que j'en pusse mais, je m'esbouffai à rire, ce qui mit la pauvrette en tel courroux que, levant ses deux petits poings, elle m'en eût martelé, je crois, la poitrine, si je n'avais, sans tant languir, emprisonné ses fins poignets.

— M'amie, dis-je, excusez-moi ! mais Casal, qu'il faudrait, pour bien faire, prononcer « Cazalé », n'est pas une garcelette, c'est une ville en Italie.

— Une ville ?

— Pour être plus précis, dis-je en lâchant ses poignets, c'est la capitale du marquisat de Montferrat, lequel est accolé à la Savoie, mais appartient, en fait, au duc de Mantoue, dont le duché, par malheur, est fort loin de ce marquisat, étant situé à l'est de la péninsule et non loin de l'Adriatique. Tant est que pour se rendre de Mantoue à Casal, le duc devrait traverser la Lombardie et, qui pis est, le Milanais.

— Et pourquoi, « qui pis est » ?

— Parce que le Milanais est occupé par les Espagnols qui ne cherchent qu'à s'étendre dans toutes ces régions de l'Italie pour assurer en cas de guerre des communications faciles entre les Habsbourg d'Espagne et les Habsbourg d'Autriche. Or, le duc de Savoie, Charles-Emmanuel, dont le marquisat de Montferrat se trouve si proche, alors qu'il est si éloigné de son véritable maître, est un roitelet qui tout au long de son règne (qui dure depuis un demi-siècle) se paonna de l'ambition de devenir roi et, à cette fin, tâcha sans cesse de s'agrandir aux dépens de ses voisins. Mais, Madame, dois-je poursuivre ? Je crains de vous fatiguer. Un lit n'est peut-être pas le lieu le mieux choisi pour une leçon d'histoire.

— Monsieur, dit Catherine avec une dangereuse petite lueur dansant dans ses yeux mordorés, vous pouvez, certes, vous paonner d'un crâne plus gros que le mien, mais ce n'est pas à dire que ma cervelle soit moins agile. La croyez-vous occupée uniquement à des affiquets, des attifures et des pimplochements ?

— De vous, m'amie, pas plus que d'aucune autre représentante de votre *gentil sesso*, je n'ai jamais conçu une si pauvre opinion. Ma remarque avait un sens tout autre, car après tout, dans un lit vous n'êtes pas sans vous ramentevoir qu'on ne fait pas que rêver et dormir.

À ouïr cela, Catherine passa si vite de l'ire au rire que j'entendis bien, en effet, combien sa cervelle était plus agile que la mienne.

— Mon ami, dit-elle s'adoucissant à chaque mot qu'elle prononçait et me caressant la joue de sa menotte, vous êtes attendrissant de gentillesse, mais il se trouve, hélas, que ce matin que voici, je ne suis pas de force forcée accessible à vos enchériments. Votre leçon d'histoire n'est donc pas déplacée. De grâce, poursuivez-la. Nous parlions de Charles-

Emmanuel de Savoie, petite souris ducale qui se voulait aussi grosse qu'un roi.

— Oyez donc l'histoire de cette souris. La seule annexion qu'elle fit et qui fut réussie, fut la première, celle du marquisat de Saluces. Henri II de France, pour dire la vérité, le lui avait volé et notre duc le reprit en 1588 fort astucieusement au moment où Henri III était contraint d'abandonner Paris aux mains du duc de Guise. Et ce n'est certes pas ce pauvre roi sans pécunes et sans capitale qui pouvait courir sus à notre duc. Le voilà donc heureusement engraissé du marquisat de Saluces.

— Mon ami, peux-je quérir de vous où se trouve le marquisat de Saluces ?

— Borné au sud par le comté de Nice, il est fort proche au nord-ouest de notre Barcelonnette. Toutefois, ayant conquis ce joli morceau, Charles-Emmanuel ne s'arrêta pas là et, en sa folle imprudence, il s'attaqua à Genève qui le repoussa, et plus étourdiment encore, à Grenoble. Mon amie, avez-vous bien ouï ? Henri IV régnant, invincible, sur notre douce France, Charles-Emmanuel Ier de Savoie attaque Grenoble ! Que se passe-t-il à votre avis ? Le tigre français rugit de stupeur à sentir cette petite souris savoyarde lui taquiner les narines. Il lui envoie Lesdiguières qui, en un tournemain, occupe son duché.

« Quand tout est fini, Henri IV survient, goguelu et débonnaire, mais l'œil sur ses intérêts. Il reconnaît à Charles-Emmanuel la possession du marquisat de Saluces, mais exige en compensation qu'il lui cède la Bresse, le Bugey, le Valromey et le pays de Gex. Ayant ainsi arrondi la terre de France de quelques jolis lopins, et voyant le pauvre duc déconsolé, le Vert Galant lui promet, s'il reste, d'ores en avant, son plus fidèle allié, de l'aider à s'emparer du duché de Milan, et dès que cela sera fait, de le reconnaître comme roi. Par cette offre généreuse qui ne lui coûte rien, il rebiscoule l'humeur de Charles-Emmanuel, et

Henri départi, notre duc, plus heureux de sa future dignité que marri de ses pertes territoriales, vogue sur un petit nuage, d'où il tombe brutalement à terre en 1610, quand le couteau de Ravaillac, en mettant fin aux jours d'Henri, met fin aussi à ses propres espoirs.

— Tout ceci, mon ami, est fort intéressant et même — s'agissant de Charles-Emmanuel — passablement comique. Mais que vient faire là-dedans Casal et le marquisat de Montferrat ?

— J'y viens, mon ange, et vais meshui déverser de merveilleux faits dans votre mignonne oreille. Le vingt-six décembre 1627, Louis et Richelieu étant fort occupés depuis trois mois à assiéger La Rochelle, le duc Vincent de Mantoue meurt sans autre héritier que le duc de Nevers, prince français. M'amie, quelle pierre dans la mare italienne !...

« L'héritage est tout de gob contesté par quatre prétendants, dont celui de l'Espagne, et il va sans dire, par Charles-Emmanuel qui, au nom de très obscurs droits, réclame le marquisat de Montferrat pour sa petite-fille. Quant à l'Espagne, Don Gonzalve de Cordoue, gouverneur du Milanais, est plongé dans des perplexités et des angoisses qui ne peuvent se dire, mais qu'il dit néanmoins, et de la façon la plus véhémente, par lettre, à Olivares, ministre de Philippe IV d'Espagne : que si un prince français s'installe à l'est, à Mantoue, et à l'ouest, dans le marquisat de Montferrat, il lui sera loisible de prendre en tenailles le Milanais espagnol et de l'attaquer sur deux fronts.

« Olivares, à lire cette missive alarmante, décide d'agir. Mais, c'est un dévot espagnol, cérémonieux et formaliste. Il réunit ses théologiens et gravement leur demande si le roi d'Espagne serait justifié devant Dieu à user de la force pour soutenir ses droits. Après en avoir gravement et longuement débattu, les théologiens, à l'unanimité, répondent "oui"...

— Ah, mon ami, dit ma petite duchesse en riant, comme cela est beau ! Et que cela me touche ! Est-ce que les ancêtres de Philippe IV ont consulté aussi des théologiens avant d'exterminer les Indiens d'Amérique, de lancer contre l'Angleterre l'*Invincible Armada*, d'occuper tyranniquement les Pays-Bas et de s'emparer du Milanais ?

— M'amie, dis-je en prenant Catherine dans mes bras, vous me laissez béant ! Bien loin sommes-nous des affiquets, des attifures et des pimplochements ! Votre cervelle n'est pas seulement agile ! Elle est bien pleine ! Et, par surcroît, bien faite ! M'allez-vous meshui révéler tout soudain que vous connaissez aussi le grec et le latin ?

— Nenni ! Nenni ! Je ne suis pas allée si loin ! J'eusse craint de vous offenser, mon ami.

Là-dessus, elle rit derechef, et reprit :

— Mais Monsieur mon père était friand et féru d'Histoire, et il aimait en dire ses râtelées à la table de famille, lesquelles mes deux frères faisaient le semblant d'écouter, n'ayant goût qu'à la chasse, au cheval et à l'escrime, mais que moi je buvais à grands traits, parce que j'aimais mon père de grande amour. Mais revenons, de grâce, au marquisat de Montferrat et à Casal. Qu'arriva-t-il ?

— Charles-Emmanuel de Savoie et Don Gonzalve s'entendent comme larrons en foire. Le premier saisit pour sa part, dans le Montferrat, quelques places sur la rive gauche du Pô. Et Gonzalve, plus gourmand, met le siège devant Casal, place forte de grande importance stratégique, car elle commande le passage du Pô et l'entrée dans le Milanais espagnol. Plaignez, plaignez, ma belle, le triste sort de la garcelette dont je « rêvais » ! Casal est en grand danger d'être forcée par le méchant hidalgo !...

— Monsieur, cria Catherine, vous me moquez encore ! Vous êtes un méchant ! Mais prenez garde ! Si vous me daubez derechef, je vous ferai, comme disait Jeanne d'Arc, « battures et frappements ».

— M'amie, dis-je, quelle figure ferai-je, si ma pucelle me bat ? Et si j'arrive tout éclopé et sanglant au Conseil du roi ? Et de reste, poursuivis-je en jetant un œil à ma montre-horloge, il est grand temps que je me lève et fasse quelque toilette, si je veux arriver au Louvre avant que les portes ne se ferment sur les conseillers du roi. Mais ne voulez-vous pas savoir, m'amie, avant que je départe, ce qu'il en alla de Casal, quand le méchant Gonzalve la voulut forcer ?

— Je vous ois.

— Casal résista, et mieux et plus longtemps que La Rochelle, puisqu'elle résiste encore. Et notre Gonzalve se demande meshui, si, comme cela arrive dans les grandes guerres, il ne va pas attirer à lui la foudre en voulant la prévenir.

— Cela veut-il dire, mon ami, que Louis va courre délivrer Casal ? Mais n'est-ce pas bien naturel, le duc de Mantoue étant prince français ?

— Voire ! Il y a des gens au Conseil qui vont juger qu'il est bien le rebours, tout à plein anti-naturel et quasi sacrilégieux, de s'attaquer aux Espagnols. Sachant ce que je sais, et conjecturant ce que j'hésite à croire, je crains que la disputation au Grand Conseil, ce matin, ne soit (bien que feutrée) âpre et rude, et ne laisse derrière elle des rancœurs, voire des haines, dont nous aurons à craindre, dans la suite, de fort funestes conséquences.

CHAPITRE II

Ce Grand Conseil du roi où je ne parvins pas une minute trop tôt, eut lieu au Louvre le vingt-six décembre 1628. Cette date ne court aucun danger d'échapper jamais à ma remembrance, tant ce qui s'y révéla, comme je l'ai déjà laissé entendre, fut gros de menaces directement pour Richelieu, indirectement pour le roi, et à coup sûr aussi pour tous ceux qui demeuraient fidèles à leurs personnes et à leur politique.

Nul n'était de par son rang, ou son sang, admis *ipso facto* au Conseil du roi. Il y fallait une décision de Louis. La reine-mère elle-même, au retour de son exil bien mérité, ne l'obtint pas sans peine pour elle-même, et elle eut plus de mal encore à l'obtenir pour Richelieu, lequel passait alors pour son plus fidèle serviteur.

Gaston, bien qu'il la réclamât plus d'une fois à cor et cri, n'y eut jamais sa place. Les ducs et les pairs n'étaient pas tous admis, et des dix maréchaux que comptait alors le royaume seuls Schomberg et Bassompierre étaient conseillers. Les huit autres — Vitry, Saint-Géran, Chaulnes, Créqui, Châtillon, La Force, d'Estrées, Saint-Luc — n'assistaient pas au Conseil. Des quatre cardinaux — La Rochefoucauld, La Valette, Bérulle et Richelieu —, seuls les deux derniers siégeaient parmi nous.

Les raisons pour lesquelles les conseillers étaient choisis ne relevaient que de l'idée que se faisait Louis de leur suffisance [1], de leur discrétion et de leur fidélité, à telle enseigne que la reine elle-même n'était pas admise à siéger au Conseil, tant le roi avait de raisons de suspecter sa loyauté à son égard et à l'endroit de sa nouvelle patrie.

Peux-je ajouter que Louis, bon ménager de ses finances, avait le souci de ne pas augmenter indûment le nombre de ses conseillers, car ceux-ci recevaient des émoluments, fort bien venus, même de ceux qui, comme moi, n'étaient pas pauvres. Bien le savait Louis, qui le rappela un jour avec la dernière rudesse à Bassompierre, qui, frondeur comme à l'accoutumée, se refusait à dire ce qu'il pensait sur la question qu'on débattait : « Mon cousin ! s'écria Louis. Opinez ! Opinez, je vous prie ! C'est votre devoir et votre fonction ! N'êtes-vous pas conseiller du roi ? *Et n'en touchez-vous pas les gages ?* »

Quand le Conseil tenait une assemblée, seuls le roi et la reine-mère étaient assis. Les conseillers demeuraient debout, station qui, en termes de repos du corps, devenait à la longue pénible, mais avait du moins l'avantage que personne parmi eux n'avait intérêt à prolonger verbeusement les débats.

Richelieu se tenait debout à la gauche du roi, et la reine-mère était assise à sa droite. Parée comme une idole, pimplochée à la truelle, alourdie de bijoux, elle remplissait tout à plein sa chaire à bras et même en débordait du côté des hanches, étant volumineuse en toutes les parties de son corps, la face en outre fort joufflue et le menton double. Bien qu'elle eût été la plus médiocre régente de l'histoire du royaume, elle avait d'elle-même une très bonne opinion, et promenait de haut sur les conseillers du roi un regard déprisant, borné, buté, vindicatif.

1. Compétence.

Elle n'entendait rien aux grandes affaires qui se débattaient en sa présence, et ne voyant jamais des choses que leur petit côté, elle se fâchait pour des riens et se laissait alors aller à des colères véhémentes, au cours desquelles elle déversait sur l'objet de son ressentiment des injures dignes des harengères des halles, dont on se demandait bien où diantre, vivant au Louvre, elle les avait apprises, sinon peut-être de son cocher, quand il vitupérait contre d'autres cochers dans les embarras de Paris. En général, lors des Conseils, ennuyée de ces longues palabres pour elle si incompréhensibles, quand elle parlait, elle le faisait si incongrûment que personne, et son fils moins que tout autre, n'attachait la moindre importance à ses propos.

Si, comme j'ai dit, je n'arrivai pas au Conseil une minute trop tôt, le cardinal de Bérulle apparut, lui, une minute trop tard, mais si pâle, si défait et si visiblement mal allant, que Louis se retournant dit à Beringhen, debout derrière lui, d'apporter une chaire au prélat. J'entendis bien alors, et Richelieu, à qui je jetai un œil, l'entendit mieux que personne : le pauvre Bérulle, fiévreux et suant sa fièvre, ne s'était tiré à si grand dol et effort de sa couche que pour assister au Conseil et y répondre « non » avec véhémence à la question qui était posée ce matin-là aux conseillers : « Faut-il ou ne faut-il pas se porter au secours de Casal assiégée par les Espagnols ? »

Bien que je fusse ce jour-là, et le suis toujours, en total discord en cette occasion avec la politique du cardinal de Bérulle, laquelle, si elle avait été adoptée, eût été si funeste à la fortune de France, je n'éprouvai que respect pour sa personne, et l'œuvre qu'il avait accomplie à grand-peine et labeur en fondant l'Oratoire, institution qui avait pour but de tirer les prêtres français de l'ignorance et des mauvaises mœurs où ils étaient tombés. C'étaient là le mérite et la gloire de Monsieur de Bérulle, et il eût dû y demeurer. Par malheur, on ne sait quel ligneux mal repenti l'avait ancré dans cette idée que seule l'Espagne possédait assez de puissance et de pécunes pour éradiquer l'hérésie protestante, à telle enseigne que Bérulle inspira en 1626 le désastreux traité de Monzon qui visait à rétablir l'entente entre l'Espagne et la France en sacrifiant nos alliances italiennes.

Et pourtant, sept ans plus tôt, il n'était point du tout dans ces dispositions-là, puisqu'il avait accepté du roi une ambassade à Rome, dont le but était d'obtenir une dispense pour le mariage, qui à ses yeux eût dû paraître suprêmement scandaleux : celui de la catholique Henriette de France, sœur de Louis XIII, avec le protestant prince de Galles ! J'opine donc qu'il eût dû demeurer dans les lumières de sa foi, au lieu de se hasarder dans les finesses et les obscurités des grandes affaires politiques du royaume.

— Cette affaire de Casal, dit-il lc souffle court et d'une voix à peine audible, tant elle était faible, est un de ces grands problèmes qui confrontent Votre Majesté. Et pour le dire sans fard, il me paraît de nulle conséquence d'aller à grand péril et dépenses secourir cette petite ville italienne, capitale d'un marquisat obscur, alors que tant de grandes villes protestantes, en France même, se dressent encore contre Votre Majesté les armes à la main. Maintenant que le ciel, en sa souveraine bonté, vous a donné, Sire, la gloire de réduire La Rochelle, ne faut-il pas persévérer dans le sillon que le Seigneur a tracé devant vous, et courber d'abord, et châtier ensuite, partout où elle est vivace encore, l'insolence des hérétiques ? Sans cela ce serait commettre l'erreur de courre éteindre le feu en lointaines écuries quand des parties du château sont encore la proie des flammes ?...

Lecteur, tu as sans doute observé que, dans ce discours, Monsieur de Bérulle ne pipait mot de l'Espagne et de la nécessité de s'entendre avec elle plutôt que d'arracher Casal à sa griffe. Et le garde des sceaux Marillac, dans le discours qui suivit, observa la même réserve, tant ils étaient l'un et l'autre désireux qu'on ne les accusât pas de sacrifier à l'Église les intérêts du royaume.

À peine le cardinal de Bérulle s'était-il tu, d'évidence épuisé par cet ultime effort, que le garde des sceaux Marillac demanda la parole, et comme il venait, lui aussi, de cette nichée des grands dévots, bien avant qu'il n'ouvrît le bec, on sut ce qu'il allait dire. Mais s'il était de cette même couvée, si dorlotée jadis par la pieuse Madame Acarie qui était allée, en son édifiante vie, d'extase en extase au grand dol de sa santé, il n'avait pas le cœur aussi bon que celui du cardinal de Bérulle : « bon homme », au dire de Louis, « belle âme », au dire de Richelieu, mais si naïf en sa vertueuse simplesse qu'il croyait que l'Espagne n'avait en ce monde qu'un seul dessein : éradiquer l'hérésie. « Utopie ! disait Richelieu à qui le voulait ouïr. Le roi d'Espagne se dit chef des catholiques ! Mais il n'y a personne qui ne sache que l'Espagne est comme le chancre, qui ronge et mange tout le corps où il s'attache, et personne aussi qui ne sache qu'il le fait d'ordinaire sous prétexte de la religion ! »

Je ne doute pas que Monsieur de Marillac fût sincère dans son erreur, mais force m'est toutefois d'ajouter qu'il mêlait à ce dessein d'anéantir l'hérésie une aspiration qui était davantage de ce monde : la politique de Richelieu abandonnée, et Richelieu lui-même tombé en noire disgrâce, Monsieur de Marillac aspirait à lui succéder...

À cette fin, tout autant que Bérulle, mais dans un esprit bien différent, il cultivait les bonnes grâces de la reine-mère. À mon sentiment, il ne montrait pas là beaucoup de finesse ; car c'était étrangement surestimer le crédit qu'elle pouvait avoir dans l'esprit de son fils, dont le naturel n'était certes pas d'oublier les offenses, et moins encore de les pardonner. Or, Marie de Médicis, si bien il vous en ramentoit, lui avait été mauvaise mère. Et Dieu sait si Louis avait eu maille à partir avec elle, et dans ses enfances et dans sa majorité, ayant dû par deux fois prendre les armes contre les bandes de mécontents qu'elle avait rameutées contre lui.

Quoi qu'il en fût, avant même cette fameuse séance du Grand Conseil que je décris céans, Marillac à qui, dans les occasions, ne faillait ni crochet ni venin, avait entrepris de ruiner Richelieu dans l'esprit de la reine-mère. À cette fin il avait mis au point une stratégie tortueuse, dans laquelle il réussit à entraîner le malheureux cardinal de Bérulle.

Voici quelle était la manœuvre : chaque fois qu'on parlait de Richelieu devant la reine-mère, les deux compères observaient un silence artificieux, abaissaient tristement la tête, poussaient des soupirs de compassion ou de crainte. C'étaient là grimaces de dévots qui réussissaient à dire beaucoup de mal d'un ennemi justement en n'en disant pas. Mais sur l'esprit borné et suspicionneux de Marie, la répétition de ces simagrées finit par faire beaucoup d'effet, et dès qu'ils sentirent la reine-mère ébranlée et douteuse, nos dévots changèrent de tactique et leur attaque devint frontale.

Assurément, Richelieu était un grand ministre, mais ne montrait-il pas quelque ingratitude en ne consultant plus jamais la reine-mère sur les décisions à prendre ? Oubliait-il qu'il lui devait ce qu'il était meshui ? N'était-il pas évident que ce n'était plus d'elle qu'il attendait ses lumières ? Il la rabaissait ! Il la délaissait ! D'elle il n'attendait plus rien ! Il n'aimait que le roi ! Il n'était occupé que de lui ! Pis même, il faisait écran entre elle et Louis, de qui il la tenait éloignée et comme reléguée dans l'obscurité et l'impuissance ! N'était-ce pas outrage insufférable que de voir ce faquin l'emporter partout sur celle qui avait régné sur la France ? La Mère du roi ! Celle entre toutes dont Richelieu devrait à deux genoux quêter et suivre les avis ! Pis même ! Richelieu feignait de partager la juste aversion de la reine-mère pour le mariage de Gaston avec la fille du duc de Nevers, mais en fait, nous avons la preuve (que les compères ne fournissaient pas) qu'il encourageait Gaston en sous-main dans ce funeste projet.

Lecteur, c'était là pur mensonge, et mensonge bien impur ! Le roi et Richelieu, bien que pour de tout autres raisons que Marie de Médicis, étaient tout aussi hostiles au mariage de Gaston avec la fille du duc de Nevers, lequel duc était devenu, comme on sait, ce duc de Mantoue à qui l'Espagnol tâchait de prendre Casal. Nous voilà donc, lecteur, après ce détour, revenus — plus sages et plus tristes — à nos moutons, et aux paroles prononcées en cette séance du Grand Conseil par Monsieur de Marillac.

— Sire, dit-il, je pense aussi que Casal n'a pas l'importance que d'aucuns lui accordent. Sans compter que de bonnes et solides raisons se dressent pour ne pas nous engager plus outre à la secourir. Les armées de Votre Majesté ont été fort éprouvées par le longuissime siège de La Rochelle. Sont-elles en état de fournir derechef un aussi grand effort ? Quant aux finances, elles sont aussi épuisées que les hommes. En outre, s'il faut intervenir, on ne peut attendre l'été, car d'ici là Casal serait en grand danger d'être prise. Il faudrait donc départir de suite ! Et une campagne en plein hiver comporte bon nombre de dangers redoutables. Pour gagner la Savoie, il faut traverser les Hautes-Alpes, franchir le col de Montgenèvre, la neige jusqu'au genou. Sa Majesté, dont la santé est fragile, peut-Elle souffrir les peines et les périls d'une telle entreprise ? Et si le pire — à Dieu ne plaise — lui devait arriver, il laisserait derrière lui une succession bien hasardeuse. Et qu'arriverait-il enfin si, une fois arrivé à Suse, le duc de Savoie, dont l'humeur est changeante et la fidélité incertaine, lui refusait le passage jusqu'à Casal et les envitaillements pour rafraîchir son armée ?

Bien que Louis n'en laissât rien paraître, je suis bien assuré qu'il ne goûta guère ces allusions à sa santé et aux difficultés de sa succession, car, levant la tête, il dit d'une voix empreinte d'une froide courtoisie :

— Monsieur de Marillac, vous quérez de moi ce que je ferais si le duc de Savoie, en forfaiture de notre alliance, me refusait l'envitaillement de mes armées et le passage dans ses États pour gagner Casal ?

— Oui, Sire, dit Monsieur de Marillac.

— Eh bien, je ferais comme Henri IV en 1601 : je battrais le duc, je saisirais sa bonne ville de Suse, occuperais son château, et j'aurais ainsi tout ensemble un bon cantonnement, des vivres pour mes soldats et le passage libre pour atteindre Casal...

Louis articula ces paroles avec une force qui me donna à penser qu'il avait déjà envisagé, non sans plaisir, de marcher en cette campagne sur les traces d'un père qu'il vénérait. Je m'apensai aussi que, loin d'être acquise, la victoire de nos dévots paraissait bien douteuse. La reine-mère dut le sentir aussi, car elle demanda la parole. Comme au cours de sa ruineuse régence il avait été malheureusement prouvé que, de toutes les options qui s'offraient un moment donné à elle, elle choisissait invariablement la moins bonne, j'avais peu de doutes sur celles qui en cette occasion auraient ses préférences. Toutefois, elle trouva le moyen de surprendre tous les conseillers, le roi et Richelieu compris, par les raisons pour le moins inattendues qu'elle donna de son choix.

— Sire, dit-elle d'un ton altier, si je vous entends bien, vous envisagez de tirer l'épée contre le duc de Savoie, s'il ne vous livre pas le passage pour aller secourir Casal.

— En effet, Madame.

— Sire ! Cela ne se peut. Le duc de Savoie est mon gendre.

— Madame, pardonnez-moi, dit Louis, votre gendre n'est pas le duc de Savoie, mais son fils, le prince de Piémont. C'est lui dont ma sœur Christine est l'épouse.

Cette petite rebuffade, à laquelle Louis ne se livra pas sans plaisir, irrita au plus haut point Marie de Médicis. Et tout de gob, perdant la capitainerie de son âme, et par là oubliant décorum et décence, elle se laissa aller à la violence de son humeur. La face empourprée, les yeux de braise, le tétin haletant, elle entra dans une de ces colères criardes, vulgaires et injurieuses qui n'avaient cessé d'ébranler le Louvre, dès l'instant où, ayant marié Henri IV, elle y fut introduite.

— Que le gendre soit le père ou le fils, cria-t-elle, peu me chaut ! C'est mon parent ! Allez-vous faire la guerre à un de mes parents ? Et de toutes manières, sachez que je suis résolument opposée à ce qu'on porte secours à Casal !

— Madame, dit Louis avec le plus grand calme, peux-je savoir le pourquoi de cette opposition ?

— Casal appartient au duc de Nevers, et je tiens le duc de Nevers pour *il più emerito furfante della creazione* [1].

— Madame, dit le roi, peux-je vous prier de vous exprimer en termes moins messéants sur le duc de Nevers ? Et de nous dire aussi la raison de votre hostilité à son endroit.

— *Il detestabile bandito ha arruolato un esercito contro di me durante la mia reggenza* [2].

— Madame, vous avez été reine de France, et il est

1. Le plus fieffé coquin de la création (ital.).

2. Le détestable bandit a levé une armée contre moi pendant ma régence (ital.).

coutumier dans les Conseils du roi de France que les conseillers s'expriment en français. D'autre part, Madame, la rébellion du duc de Nevers contre vous date de plus de vingt ans, et elle a été pardonnée en même temps que toutes celles qui se sont dressées contre moi après ma prise de pouvoir en 1617.

L'allusion aux rébellions armées de Marie de Médicis contre lui-même était claire, et elle n'échappa à personne dans le Conseil, sauf, peut-être, à l'intéressée.

— *Ma un simile insulto non può essere perdonato* [1] ! s'écria la reine-mère avec la dernière violence. En outre, poursuivit-elle, Gaston, qui se remet mal de son veuvage, s'est toqué de la fille du duc de Nevers. Et je ne veux à aucun prix de ce mariage. Je l'ai dit, je le redis, hurla-t-elle en regardant autour d'elle avec le dernier courroux, à aucun prix, je ne veux de ce mariage !

— Madame, dit le roi, c'est là une affaire de famille, et nous n'avons pas à en discuter en mon Conseil. Si cela peut vous apazimer, sachez que je suis moi aussi tout aussi hostile à ce projet, bien que je ne le sois pas pour les mêmes raisons que les vôtres.

Et que celles de la reine-mère fussent, comme à l'accoutumée, mesquines et personnelles, c'est ce que sentirent tous les conseillers qui l'avaient écoutée, comme toujours, avec un respect apparent.

Que le roi fût, lui aussi, hostile au projet matrimonial de Gaston, fut pour Marie une fort bonne nouvelle, laquelle n'eût pas toutefois réussi à la calmer tout à plein, si la tempête de son ire ne l'avait mise si hors d'haleine qu'elle peinait à reprendre souffle, ses deux mains boudinées pressant le dessous de son volumineux tétin pour tâcher de calmer les battements désordonnés de son cœur. Tant est qu'à la

1. Mais une insulte pareille ne peut être pardonnée (ital.).

parfin, après quelques mots confus, elle reclouit enfin le bec, non sans avoir fait le plus grand mal au parti qu'elle désirait servir.

Je n'avais, pour en être certain, qu'à envisager à la dérobée les longues et tristes figures que tiraient à cet instant Bérulle et Marillac. Un an plus tard, me ramentevant cette scène, je ne laissai pas de m'en étonner : comment un homme aussi averti que Marillac pouvait-il manquer à ce point de prudence et de raison que d'employer une seconde fois, pour parvenir à ses fins, une princesse tant balourde et malhabile, qu'un complot, dont elle était l'instrument, ne pouvait que faillir ? Mais ceci est une autre histoire, laquelle me plongea, quand je la vécus, dans des alarmes et des angoisses qui ne peuvent se dire.

Quand la reine-mère eut terminé sa furieuse diatribe, Louis promena son regard sur les conseillers, mais il n'y en eut aucun qui osât approuver ou désapprouver Marie de Médicis, de peur d'encourir soit son courroux, soit celui de son fils. Et bien que Richelieu, changé en statue de pierre, ne bougeât ni ne pipât mot, Louis lui donna la parole sans qu'il l'eût demandée. Une vive curiosité apparut alors sur le visage des conseillers, la plupart se demandaient sans doute comment Richelieu allait s'y prendre pour opiner sans se fâcher irrémédiablement avec la reine-mère. Cependant, Richelieu, impavide, n'avait à cœur que le roi et l'intérêt du royaume, et bien le montra-t-il en cette occasion.

— La réputation de Votre Majesté, dit-il tourné vers le roi, lui impose de prendre en main la cause de ses alliés, dès lors qu'on les veut dépouiller. L'Espagne rêve de se donner un importantissime avantage en tâchant de saisir Casal. En la contraignant à lever le siège, Sire, vous ne secourez pas seulement le duc de Nevers, vous rassurez les villes italiennes qui sentent leurs possessions menacées chaque jour par l'insatiable appétit de Philippe IV et d'Olivares : Florence, Parme, Modène, la république de Venise tremblent à l'idée de perdre leur indépendance. Le pape lui-même craint pour ses États (assez jolie pierre, m'apensai-je, jetée en passant dans le jardin des dévots). Sire, l'Italie est comme le cœur du monde. C'est là où tout se joue, et le Milanais est ce qu'il y a de plus important dans l'Empire espagnol. La raison en est qu'en occupant le Milanais, les Habsbourg de Madrid peuvent joindre à tout moment les Habsbourg de Vienne et ainsi décupler leurs forces. Ce n'est donc pas le moment de cligner doucement les yeux et d'oublier Casal. Et d'autant que l'Italie est le lieu où l'Espagnol craint le plus d'être attaqué, y étant le plus vulnérable.

Après cette analyse où tant de faits étaient exposés en si peu de mots, et qui rendaient par comparaison si creuses, maigrelettes et insuffisantes les interventions de Bérulle et de Marillac, Richelieu fit une pause et envisagea le roi comme s'il lui demandait la permission de poursuivre. Cet habile silence avait pour but de ramentevoir à Louis qu'il était le maître, et que son ministre ne pensait et ne parlait que sur son ordre.

— Poursuivez, Monsieur le Cardinal, dit le roi.

— Il n'y a pas lieu, Sire, dit Richelieu, de mettre en concurrence la levée du siège de Casal et la poursuite de la guerre contre les huguenots. Il faut s'attacher, l'une après l'autre, à ces entreprises, car l'une et l'autre sont nécessaires. Sire, je ne suis point prophète, mais je crois pouvoir assurer à Votre Majesté que, ne perdant pas de temps dans l'exécution de ce dessein, vous aurez fait lever le siège de Casal et donné la paix à l'Italie dans le mois de mai. En revenant alors avec votre armée dans le Languedoc, vous réduirez les villes protestantes sous votre obéissance et y donnerez la paix dans le mois de juillet. De sorte que Votre Majesté pourra, comme je l'espère, revenir victorieuse à Paris dans le mois d'août.

Il y avait dans ce discours tant d'adresse, qu'il me laissa béant.

*

— Monsieur, un mot, de grâce.

— Belle lectrice, je vous prête une oreille attentive.

— Il ne manquerait plus que vous ne me la prêtiez pas ! Je vous ai rendu tant de services ! Chaque fois que dans vos Mémoires vous aviez un point délicat à faire entendre au lecteur, vous ne laissiez pas que de m'appeler à rescourre.

— Mais j'en appelle aussi au lecteur.

— Mais vous ne lui donnez pas la parole.

— Parce qu'il ne la prend pas. Qui ignore, Madame, qu'en ce monde les mignotes parlent plus tôt, plus vite et plus volontiers que les droles [1] ?

— C'est bien pourquoi je crains fort que votre petite duchesse, Monsieur, si vive et si frisquette, ne me relègue d'ores en avant dans les faubourgs de votre « bon plaisir », comme vous aimez à dire.

— Ma duchesse, Madame, ne me fera jamais oublier mes amies, et jamais je ne refuserai mon oreille à vos pertinentes questions.

— Puisque vous m'y encouragez, les voici donc sans tant languir. Pourquoi, Monsieur, cet « emploi du temps épique » que Richelieu dresse pour le roi (de prime Votre Majesté lève le siège de Casal, ensuite Elle réduit les huguenots du Languedoc) vous laisse si béant et si admiratif ?

— Justement, Madame, parce qu'il est épique. Vous saisissez au vif dans ces façons de faire et de dire la finesse du cardinal. D'abord, il convainc Louis par des raisons : tout est dit et bien dit, avec

1. « Droles » en oc désigne de jeunes hommes et ne prend pas d'accent circonflexe.

force et en peu de mots. Mais il ne suffit pas de convaincre le roi. Il faut aussi le persuader. D'où le calendrier guerrier. Pour de bonnes raisons, mais est-il besoin de les répéter? Louis n'aime pas sa mère; en revanche il chérit son père. Il connaît par cœur ses campagnes et ses victoires. Il aspire à lui ressembler. Et tout soudain, voilà que le succès du siège de La Rochelle lui a apporté cette possibilité enivrante. Il vaincra puisqu'il a vaincu à La Rochelle, il ne s'arrêtera pas là, il ajoutera à la gloire de ses armes. Il redeviendra, comme son père, le roi-soldat, si l'intérêt du royaume l'exige, et il partira à la tête de ses armées, et en hiver et dans la neige, héroïquement, il franchira les Alpes et ira délivrer Casal...

Au Grand Conseil du roi rien n'est plus inconnu que le vote, et le roi, ayant ouï ces opinions diverses, choisit et tranche. Le vingt-six décembre, il tranche dans le sens que je viens de dire, et avec une telle alacrité que Richelieu s'inquiète de l'effet que cette hâte à s'embarquer dans une aussi périlleuse entreprise va produire sur les conseillers. Tant est qu'ayant beaucoup poussé le roi dans cette voie, il va à la dernière seconde le freiner, ou plutôt feindre de le freiner : il lui demande de réfléchir encore trois jours avant de se décider. Il se donne, ainsi, les gants de la prudence et à peu de frais, puisqu'il n'ignore pas, connaissant bien Louis et son adamantine fermeté, qu'il ne reviendra mie sur sa décision.

Comme bien sait le lecteur, ni dans l'âme, ni dans le fait, je ne suis soldat. Je sers Louis, comme mon père a servi Henri IV, par des missions d'une grande diversité, le plus souvent diplomatiques, assez souvent secrètes, plus rarement périlleuses : comme le fut néanmoins, lors du siège de La Rochelle, une marche nocturne à travers les marais de la ville pour reconnaître la porte de Maubec, et qui fut d'autant plus nauséeuse et inquiétante que je dus la faire en la seule compagnie du *più emerito furfante della creazione,* comme aurait dit la reine-mère.

J'étais donc bien loin de m'attendre à ce que Louis quît de moi de l'accompagner en Italie. La raison qu'il voulut bien m'en donner fut que je savais bien l'italien, et que, par conséquent, je lui pourrais être fort précieux dans ses négociations avec le tortueux duc de Savoie, dont il doutait qu'il consentît, par peur de l'occupant espagnol en Milanais, à le laisser traverser ses États pour atteindre Casal et délivrer la ville.

De retour à mon hôtel de la rue des Bourbons, je fus béant d'y trouver Nicolas qui, dès la fin du siège de La Rochelle, avait dû cesser auprès de moi ses fonctions d'écuyer et rejoindre les mousquetaires du roi, comme il avait été prévu qu'il ferait dès ses maillots et enfances, son frère aîné Monsieur de Clérac étant un des capitaines de cet illustre corps.

Je fus fort aise de le revoir, ayant gardé de lui la meilleure remembrance, et lui donnai à l'étouffade une forte brassée, laquelle il me rendit sans lésiner, me considérant comme le maître et mentor de ses vertes années, et n'ayant pas eu de père, nourrissant pour moi, qui n'était pourtant que de dix ans son aîné, une quasi filiale gratitude.

— Nicolas, dis-je, que te voilà bellement attifuré en ton neuf uniforme de mousquetaire ! Et comment se fait-il que je te voie céans, alors que déjà tes camarades, clos en leur quartier, astiquent leur uniforme, fourbissent leurs armes et bichonnent leurs chevaux pour suivre Louis en Italie ?

— Monseigneur, je suis céans précisément sur l'ordre de Sa Majesté.

— Et que me veut le roi ?

— Il craint que vous ne puissiez me trouver un successeur avant votre département pour l'Italie, et il n'aimerait pas que vous soyez sans écuyer en ce longuissime voyage. Pour cette raison, il a demandé aux mousquetaires de me détacher auprès de vous pour la durée de la campagne.

— Ma fé! dis-je, je suis infiniment touché qu'ayant présentement tant de choses à faire, Louis ait pensé à mes commodités. Je suis et je serai fort aise, en effet, Nicolas, de t'avoir à mes côtés en ce prédicament. Car pour te le dire à la franche marguerite, je te regrette fort. Un mot encore, Nicolas, as-tu dit à Madame d'Orbieu la raison de ta présence céans ?

— Fallait-il le lui cacher ? dit Nicolas, une patte en avant et l'autre déjà sur le recul.

— Tout le rebours ! J'aime autant ne pas avoir à lui faire moi-même cette annonce. Comment l'a-t-elle prise ?

— Monseigneur, précisément comme vous pensez qu'elle l'a fait.

— C'est-à-dire ?...

— Fort trémulante, et une larme au bord des cils, laquelle aura plus d'une sœur, si j'en crois celles qu'Henriette a versées en cette même occasion.

Et en effet, dès qu'elle me vit, Catherine se leva de sa couche où elle sanglotait son âme, et se jetant contre moi, elle m'étreignit comme si elle noulait me jamais laisser départir, et cela sans mot piper et mouillant mon cou de ses larmes. Cette brassée dura une bonne minute. Après quoi, se déliant de moi et essuyant ses yeux d'un petit mouchoir brodé, elle se redressa toute et me dit d'une voix où l'ire l'emportait sur le chagrin :

— Monsieur, vous êtes un méchant ! À peine m'avez-vous mariée que déjà vous m'abandonnez.

— M'amie, dis-je, fort déconforté de ce ton, je ne vous abandonne pas. Le roi m'a ordonné de le suivre en sa campagne d'Italie. M'allez-vous reprocher de lui obéir ?

— Mais vous n'êtes pas soldat !

— Ce n'est pas en cette qualité que je dois accompagner Sa Majesté, mais comme interprète d'italien et comme diplomate.

— Et croyez-vous, dit-elle, que le boulet ennemi va choisir entre un soldat et un interprète ?

— M'amie, ledit boulet n'aura pas lieu de choisir : je ne me trouverai jamais ès lieux périlleux, n'ayant pas tâche de monter aux assauts.

— Monsieur, dit-elle sans transition, ôtez-moi d'un doute. Ne m'aviez-vous pas dit un jour que vous aviez appris au bec à bec avec des belles les langues étrangères dont vous vous paonnez ?

— En effet.

— Ne serait-il pas dès lors tentant, Monsieur, dit-elle, ses yeux mordorés jetant de dangereux éclairs, qu'une fois en Italie, et loin, bien loin de moi, vous ne tâchiez de perfectionner votre italien au bec à bec avec une personne du *gentil sesso* ?

— Madame, je n'en aurai ni l'occasion ni le désir.

— Et si vous en aviez l'occasion, en auriez-vous le désir ?

— Mais point du tout ! Madame, vous déformez mes paroles de la plus captieuse façon ! Ma phrase veut dire que, si même j'en avais l'occasion, je n'en aurais pas le désir.

— Et en aurez-vous l'occasion ?

— Cela importe peu, Madame, que j'en aie l'occasion, puisque je n'en aurai pas le désir.

Mais cette irréfutable logique fut perdue pour Catherine.

— Vous voudrez bien me concéder cependant, Monsieur, que votre phrase était passablement malheureuse.

— Elle n'était malheureuse que pour des oreilles qui noulaient entendre ce qu'elle dit.

— Monsieur ! dit-elle très à la fureur, vous me parlez là bien vertement, il me semble.

— M'amie, dis-je d'une voix douce et grave, si dans mon ton et mes paroles vous avez trouvé quoi que ce fût qui vous donnât à penser que je fus impertinent, je vous prie du bon du cœur de m'en bien vouloir excuser.

Lecteur, je me permets de te recommander ici la méthode dont je viens d'user : dès que dans une querelle une dame avec quelque dureté te malmène, demande-lui pardon. Elle te sera gré de lui présenter les excuses qu'elle aurait dû te faire.

Et en effet, la bonace succédant à la tempête, le regard de ma belle s'adoucit, elle rentra les griffes, et son ton redevint doux et délicieusement féminin.

— Ah ! mon ami, dit-elle, pardonnez à ma folle imagination, mais depuis que j'ai appris avec dol et tristesse l'affreuse nouvelle de votre département, je vous ai vu mort, mutilé ou infidèle.

Si j'avais eu à choisir entre ces trois perspectives, j'aurais, je le crains, préféré la troisième, mais la remarque, si je l'avais faite, eût été aussi mal accueillie que la phrase, en effet, malvenue sur « l'occasion et le désir ». Je fus sage, et je me tus.

Dans les jours qui suivirent et précédèrent mon département, je tâchai de persuader Catherine — et y réussis, je crois — que je n'allais courir aucun danger en cette campagne. Cependant, je me gardai de toute promesse de lui garder ma foi, car cela même lui aurait mis en pensée des doutes. Alors même que j'avais pris en mon for la plus adamantine décision, en me cuirassant à l'avance, contre les charmes et les sortilèges du *gentil sesso* italien.

Bien qu'on ne sache à quel aune l'absence et le déconfort puissent se mesurer, je ne laissais pas, en fait, de pâtir autant que Catherine de notre séparation, et maugré tant de choses intéressantes, tragiques et nouvelles que je me flattais de vivre et voir en cette belle Italie, au cours de cette campagne, dès que le jour, en campagne, laissait place à la nuit et que je gagnais seul ma couche, ma vie me paraissait fade, insipide, sans matière ni raison, et comme étrangère à moi-même.

Avant que de départir, je tâchai du moins que Catherine ne fût pas exposée, pendant mon absence, aux périls et incommodités de la solitude. Non sans raison, elle regrettait sa belle ville de Nantes où une fraîche brise, venue de la mer océane, balayait quand et quand ciel et terre. Elle voyait, disait-elle, en Paris une villasse sale et malodorante, les rues fort embrennées et, au surplus, si encombrées de tant de coches, de carrosses, de litières, de cavaliers et de piétons qu'on ne pouvait avancer qu'au pas au milieu des querelles, hurlades et claquements de fouet des cochers. Ces mêmes rues étaient, de reste, infestées la nuit par des bandes de mauvais garçons, coupeurs de bourses, casseurs de trognes, forceurs de filles et, à l'occasion, ne faisant pas plus cas de la vie d'un homme que de celle d'un poulet. Ce n'étaient que bruit et noise insufférables, et à peine s'endormait-on, qu'à la pique du jour les deux cents églises de la capitale se mettaient à carillonner toutes en même temps pour appeler les dévots aux matines. Lesdites cloches, à peine tues, étaient relayées par les cocoricos à l'infini des dix mille ou vingt mille coqs de la capitale, les Parisiens ayant la manie et folie d'élever des poules, fût-ce même dans leurs caves, pour avoir des œufs frais.

Certes, mon hôtel de la rue des Bourbons était bien remparé, se trouvant clos par un lourd portail de chêne aspé de fer, flanqué de murs fort hauts, garnis de fortes pointes en leurs sommets, gardé par un herculéen portier et quatre dogues allemands qui, rien qu'à les envisager, vous faisaient dresser le poil.

Mais l'audace des coquarts parisiens étant sans limites, je jugeai que ces défenses se trouvaient insuffisantes pour la sécurité de ma belle, et qu'elle les perdrait en fait tout à plein, dès qu'elle voudrait saillir hors des murs en sa carrosse pour courir les boutiques et acheter ses affiquets.

Je retournai la chose en mon esprit pendant une journée, et en fin de compte, je décidai d'envoyer ledit Nicolas au capitaine Hörner pour le prier de me venir visiter dès lors qu'il le pourrait. Et dès qu'il fut là, et il fut là en un battement de cils, je le reçus en le cabinet où j'écris mes lettres-missives, le fis asseoir à une petite table ronde, et partageai avec lui un flacon de mon vin de Moselle accompagné de quelques friandises de gueule.

— *Also, Herr Hörner!* dis-je. *Wie geht es Ihnen? Sie sehen etwas abgemagert aus.*

— *Das stimmt* [1]*!* dit Hörner, sa large face, d'ordinaire rouge comme un jambon, me paraissant bien pâlie. Je suis, en effet, bien amaigri, dit-il, et mes hommes aussi. Depuis que, le siège fini, nous vous avons escorté de La Rochelle à Paris, nous n'avons pas trouvé un autre engagement. Et comme un malheur ne vient jamais seul, la campagne d'Italie va achever de nous ôter le pain de la bouche.

— Et pourquoi donc? dis-je.

— Mais, Monseigneur, il n'est pas de gentilhomme de bonne maison qui ne veuille servir en cette occasion dans l'armée du roi, ne serait-ce que pour s'en paonner ensuite devant sa belle. Et comme ces gentilshommes sont à l'ordinaire ceux qui nous emploient, nous voilà ruinés. Que faire pourtant? La campagne d'Italie ne peut pas durer moins de quatre mois (par bonheur, m'apensai-je, Catherine n'est point céans pour ouïr cette malencontreuse prédiction), et d'aucuns de mes hommes sont déjà au bout de leur pain, d'aucuns même n'ont plus un seul sol vaillant pour payer loyer à leur logeuse. Quant à nos beaux et bons chevaux, fierté de notre vie, faute d'avoir orge et avoine à leur donner, nous avons dû les louer à un manège, qui les nourrit sans doute, mais les gâche et gâte leur dressage en les faisant monter par le premier venu.

1. — Eh bien, Monsieur Hörner, comment allez-vous? Vous paraissez quelque peu amaigri.
— C'est cela (all.).

Tout en tenant ce discours si déconforté, Herr Hörner, contrairement à son habituelle discrétion, ne laissa pas de puiser largement dans les friandises de gueule, tant est qu'à la parfin il en nettoya l'assiette. Ce qui me donna à penser qu'il se pouvait bien que lui aussi « fût au bout de son pain ». Cela me fit grand-peine, car j'estimais fort mes bons Suisses qui avaient quitté leurs montagnes natales faute d'y trouver pitance, et avaient choisi de quitter leur patrie pour venir en terre étrangère y louer leurs bras et exposer quotidiennement leur vie à seule fin de la gagner. Bien je me ramentevais avec quelle loyauté, discipline et vaillance, ils avaient combattu avec moi et pour moi lors de l'embûche de Fleury en Bière, deux d'entre eux étant tués au cours du combat, et d'autres sérieusement navrés.

Exploit moins brillant sans doute, mais tout aussi louable : au cours du siège de La Rochelle, faute d'avoir à m'escorter dans un camp riche de vingt mille soldats, ils s'étaient mis, de fort bon gré et avec beaucoup de patience et de suffisance, à reconstruire le mur d'enceinte du château de Brézolles, lequel était par places entièrement écroulé.

— Herr Hörner, dis-je, les choses vont changer pour vous et pour vos hommes, pour peu que nous nous mettions d'accord sur les conditions. J'aimerais vous employer, d'ores en avant, sans limitation de temps, à titre d'escorte permanente.

Hörner n'en crut pas ses oreilles de cette proposition.

— Permanente, Monseigneur ! s'écria-t-il, permanente ! Mais ce serait le bonheur des bonheurs ! Et la grâce des grâces ! *Gott im Himmel* [1] ! Permanente ! Quel cadeau du ciel ! Ne plus sentir l'angoisse vous étreindre le cœur quand, une escorte touchant à sa fin, on aspire de toutes ses forces à en trouver au

1. Dieu du ciel ! (all.).

plus vite une autre ! Et cela, hélas, ne se fait pas toujours ! Bien loin de là ! Et qui d'entre nous, alors, ne connaît pas la peur du lendemain, et des vaches maigres, et de la famine finale, laquelle s'installe en vous, rongeant toute joie et fierté, tant est qu'on se sent démuni et en même temps rejeté d'un monde qui ne veut plus de vous !...

Ce disant, il suffoquait, tout trémulant d'un trop-plein de bonheur, tant est que je lui versai pour le rebiscouler un plein verre de mon vin de Moselle et, agitant ma clochette pour appeler le valet, je lui commandai de regarnir en friandises de gueule, sans tant lésiner, l'assiette vide.

Je proposai alors à Hörner pour lui et ses hommes un vaste grenier au-dessus de l'écurie de mon hôtel de la rue des Bourbons, où ils pourraient, comme à Brézolles, loger et faire la cuisine, les viandes leur étant fournies par mon intendant.

Toutefois, chose qui me laissa béant, Hörner, tout heureux qu'il fût, barguigna âprement quand on en vint aux soldes, alors même que mes propositions me semblaient des plus honnêtes. J'arguai, en effet, que lesdites soldes pour un permanent emploi ne pouvaient être aussi élevées que pour une escorte temporaire, alors que Hörner tenait, tout au rebours, qu'elles devaient être semblables, le péril et le labeur étant les mêmes. En fin de compte, j'eus quelque vergogne à discuter plus outre avec ces braves gens, si bons serviteurs et si fidèles (« en quoi vous avez eu bien tort », dit mon père), et donnai à Hörner ce qu'il voulut, jugeant que cette dépense ne pouvait en rien m'appauvrir et qu'au surplus, ce n'était pas perdre pécunes que d'assurer la sécurité de Catherine dans les murs et hors des murs en mon absence.

Curieusement, bien que Catherine me sût le plus grand gré des soins que je prenais pour sa protection, elle envisagea aussi l'embauche permanente de Hörner et de ses hommes de tout autre manière.

— La Dieu merci ! dit-elle, vous n'aurez plus d'ores en avant à vous rendre au Louvre accompagné — si l'on peut dire « accompagné » — par un pelé et deux tondus, au risque que nos coquebins de cour se gaussent de vous et vous traitent, derrière votre dos, de pleure-pain et de chiche-face ! Dieu bon ! n'êtes-vous pas duc et pair ? Vous devez à votre rang plus de pompe et de magnificence ! Vos bons Suisses, avec leur carrure terrible et leur forte et mâle face, feront fort bien l'affaire, encore faudra-t-il les vêtir d'une casaque à vos couleurs, lesquelles étant vert et or seront du plus bel effet, tant est qu'en voyant un de nos Suisses passer par sa rue pour porter un message, un quidam dira en hochant la tête d'un air important : « Voilà un Suisse du duc d'Orbieu ! Et à quelle grande affaire trotte-t-il donc si vite ? » Mon ami, voulez-vous qu'on voie en vous un petit duc crotté de province sans un sol vaillant et lésinant sur tout, alors que nous sommes tous deux si bien garnis en pécunes ? Ah, mon ami ! connaissez mieux votre temps : à la Cour il ne suffit pas d'être ! Il faut paraître !

Quand je rapportai ces propos à mon père avant mon département pour l'Italie, à ma grande surprise, il donna raison à ma petite duchesse.

— Votre jolie épouse, dit-il, porte sur ses belles épaules une tête bien faite. Nous autres, anciens huguenots dont « la caque sent toujours le hareng », nous sommes beaucoup trop bibliquement économes et attachés à nos pécunes comme glue aux pattes d'un oiseau. Cela eût convenu dans l'ancienne république romaine qui était sobre et vertueuse. Mais dans une monarchie comme la nôtre, la pompe est un instrument de pouvoir. Le roi doit éblouir par sa magnificence, non seulement ses propres sujets, mais les autres rois d'Europe, leur donnant à penser que la pécune qu'il dépense à ses fastes est telle et si grande qu'elle pourrait, à l'occasion, lever de puissantes armées. Et quant au duc et pair, qui dans sa sphère est déjà un petit roi, il ne suffit pas qu'il soit une des colonnes qui soutiennent l'État ; il faut aussi que par sa pompe il le fasse apparaître...

*

De toutes les croix que mon pauvre roi eut à porter dans sa brève et peu heureuse vie, les plus lourdes, assurément, furent celles que sa mère, son frère et son épouse firent peser sur lui. Ainsi se révèlent les visages très dissemblables que le mot « famille » peut recouvrir : pour les uns, la solitude partagée, le ferme soutien dans les épreuves, les tendres retrouvailles ; pour les autres, les pointilles, les tracas, les amertumes à l'infini...

Le lecteur se ramentoit que le jeune Gaston d'Orléans, veuf inconsolable, s'était toutefois épris, peu de temps après la mort de son épouse, de Marie de Gonzague, fille du duc de Nevers, à qui le duché de Mantoue venait d'échoir. La reine-mère, comme on l'a vu, était hostile à cette union pour une raison peu raisonnable : le père de la garcelette avait pris les armes contre sa régence vingt ans plus tôt. Mais le roi et Richelieu n'en voulaient pas davantage, et en voici le pourquoi. Ils craignaient que Gaston, éternel brouillon, et toujours en rébellion plus ou moins ouverte contre son aîné, n'allât, pour un oui pour un non, se réfugier chez son beau-père en Italie, où il brouillerait sans doute tout à plaisir. Qui sait même ? en prenant langue avec les Espagnols du Milanais...

Vif, spirituel, aimable, mais plongé dans les débauches et les pitreries, Gaston aspirait toujours à plus de viandes qu'il n'en pouvait mâcher. Il avait voulu commander au siège de La Rochelle, et toutefois à pied-d'œuvre, sortant sottement de son rôle de général, il avait en première ligne joué les héros. Après quoi, se lassant vite de ce jeu guerrier, il s'était dégoûté aussi du plat pays rochelais, des marais, du climat tracasseux, et s'en était retourné, sans crier gare, en Paris pour se livrer, loin du Louvre sous l'œil de sa mère, en un hôtel discret, à des occupations qui demandaient moins d'efforts.

Gaston, pour qui une femme n'était qu'une femme, n'aimait pas Marie de Gonzague au point de vivre éternellement dans la défaveur de son aîné, et privé de ses pécunes qui lui étaient d'autant plus nécessaires qu'elles lui coulaient comme ruisseau entre les mains. Il conçut l'idée de barguigner avec le roi un assez peu ragoûtant accommodement : il renoncerait à Marie de Gonzague pour peu que le roi lui donnât le commandement de l'armée d'Italie et cinquante mille écus d'or pour son équipage. Gaston était tout joyeux d'avoir imaginé avec ses conseillers ce bargoin, dont il n'apercevait même pas l'indécence. Le cardinal était là, et moi à ses côtés quand le roi reçut la lettre-missive dévergognée qui contenait cette proposition. Tout sévère et austère qu'il fût, elle fit rire le roi.

— Cinquante mille écus pour un équipage ! dit-il. C'est payer cher un cheval et son harnachement ! Qu'en pensez-vous, Monsieur le Cardinal ?

— Sire, dit gravement Richelieu, Monsieur le duc d'Orléans est par le rang le deuxième personnage de l'État. Il est aussi difficile de lui refuser ce commandement qu'il est impossible de le lui accorder.

— Je vais pourtant le lui refuser, dit Louis. Mais comment ? Voilà le hic. Car je vois bien qu'il y faudra mettre quelque ménagement.

— Sire, dit Richelieu, la seule façon courtoise que vous ayez de refuser à votre frère cadet ce commandement, c'est de l'assumer vous-même.

— Mais c'est bien ce que je comptais faire, dit Louis, fort satisfait d'être poussé à une décision qu'il aspirait à prendre, sans être encore résolu à la faire connaître.

— Cependant, dit Richelieu, vous pourriez, ce faisant, demander à Monsieur le duc d'Orléans d'être votre brillant second dans cette campagne.

— Je ne sais si je le dois, dit Louis avec un soupir. C'est qu'il pourrait bien accepter.

À quoi le cardinal se permit un discret sourire, et moi aussi, et Louis, le rire le plus franc. Il fallait que ce fût un jour béni des Dieux, et que Louis fût très heureux, pour qu'il se permît, à l'idée de redevenir le roi-soldat, deux rires dans une même journée.

— Sire, dit Richelieu, n'ayez pas la crainte que Monsieur le duc d'Orléans accepte cette proposition. Si, comme je crois, cette campagne d'Italie consacre votre gloire, Monsieur le duc d'Orléans ne voudra pas en recevoir un reflet, à son gré, trop pâle.

Et en effet, quelques jours plus tard, le cardinal sut par ses espions que Gaston avait rejeté l'idée de prendre part à la campagne d'Italie, arguant que sa présence ne serait pas utile, Richelieu accompagnant le roi, ce qui voulait dire, qu'il saurait tout et qu'il ferait tout... Belle fléchette qui avait des chances, en retombant, de blesser son aîné autant que le cardinal.

— Je ne saurai pas tout, dit Richelieu en commentant ce méchant propos devant moi, mais je ferai beaucoup, et dans l'ombre et sans gloire, puisque je me suis donné pour tâche d'assurer l'envitaillement en viandes et en munitions, les séjours aux étapes et le paiement des soldes.

C'est-à-dire, lecteur, une tâche surhumaine, où jusque-là les intendants du roi avaient donné peu de satisfactions, sauf à leurs propres boursicots.

*

Le quinze janvier 1629, Louis quitta Paris pour l'Italie avec trente mille soldats et cinq mille cavaliers : grandissime armée, comme on voit, aussi nombreuse que celle avec laquelle en 1627 il avait investi La Rochelle, le but étant de frapper l'ennemi de terreur par le nombre, afin de ne pas avoir besoin d'engager le fer.

Pour commander cette armée, Louis emmena avec lui, outre le cardinal — qui devait jouer le rôle « humble », mais importantissime que l'on sait —, les maréchaux Schomberg, Bassompierre, d'Estrées et Créqui. Lecteur, je ne sais pas quel fut ton grade dans les armées où tu servis, cependant, même, et surtout s'il fut modeste, j'espère que tu éprouveras quelque contentement à renverser les rôles et à passer en revue avec moi ces quatre maréchaux.

Des deux premiers, j'ai déjà beaucoup parlé dans les tomes de mes Mémoires précédant celui-ci, et ce que j'en dis ici n'est pas inconnu de ceux qui les ont lus. Je commence par Schomberg, parce que la vertu étant sans histoire, il suffit de quelques mots pour en rendre compte : Schomberg était vaillant, discipliné, compétent, consciencieux, et, tant au roi qu'à son épouse, d'une adamantine fidélité. Chose digne d'être noté, *la Cour* (et par ce mot j'entends les caquets et caquettes qui foisonnent en ce lieu clos) ne trouva jamais rien à dire à son détriment.

Fils d'un père lorrain et d'une mère française, Bassompierre était de son côté un étonnant mélange de grandes qualités et de défauts qui n'étaient pas petits, qualités et défauts dont je laisserai au lecteur le soin de décider lesquels étaient français, et lesquels germaniques. Bassompierre avait beaucoup lu, sans que cela l'eût rendu pédant. Il connaissait fort bien le métier des armes. En outre, il était gai, souple, charmant et plein d'esprit, et il sut se faire aimer, non seulement de femmes innumérables, mais d'Henri IV, de la reine-mère et de Louis XIII. Par malheur, après son mariage avec ma demi-sœur, la princesse de Conti, il devint tout soudain piaffant et paonnant et, sous l'influence des vertugadins diaboliques, dont la duchesse de Chevreuse et la princesse de Conti étaient les inspiratrices, il se mit à danser si imprudemment sur la corde de la fronde et de l'infidélité, voire de la demi-trahison, que Louis, à la parfin, l'en fit tomber et le fourra en Bastille.

Le maréchal d'Estrées était le frère aîné — et c'est quasiment tout dire — de la belle Gabrielle d'Estrées, maîtresse d'Henri IV. Il avait cinq autres sœurs, tout aussi insufférablement escalabreuses et dévergognées que lui-même et Gabrielle, tant est que la Cour les avait surnommés « les sept péchés capitaux ».

Au moment où la campagne d'Italie débuta, il avait cinquante-sept ans, et il était tout aussi vif, allègre et bondissant qu'un jouvenceau frais émoulu du collège de Clermont, n'ayant que gratitude pour les jésuites qui l'avaient instruit, et fort heureux, toutefois, de les quitter.

En cette campagne d'Italie, il fut le seul dcs quatre maréchaux à ne pas franchir les Alpes. Louis lui donna comme mission de se porter jusqu'à Nice afin de ravager les campagnes autour de la ville : cette diversion avait pour but de retenir sur la côte les troupes du gouverneur Don Félix de Savoie, afin d'empêcher qu'elles n'allassent se porter au secours de Suse, s'il devenait nécessaire de s'en saisir pour s'assurer un passage jusqu'à Casal.

Le maréchal d'Estrées mourut quasi centenaire, à l'âge de quatre-vingt-dix-huit ans, ce qui fit dire à la Cour qu'il se pouvait que le vice conservât mieux que la vertu.

Le maréchal de Créqui, lui, était le seul des maréchaux à bien connaître l'italien, pour la raison qu'en 1597, brûlant de servir les intérêts d'Henri IV, il leva sur ses deniers un régiment et guerroya contre Charles-Emmanuel Ier de Savoie pendant trois ans, de 1597 à 1600.

Sa petite armée était trop valeureuse pour être

vaincue, mais trop faible pour vaincre. Créqui eut du moins la satisfaction de tuer en duel Philippe, le demi-frère du duc, qui l'avait provoqué.

En outre, il se plaisait fort en Italie. Étant raffolé du *gentil sesso*, il n'y perdit pas son temps, car dans les bonaces qui suivent les tumultes, il cueillit sur les lèvres des belles Italiennes leur beau langage, si chantant et si chaleureux. Pour parfaire ces entretiens, il fit alors quelque chose qu'il n'avait fait que rarement en France : il ouvrit un livre et il le lut. C'était *L'Enfer* de Dante, et il en devint amoureux.

C'est parce que Créqui connaissait bien la langue, les mœurs et le terrain, que Louis l'emmena avec lui en Savoie. Le maréchal, qui était alors assez mal allant, accepta cette mission avec d'autant plus de joie que devait y prendre part son fils, le comte de Sault, qui commandait un régiment. Au cours de la campagne d'Italie, je partageai avec le comte épreuves et périls, je le trouvai fort honnête homme, et nous devînmes amis.

Bien que le maréchal de Créqui fût estimé de tous, la Cour ne laissait pas de le dauber quelque peu, disant que, s'il épousait garce, ce ne pouvait être qu'une fille de Lesdiguières. Et ce n'était pas faux : Créqui, marié de prime à Madeleine, fille du Connétable, épousa, devenu veuf, Françoise, autre fille de Lesdiguières, mais née d'un second mariage.

Une autre particularité dans la vie de Créqui étonna la France : seul de nos dix maréchaux, il ne mourut pas dans son lit. En 1638, en cette Italie que tant il aimait, il fut fauché sur le champ de bataille par un boulet. « L'ennemi y a mis le prix », dit la Cour qui, étant sans cœur, se gaussait de tout.

Lecteur, tu connais maintenant les acteurs de cette campagne : d'un côté, Charles-Emmanuel Ier, duc de Savoie, son fils, le prince de Piémont (qui a marié, comme tu sais, Christine de France), Don Gonzalve de Cordoue qui assiège Casal ; de notre côté, Louis,

Richelieu, les quatre maréchaux, le maréchal de camp Toiras qui, venu de La Rochelle, nous rejoindra à Grenoble, le jeune et charmant comte de Sault, moi-même enfin, que je te prie d'accepter céans comme le chantre de cette histoire. Il est temps, en effet, de frapper les trois coups pour laisser place à ce drame qui se déroula dans l'émerveillable décor des Alpes de Haute-Savoie — drame qui contient aussi, comme toujours, quelques éléments de comédie, et se peut aussi, des leçons. Mais celles-là, pardonnez-moi de ne pas les tirer moi-même : ce n'est pas là mon rollet.

CHAPITRE III

Le roi, le cardinal, les quatre maréchaux que j'ai dits, et l'armée d'Italie forte de trente mille soldats et de cinq mille cavaliers, quittèrent Paris le quinze janvier et atteignirent Grenoble le quinze février. Lecteur, il se peut que tu me fasses remarquer que parcourir cent quarante-deux lieues [1] en trente et un jours, cela fait à peine cinq lieues par jour; ce n'est donc pas un exploit. Oui-da, pour les cavaliers et les carrosses! Mais pour les soldats à pied, c'était prou! Surtout quand il fallait que le lendemain ils remettent leurs pieds meurtris dans les bottes, et le lourd mousquet sur l'épaule, pour retrouver l'interminable route, où ils avançaient la face criblée de coups d'épingles par le vent glacé.

La Dieu merci, les tentes et les piques sont dans les charrettes avec les viandes, mais les charrettes, pas plus de reste que les carrosses, ne sont de tout repos pour les cochers sur les routes mal empierrées du royaume. Les roues souvent se rompent et les essieux se cassent, et il faut alors réparer, les doigts gourds par la froidure et par la neige. La nuit venue,

1. Il existe tant de lieues de longueur différente qu'il est difficile de préciser, en termes modernes, celle dont il est question ici. Elle devrait se situer entre quatre et cinq de nos kilomètres.

si faillent les lieux clos dans les villes pour loger tant de monde, il faut dresser les tentes, puis à la pique du jour les démonter, ce qui mange du temps, sans compter les nécessaires arrêts au cours d'une longue étape pour nourrir et rafraîchir les troupes. Que de fois j'ai ouï, en cette longue étape, les vieux soldats, originaires des montagnes de Suisse, dire aux jeunots sous couleur de les consoler : « *Herrgott, Junge!* Tu te plains! et c'est quasiment rien que du plat! Tu verras à partir de Grenoble! Les cols à passer! Le Lautaret! La neige jusqu'aux genoux! »

N'ayant point de commandement en cette armée d'Italie, je la pouvais suivre en carrosse. J'avais néanmoins emmené aussi mon Accla, dont Nicolas prenait soin; sa nouvelle jument s'entendait fort bien avec elle, cependant, la tolérance ayant des limites, elle souffrait mal que Nicolas montât Accla. Ce que je faisais, quant à moi, quand et quand, tant pour me donner de l'exercice que pour qu'elle ne perdît pas l'habitude de répondre au mors et à ma voix. Mon Accla portait le poil bourru qu'émerveillablement elle revêt en hiver, si bien qu'à mon sentiment elle supportait mieux le froid que moi, mais le vent bien plus mal, n'étant pas aussi bien encapuchonnée que je l'étais dans ma hongreline. À l'étape, je ne craignais pas de déchoir en donnant la main à Nicolas pour la brosser et la bichonner, ce dont elle me savait le plus grand gré, me remerciant par de tendres hennissements. Du diantre si je sais pourquoi nos animaux ont pour nous tant de gratitude, alors que les humains en ont si peu!

Quelques lieues avant Grenoble, un mousquetaire du cardinal me vint au trot dire que Son Éminence me voulait voir au prochain arrêt, lequel était imminent. Il me conduirait lui-même à sa carrosse, pour peu que je voulusse bien monter mon cheval, lequel se faufilerait plus aisément que ma carrosse dans l'interminable colonne de troupes qui, sur une bonne lieue de long, occupait toute la largeur de la chaussée, à telle enseigne que des éclaireurs, loin devant nous, interdisaient aux bonnes gens, qu'ils fussent montés ou à pied, de cheminer en sens inverse du nôtre.

Il régnait dans la carrosse du cardinal une chaleur qui me parut douce et confortante. Elle était due au grand nombre de chaufferettes qu'on voyait sur le sol, sans lesquelles les trois secrétaires eussent eu les pieds gelés et, en voie de conséquence, les doigts trop gourds pour écrire à tour de rôle les lettres-missives que Richelieu leur dictait. Charpentier, que je connaissais bien, se poussa pour me laisser place au côté du cardinal et, à ma grande joie et soulage, je pus prendre la place qu'il abandonnait et poser mes bottes sur sa chaufferette.

Cette carrosse était d'évidence le cabinet de travail du cardinal, d'où ses messages partaient à tous les postes de l'armée avec des instructions précises. À mon sentiment, le cardinal devait oublier, à moins que quelque violent cahot ne le lui ramentût, que ce cabinet-là, monté sur roues, roulait sur les grands chemins de France. Quelqu'un qui ne l'eût pas connu aurait jugé, à observer sa face maigre, triangulaire, son nez busqué et le creux de ses yeux, qu'il était mal allant. Mais il n'en était rien. Sa fragilité apparente cachait des réserves de force. Et bien que son encharné labeur lui donnât un air grave et tracasseux, cette apparence était pourtant trompeuse. En fait, depuis qu'il avait quitté Paris, c'est peu dire qu'il était content : en son for il rayonnait de joie. La raison en était, qu'ayant vécu cette grande aventure du siège de La Rochelle, dont le succès lui devait tant, il s'apprêtait à en vivre une autre, inspirée par cette politique résolue et entreprenante qu'il partageait avec Louis : défendre du bec et des ongles, et partout où ce serait utile, les intérêts de la France et de ses alliés, sans accepter un seul instant, comme l'eussent désiré aveuglément nos archidévots, l'hégémonie sournoise de l'Espagne.

En outre, cette nouvelle campagne, maugré les duretés de l'hiver, avait ceci d'enivrant que la supériorité de nos forces sur celles du duc de Savoie, et sur celles des Espagnols du Milanais et des Impériaux [1], nous promettait, cette fois-ci, une victoire rapide.

Richelieu ne voyait aucune incompatibilité entre sa robe de prélat et la guerre, pour peu qu'elle fût juste et défensive. Il était, par ailleurs, fort entiché de sa noblesse, et je ne laisse pas d'être persuadé qu'il eût choisi le métier des armes, si la nécessité ne l'avait contraint à devenir évêque, afin que l'évêché qui était dans sa famille ne tombât, par sa faute, en désuétude. Cependant, une fois consacré, nul n'ignore qu'il s'attacha à ses devoirs de prélat avec un zèle sans défaillance et un labeur infini, tant est que son petit évêché qui était, selon ses dires, « le plus crotté de France » devint aussi le mieux tenu. Cependant, son grand esprit, insatiable d'action et de perfection, se rapprocha par degrés des grandes affaires du royaume, auxquelles il aspirait, non par piaffe ou cupidité, mais parce qu'il savait que, parvenu au plus haut degré du pouvoir, il ferait merveilleusement bien son métier, et cette fois pour le bien, non d'un petit évêché, mais d'un vaste royaume.

Une fois dans la carrosse, et avant que je pusse même ouvrir le bec, le cardinal coupa court d'un geste aux salutations.

— Mon cousin, dit-il, Louis vous confie par ma bouche une mission délicate. Apprenez, de prime, que Toiras est pour nous rejoindre à Grenoble avec ce qui reste de l'armée de La Rochelle, soit à peu près cinq mille hommes. L'officier de cantonnement a reçu l'ordre de lui trouver en ladite ville, pour la

1. Il s'agit ici des soldats de l'Empereur.

durée de l'étape, un logis qu'il partagera avec vous. Êtes-vous contraire à cet arrangement ?

— Tout le rebours, Éminence.

— C'est donc que vous aimez bien Toiras.

— Je l'aime, et je l'estime aussi, cependant avec quelques nuances.

— Plaise à vous de me les préciser.

— Toiras, Éminence, est un homme droit, franc comme écu non rogné, vaillant, tenace, plein de bon sens. Et il sait la guerre.

— Je ne vois pas là les nuances auxquelles vous faites allusion.

— Eh bien, Éminence, disons que Toiras, par ailleurs, se paonne un peu trop de ses exploits et, par malheur, comme tous les piaffards, il est susceptible à l'excès. Tant est qu'étant d'humeur escalabreuse dès qu'il croit qu'on lui manque, il éclate en ires tempétueuses qui ne respectent rien ni personne. Sa Majesté en sait quelque chose, puisqu'il a été son favori.

En réalité, Richelieu savait tout cela aussi bien que moi, et ce qu'il tâchait de connaître par cet interrogatoire, ce n'était point tant les faits que les sentiments que m'inspirait Toiras.

— Pouvez-vous me citer un exemple de ces véhémentes colères ?

— L'une est célèbre, Éminence, et toute la Cour la connaît.

— Contez-la néanmoins. J'aimerais ouïr votre version.

— La voici. Quand Louis fit tomber Toiras de son piédestal de favori et le remplaça par Saint-Simon, Toiras éclata, *urbi et orbi*, en propos violents et déprisants contre son pauvre successeur, disant haut et fort que tout le génie de ce « foutumacier de merde » avait été, à mi-chasse, de présenter tête-bêche, et parallèlement au cheval fourbu du roi, le cheval de relais, de sorte que Sa Majesté pouvait passer de l'un à l'autre sans toucher terre. Votre Éminence n'ignore pas que Saint-Simon, indigné, voulait envoyer ses témoins à Toiras, et que le roi le lui défendit roidement en disant : « Toiras vous tuera, Saint-Simon, et je serai obligé de lui couper la tête, perdant ainsi deux bons serviteurs. Point ne le veux. »

— Et comment vous êtes-vous accommodé, mon ami, dit le cardinal, de son caractère escalabreux, quand vous avez été assiégé avec lui par Buckingham pendant de longs mois dans la forteresse de l'île de Ré ?

— Très mal au début, Éminence. Très bien ensuite. Mais il y a fallu, de ma part, beaucoup de miel et quelques efforts d'humilité.

— L'humilité, dit Richelieu qui, j'en jurerais, pensait à ce moment à ses rapports avec Louis, n'est pas seulement une vertu louable. Elle est aussi fort utile dans les occasions. Je suis heureux que vous soyez capable d'en maîtriser la rigueur. Toiras est, en effet, malgré ses piquants, un très bon soldat. Et le roi compte l'employer en Italie à une tâche aussi difficile que périlleuse. Il compte aussi sur vous pour la lui faire accepter.

— Sur moi, Éminence ?

— Sur vous, mon cousin. Et voici qui va éclairer votre lanterne. Quand nous aurons passé le Pas de Suse — avec ou sans l'assentiment de Charles-Emmanuel de Savoie — nous marcherons, la voie étant libre, sur Casal, que l'Espagnol Don Gonzalve de Cordoue assiège, comme vous le savez, depuis des mois. Il est alors à prévoir que Don Gonzalve, dont l'armée ne compte pas dix mille hommes, ne voudra pas affronter la nôtre qui est trois fois le nombre, et se retirera de Casal sans tirer une mousquetade. La ville sera nôtre alors, mais pour combien de temps ? Dès le jour où nous aurons quitté l'Italie, les Espagnols la viendront assiéger derechef. Et à qui Olivares et Philippe IV d'Espagne confieront-ils alors le soin de la prendre ? À qui, sinon à l'illustre vainqueur du siège de Breda : le marquis de Spinola. En ce périlleux prédicament, le roi estime que nous ne pourrons opposer au Prince des Assiégeants que le Prince des Assiégés : Toiras.

Là-dessus, Richelieu me jeta un œil perçant et, le sourcil levé, se tut.

— C'est donc moi, Éminence, qui devrai persuader Toiras de s'enfermer derechef pendant un an, ou plus encore, dans les murs d'une ville assiégée. Ce ne sera pas si facile.

En disant ces mots, j'envisageai Richelieu, et je fis des vœux pour qu'il sentît, grâce aux fines antennes de son émerveillable tact, ce qui se passait au même instant dans mon esprit. Je ne fus pas déçu, car le cardinal eut un petit sourire qui valait bien des paroles et me dit avec l'air de n'y pas toucher :

— Mon cousin, le roi n'entend pas quérir de vous que vous apportiez de nouveau votre aide à Toiras, votre concours dans ce siège n'étant pas indispensable. Toiras parle italien, point tout à fait aussi bien que le maréchal de Créqui et vous-même, mais bien assez pour se faire entendre.

Je me sentis alors si immensément soulagé qu'à peu que je ne sentisse me pousser des ailes. Ah, Catherine, mon cher ange ! m'apensai-je, vous quitter, alors qu'à peine nous étions mariés ! Vous ne savez pas, et vous ne saurez jamais, à quelle longue et insufférable séparation nous venons d'échapper, vous et moi...

— Tout du même, Éminence, repris-je, ce ne sera pas tâche aisée. Toiras est pétri d'aigreur et d'amertume, estimant que sa splendide résistance dans l'île de Ré eût dû lui valoir le maréchalat.

— Hélas ! Il l'aurait eu, dit le cardinal avec un soupir, s'il n'avait été si piaffard et si paonnant, et chantant ses éloges à tous échos. Mais ce qui a surtout rebroussé Louis contre lui fut cette chasse à courre qu'il imagina de lancer en plein siège entre les lignes rochelaises et les nôtres, courant gros risque de se faire tuer par les uns et les autres. Et tout cela pour lever deux lapins ! Ce jour-là, Monsieur de Toiras a gâché de lui-même toutes ses chances d'accéder au maréchalat.

— J'entends bien, Éminence, combien cette extravagance a dû heurter chez le roi le souci de la décence et de la discipline. Toutefois, je me suis apensé, à l'instant, que je réussirais à coup sûr si Louis pouvait m'autoriser à dire à Monsieur de Toiras que, s'il résistait au moins un an dans Casal assiégée par Monsieur de Spinola, cet exploit lui vaudrait, à coup sûr, la dignité à laquelle il aspire.

— Je demanderai pour vous, ce jour même, au roi cette autorisation, dit Richelieu, et je vous la ferai tenir par Charpentier. Un simple « oui » ou un simple « non » de bouche à oreille suffira.

Autrement dit, je n'aurais rien d'écrit pour soutenir cette assurance que j'allais donner à Toiras, ce qui me laisserait dans une fort méchante position, si Louis faillait à sa promesse.

À Grenoble, je fus logé, et bien logé, dans un logis fort commode, et Dieu merci, bien chauffé, et au surplus accueilli, quasiment à bras ouverts, par une veuve des plus accortes qui m'assura que, plaignant les duretés de mon longuissime voyage, elle allait m'ococouler de son mieux dans le douillet de ses lares domestiques. « Dieu bon ! m'apensai-je, déjà une tentation ! Dieu bon, au secours ! Comment résister, quand on n'en a pas l'habitude ? »

— Monseigneur, dit Nicolas en m'aidant à me déshabiller, car me sentant fort poussiéreux, je me voulais laver avant l'heure du souper, il m'a semblé que notre hôtesse vous donnait le bel œil.

— Et en quoi cela te concerne, Chevalier ?

— Monseigneur, pardonnez-moi, cela en un sens

me concerne aussi, car la chambrière qui me mena à ma chambrifime en fit autant, y ajoutant, douce comme chatte, quelques petits frôlements. J'oserai donc vous demander quel exemple et quel conseil vous m'allez donner en ce prédicament.

— Nicolas! m'écriai-je, c'est un comble! Et du diantre si je sais pourquoi, en plus de ma propre conscience, je devrais me charger aussi de la tienne!

— C'est que, Monseigneur, vous êtes mon aîné de quelques années et possédez plus d'expérience que moi.

— Mais je n'ai pas plus d'expérience que toi dans l'art de résister au *gentil sesso*!... J'en aurais plutôt moins, vu le nombre de fois que j'ai cédé à ses petites mines languissantes. Cependant, Nicolas, si tu me permets de te faire cette remarque, il n'y a qu'un mois que tu as quitté ton épouse, et moi la mienne. Si tu défailles au bout d'un mois, n'est-ce pas mauvais signe pour l'avenir? Que diantre! Où est l'urgence? Où est la presse?

— La presse, Monseigneur, dit Nicolas rougissant (et comme il paraissait jeune, quand le rouge lui montait aux joues! Et comme on pouvait comprendre, rien qu'à le voir, qu'une chambrière un peu chaleureuse eût envie de le cajoler), la presse, Monseigneur, c'est que je crains que ma lame ne se rouille dans son fourreau.

À cette guerrière métaphore, je ris à gueule bec.

— Une bonne lame, Nicolas, ne rouille pas si vite. Je me suis même demandé si elle rouillait jamais, quand j'ai ouï qu'un certain maréchal de France, remarié à soixante-quatorze ans, avait une deuxième fois fait souche. Au demeurant, une faim comme celle-là n'est pas comme celle de l'estomac. Elle vous tourmente, mais sans vous affaiblir. Il est donc possible de lui résister sans dommages, sauf se peut à la longue.

— Cela veut-il dire, Monseigneur, que vous allez résister à la tentation?

— Mais je n'en sais encore rien ! Et cesse, Nicolas, je te prie, cesse, à tout le moins dans ce domaine, de me prendre pour modèle ! C'est déjà bien assez difficile d'être vertueux tout seul. Pourquoi le devrais-je être pour deux ?

Nous allions passer à table pour le souper, quand Monsieur de Toiras survint. Comme il se peut qu'on ne se ramentoive point à quoi Toiras ressemblait, je m'en vais derechef le décrire. Il était de bonne taille et bien pris, le poil châtain, abondant et frisé, l'œil noir, tantôt rieur, tantôt jetant des flammes, la face tannée par le soleil, le nez gros, la mâchoire forte, la membrature carrée. Si vous me permettez de me mettre à votre place, chère lectrice, je dirais, qu'à défaut d'être beau, il était viril. C'est du moins ce que parut penser notre hôtesse quand je le lui présentai, car ses affectueux regards à table se partageaient alors équitablement entre Nicolas, Toiras et moi. Je dois avouer qu'après ces froidures et ces extrêmes fatigues, le fait d'être si chaleureusement envisagé dans ce logis si bien chauffé était fort réconfortant. Une belle lectrice, m'écrivant un jour de sa plus belle plume, m'a fait observer avec un soupçon de malice que, dans ces Mémoires, les hôtesses sont souvent très pliables aux désirs de leur hôte. Je ne crois pas que je doive m'en excuser, car il y a à cela une raison évidente, et que je vais dire ici.

Quand l'officier chargé du cantonnement à l'étape cherche le gîte d'une nuit pour un gentilhomme de haut rang, il voudra s'adresser le plus souvent à une veuve, afin d'éviter d'avoir maille à partir avec un mari. Et cette veuve, bien qu'elle puisse rejeter la requête, l'accepte le plus souvent, se peut parce qu'elle désire rompre la solitude et la monotonie de sa vie, se peut aussi parce qu'elle nourrit de bons sentiments pour le sexe opposé. Et « opposé », dans ce cas, il ne l'est que fort peu.

Madame de Chamont — c'était là le nom de la

dame —, observant que Toiras et moi parlions à mots couverts, fit preuve d'une discrétion exemplaire, et la dernière bouchée avalée, se retira gracieusement en ses appartements. Et Nicolas sans tant languir l'imitant, je demeurai seul avec Toiras, et lui fis part alors des desseins du roi à son endroit.

Il fut roide et rude, comme à l'accoutumée, et se serait, je crois, encoléré, mais à la dernière seconde, il s'avisa de remplacer l'ire par l'ironie.

— La grand merci, dit-il, j'ai déjà fait plus que ma part. Le siège subi à l'île de Ré me suffit. Et pourtant, qui sait? ajouta-t-il avec la dernière aigreur, si j'acceptais, qui sait si pour me remercier on ne me nommerait pas sergent?

— L'attitude de Sa Majesté à votre égard, dis-je vivement, a changé! Elle regrette de ne point vous avoir récompensé comme Elle aurait dû après votre superbe exploit de l'île de Ré. Et je suis persuadé que, cette fois, Elle ne faillira pas à reconnaître votre valeur par un avancement digne de vous.

— Dois-je croire le beau Sire? dit Toiras sans trop de respect, ni dans le ton, ni dans les mots. Vous verrez qu'il attendra que je sois mort pour me nommer maréchal à titre posthume! Je le connais mieux que vous! Il n'aime pas, dit-il, mes manières. Elles le piquent. Et dès qu'il est piqué, bien qu'il ait bon cœur dans son fond, il devient méfiant, méchant et rancuneux. Il a été, à ce que je crois, fort mal traité en ses maillots et enfances par sa mère, laquelle, je dirais pour imiter son jargon, qu'elle est *la donna la più cattiva della creazione* [1]. Et meshui, dès que Louis croit qu'on lui manque, il se sent outragé et vous veut mal de mort! Voilà l'homme! Vramy! Je n'aime pas trop Richelieu, mais il y a des jours où je le plains de supporter Louis du matin au soir! Et de mon côté, croyez-moi, ce n'était guère enviable d'être

1. La femme la plus méchante de la création (ital.).

son favori ! Il voulait à force forcée réformer mes manières ! Ce n'était du matin au soir que gronderies et remontrances ! Et qu'est-ce qu'elles ont, après tout, mes manières de si damnable ? Qu'en êtes-vous apensé, Duc, qu'opinez-vous ? Parlez à la franche marguerite !

Diantre ! Franche, la marguerite avec Toiras ? Et comment lui dire le début du commencement de la vérité ? Avec quels ménagements et avec quelle infinie légèreté de main ?

— Mon ami, dis-je enfin, je ne vois rien à blâmer en vous. Vous êtes franc comme l'or. Cependant, quand on est franc à ce point, il est difficile d'être en même temps diplomate.

Dieu bon ! Qu'est-ce que j'avais dit là ?

— Moi ? je ne suis pas diplomate ? hurla-t-il. C'est le comble !

Par bonheur, juste à temps pour faire diversion, le *maggiordomo* de Madame de Chamont dit qu'un certain Charpentier, qui se disait secrétaire du cardinal de Richelieu, me voulait, maugré l'heure indue, visiter dans l'instant.

— Faites-le entrer ! dis-je aussitôt.

Et comme Toiras faisait mine de se retirer, je lui dis :

— Nenni ! Nenni ! Demeurez de grâce ! Le message vous concerne.

Charpentier entra alors, me salua profondément, à peine un peu moins profondément Monsieur de Toiras, et m'envisageant œil à œil, me dit non sans un certain air de pompe d'importance :

— Monseigneur, voici le message de Sa Majesté. En ce qui concerne Monsieur de Toiras, c'est « oui ».

— Et que veut dire ce « oui » ? dit Toiras belliqueusement.

— Mon ami, dis-je, Monsieur Charpentier, quant à lui, n'en sait rien, c'est à moi qu'il revient de vous l'expliquer.

— Monseigneur, peux-je me retirer ? dit Charpentier en montrant quelque hâte à s'enfuir.

— Avec tous mes mercis.

De tout le temps que Charpentier mit à saillir hors la pièce, Monsieur de Toiras bouillonna d'impatience.

— Mon ami, dis-je, oyez-moi, je vous prie, avec quelque patience. Le roi pense qu'il prendra Casal, Don Gonzalve n'osant pas affronter une aussi grande armée. Il pense aussi que l'armée royale quittant l'Italie, l'Espagnol reviendra à la charge, cette fois réservant le soin de prendre Casal au marquis de Spinola, dont vous connaissez, depuis la reddition de Breda, l'immense réputation. Et c'est pourquoi, avant qu'il ne quitte les lieux, le roi veut vous voir dans la ville, défendant ses murailles, opposant ainsi victorieusement au Prince des Assiégés le Prince des Assiégeants...

— Cette phrase est-elle du roi ? dit Toiras, tout soudain ému jusqu'aux larmes.

— En effet, dis-je, elle est de lui.

Dieu bon ! m'apensai-je, pardonnez-moi ce blanc mensonge !

— Et que veut dire le « oui » de Charpentier ? reprit Toiras.

— Si dans un an, jour pour jour, vous êtes encore dans Casal, le roi vous fera connaître les effets de sa gratitude, et vous savez bien lesquels.

La transformation de Toiras fut alors émerveillable ; on eût dit un autre homme : il se leva, haussa haut le chef, se redressa de toute sa taille, carra les épaules et de ce ton fendant qui n'appartenait qu'à lui, il articula avec force :

— Plaise à vous, mon cher duc, de dire ceci à Sa Majesté : je serai dans Casal dès qu'il l'aura prise. Dans un an j'y serai encore, Spinola n'y mettra pas le pied ni même le bout de l'orteil ou de sa mentule [1] !

1. Sexe masculin.

Et s'il croit qu'il peut m'assaillir à l'avantage, il sera bien déçu : je l'enverrai, d'un coup, cul sur pointe...

*

Il y a vingt-neuf lieues de Grenoble à Briançon, ce qui, à raison de cinq lieues par jour, n'eût pas été, par beau temps, fort difficultueux, mais l'hiver étant en son extrême froidure, la neige de cette fin février tendait à glacer plutôt qu'à fondre. Dès que par places elle fondait, on s'y enfonçait jusqu'aux genoux, ce qui gênait tant les chevaux qu'il fallait que les cavaliers, démontant, les tinssent par la bride pour les faire avancer. En outre, le grand chemin que nous suivions, était, par endroits, très élevé (le col du Lautaret que nous passâmes entre Le Grave et Le Monetier atteignait mille quarante-neuf toises [1]), et pour ceux d'entre nous qui avaient grandi dans les plaines, cette altitude gênait fort le souffle, et il fallait de force forcée commander des arrêts pour reposer les soldats. Mais les moins bien lotis en ce prédicament furent assurément les artilleurs. Les malheureux passaient leur temps à désembourber leurs canons, tant est qu'ils arrivaient, aux étapes, fourbus et deux ou trois heures après le gros de l'armée. Le cardinal, compatissant à leur dur labeur, ordonna pour eux une double ration de viandes et de vin, laquelle combla leur estomac et leur donna aussi quelque fierté d'être, par droit de gueule, distingués des porteurs de mousquets et autres fragiles freluquets...

Entre Grenoble et Briançon l'armée s'arrêta à Vizille, puis à Bourg-d'Oisans, Le Grave, puis Monetier et, enfin, Chantemerle. « Je gage, dit Nicolas, qu'à'steure et par cette froidure, le pauvre n'a pas plus envie de chanter que moi. » De l'autre côté des

1. La toise vaut deux mètres.

Alpes s'élèvent, si semblables aux nôtres, les Alpes italiennes, et dans la *comune di Gravere* [1] se trouve un village qui se nomme aussi « Cantamerlo », et bien me le ramentois-je, car le régiment des Suisses, le comte de Sault qui le commandait, et moi-même, nous y fîmes, bien plus tard, un arrêt d'une demi-heure, étant tout exténués par une marche dans le Gravere que je conterai plus loin et qui fut de grande conséquence dans l'assaut contre Suse.

Mais revenons à Briançon, dernière étape avant le franchissement de la frontière italienne par le col de Montgenèvre. La fortune m'y sourit : je fus logé à la Grande Gargouille, laquelle n'a rien à voir avec ces gouttières des cathédrales par où l'eau de pluie s'écoule par la gueule d'un animal assez peu ragoûtant. On appelle ainsi à Briançon un canal qui fut construit au milieu d'une rue en 1624 pour apporter de l'eau à pied-d'œuvre à la suite d'un incendie qui dévasta sur les deux bords quelques maisons avec encorbellement et corbeaux de bois. Les maisons brûlées furent reconstruites en moellons avec une façade plate sur l'ordre du seigneur du lieu, ce qui, certes, les mit davantage à l'abri du feu, mais gâte un peu trop, à mon gré, la symétrie de l'ensemble. Mon hôtesse était une dame fort avancée en âge, aimable et douce, qui me traita comme son fils et versa des larmes à mon départir.

Une fois qu'il fut à Briançon, le roi écrivit une lettre-missive à Charles-Emmanuel Ier, duc de Savoie, pour quérir de lui le libre passage par Suse afin de pouvoir atteindre et délivrer Casal. Cette lettre, que j'eus l'honneur de traduire en italien, ne pouvait être que courtoise et même affectionnée, le fils du duc, le prince de Piémont, ayant marié la sœur du roi de France, Chrétienne [2]. Le prince de

1. Prononcez « Gravéré ».
2. On dit indifféremment « Christine » ou « Chrétienne ».

Piémont, comme son père, se paonnait excessivement de la valeur stratégique de Suse qu'ils appelaient l'un et l'autre « les clés de l'Italie », affirmant qu'ils prêtaient ces clés seulement à qui ils voulaient et alors selon leurs conditions. Le prince fit d'emblée des demandes exorbitantes, tant financières que territoriales, pour ouvrir aux Français *il passo di Susa*, le passage étant une succession de trois barricades érigées devant la grande porte de la ville. Et quoi que fît Richelieu pour l'amener à de moindres exigences, le prince ne branla pas d'un pouce. Tant est que le cardinal entendit bien que cet entretien n'avait pour dessein que de l'amuser afin de gagner du temps. Et en effet, on sut plus tard que le prince avait reçu de son père la consigne secrète *di trattare, ma di concludere nulla* [1].

*

Avant que son beau-frère ne s'en retournât à Suse, Louis le tira à part et lui dit au bec à bec que l'accord une fois conclu entre le duc de Savoie et lui-même, il aimerait que le prince lui permette d'encontrer sa sœur cadette Chrétienne, et le prince lui assura aussitôt qu'il en serait ainsi.

Louis, comme on sait, avait trois sœurs puînées : Élisabeth, unie à Philippe IV d'Espagne, Henriette, épouse de Charles Ier d'Angleterre, et Chrétienne qu'on avait donnée en mariage au prince de Piémont, lequel, certes, était un tout petit seigneur comparé aux deux puissants monarques que je viens de citer, mais qui fut, toutefois, le seul à rendre sa femme heureuse. Qui pourrait ne pas plaindre, pourtant, ces pauvres princesses que leur rang condamnait à être exilées leur vie durant en pays étranger, tout lien d'affection pour toujours rompu avec leurs

1. De traiter, mais de ne pas conclure (ital.).

proches, et mariées au nom d'éphémères alliances à des inconnus qui, de leur côté, n'avaient aucune raison de se plaire à elles. Pis même ! l'ironie de ces tristes hyménées politiques était, en fin de compte, qu'ils ne servaient jamais à rien, car la présence d'Élisabeth en Espagne, d'Henriette en Angleterre et de Chrétienne en Savoie, n'empêcha en aucune façon que la guerre, quand et quand, fit rage entre ces trois pays et le royaume de France.

Élisabeth, assurément, ne se sentit pas fort heureuse en Espagne, prisonnière d'une étiquette étouffante et rigide, et voyant fort peu ce prince à la longue et triste figure qui lui préférait la chasse. Mais la plus malheureuse fut sans conteste Henriette. Détestée d'entrée de jeu par le peuple anglais qui lui reprochait et d'être Française et d'être catholique, la pauvrette était mariée à un prince qui, certes, n'était point méchant, mais qui aimant assez peu le *gentil sesso*, préférait, quand il avait un bracelet de diamants à offrir, le donner à son favori plutôt qu'à son épouse.

Louis, en ses enfances pleurant la mort d'un père adoré, avait reporté cette grande amour, non point, il va sans dire, sur la plus désaimante des mères, mais sur ses trois cadettes, par qui, remplaçant leur père, il se faisait appeler « mon petit papa » et avec qui il jouait, en effet, à la perfection son rôle d'aîné paternel, les gourmandant ou les cajolant selon les cas, cuisant pour elles des « œufs meslettes », et leur faisant à l'occasion des cadeaux choisis avec le plus grand soin. Louis appelait ces cadeaux « de petites besognes », se peut pour indiquer qu'ils n'étaient pas coûteux, sa bourse étant si maigrelette dans le même temps où sa mère couvrait d'or le couple infâme qui la gouvernait.

Si le lecteur me permet de muser encore quelque peu en chemin, j'aimerais lui ramentevoir l'immense chagrin dont Louis pâtit en ses quinze ans, quand il dut sur l'île de la Bidassoa, frontière entre la France et l'Espagne, abandonner Élisabeth — laquelle devait marier à treize ans le prince des Asturies —, et en échange de qui il reçut lui-même des Espagnols sa future épousée Anne d'Autriche. Dieu bon! Comme celle-ci fut malvenue au cœur du roi, quand elle remplaça à ses côtés sa sœur bien-aimée qu'au départir il avait serrée désespérément contre lui, couvrant sa face de poutounes, la face en pleurs et poussant cris et soupirs. C'était là bien pis qu'une mort, car la pauvrette, certes, vivrait, mais sans jamais avoir accès à son aîné, et sans qu'il pût oncques la revoir, sauf s'il pénétrait en Espagne à la tête d'une armée victorieuse.

Or, lecteur, c'est là justement le point où je voulais en venir. Louis était bien trop roide en sa conscience et trop ancré en ses devoirs de roi pour rassembler la puissante armée d'Italie à seule fin de satisfaire ses aspirations domestiques. Mais il ne lui échappait pas que l'entrée victorieuse dans Suse, si satisfaisante qu'elle serait pour ses soldats et pour ses maréchaux, comportait pour lui personnellement un bonheur de plus : l'encontre, fût-ce pour quelques journées, de sa sœur cadette.

*

Après la visite du prince de Piémont à Briançon, Louis et le cardinal, bien assurés qu'on les voulait lanterner par de vaines et longuissimes négociations, décidèrent de passer la frontière entre la France et le duché de Savoie. Et bien qu'on ne fût plus qu'à dix lieues de Suse, distance qui se pouvait franchir en deux ou trois jours, ils résolurent de ne pas pénétrer en Savoie plus loin que le village d'Oulx, afin d'observer si leur intrusion sur son territoire n'amènerait pas le duc Charles-Emmanuel à composition. Et en effet, l'armée royale était à peine cantonnée à Oulx qu'un chevaucheur savoyard apparut, demandant à Sa Majesté s'il voulait bien recevoir le comte di Verrua (que les Français, en leur étrange manie de franciser les noms étrangers, appelèrent le comte de Verrue), lequel le duc de Savoie dépêchait à Louis en tant qu'ambassadeur. Le roi l'accepta en cette qualité et le comte di Verrua fit à l'abord le meilleur effet, étant un gentilhomme fort bien tourné, jouant fort bien du plat de la langue, et dont la face, la voix, les manières étaient empreintes de cette *gentilezza* qui a donné dans toute l'Europe une si bonne opinion au peuple italien.

Mais il apparut assez vite qu'*il bello Conte* [1] n'avait rien d'autre à offrir que les inacceptables conditions qu'avait déjà proposées le prince de Piémont, et qu'en fait, lui aussi, avait reçu *l'ordine di trattare, ma di concludere nulla.* On le renvoya donc à Suse avec des paroles courtoises et des cadeaux pour le duc et pour lui-même.

Là-dessus, un des rediseurs du cardinal, qu'il avait dépêché à Suse avant même que l'expédition commençât, nous revint annoncer une nouvelle de conséquence. Don Gonzalve de Cordoue, qui assiégeait Casal, avait promis au duc de Savoie une armée de huit mille hommes pour le soutenir contre les Français : promesse qui, si fallacieuse qu'elle fût (car dans cette hypothèse, Don Gonzalve n'aurait plus eu que deux mille soldats pour poursuivre le siège de Casal), flatta le duc de Savoie d'un faux espoir et lui donna l'idée de nous lanterner afin de laisser le temps aux renforts espagnols de parvenir jusqu'à lui.

Il bello Conte avait à peine quitté notre camp (non sans avoir quand et quand évalué d'un œil attentif l'importance de notre armée) que le cardinal me dépêcha, quasiment à la pique du jour, un de ses

1. Le beau comte (ital.).

mousquetaires pour me prier de le venir visiter dans le très humble logis qu'il occupait à Oulx.

Combien que je fusse assez déconforté de me lever si tôt par temps si froidureux, j'y fus sans tant languir et trouvai Richelieu plongé dans une grammaire italienne, laquelle, maugré son immense et quotidien labeur, il picorait un peu chaque matin pour rafraîchir sa connaissance de la langue, étant si méticuleux dans le soin qu'il prenait de s'instruire de tout. L'armée, pourtant, ne manquait pas d'interprètes, à commencer par le maréchal de Créqui, Monsieur de Toiras et moi...

— Mon cousin, dit le cardinal, le roi vous veut confier une ambassade à Suse, ni le maréchal de Créqui ni Toiras ne la pouvant assurer aussi bien que vous, Créqui, parce qu'il se trouve ces jours-ci mal allant, Toiras, parce qu'il est peu diplomate. Voici la chose. Louis est irrité par les lanternements dont le duc de Savoie depuis Besançon l'a payé. Il voudrait donc — ici le cardinal, par coquetterie, passa à l'italien — *contraporre astuzia ad astuzia* [1], et dépêcher à Suse un envoyé qui traitera avec le duc, *ma con l'ordine di concludere nulla.* Cette mission a donc une apparence : traiter. Elle aura une réalité : étudier *de visu* les portes de la ville, les barricades du Pas de Suse, les fortifications éventuelles du flanc nord et du flanc sud desdites barricades, le nombre des soldats qui les défendent et surtout la présence de canons, si canons il y avait, dont les défenseurs pourraient disposer.

Dès qu'on put rassembler les gens qu'il y fallait, le héraut du roi, un trompette, une demi-douzaine de mousquetaires et Nicolas, sans oublier les tentes et les viandes dans une charrette, je quittai Oulx pour Suse.

Richelieu m'ayant pour me guider remis une petite

1. Opposer l'astuce à l'astuce (ital.).

carte très bien faite, je l'étudiai avant mon départir, et conclus que l'itinéraire était la simplicité même, car le chemin — ouvert jadis par les Romains pour passer de l'Italie du Nord à la Gaule du Sud-Est, et que j'allais, quelques siècles plus tard, parcourir en sens inverse — longeait une rivière appelée par les Savoyards la « Doria Riparia », qui roule des eaux abondantes jusqu'à Suse, et qu'il suffisait, par conséquent, de longer pour parvenir à la ville.

Le contraste me parut saisissant entre sa rive gauche, dominée par des montagnes élevées comme la Cime Vallone qui culminait à mille deux cent dix-huit toises et, d'autre part, sa rive droite, infiniment plus riante, dont les montagnettes arrondies ne dépassaient pas quatre cents toises.

J'avais sur le chemin à traverser deux villages : Exilles et Chiomonte. Le premier me donna, de prime, quelque appréhension, car je voyais sur ma carte que, situé au confluent de la Doria Riparia et du Rio Salambra, il était flanqué de dextre et de senestre par un *forte della guardia* et une *fortezza*. Je me demandais si ce fort et cette forteresse n'étaient pas défendus par des garnisons qui chercheraient noise à ma faible escorte. Aussi décidai-je, dès que j'approchai, d'envoyer en avant-coureur le héraut et le trompette pour dire qui j'étais. Ils revinrent promptement, disant qu'ils n'avaient trouvé là que des paysans apeurés, les garnisons des forts étant repliées sur Suse dès qu'elles avaient appris que l'armée de Louis s'était établie à Oulx. Voilà, m'apensai-je, une démarche qui ne paraît pas très guerrière. Néanmoins, je voulus en avoir le cœur net, et après avoir rassuré les villageois de nos dispositions pacifiques en leur faisant quelques petits cadeaux, je visitai les deux ouvrages, lesquels étaient très bien fortifiés et faisaient grand honneur aux ingénieurs italiens qui les avaient conçus. Je conclus de cet examen qu'ils eussent pu retarder l'armée royale de quelques jours si le duc de Savoie avait mieux su la guerre.

Je décidai d'établir mon campement à Exilles, mais pour éviter les surprises, hors le village, et non sans allumer des feux et poser des sentinelles.

Avec leur *gentilezza* italienne, les paysans nous conduisirent à un champ pour monter les tentes, et en leur générosité nous montrèrent même leur puits, ce que d'aucuns villageois français que je connais n'eussent pas fait, étant si jaloux de leur eau. Il est vrai qu'avec la Dora Riparia à leur porte, ces paysans en avaient plus qu'il ne leur en fallait.

Tout le village était là à notre survenue, nous considérant à la lumière des torches, les hommes admirant nos armes et nos chevaux, et d'aucunes garcelettes lorgnant mes mousquetaires, qui déjà cambraient la taille et se lissaient la moustache.

Voyant quoi, j'appelai leur sergent et lui dis *sotto voce* que le lieu et le moment étaient mal choisis pour le repos du guerrier, et que si d'aucuns de ces gens passaient outre, mettant par là nos sûretés en péril, la foudre du cardinal, au retour, leur tomberait sus.

Cela suffit, et nos coquardeaux en furent quittes pour faire de beaux rêves dans la nuit glacée. Pour moi, j'aurais, certes, préféré à ma tente la plus humble masure pour peu qu'elle fût close avec un beau feu dans l'âtre, mais je noulus me séparer de mes gens en me logeant mieux qu'eux.

Ma prochaine étape était Chiomonte — que les Français, Dieu sait pourquoi, traduisent par « Chaumont », alors que « *Chiomonte* », en italien, désigne un piton rocheux. Ce village-là ne comportait ni fort, ni forteresse et se trouvait construit sur la rive droite de la Dora Riparia et un peu en retrait et en hauteur, assurément pour se mettre à l'abri des crues de la Dora Riparia qui devaient être fort brutales, puisqu'elle drainait pluies et neiges des hautes montagnes qui, sur sa rive gauche, la bordaient.

Nous fûmes accueillis à Chiomonte tout aussi bien qu'à Exilles, dès lors que les villageois furent rassurés sur nos intentions. Mais comme eux non plus ne pouvaient ignorer qu'une très forte armée française campait à Oulx, je me demandais s'ils aimaient tant leur duc pour nous recevoir si bien.

À eux aussi, je fis quelques cadeaux, et cette attention me valut de leur part beaucoup de gratitude. Je leur prêtai aussi mon charron pour réparer l'unique charrette du village, dont un essieu était cassé depuis des mois sans qu'ils eussent pu, ou su, le réparer.

J'étais maintenant fort impatient d'atteindre mon but et le lendemain, à la pique du jour, je levai le camp afin de parvenir à Suse aux meilleures heures des brefs jours hivernaux. Pendant que Nicolas m'équipait, un villageois de Chiomonte me vint trouver; il me dit se nommer Filiberto et me pria, avec je ne sais combien de bonnetades, de l'emmener avec lui à Suse où demeurait un de ses parents, pour y démêler une affaire qu'il m'expliqua par le menu, sans que j'y entendisse goutte, tant sa logique n'était pas de celles qu'on nous apprend en nos collèges.

Filiberto était petit, noueux, le visage tanné, et il avait tant de cheveux plantés très bas sur le front, tant de barbe sur les joues et le cou, et tant de sourcils broussailleux et de poils saillant du nez et des oreilles, qu'on voyait peu d'endroits en son visage qui fussent lisses. L'œil, cependant, ne faillait pas en finesse, et il était parfaitement poli et me fit mille mercis quand je lui permis de prendre place à côté du cocher de ma carrosse.

Il s'avéra du reste utile en cours de route : quand je lui demandai quel était, entre Chiomonte et Suse, le meilleur lieu pour s'arrêter et manger un morcel, il répondit tout à trac : « L'endroit le plus beau, dit Filiberto avec un air de profonde sagesse, c'est où le Rio Clarea se fout dans la Dora Riparia. » Il dit : « se fout » et non : « se jette », ce qui m'ébaudit, de prime, mais qui, au fond, s'avéra, quand je vis la confluence des deux rivières, laquelle était, en effet, fort tumultueuse, avec violents remous, blanches écumes et grondements sourds.

Étant né et ayant grandi dans le plat pays, je trouvai, maugré la froidure pour moi quasi insufférable, une grande beauté à ces hautes montagnes, à ces neiges infinies, à ces sombres forêts de sapins et à ces rivières alpines si limpides et si précipiteuses. Ma fé! me dis-je, comme j'aimerais revenir céans en été, et cette fois avec Catherine! Eh oui, belle lectrice! voilà à quoi et à qui je rêvais, l'œil perdu dans les eaux de la Dora Riparia, au lieu de penser à ma mission, comme j'eusse dû.

Mais à partir du moment où le Rio Clarea se « fout » dans la Dora Riparia, celle-ci, qui jusque-là coulait dans la direction du nord-est, infléchit sa course dans la direction de l'est, tandis que sa rive gauche, jusque-là si altière, descend au niveau de la rive droite, c'est-à-dire, d'après ce que j'en croyais à vue de nez, à quatre cents toises environ, et parvient enfin à Suse où elle pénètre par une arche de pierre pratiquée dans les murailles, laquelle, à ce que je suppose, est doublée *intra muros* par une forte grille pour empêcher les intrusions. Mais qui voudrait en hiver s'introduire dans la ville en nageant dans ces eaux glacées? Et, à la parfin, je vis, des yeux que voilà, les fameuses barricades. Elles étaient construites sur la route entre la rivière à senestre et la montagnette, laquelle descendait vers elles par une pente abrupte.

Si vous deviez escalader la montagnette de droite, vous verriez au sommet, de l'autre côté du versant, vers le sud, une région de monts et vallons de faible altitude, peuplée de villages. On appelle cette région le « Gravere », et j'ai toutes les raisons du monde de me ramentevoir cette région, et, plaise à toi, lecteur, de graver ce Gravere en ta remembrance, car il est pour jouer un rôle de grande conséquence dans la suite de ce récit.

Arrivé à une trentaine de toises des trois barricades qui défendaient l'entrée de Suse, je fis arrêter ma carrosse et montai mon Accla, me voulant présenter de façon noble et cavalière, fût-ce seulement aux soldats, dont on voyait paraître, au-dessus de la première barricade, les visages nous dévisageant, mais sans aucun mousquet. Il est vrai que rien ne ressemblait moins à une attaque que notre avance, laquelle était lente et majestueuse.

En tête venait, monté sur un grand cheval blanc, le héraut, lequel, comme il convient au représentant d'un grand roi, était fort chamarré, et portait une belle et virile face sur de larges épaules. Tout était grave en lui, y compris la voix, dont le volume et la sonorité évoquaient les grandes orgues d'une église-cathédrale. À côté de lui, sur un cheval, lui aussi immaculé, mais beaucoup plus petit, venait le trompette, lequel était, assurément, de stature bien moindre, mais tout aussi bien tourné, avec un joli visage et une petite bouche, mais à la petitesse de celle-ci il ne fallait pas se fier, car dès qu'il avait embouché sa trompette, il en tirait des sons puissants d'une infinie variété, tantôt mélancoliques et tantôt impérieux.

Immobile sur mon Accla, j'étais seul derrière eux, attifuré en ma plus belle vêture, très conscient de jouer, en tant que duc et pair de France, le premier rôle en ce théâtre, mais toutefois, bien qu'impassible, l'œil alerte et fureteur, comme il convenait à ma mission. Derrière moi, Nicolas, qui imitait, j'en suis bien assuré, d'une façon parfaite mes attitudes, se prenant à demi pour moi et préparant déjà en ses mérangeoises les récits épiques que, de retour en France, il allait faire à sa belle sur cette ambassade.

Des six mousquetaires qui se tenaient derrière lui, je ne voyais rien, mais je suis bien certain qu'en cette solennité ils incarnaient à merveille la virilité vaillante et courtoise, dont ils n'ignoraient pas qu'ils étaient en France les parangons, et tout aussi bien dans les ruelles des dames que dans les batailles du roi.

Après la sonnerie du trompette et l'annonce du héraut, toutes deux émerveillables, un nouveau personnage apparut de derrière la barricade, Il Signor Bellone, maître de camp (ainsi se présenta-t-il à moi), lequel me dit, avec tout le respect du monde, qu'il allait dépêcher un sergent pour annoncer ma venue et ma mission à Son Altesse Illustrissime, Charles-Emmanuel Ier, duc de Savoie.

J'attendis peu, la porte des barricades fut devant moi déclose, et démontant tout de gob, car je voulais marcher à mon pas, je vis tout ce que je voulus voir de ces défenses, tout en échangeant des propos courtois avec Il Signor Bellone. « On eût dû l'appeler "Pallone" », me dit plus tard Nicolas, tant il était rond de partout : du ventre, des épaules, des fesses, de la face et des yeux.

De ce que je vis et observai en cette occurrence, je ne pensai pas grand bien. Le passage était fortifié par trois barricades successives, faites en bois et comportant chacune un fossé, lesquels fossés, justement, me parurent de nulle utilité, car pour qu'une charrette ou carrosse pût saillir de la ville, ou y pénétrer, on avait aménagé, à côté d'eux, un passage en terre-plein, par où, tout aussi bien, un éventuel ennemi pouvait passer sans être le moindrement du monde arrêté par les fossés que j'ai dits. Au surplus, la porte de ces barricades qu'on avait déclose pour moi était, en mon opinion, trop faible pour ne pas être rompue de la main de l'homme, sans même qu'il fût besoin d'employer le canon. Par ailleurs, l'espace entre les grandes portes monumentales de la cité et la première barricade était bien trop restreint et resserré pour pouvoir admettre plus de deux cents défenseurs : ce qui était une bien faible force à opposer à nos trente-cinq mille soldats.

Quant aux portes monumentales de la ville, dont je viens de parler, leur faiblesse se découvrit à moi au premier regard : elles n'étaient défendues, ni par un pont-levis, ni par une douve, et pas davantage par un châtelet d'entrée comportant des mâchicoulis, grâce auxquels les assaillis eussent pu battre les assaillants en déchargeant des mousquetades. J'oserai dire ici, et sans la moindre piaffe, que le château de Mespech en Périgord, berceau de mes aïeux, était autrement défendu, ne serait-ce que parce qu'il se trouvait entouré de douves, lesquelles, céans, eussent été, pourtant, d'autant plus faciles à aménager que la Dora Riparia pouvait fournir, pour les remplir, toute l'eau qu'il eût fallu.

Cependant, Bellone (peu s'en faut que je n'aie écrit « Pallone », tant le *gioco di parole* [1] de Nicolas me trotte encore en cervelle) me dit qu'il fallait que je demeurasse dans les barricades un petit, en attendant qu'un gentilhomme me vînt chercher pour m'amener *intra muros* au château ducal de Suse. Étant un *buon diavolo* qui ne voyait malice à rien, Bellone me confia innocemment qu'il était arrivé la veille du Milanais pour fortifier les barricades, et qu'il espérait bien qu'il n'y aurait pas la guerre, car il n'aimerait pas qu'elles fussent détruites. Le voyant alors si peu suffisant dans le métier qui était le sien, je lui demandai, feignant la naïveté, s'il comptait fortifier la montagnette abrupte qui, sur notre droite, surplombait la barricade. « *Ma no! ma no!* dit-il en riant, qui voudrait passer par le Gravere où il n'y a que monts et vallons, des sentiers muletiers disparaissant en hiver sous la neige, alors qu'il peut venir à nous, sans se perdre et sans encombre, par une route aussi facile que celle qui longe la Dora Ripa-

1. Jeu de mots (ital.).

ria ? » Je ne suis pas moi-même, comme l'on sait, un homme de guerre, mais c'est à ce moment-là que j'appris, et appris une fois pour toutes, que rien n'est plus fatal à un général qu'un raisonnement *a priori*.

Là-dessus, qui apparut pour me mener au château ducal, sinon *il bello Conte di Verrua* ? lequel, m'ayant vu deux ou trois fois à Briançon, devait penser que nous étions, de ce fait, grands amis, car il me bailla une forte brassée, que je lui rendis sans chicheté, aimant fort son caractère ouvert et chaleureux. Il commanda qu'on ouvrît les grandes portes pour me laisser passer, ainsi que mon escorte, laquelle, pénétrant dans la ville, fut cause que toutes les fenêtres se garnirent en un battement de cils d'un grand nombre de curieux, hommes et femmes, lesquels nous envisagèrent sans la moindre hostilité, mais tout le rebours, avec faveur, comme si nous étions pour eux un spectacle agréable et brillant qui les égayait d'être clos en leur ville.

J'étais fort curieux de connaître enfin *de visu* ce duc de Savoie, dont on avait tant parlé. Comme bien on s'en ramentoit, ce roitelet, qui voulait être roi, attaqua successivement et sans succès ses voisins pour s'agrandir à leurs dépens : la Suisse, la France et Montferrat ; il était pour cela fort peu en odeur de sainteté à la Cour de France. Et Richelieu disait de lui en termes déprisants : « Depuis cinquante ans qu'il règne, il ne s'est étudié à autre chose qu'à se tirer par art, ruses et tromperies des mauvais pas où son injustice et son ambition l'ont porté. »

Je trouvai, assis, tassé sur une chaire pauvrement dorée, un vieil homme, podagre, impotent et mal allant qui se faisait appeler Charles-Emmanuel « le Grand », sans avoir réussi à s'agrandir, du moins autant qu'il l'eût voulu. Il avait un visage fort long, allongé encore par une toque de velours très haute, laquelle une grande plume blanche allongeait encore : à mon sentiment, toutes ces hauteurs superposées étaient comme le symbole d'un puéril orgueil.

Comme il s'était d'évidence donné à lui-même, comme à l'ambassadeur qu'il nous avait dépêché, l'instruction *di trattare ma di concludere nulla*, et comme, de mon côté, j'avais de Richelieu reçu la même, notre entretien ne pouvait être qu'une sorte de *gioco*, et puisque c'était un jeu, m'apensai-je, il ne m'était pas défendu de m'ébaudir un peu. J'eus donc la malice de faire au duc les mêmes propositions de paix et passage en ses États que le comte di Verrua avait suggérées en son nom à Louis, et sans hésiter le moindre, comme bien je m'y attendais, le duc les repoussa.

J'en conclus que les mérangeoises de Charles-Emmanuel étaient, se peut, presque aussi engourdies que ses pieds et, comme d'un autre côté, j'éprouvais pour ce vieil homme un étrange mélange d'antipathie et de compassion qui me rendait ce bec à bec assez pénible, je décidai que cet entretien, n'étant plus qu'une sorte de *buffonata* [1], je ferais mieux d'y mettre un terme en demandant mon congé au duc.

Il parut surpris, et comme déquiété, que notre inutile transaction ne durât pas aussi longtemps qu'il s'y était préparé, et me bailla mon congé d'un air excessivement hautain que je trouvai bien étonnant de la part d'un duc s'adressant à un autre duc, mais que je reçus sans ciller, ni sourciller le moindre, lui faisant au départir un profond salut, suivi d'une bonnetade d'une courtoise ampleur.

Les dés étaient jetés ! Et, pour le pauvre sire, n'allaient point rouler du bon côté ! Mais après tout, qu'allait-il y perdre ? Son fils étant le beau-frère de Louis, on ne lui prendrait rien, et même très probablement, on lui baillerait pécunes pour qu'il nous prête ces « clefs de l'Italie » qu'il disait détenir sans avoir du tout la force de les retenir...

1. Bouffonnerie (ital.).

CHAPITRE IV

À peine étais-je de retour au camp royal d'Oulx et le pied à terre, que déjà un mousquetaire du roi accourait pour me dire que Sa Majesté m'attendait au débotté : ce qui, en fait, voulait dire que je ne pourrais même pas prendre le temps d'enlever mes bottes, ni de me faire raser, ni de me laver, ni de changer de pourpoint, ni même de manger un morceau avant de me présenter à Sa Majesté.

Le malcontentement que j'en éprouvai alors me fit une fois de plus toucher du doigt pourquoi je n'avais jamais été tenté d'embrasser le métier des armes : je n'aimais pas recevoir des ordres inutilement rigoureux et, par là, vexatoires. Passe encore que Louis et le cardinal, à l'occasion, me donnent des instructions, mais essuyer les instructions quotidiennes de l'arrogant Bassompierre, de l'irascible Toiras, du méticuleux Schomberg, ou même du cérémonieux Créqui, voilà ce que je n'eusse jamais pu souffrir.

Et justement nos quatre maréchaux que le lecteur connaît déjà et au nombre desquels j'inclus prématurément Toiras — on verra plus loin pourquoi — étaient là, et bien là, gaillards, bien allants et sûrs d'eux-mêmes à l'exception, toutefois, du pauvre Créqui qui toussotait, crachotait et, qui plus est, larmoyait, ce qui était bien humiliant pour un soldat.

Louis n'abrégea pas, comme l'eût fait Richelieu,

mes salutations, étant fort à cheval sur l'étiquette, mais en revanche il eut la gentillesse que n'aurait pas eue le cardinal d'introduire en sa réponse une note d'affectueuse familiarité en m'appelant « *Sioac* », le lecteur sait pourquoi.

— *Sioac,* dit-il, dites-nous ce qu'il en est des défenses de Suse.

Je fis alors la description et la critique des trois barricades, de leurs fossés inutiles, de l'absence de château d'entrée et par conséquent de mâchicoulis et de douves, insistant surtout sur le fait que la montagnette qui surplombait le côté droit des barricades n'était ni fortifiée ni surveillée, Il Signor Bellone, maître du camp, jugeant *a priori* qu'une force ennemie ne pourrait arriver de là, étant donné qu'elle aurait, venant de Chiomonte, à abandonner la route et à traverser des monts et vallons desservis par des sentiers muletiers enneigés.

— *Sioac,* comment s'appelle cette région ? demanda Louis.

— Le Gravere, Sire, bien qu'aucun village ne porte ce nom.

— Quelle altitude ont ces montagnettes dont vous parlez ?

— Rarement plus de quatre cents toises.

— Cependant, lui dit Bassompierre, il sera bien difficile de s'orienter dans ce dédale de monts et vaux, les sentiers muletiers étant au surplus enneigés. On peut se perdre à tout moment et, pis encore, tourner en rond.

— Les boussoles, dit Toiras d'un ton peu amène, ne sont pas inconnues dans l'armée royale.

Remarque que Bassompierre fit le semblant de ne pas ouïr.

— Mais, dis-je rondement, il y a tout aussi bien, et même mieux que les boussoles, car il sera facile de recruter des guides dans les villages du Gravere.

— Les envahis sont-ils donc si accueillants aux envahisseurs ? dit Bassompierre avec ironie.

— En effet, ils le sont, intervint le cardinal d'une voix suave. Les Français ont en Savoie une bonne réputation. Ils le doivent, Sire, à Monsieur votre père, quand il occupa le duché en 1601. Consigne fut alors donnée aux soldats de ne toucher point aux bêtes, aux moissons, aux maisons et aux femmes.

Concernant du moins *il gentil sesso,* cette consigne si étonnante dans la bouche du Vert Galant fit sourire les maréchaux, mais Louis ne retint même pas en ses mérangeoises un détail aussi frivole. Il était comme toujours ému quasiment jusqu'aux larmes quand il oyait l'éloge de son père. Richelieu avait donc fait d'une pierre deux coups. Il s'était acquis d'entrée de jeu la sympathie du roi et il avait ébahi les maréchaux par sa connaissance des campagnes guerrières du temps passé.

— En outre, poursuivit Richelieu, les troupes reçurent l'ordre, s'ils achetaient, de payer toute chose au double de son prix. Ce qui les fit, comme bien l'on pense, extrêmement bien voir.

— Eh bien, que faisons-nous ? dit Bassompierre d'un air pressé, péremptoire et expéditif, comme si les précisions qu'avait apportées Richelieu n'avaient été que babillages.

— C'est à vous, Messieurs, de vous poser la question, dit Louis qui, ayant trouvé plaisir et profit dans les propos du cardinal, n'avait pas aimé que Bassompierre, implicitement, les rabaissât.

« C'est à vous, Messieurs, répéta Louis, de vous poser la question. »

Comme presque toujours dans ces cas-là, un assez long silence tomba, personne ne se souciant de parler le premier.

— Schomberg ? dit le roi en levant le sourcil.

— L'alternative est la suivante, Sire, dit Schomberg qui se montra comme toujours méthodique et méticuleux. Ou bien nous ne menons contre les barricades qu'une attaque frontale, ou bien nous l'accompagnons d'une attaque sur le flanc sud des barricades en passant par le Gravere. Cette attaque selon moi serait décisive, si ledit flanc est, en effet, dégarni de toute défense et surveillance.

— Il l'est, dis-je, regrettant aussitôt d'avoir pris la parole sans la demander, pour le moment, mais je ne saurais prédire l'avenir. Cependant l'*a priori* du Signor Bellonte, sa belle assurance que les Français n'attaqueront pas par là, me paraît indiquer que ce flanc sud restera dans l'état où je l'ai vu, c'est-à-dire sans défense.

— Je ne vois pas l'intérêt de ce mouvement tournant, dit Créqui. Si les barricades sont en bois, quelques boulets de canon feront l'affaire.

J'eus le sentiment, en l'oyant, qu'il craignait, dans le mauvais état où il se trouvait, qu'on lui confiât l'expédition dans le Gravere pour la raison que, connaissant l'Italie et les Italiens, il serait mieux en mesure que personne de recruter des guides afin de retrouver les sentiers muletiers recouverts par les neiges.

Je levai alors la main pour quérir du roi la parole et Louis me dit aussitôt :

— Mon cousin, vous pouvez intervenir en ce débat à égalité avec nos quatre maréchaux, puisque vous avez apporté les renseignements dont ils étudient l'usage.

Du coin de l'œil je ne faillis pas d'apercevoir combien Toiras était heureux et ébahi d'être compté par le roi parmi les « quatre maréchaux » alors qu'il n'en possédait pas encore le titre : que ce fût lapsus, ou promesse voilée, de toute façon il y avait là de quoi lui réchauffer le cœur.

— Sire, dis-je, voici ce que j'avais à dire. À la hauteur du village d'Exilles, qui est à mi-chemin entre Oulx et Chiomonte, nous avons trouvé tant de neige sur la route que notre charrette s'est enfoncée profondément, les roues disparaissant et les chevaux ayant de la neige jusqu'au ventre. Il a fallu des heures de dur travail pour les désembourber. Et à moins d'une improbable fonte des neiges, il me paraît impossible, Sire, que votre artillerie puisse passer par là — ou par tout autre chemin — car à gauche vous avez la rivière, et à droite une pente abrupte.

Après cette précision, un silence tomba qui me parut lourd de quelque appréhension : quel homme de guerre aimerait partir en campagne, privé de son artillerie ?

— Voilà, dit Toiras, qui, après l'implicite avancement dont il avait fait l'objet, ne se trouvait plus si gêné pour prendre la parole parmi ses « pairs ». Voilà, Sire, qui me paraît tout changer. Sans artillerie, une attaque frontale contre les barricades ne se pourra faire que mousquet contre mousquet, c'est fort aléatoire. Dès lors, une attaque par le flanc, et un flanc découvert, me paraît tout à plein s'imposer.

— Je le crois aussi, dit Schomberg.

Créqui et Bassompierre se turent. Le premier pour la raison que l'on sait. Bassompierre parce qu'il aimait faire le contrariant et le difficile, afin de demeurer clos et solitaire dans la forteresse de ses infinies supériorités.

Le roi qui avait eu déjà maille à partir avec Bassompierre parce qu'il refusait en son Grand Conseil d'opiner, prit cette fois-ci le parti d'ignorer son silence et dit, s'adressant à ma personne :

— Mon cousin, qu'en pensez-vous ?

Étant pair de France et appartenant à son Grand Conseil, il n'était pas hors d'usage que le roi me consultât. Il était toutefois surprenant qu'il le fît, s'agissant d'une affaire de stratégie débattue par des maréchaux.

— Sire, dis-je, je ne suis pas grand clerc en la matière, mais il me semble qu'une attaque par le flanc, devançant une attaque frontale, pourrait emporter plus rapidement la position.

— Monsieur le Cardinal, dit Louis, qu'opinez-vous ?

— Sire, dit Richelieu, plaise à Votre Majesté de me permettre un retour vers le passé qui soit susceptible d'éclairer le présent. Le connétable de Montmorency, en 1537, se présentant devant Suse, l'attaqua de front, et simultanément par la face sud que les Savoyards n'avaient pas cru bon de fortifier, et la ville fut prise en un tournemain. Je propose à Votre Majesté de suivre la même stratégie.

Ce rappel d'un siège presque vieux d'un siècle, soit qu'ils le connussent, soit qu'ils ne le connussent pas, laissa béants les maréchaux et les ancra dans cette idée — pour d'aucuns d'entre eux peut-être déquiétante — que Richelieu savait toujours tout sur tout et sur tous, dans la paix comme dans la guerre, et dans le présent comme dans le temps passé.

— Ce choix-là me paraît, en effet, s'imposer, dit Louis d'un ton sans réplique. Messieurs les Maréchaux, notre entretien est terminé. Nous voulons toutefois que demeurent céans le maréchal de Créqui et le duc d'Orbieu.

Les trois maréchaux quittèrent alors les lieux et chacun d'une façon bien différente. Schomberg, en soldat discipliné pour qui un ordre est un ordre et ne souffre ni discussion ni même réflexion. Toiras, qui avait peine à cacher la jubilation qui le soulevait de terre à l'idée d'avoir été compté au nombre des maréchaux, et enfin Bassompierre qui, n'ayant pas voulu avoir part à la décision que le roi avait prise, allait d'ores en avant critiquer sans fin son principe et son exécution, comme il avait fait à La Rochelle du premier jour au dernier jour du siège.

Le pauvre Créqui, quant à lui debout et à peine debout, taillait bien triste figure, l'œil larmoyant, le nez coulant et aspirant bien plus au lit et aux tisanes chaudes qu'à une pénible et longuissime marche dans les neiges du Gravere.

— Mon cousin, dit Louis en se tournant vers lui, votre fils le comte de Sault a fait ses preuves à la tête du régiment de Suisses qu'il commande. Parce que ces Suisses sont montagnards, et parce qu'on me dit le plus grand bien du comte de Sault, j'ai l'intention de lui confier la mission de se porter sur le flanc sud des barricades de Suse et de l'attaquer avant que commence mon attaque frontale.

— Sire, dit Créqui, à la fois soulagé de ne pas subir cette épreuve, et en même temps navré de ne pas prendre le commandement d'une expédition qui eût ajouté à sa gloire, j'eusse avec joie assuré cette mission, si mon catarrhe ne m'avait pas en effet affaibli, et je vous suis infiniment reconnaissant de l'avoir confié à mon fils.

— Je vous remercie, mon cousin, dit Louis. Le docteur médecin Bouvard va vous accompagner à votre logis et vous donnera tous les soins que votre état commande.

Se tournant alors vers moi, dès que le maréchal eut franchi l'huis, Louis ajouta :

— Mon cousin, êtes-vous consentant à faire bénéficier le jeune comte de Sault de vos talents de diplomate et de votre connaissance de l'italien, ne serait-ce que pour gagner la confiance des paysans du Gravere et recruter parmi eux des guides ?

Dieu bon, m'apensai-je. Consentant ! Il ferait beau voir que je ne le fusse pas...

— Avec joie, Sire, dis-je avec un profond salut.

Je rejoignis mon logis d'Oulx, qui était bien fruste et bien froid comparé au bel hôtel grenoblois de Madame de Chamont, avec laquelle je m'étais si bien conduit tout en la décevant, tant est que si ma conscience se trouvait satisfaite, ma tendreté de cœur ne l'était point. Ah lecteur ! — et vous, belle lectrice qui à ce propos, je le sens, allez froncer le sourcil. Néanmoins permettez-moi de vous le dire *sotto voce* : Dieu ! que l'exercice de la vertu est une chose ingrate ! Et comme j'aimerais que mes cantonnements ne me posent plus, comme celui-là, de troublants problèmes ! Et comme j'aimerais que mes hôtesses soient toutes des personnes dont l'âge a refroidi les ardeurs, ce dont, de reste, je doute fort pour les pauvrettes, c'est bien là le drame. Je me ramentois entre autres celle qui m'a si bien reçu en sa belle demeure de la Grande Gargouille à Briançon : vramy ! elle était toujours si émerveillablement coiffée et pimplochée, ses beaux cheveux blancs testonnés à ravir en jolies coques qui entouraient son beau visage, dans lequel brillaient de beaux yeux tendres, tristes et comme étonnés que la jeunesse se fût si vite en allée.

Puis pensant derechef à ma mission, je m'apensai avec quelque ironie que, même si j'avais peu de goût pour le métier des armes, du diantre si je savais pourquoi il me rattrapait toujours, et dans la forteresse de l'île de Ré avec Toiras et meshui dans le Gravere avec le comte de Sault. Après tout, si les soldats de Charles-Emmanuel tiraient sur nous des mousquetades, celles-ci, comme avait si bien dit Catherine, sauraient-elles faire la différence entre le guerrier et son interprète ?

*

Louis avait le plus grand souci de la santé de ses soldats et avait, en conséquence, considérablement étoffé le service sanitaire de ses armées, lequel comprenait des docteurs médecins, des barbiers chirurgiens, et des curateurs au pied qui étaient en même temps épouilleurs, le pou étant le grand ennemi des armées en campagne. Pour y parer, les revues étaient fréquentes, le cheveu du soldat tenu scrupuleusement court et les toisons de corps du haut en bas rasées pour ne point que la vermine s'y mît.

Tout prosaïques que furent ces soins et cet épouillement, ce fut la raison pour laquelle nous restâmes à Oulx deux jours encore après le Conseil de guerre dont je viens de dire ma râtelée.

Je fus, en fin de compte, fort aise du prolongement de notre séjour à Oulx, car ce délai donna l'occasion au maréchal de Créqui de m'inviter à dîner avec son fils, le comte de Sault. J'aimais le maréchal, maugré qu'il fût un peu altier, et j'admirais la munificence avec laquelle il traitait ses hôtes, ayant toutes les clicailles et pécunes qu'il fallait pour cela, et ne partant jamais en campagne sans se faire suivre d'une partie de sa cave, de sa porcelaine chinoise si délicatement assortie à la couleur de ses yeux, d'un cuisinier merveilleux et de ses aides et même, disait-on, de deux chambrières déguisées en pages pour ne point offenser le roi. Je n'ai jamais pu jeter l'œil sur elles, pour ce qu'elles voyageaient, m'a-t-on dit, rideaux bien clos dans une carrosse. On murmurait pourtant que leur office était, aux étapes, de réchauffer le lit du maréchal. Ce qui donna lieu, quand Créqui fut saisi de son fiévreux catarrhe, aux plaisanteries que l'on devine sur l'insuffisance supposée de ce réchauffement.

À ce dîner de Créqui, la chère, en effet, fut fort bonne, mais Créqui lui-même picora comme un moineau et quitta la table à mi-repue, n'ayant désir que pour son lit, tant est que je pus à loisir parler au bec à bec avec le comte de Sault.

Étant Créqui par son père et Lesdiguières par sa mère, il n'avait pas à se faire grand souci et tracassement quant à son avenir. Qui plus est, non content d'être né, comme disent les Anglais, avec un cuiller d'argent dans la bouche, il était grand, bien fait, la tête belle avec une magnifique chevelure noire bouclée, des yeux marron clair, des traits réguliers, une belle bouche, et des dents éclatantes. On aurait pu croire qu'ayant, comme dit la Bible, tant à se glorifier dans la chair et laissant derrière lui tant de cœurs trémulants, il serait devenu à la longue aussi piaffant et paonnant que Bassompierre. Or tout le rebours, ni dans son abord, ni dans son langage, ni dans son *corporis habitus,* on ne trouvait le moindre soupçon de morgue. Sans qu'on pût savoir de qui il tenait ce bon naturel, car ni son père, ni sa mère (née Lesdiguières) n'étaient des parangons de modestie, il était avec tous, y compris avec le domestique [1], son écuyeur et ses soldats, d'une politesse si patiente et si douce qu'elle l'eût, se peut, fait mépriser, s'il n'avait été en même temps si beau, si vaillant et si riche. Bien qu'il n'aboyât jamais et ne punît que peu, il avait fait de son régiment un exemple de discipline. Il est vrai qu'il commandait à des Suisses et que les Suisses, si j'en crois le brave Hörner, « sont soldats dès le sein de leur mère ».

Me ramentevant qu'à mon advenue dans la citadelle de l'île de Ré, j'avais eu maille à partir avec Toiras, pour la raison qu'il avait cru que le roi m'envoyait à lui pour partager son commandement, je voulus rassurer dès l'abord le comte de Sault au cas où il aurait conçu à mon endroit les mêmes alarmes. Je ne laissais donc pas de lui dire que ne sachant pas la guerre, j'entendais que ma mission se bornât à servir de truchement entre les paysans du Gravere et lui-même. Il me répondit à la franche marguerite que, de son côté, il l'entendait bien ainsi, mais qu'il n'ignorait pas que j'avais acquis, au cours de mes missions, une grande expérience et qu'il ne faillirait pas d'avoir recours à moi, au cas où il serait embarrassé et douteux quant à la décision qu'il aurait à prendre dans tel ou tel prédicament. Je trouvai qu'il y avait dans ce propos une charmante bonne foi, et dès cet instant commença de lui à moi une amitié qui, à ce jour, dure encore.

1. Ce mot désigne au XVIIe siècle l'ensemble des domestiques d'une maison.

Le trois mars 1629, sur l'ordre de Louis XIII, notre armée quitta Oulx et s'engagea sur le chemin qui longe la Dora Riparia. Et comme j'avais parcouru deux fois déjà ce dit chemin, et d'Oulx à Suse et de Suse à Oulx en passant par Exilles et Chiomonte, Sa Majesté m'envoya en avant-garde prévenir les habitants de notre survenue, afin qu'ils ne fussent pas épouvantés par une aussi grande armée.

Je demandai alors à Sa Majesté d'adjoindre à mon avant-garde les officiers du cantonnement, les tentes et leurs monteurs, et surtout le magnifique héraut qui m'avait précédé lors de mon ambassade à Suse, pour la raison que les paysans d'Exilles et de Chiomonte l'avaient trouvé si grand, si beau, si chamarré et son cheval aussi, qu'ils l'idolâtraient à l'égal d'un saint Georges, tant est que si une querelle surgissait entre un soldat et un paysan, le héraut n'avait qu'à paraître pour que tout s'apaisât. Il est vrai qu'il avait reçu de moi l'instruction de donner de préférence raison au paysan, à moins que ses torts fussent flagrants.

Je pris rapidement une belle avance sur le gros de l'armée, tous mes hommes étant montés et moi aussi (ainsi que Nicolas qui me suivait comme mon ombre). Ma carrosse armoriée, brinquebalant en queue, fut indignée de se trouver mêlée aux charrettes roturières des *impedimenta*. C'est du moins le sentiment qu'exprima vertement son cocher à portée, bien sûr, de mon ouïe.

Mon Accla qui me boudait quand je la montais peu, et m'en voulait quand je la montais trop, était encore en ses charmantes humeurs matinales et je le voyais à ses oreilles qui me disaient des gentillesses par de petites trémulations, et pour moi longeant la Dora Riparia, sur la route qu'avaient construite les Romains, je jetais l'œil tantôt sur la claire et précipiteuse rivière, tantôt à senestre sur les hautes cimes qui se profilaient derrière elle dans la brume, tantôt enfin à ma dextre sur les montagnettes arrondies du Gravere. Je commençais à m'énamourer de ces sites alpestres, et je ne me sentis plus d'aise quand, trouant les nuages, un clair soleil apparut. Hélas, c'était un soleil traîtreux. Quand et quand, il nous réchauffait assez bien, nous berçant d'un faux espoir que l'hiver était fini. Et quand et quand, il s'escamotait derrière de gros nuages, nous replongeant dans la froidure.

Notre première étape était Exilles — village dont le lecteur se ramentoit sans doute qu'il était sis de l'autre côté de la Dora Riparia et qu'il était, en apparence du moins, belliqueusement flanqué d'une *fortezza* et d'un *forte della guardia,* ouvrages qui, lors de ma première incursion en ces lieux, me donnèrent quelque tracassin avant que je reconnusse qu'ils étaient sans garnison.

Dès que les paysans d'Exilles eurent reconnu de loin mon géantin héraut monté sur son géantin cheval, ils accoururent tous et toutes à notre encontre avec des signes amicaux, et bien firent-ils, car à cet instant même les charrettes portant les tentes s'enfoncèrent dans la neige, les roues en leur entièreté et les chevaux jusqu'au ventre. C'était la deuxième fois qu'à Exilles m'advenait cette mésaventure et bien m'aidèrent alors ces braves gens qui après avoir baisé les mains du « *duca d'Orbiou* [1] » (c'était bien moi, lecteur, à n'en pas douter) et donné des brassées à l'étouffade à ceux de mes gens qu'ils connaissaient, proposèrent de nous aider à nous désenliser, assistés aussitôt par les mousquetaires qui, tout nobles qu'ils fussent, retroussèrent leurs manches. Les pelles ne faillaient pas, Richelieu y ayant largement pourvu. Mais la conséquence de cela fut que je dépêchai aussitôt sans languir un message au roi pour lui conter ma mésaventure et le

1. Duc d'Orbieu.

prévenir que son artillerie, à mon sentiment, ne pourrait jamais franchir Exilles. Toutefois, il pourrait la faire passer par un solide pont de pierre de l'autre côté de la Dora Riparia et la retirer dans la *fortezza* où elle pourrait être gardée en sûreté jusqu'à la fonte des neiges.

Les choses se passèrent bien comme j'avais prévu et quoique le roi eût la mort dans l'âme de laisser là son artillerie au moment où il allait assiéger Suse, quand je le revis, il n'en laissa rien paraître. Pour moi, dès qu'il fut présent et que je lui eusse montré les lieux, je poursuivis mon chemin en avant dans la direction de Chiomonte, village que Sa Majesté avait choisi comme base de départ de son attaque contre Suse, laquelle, selon ses ordres, devait avoir lieu le six mars. J'atteignis Chiomonte le quatre mars, et Sa Majesté le cinq.

Si l'accueil d'Exilles avait été amical, celui de Chiomonte, par ce clair matin, fut tout entier délirant. La raison en était que les villageois me gardaient une grandissime gratitude pour leur avoir prêté le charron qui répara leur unique charrette, depuis si longtemps hors d'usage.

Dans la foule qui se pressait autour de mon cheval, j'aperçus soudain deux yeux de jais qui brillaient au milieu d'une touffe de cheveux et de poils, et à cette exubérante pilosité je reconnus Filiberto.

— Filiberto, criai-je, *vieni qui* !

Il fendit alors la foule avec la neuve autorité que je lui avais sans nul doute conférée en l'appelant à moi, titre qui le haussait en son opinion bien au-dessus de ses concitoyens. D'ailleurs, n'avait-il pas déjà reçu de moi une inoubliable faveur en obtenant que je l'emmenasse à Suse, assis à côté de mon cocher, pour recouvrer une dette de famille. Filiberto avait donc le sentiment qu'il appartenait d'ores en avant à ma maison et qu'en quelque façon je lui appartenais aussi, puisque j'étais son maître.

— *Vostra Altezza si recorda di me e del mio nome* [1] ! dit-il, ivre d'orgueil.

— *Si, certamente Filiberto. Vieni nella mia tenda a mezzogiorno in punto. Vorrei parlarti a te.*

— *Agli ordini, Vostra Altezza* [2], dit-il en me saluant jusqu'à terre.

Et il se retira de nouveau dans la foule, comme il convenait à sa nouvelle dignité, avec un air de pompe qui n'était en aucune façon ridicule, tant il était bien joué. Dieu que ce peuple me plaît ! m'apensai-je. Il a au plus haut degré le sens du *gioco* et de la comédie.

Je finissais ma repue de midi quand Filiberto pénétra à petits pas révérencieux dans ma tente, et j'eus toutes les peines du monde à l'amener à s'asseoir et à accepter un verre de vin des mains de mon valet. Mais, si pour me témoigner son respect, il ne s'assit que de la moitié d'une fesse sur le tabouret qui lui fut tendu, en revanche il honora ma cave en vidant d'une seule goulée son verre. De ce vin-là, m'apensai-je, il sera parlé à Chiomonte dans les siècles des siècles.

— Filiberto, dis-je, je vais te confier un secret que tu dois taire à jamais et quérir de toi un service, lequel, si tu l'acceptes, devra lui aussi demeurer à jamais enfoui au plus profond de tes mérangeoises.

— *Vostra Altezza*, dit-il avec solennité, si ce service-là ne va pas au rebours de ma conscience, je le rendrai avec joie, étant dévoué *anima e corpo* [3] *a Vostra Altezza.*

— Filiberto, dis-je, il ne va pas contre ta conscience. Je compte demain me rendre à Suse,

1. Votre Altesse se souvient de moi et de mon nom ! (ital.).

2. — Certainement ! Viens à ma tente à midi. Je voudrais te parler.

— À vos ordres, Votre Altesse (ital.).

3. Corps et âme (ital.).

non par le chemin qui longe la Dora Riparia, mais par le Gravere.

— *Una marcia lunghissima et difficoltosa* [1], dit Filiberto. Peux-je demander à Votre Altesse si Votre Altesse sera seule, ou faiblement accompagnée ?

— Nenni ! Je serai accompagné par un régiment.

— Ce sera donc une action militaire, dit Filiberto avec gravité.

— Nenni ! Le roi de France compte demander à Son Altesse le duc Charles-Emmanuel Ier libre et amical passage en ses terres pour gagner Casal.

— Il ne sera donc fait aucun mal à Son Illustrissime Altesse ?

— Aucun. Et d'autant que son fils, comme tu sais, Filiberto, est le beau-frère du roi de France.

— *Lo so*, dit Filiberto, *e sono ora interamente rassicurato* [2].

À mon sentiment, il se rassurait avec une facilité qui montrait peu d'amour pour son souverain. Sans doute avait-il, comme les villageois d'Exilles et de Chiomonte, quelques raisons pour cela. Moi-même j'aimais fort peu le duc, sa longue figure, la longue plume blanche qui la surmontait et sa folle arrogance.

— Il va sans dire, repris-je, que le roi de son côté se rendra à Suse par le chemin qui longe la Dora Riparia [3]. Mais à quel endroit dois-je, moi, quitter ce chemin-là pour gagner à ma dextre le Gravere dans la direction de Suse ?

— Je vais vous le dire, *Vostra Altezza*, un peu avant l'endroit où le Rio Clarea se fout dans la Dora Riparia. Votre Altesse doit alors marcher droit vers l'est.

— Et c'est là que je trouverai le Gravere ?

— Votre Altesse, le Gravere n'est pas un village,

1. Marche très longue et difficile (ital.).
2. Je le sais et suis maintenant entièrement rassuré (ital.).
3. La Dora Riparia est une rivière qui traverse Suse.

mais un ensemble de villages, dont le plus important est Refornetto.

— Et pourquoi est-il si important ?

— Parce qu'il possède une église, et dedans l'église, un curé.

— Et qu'ai-je affaire avec le curé ?

— *Tutto* [1].

Ce *tutto* me laissa songeux et je dis :

— Éclaire ma lanterne, Filiberto. Pourquoi dois-je voir le curé ?

— Pour lui graisser les roues [2].

— Et pourquoi dois-je lui graisser les roues ?

— Pour que ses roues, Votre Altesse, aillent dans votre sens, et non dans le sens contraire. Après que je lui aurai dit que vous prendrez pour guide Vincenzo Tallarico, il faudra qu'il accepte ce choix.

— Et s'il ne l'accepte pas ?

— Votre Altesse, que peut-on attendre d'une charrette dont les roues sont mal graissées. Elles grincent ! Et se peut que son grincement parvienne jusqu'aux oreilles de Son Illustrissime Altesse, le duc de Savoie. *E allora che disgrazia per il povero Vincenzo Tallarico* [3] !

— Qui est Vincenzo ? Où vit-il et que fait-il ?

— Je vous l'ai dit : il vit à Refornetto, c'est mon cousin. Et pour son métier, il fait des meubles.

— Il est donc menuisier.

— *No, certamente, Vostra Altezza !* protesta Filiberto avec quelque indignation, *Vincenzo è un grande artista* ! Il dessine des meubles ! Et il les fait ! Et en outre il est grand marcheur et connaît *a memoria* tous les sentiers du Gravere.

— Dois-je entendre qu'il accepterait de me guider le cas échéant de Refornetto à Suse ?

1. Tout (ital.).
2. Équivalent italien de « graisser la patte ».
3. Et alors quel malheur pour le pauvre Vincenzo Tallarico ! (ital.).

— *Si, certamente.* Pour peu que je lui demande et que son curé y consente.

— Et comment pourras-tu le lui demander?

— Quand Votre Altesse quittera le chemin de la Dora Riparia pour s'engager dans le Gravere, alors, si Votre Altesse est d'accord, je tiendrai à grand honneur de le guider jusqu'à Refornetto.

— *Ma sei un tesoro, Filiberto* [1]! m'écriai-je. C'est un grand service que tu me rends là, et je l'accepte comme tu me le proposes, du bon du cœur.

Le six mars, *il grandissimo esercito francese* [2], comme disaient les Chimontais, s'ébranla avant même la pique du jour, sur la route qui longeait la Dora Riparia dans la direction de Suse. Le roi avait voulu que le régiment des Suisses, le comte de Sault, moi-même et mon guide devancions d'une demi-lieue son armée, ce qui nous permettrait, à la hauteur du confluent du Rio Clarea et de la Dora Riparia, de quitter la route sur notre dextre et de pénétrer dans *la comune di Gravere* sans retarder la marche des colonnes qui nous suivaient.

Tout, en fait, se passa fort bien, sauf que traverser une suite de sentiers enneigés, une série de monts et vallons dans la froidure et le petit matin, même si la hauteur desdits monts n'excède pas quatre cents toises, est bien, comme avait dit Filiberto, une marche *difficoltosa e lunghissima.* « Mais ce n'est rien encore, dit Filiberto pour me rassurer, ce sera bien pis de Refornetto à Suse. »

Nous arrivâmes à Refornetto comme le curé achevait sa messe du matin, ce qui me permit de haranguer les fidèles comme ils sortaient de la *chiesa parrochiale* [3], leur assurant que nous ne leur ferions aucun mal, ni brutalité, ni indécentes injures, ni

1. Mais tu es un trésor, Filiberto! (ital.).
2. La grande armée française (ital.).
3. L'église paroissiale (ital.).

picorées de maisons, ni forcements de filles, que de reste nous ne faisions que passer en toute gentillesse et amitié, après avoir rendu nos devoirs à leur bon curé.

Comme j'achevais, ledit curé apparut majestueusement sur le seuil de son église, je lui baillai aussitôt une gracieuse bonnetade, et le comte de Sault une autre, et Filiberto une profonde révérence, tandis que nos Suisses, qui ne manquaient ni de tact ni d'à-propos, se mirent d'un seul mouvement au garde à vous en claquant les talons : claquement qui, au demeurant, fit peu de bruit, étant donné les neiges dont lesdites bottes étaient recouvertes.

Le curé inclina alors la tête avec une bénévolence des plus évangéliques et nous pria de le suivre jusqu'à la sacristie où brûlait un bon feu, et d'où il chassa sans tant languir les trois *chierichetti* [1] qui s'y trouvaient encore, ne voulant pas de témoin, à ce que j'augurais, de notre entretien.

J'ai oublié le nom de ce curé et c'est pitié, car bien souvent rien ne ressemble plus à un homme que le nom qu'il porte. Prenez par exemple Filiberto : quel autre patronyme eût pu mieux convenir à sa chaleureuse et éloquente humeur ? Tant est que sans un nom auquel je peux raccrocher le curé de Refornetto, il me paraît très ingrat de le décrire, car si bien je me ramentois, c'était un homme d'âge moyen, de taille moyenne, de corpulence moyenne, et j'oserais dire aussi, d'âme moyenne.

En tout cas, il ne vit aucun inconvénient à ce que je lui « graissasse les roues », *primo* avec cinq flacons de vin que Nicolas lui remit de ma part, et que sur son ordre il déposa sur une longue table où l'on voyait disposés des ornements sacerdotaux usés jusqu'à la trame. *Secundo*, je lui offris un petit boursicot qui contenait deux louis d'or. Il les sortit l'un

1. Enfants de chœur (ital.).

après l'autre du boursicot, les soupesa, envisagea longuement le profil de Louis Treizième, et s'il ne mordit pas dedans pour s'assurer de la solidité des pièces, c'est sans doute par une vergogne de la dernière minute.

Belle lectrice, je ne voudrais pas que vous pensiez que je daube céans sur ce pauvre curé. Car pauvre, il l'était comme assurément tous les curés de campagne, qu'ils fussent Italiens ou Français, la raison en étant qu'ils ne recevaient de leurs richissimes évêques que de petitimes salaires. Tant est que leur vie dépendait souvent de la générosité de leurs paroissiens qui étaient, au demeurant, aussi pauvres diables qu'eux. Bien je me ramentois que Louis s'était alarmé de cette pauvreté des curés du plat pays et il en avait fait de graves remontrances à l'Épiscopat dont je ne puis dire si elles furent suivies d'effet.

Ayant achevé de « graisser ainsi les roues » sans épargner la graisse, je demandai au curé s'il était consentant à ce que je demandasse à Vincenzo Tallarico, son paroissien, de me servir de guide de Refornetto jusqu'à Suse.

Il acquiesça aussitôt, ajoutant que je pouvais dire à Vincenzo Tallarico qu'il n'y voyait, pour sa part, aucun inconvénient, et que s'il était consentant, lui-même l'était aussi.

Toutefois au départir, il me demanda pourquoi je prenais le chemin long et difficile à travers les monts et vaux du Gravere, alors qu'il aurait été si facile pour moi de suivre la route longeant la Dora Riparia pour atteindre Suse. Je jugeai périlleux de répondre à cette question et je feignis l'ignorance : je ne savais pas moi-même à quoi rimait ce détour et je ne faisais qu'obéir à l'ordre de mon roi. Que le curé me crût ou me décrût, je ne sais, mais de toute évidence il jugea de son côté plus prudent de ne pas pousser plus loin l'inquisition et accepta de bonne grâce que je prisse congé de lui sans l'éclairer davantage.

Comme nous sortions de l'église, le comte de Sault me dit :

— Monsieur mon aîné (c'est ainsi que nous étions convenus de nous appeler, ne voulant pas nous encombrer à chaque mot de « duc » et de « comte »), j'admire la gentillesse avec laquelle vous avez mené rondement les choses avec le bon curé de Refornetto.

— Monsieur mon cadet, dis-je, ce n'est pas de la gentillesse, c'est de la *gentilezza*.

— Et quelle est la différence ?

— La gentillesse est un effort amical. La *gentilezza* coule de source, et en Italie je me sens, quant à moi, tout à fait Italien.

Pour un *grande artista*, Vincenzo Tallarico était logé à l'étroit, mais cependant avec beaucoup de goût, et dès les premiers mots de Filiberto il accepta quasiment sans déclore le bec d'être notre guide et s'enferma sans tant languir dans une petite pièce attenante pour se vêtir, nous laissant seuls avec son épouse qui avait fort affaire, d'une part, à filer de la laine avec sa quenouille et, d'autre part, à surveiller deux petites diablesses qui faisaient mille tours et drôleries autour de son cotillon. La maman s'appelait Francesca et était très belle, et Sault et moi l'envisagions, immobiles et silencieux, avec admiration, quoique aussi discrètement qu'il se pouvait. Mais quant aux garcelettes, à observer à la parfin notre présence, elles cessèrent aussitôt leurs pendables jeux, et se campant devant nous, elles nous envisagèrent de pied en cap avec la plus grande gravité et leur inspection finie, pointant leurs petits index sur nous, elles se mirent à chantonner « *Sono belli ! Sono belli ! Sono belli* [1] ! », antienne qui ne cessa qu'avec l'entrée de leur père.

Cette scène charmante me fit à la fois du bien et

1. « Ils sont beaux ! » (ital.).

du mal. De prime, elle m'attendrézit, mais elle ne laissa pas ensuite de me ramentevoir ma Catherine et mon enfantelet, meshui si loin de moi, et ce qui me serrait le cœur encore plus, c'est que je ne savais même pas quand je les reverrais, cette campagne guerrière commençant à peine.

Au départir, je donnai deux écus à Filiberto, étonné et flatté que je lui donnasse autant qu'au curé de Refornetto. Il protesta aussitôt que c'était « *troppo, Vostra Altezza, troppo* [1] ! ». À ma grande surprise, au lieu que de se reposer quelque peu chez son cousin, il décida d'affronter sans tant languir le chemin du retour, soit qu'il eût un travail urgent à Chiomonte, soit plutôt qu'il brûlât de montrer à sa femme comment ses peines avaient été par moi récompensées.

Vincenzo Tallarico apparut enfin, fort bien équipé pour une longuissime marche par neige et froidure. C'était un homme de bonne taille, la membrature carrée, le cou robuste, et une face tannée dont les traits réguliers et virils me firent penser à ceux qu'on prête à l'ordinaire aux légionnaires romains. Quand il prit la tête de notre colonne, il me parut de prime marcher avec quelque lenteur, mais je m'aperçus vite que c'était là un vrai pas de montagnard, fait pour les longues distances et qui ne variait ni dans les descentes ni dans les montées. Tout le temps qu'il fut avec nous, Vincenzo se montra extraordinairement taciturne, soit qu'il le fût de nature, soit qu'il voulût économiser son souffle.

Lecteur, cette longuissime marche de Refornetto à Suse fut si dure qu'il me serait pénible de la conter, et d'autant qu'il ne s'y passa rien de remarquable, sauf quelques chutes et à la fin quelques Suisses, qui marchant en dormant, s'égarèrent, mais qu'on retrouva le lendemain. Toutefois, mon cœur se mit à

1. « Trop, Votre Altesse, trop ! » (ital.).

battre quand Vincenzo me fit appeler pour me dire qu'arrivé au sommet de la montagnette, que nous étions en train de gravir, je pourrais voir Suse et les barricades qui la défendaient. Je dépêchai Nicolas pour l'aller conter au comte de Sault, qui aussitôt ordonna une pause, et venant à moi, me demanda si je désirais reconnaître les lieux par moi-même, auquel cas il m'adjoindrait deux Suisses pour m'accompagner.

J'acceptai tout de gob et me mis en route incontinent avec mes deux Suisses, dont je ne savais pas trop ce qu'ils pourraient faire pour moi, sauf peut-être ramener mon corps au comte de Sault, au cas où la crête franchie nous tomberions sur une avant-garde. À vrai dire, ce n'était pas tant cette perspective qui me donnait du souci, pour déplaisante qu'elle fût. Je tremblais à l'idée que les choses eussent changé depuis ma furtive reconnaissance des lieux lors de ma feinte ambassade auprès de Charles-Emmanuel Ier; car à supposer que Bellone, ébranlé dans sa certitude que les Français n'allaient pas l'attaquer sur le flanc sud, eût depuis ma visite et au dernier moment décidé de fortifier ledit flanc, d'y construire une fortification et d'y loger des soldats, la stratégie que mes renseignements avaient inspirée au cardinal et au roi perdrait alors entièrement le bénéfice de la surprise.

Le jour étant levé et quoique le ciel fût nuageux, il n'y avait pas l'ombre d'une brume pour nous dissimuler, et nous franchîmes les dernières toises qui nous séparaient de la crête à plat ventre dans la neige. Après quoi, haussant la tête avec prudence et risquant un œil, je me sentis infiniment soulagé. La Dieu merci ! il n'y avait là ni fortifications, ni avant-postes, ni soldats. Le flanc sud des barricades était nu et découvert, et sans avoir encore tiré la moindre mousquetade, nous en étions déjà les maîtres, et voyant tout sans être vus.

Il ne me parut pas non plus que les soldats qui garnissaient les trois barricades successives fussent véritablement en alerte, encore que sur la route qui longeait la Dora Riparia et aboutissait comme elle à la ville, je vis, rangée parfaitement en colonne par quatre, immobile et mousquet au pied, notre armée hors de portée naturellement des bâtons à feu des Savoyards.

— Les nôtres attendent notre attaque pour attaquer à leur tour, dit le comte de Sault en apparaissant à ma dextre, et comme moi à plat ventre dans la neige. Et du diantre si nous allons les faire languir davantage.

Et tournant la tête en arrière, je vis une compagnie d'arquebusiers suisses ramper sur deux lignes, l'une pour garnir la crête, et la seconde en retrait d'une toise pour remplacer les premiers, une fois que leurs mousquets seraient déchargés.

— La cible est presque trop bonne, dit le comte de Sault à voix basse et j'ai presque vergogne à tirer sur ces pauvres gens.

Cependant, empoignant son pistolet, il l'éleva au-dessus de sa tête et tira en l'air, imité aussitôt par le capitaine, le lieutenant et l'enseigne du régiment. Ces quatre coups successifs étaient le signal que les arquebusiers attendaient, car ils lâchèrent leur coup tous à la fois sur la barricade. Cette mousquetade éclata comme un tonnerre, brève, mais assourdissante, et quand la fumée des armées à feu se fut dissipée, je vis les Savoyards des barricades refluer en désordre par les grandes portes de la ville et les franchir pour se mettre à l'abri. Au même instant, l'armée royale déferla sur la route et, n'encontrant aucune résistance, occupa les barricades et s'engouffra par les portes que l'ennemi, dans son épouvante, avait laissées ouvertes.

*

— Belle lectrice, avez-vous affaire à moi ?

— Monsieur, je suis fort étonnée. Il me semble que ce n'est pas ainsi qu'à l'ordinaire on conte le combat du Pas de Suse.

— En effet, Madame, je n'ai pas encore touché mot des deux versions de l'événement qui sont les plus connues : la française et la savoyarde, et la raison de ce silence c'est que ni l'une ni l'autre n'emportent mon adhésion.

— Monsieur, avec votre permission, j'aimerais, toutefois, les ouïr.

— Les voici. Je vous fais juge et arbitre de mes réticences à les prendre tout à fait au sérieux. La version française communément admise est due au maréchal de Bassompierre. La campagne d'Italie finie et de retour en Paris, il conta cette version-là à la princesse de Conti, à la duchesse de Chevreuse, au reste des vertugadins diaboliques, en bref à toutes celles et ceux qui, à la Cour, tenaient le roi et le cardinal en grande haine et déprisement. Madame, plaise à vous de revenir avec moi quelque peu en arrière dans le temps, c'est-à-dire au moment où les Suisses du comte de Sault, mousquet au poing, ne sont pas encore apparus sur la crête qui domine le flanc sud des barricades. Sur la route, l'armée royale, immobile comme j'ai dit à cent toises desdites barricades, attend l'arme au pied. Une fois de plus, Louis a fait par son héraut demander libre et amical passage au duc de Savoie et, une fois de plus, le duc de Savoie a rejeté cette proposition. Et qui s'impatiente alors, sinon notre grand Bassompierre, notre superbe Bassompierre, et il le dit au roi en ce style amphigourique et métaphorique dont nos pimpésouées de cour sont tout à plein raffolées, mais que déteste le roi, qui comme son père aime le parler rude et roide du soldat.

« — Sire, dit Bassompierre, l'assemblée est prête, les violons sont entrés et les masques sont à la porte. Quand il plaira à Votre Majesté, nous danserons le ballet.

« À quoi le roi répond qu'il n'a pas cinq livres de plomb dans le parc de l'artillerie. Quel curieux propos Bassompierre lui prête ici ! Madame, ne trouvez-vous pas étrange que le roi se plaigne de ne pas avoir de munitions, alors que, s'il les avait, il ne pourrait pas les utiliser, son artillerie étant restée, comme vous savez, dans la *fortezza* d'Exilles, c'est-à-dire à deux bons jours de marche de Suse. Le roi est-il donc fol devenu ? A-t-il perdu tout à plein mémoire et mérangeoises, et le pauvret sait-il encore ce qu'il dit ?

« Bien entendu, Bassompierre balaye cette objection stupide d'un tournemain. Mieux même, il gronde et morigène le roi comme on ferait avec un béjaune, et par sa fougue, semble-t-il, emporte la décision.

« — Sire, dit-il, il est bien temps maintenant de penser à cela ! Faut-il parce qu'un masque n'est pas prêt que le ballet ne danse pas ?

« Madame, ne voyez-vous pas quel beau rôle Bassompierre se baille céans ! Dans quel magnifique péplum il se drape ! Et à côté de ce pauvre Louis, qui apparaît, sous sa plume déprisante, faible, fol, et falot, quelle belle statue Bassompierre sculpte de lui-même en héraut superbe, plein de cette *furia francese,* tant admirée des Italiens, et joignant à ces belles vertus guerrières ces attributs bien français et tant admirés des dames : le panache et l'esprit. Madame, je vous prends à témoin. Comment ne se point pâmer devant des façons de dire aussi galantes que celles-ci : “Faut-il pour un masque qui n'est pas prêt que le ballet ne danse pas !” Les soixante-quatre canons de l'artillerie française comparés à un “masque qui n'est pas prêt”. Bonnes gens, oyez ! c'est un maréchal de France qui parle !

— Vous n'attachez donc pas créance, Monsieur, à ce récit.

— Pas la moindre. Ni à son récit, ni au rôle que

Bassompierre veut se donner, ni à sa conclusion implicite, d'autant que Bassompierre présente ces propos comme ayant été dits au bec à bec avec le roi.

— Et c'était faux ?

— Oui, Madame, c'était faux. Il y avait là, pour commencer, le favori du roi, Saint-Simon, lequel demeurait bouche cousue, mais l'oreille déclose. Il y avait là surtout et comme il est curieux que Bassompierre ne l'ait pas aperçu à ses côtés, la présence d'un personnage importantissime dans l'État.

— Richelieu ?

— Oui-da, Madame ! Richelieu, à qui le roi demanda à son tour d'opiner, et qui opina qu'il ne fallait pas attaquer les barricades avant que le comte de Sault n'apparût sur le flanc sud dégarni, créant l'effet de surprise et d'épouvante qu'on attendait de lui. Et c'est bien entendu cette opinion-là qui prévalut dans l'esprit du roi. On avait avec grand soin et labour préparé un mouvement tournant, et au dernier moment allait-on, comme le voulait Bassompierre, y renoncer pour mener une attaque frontale toujours si coûteuse en hommes ?

— Et quant aux récits savoyards du combat, Monsieur, d'après ce que vous avez suggéré, ils ne seraient pas non plus plus proches de la vérité.

— C'est ce que je crois, Madame, mais quant à eux, ils ont à mes yeux davantage d'excuses. Les Savoyards sont vaincus, il faut donc qu'ils se consolent en montrant combien ils ont été héroïques dans leur défaite.

« C'est ainsi qu'on a conté que Charles-Emmanuel, tout podagre et impotent qu'il fût, ordonna qu'on le portât sur sa chaire à bras à l'intérieur des barricades : ce qui voulait dire qu'en cas de retraite, lui et ses porteurs seraient en grand danger d'être pris. On raconte aussi qu'au moment où le héraut royal lui vint demander s'il laisserait passage libre et amical à l'armée royale, il répondit par une de ces phrases superbes dont on forge plus tard des mots historiques. Il dit "non", bien sûr, mais en se drapant dans l'honneur savoyard : "*Noi,* dit-il, *non siamo inglesi e sapremo difendere i nostri passaggi* [1]." Allusion claire, Madame, au siège de La Rochelle, mais allusion toutefois quelque peu boiteuse, car à La Rochelle ce ne furent pas les Anglais qui eurent à défendre leurs passages, mais les Français qui réussirent à interdire les leurs, grâce à cette fameuse digue dont toute l'Europe a parlé.

« Mais voici, Madame, le second épisode héroïque d'après les historiographes savoyards. Quand les Français envahirent les barricades, le fils du duc de Savoie, le prince de Piémont, dégagea son père qui, immobilisé sur sa chaire, était en grand danger d'être capturé. Il le dégagea, disent les Savoyards, par *una brillante carica* [2]. Voilà qui donne à réfléchir, une brillante charge et comment ? À cheval par les fossés et les barricades ? ou à pied, alors que les barricades sont déjà submergées et par l'armée royale et par les Suisses du comte de Sault, les défenseurs fuyant en ouvrant toutes grandes les portes de Suse et les laissant ouvertes derrière eux, ce qui permit aux assaillants de les poursuivre à la chaude et surtout, Madame, comment accepter que le duc et son fils se fussent tous deux enfermés dans les barricades ? Fallait-il courre le risque qu'ils fussent en ce combat tous les deux tués, la Maison de Savoie disparaissant alors à jamais d'Italie ? Je ne sais ce qu'il en est des princes italiens, mais l'usage en France, et je crois en toute l'Europe, est que les rois ne s'exposent pas, comme disait Richelieu, "ès lieux périlleux", courant le risque d'être tués, leur mort entraînant presque toujours la prompte défaite de leurs armes.

1. Nous, nous ne sommes pas Anglais et nous savons défendre nos passages (ital.).
2. Une brillante charge (ital.).

— Vous ne croyez donc pas, Monsieur, que le duc de Savoie se fit porter sur sa chaire de podagre jusque dans les barricades ?

— Je ne serais pas si discourtois envers la Maison de Savoie. Je dirais que le duc s'y est fait porter, de prime, pour inspecter les défenses et encourager les défenseurs, mais que son inspection terminée, ses ministres lui ont conseillé de regagner son château et d'y attendre l'issue de la bataille. Ce qu'il fit assurément et sans le moindre déshonneur : aucun monarque en Europe n'aurait agi autrement.

— Cependant, Monsieur, accepter de se mesurer, quand on est une poignée d'hommes, à une armée aussi puissante que celle de Louis, n'était-ce pas folie ?

— Folie ? Nenni ! Je dirais plutôt calcul.

— Calcul, Monsieur, cette garnison si faible ? Ces barricades de bois ? Ce général obtus ? Toutes ces faiblesses et insuffisances confrontées à trente-cinq mille soldats ?

— Si le mot calcul ne vous convient pas, Madame, disons plutôt simulacre.

— Simulacre ?

— Eh oui, Madame ! Considérez, je vous prie, la situation difficile où se trouve Charles-Emmanuel, pris entre deux puissants voisins, l'un permanent, l'Espagnol, l'autre, le Français, qui ne fait jamais que des séjours limités en Italie. S'il fraternise trop avec cet hôte passager, l'Espagnol, après son départ, va lui chanter pouilles et pis peut-être. N'oubliez pas que Charles-Emmanuel de Savoie est l'allié du roi d'Espagne, et c'est en cette qualité d'allié qu'ils se sont partagé des villes dans le Montferrat : à l'Espagne Casal, et à la Savoie, Tino. Venons-en au moment présent. Donner les clefs de l'Italie aux Français, c'eût été, aux yeux de Gonzalve de Cordoue, trahir l'allié espagnol, mais se les laisser arracher de vive force était tout différent. Charles-

Emmanuel, à ce moment-là, pouvait paraître blanc comme neige.

— Et ce simulacre eut l'effet souhaité ?

— Nenni, Madame ! La faiblesse de toute politique machiavélique est qu'elle ne réussit que pour un temps. L'Espagnol ne fut pas longtemps dupe et quand il apprit que Louis faisait à Charles-Emmanuel des conditions de paix fort douces : le duc gardait en effet Tino et obtenait une rente de quinze mille écus par an. Quand Gonzalve apprit au surplus les retrouvailles, les effusions et les enchériments du roi de France avec sa sœur cadette, la princesse de Piémont, il s'avisa qu'on l'avait peut-être floué et d'autant qu'en conséquence du libre passage à Suse de l'armée royale, Casal fut délivrée des assiégeants et Toiras, avec une forte garnison, put s'y installer.

La conséquence ne se fit pas attendre. Dès que Louis s'en fut retourné en sa douce France, l'Espagnol se retourna contre Charles-Emmanuel, lui montra les dents, exigea de lui de ne point exécuter une des clauses du traité avec Louis : l'envitaillement de Toiras à Casal. Cela, à vrai dire, arrangea fort Charles-Emmanuel qui était chiche-face à mourir, et cela ne gêna guère Toiras qui, connaissant bien les sièges, avait fait d'amples provisions. Et quant aux reproches qu'on peut faire ici à Charles-Emmanuel, je n'en vois pas la justification. Sa malheureuse situation géographique le condamnait à trahir tantôt l'Espagne et tantôt la France. Et quant à nous, belle lectrice, pour soutenir Casal, Mantoue, la Savoie et la république de Venise, n'était-il pas évident que nous aurions à revenir en Italie quand et quand, nos succès n'y étant jamais que précaires, puisque nous n'y résidions pas...

CHAPITRE V

Une fois franchies les portes de Suse, le roi confia à Richelieu — et non point, lecteur, à Bassompierre — le soin de pacifier la ville, ce que le cardinal fit avec beaucoup d'adresse et de patience, et sans aucun souci de gloire paonnante, à telle enseigne qu'une des trois tours *intra muros* ne voulant pas se rendre, il consentit à ne pas lui donner l'assaut, pour peu que ses défenseurs s'engageassent à ne pas tirer sur nos soldats. Ce qu'ils promirent, et ils tinrent leurs promesses.

À l'égard de Charles-Emmanuel de Savoie et du prince de Piémont, Louis ne laissa pas d'user de la même mansuétude. À leur prière, il leur permit de se retirer à Aveillane, petite place fortifiée à quelque distance de Suse, et après leur départ, Louis, avec une fort rare courtoisie, ne voulut pas occuper le château qu'ils venaient de quitter, et logea dans une maison voisine, assurément moins belle et moins commode.

C'est avec son beau-frère, le prince de Piémont, que Louis établit le traité de paix qui mettait fin à la belligérance des deux pays et, comme on l'a vu, les conditions en furent fort douces pour le duc et son fils. Cependant, sur la fin du séjour, les choses entre eux et nous se gâtèrent. Voici comment.

Lecteur, si tu es étourdi, oublieux et sans ordre

comme je le suis moi-même — sauf cependant dans mes tâches et missions — je voudrais que tu saches que c'est là, non point un défaut mignon dont on peut se gausser entre amis, mais un vice gravissime dont les incalculables conséquences peuvent amener le pécheur, s'il n'est pas gentilhomme, à se balancer un jour au bout d'une corde.

Dans l'année, et le mois qui nous occupe, un certain Clausel perdit, sur les chemins de France, des papiers qui apparurent à celui qui les trouva et les lut d'une importance telle et si grande qu'il les fit remonter, de proche en proche, jusqu'à Suse et jusqu'au roi.

À lire et relire ces papiers, Louis fut béant et bouillit d'indignation. Il appela incontinent à la rescourre le cardinal qui, les ayant lus à son tour, demeura sans voix : il s'agissait d'un traité entre le très catholique roi d'Espagne Philippe IV et le duc de Rohan, chef des huguenots de France. Selon les termes de ce traité, le duc recevrait quarante mille ducats d'or annuellement s'il réussissait à établir en France un État protestant indépendant.

Vramy, il y avait de quoi éclater ! La dévergognée hypocrisie de la politique espagnole éclatait à plein dans ce peu ragoûtant document. Le roi d'Espagne se donnait *urbi et orbi* comme le champion de l'Église catholique, et proclamait qu'il était le seul à posséder les moyens d'éradiquer un jour l'hérésie, mais dans le même temps, il baillait de l'or au duc de Rohan pour qu'il créât en France un État protestant, à seule fin d'affaiblir l'unique pays qui, en Europe, pouvait s'opposer à son rêve hégémonique.

Louis, à lire ce traité, allait, je l'ai dit, de dégoût en colère, mais le dernier degré de la fureur bouillonna en lui, quand il découvrit que la personne qui avait servi d'intermédiaire pour parvenir à cet arrangement entre le duc de Rohan et le roi d'Espagne n'était autre que son beau-frère, le prince de Piémont. Le roi le fit venir d'Aveillane, lui chanta pouilles sans merci, exigea de lui une confession écrite et, de retour en France, communiqua le traité et la confession du prince de Piémont à nos dévots qui, comme on sait, adorent le roi d'Espagne. Mais les dévots sont gens étranges qui, en telle occasion, croient ce qu'ils croient et rien d'autre. Ils décrurent tout. Le traité était un faux évident, l'histoire de sa perte, invraisemblable, et de reste, on n'avait pu mettre la main sur celui qui l'avait perdu. Quant à la confession du prince, elle lui avait été dictée par le vainqueur de Suse. Tout cela ne fut pas dit à voix haute par respect pour le roi, mais de bouche à oreille en de pieux murmures. Et même quand Clausel fut enfin capturé et fit des aveux avant d'être pendu, ils décrurent ces aveux. Tout cela n'était que machination, issue d'une tortueuse cervelle et vous savez bien laquelle, disaient-ils avec un soupir, en baissant les yeux.

La révélation de ce traité secret entre Rohan et le roi d'Espagne rendait encore plus urgente la tâche de soumettre une fois pour toutes les villes huguenotes du royaume. À mon grand soulagement, le roi, qui était demeuré quarante jours à Suse, pressa alors les préparatifs pour s'en retourner en France. J'en fus pour ma part fort aise, car ce retour me permettrait de regagner à Orbieu les bucoliques pénates où Catherine m'attendait, le roi n'ayant plus d'ores en avant besoin de mon truchement, la bataille, cette fois, se déroulant entre Français.

Hélas, il n'en fut rien, Louis demeurant clos et coi chaque fois que je faisais allusion à mon duché d'Orbieu où je serais bien aise, laissais-je entendre, d'être de retour pour les foins ou pour les moissons.

« Les foins ont bon dos », disait Nicolas *sotto voce*, mais n'était-il pas logé à la même enseigne, son Henriette, l'été venu, tenant compagnie à ma Catherine en mon domaine ?

Ayant pressenti sans succès le roi, et n'osant m'ouvrir de mes desseins au cardinal, Richelieu ne consentant jamais à marcher, fût-ce du bout des pieds, sur les brisées de Sa Majesté, je m'en ouvris à Monsieur de Guron, dont j'ai déjà parlé dans le tome précédent de ces Mémoires.

Heureux sont les hommes qu'un seul mot suffit à définir : droiture pour Schomberg, fidélité pour Guron. Et chanceux aussi ceux qui les ont pour amis. Ils leur peuvent tout dire, sans méfiance ni doutance.

À l'étape de notre armée qui se devait faire à Orange, j'invitai Monsieur de Guron — qui était un des goinfres de la Cour (au nombre desquels Louis, on se ramentoit, se rangeait) — à une franche repue dans le logis qui m'avait été dévolu, et là, au dessert, sur une dernière lippée, je lui fis confidence de mon tracassin.

— Mon ami, me dit Guron qui n'avait, lui, aucune hâte à revenir en Paris, n'ayant depuis belle heurette d'amour et de soulas que par les garcelettes encontrées au hasard des gîtes et des étapes. Mon ami, répéta-t-il, vous êtes victime de vos bonnes qualités. Si grands sont les services que votre truchement lui a rendus dans l'île de Ré, comme *go between* entre Buckingham et Toiras, et ceux, plus éclatants encore, dans le Gravere, que le roi entend bien employer vos talents de diplomate pour barguigner, le cas échéant, avec les villes huguenotes et pour en finir, avec le duc de Rohan, celui-ci vous sachant gré d'avoir traité la duchesse, sa mère, avec tant de gentillesse et de courtoisie quand vous la visitâtes en La Rochelle assiégée par nos armes.

— Ma fé ! dis-je, bien je me ramentois, en effet, la charmante vieille dame (charmante, quoique altière assez) qui me reçut à La Rochelle, et combien j'avais admiré sa vaillance à demeurer au milieu de ses sujets, affrontant la faim et les périls, alors que Louis lui avait proposé par deux fois de se retirer de cette géhenne pour habiter un proche et paisible château.

C'en est donc fait de moi ! m'apensai-je, en accompagnant Guron jusqu'à son cheval, et me voilà sous les armes une fois de plus, loin de Catherine et de mon enfantelet, et pour combien de temps ?

Lecteur, si tu veux bien te remettre les faits en ta remembrance, tu te ramentevras assurément qu'après la prise de La Rochelle, et maugré la douceur avec laquelle le roi l'avait traitée, aucune autre ville huguenote n'était venue à résipiscence. Il fallait donc bien, Suse prise et Casal délivrée, revenir en douce France régler aussi ce problème-là, si l'on voulait que le royaume guérît enfin de ses guerres civiles et revînt au roi en son entièreté.

À considérer une carte du royaume de France, on ne laissera pas d'apercevoir que les villes huguenotes dessinent un arc de cercle qui part de Privas et, passant par Saint-Ambroix, Alès et Anduze, se poursuit jusqu'à Nîmes. À partir de cette ville, l'arc de cercle suit sa course vers l'ouest et, décrivant une large courbe, rejoint, à la parfin, Castres, Mazamet et Montauban.

Le pouvoir royal n'avait jamais osé jusque-là attaquer ces villes simultanément, et s'en prenait tantôt à l'une, tantôt à l'autre, ce qui fait que si l'une tombait, les huguenots se consolaient de sa perte en comptant toutes celles qui restaient debout « grâce à la Providence ». En revanche, si le pouvoir royal échouait devant l'une d'elles, par exemple devant Montauban, cet échec relevait le courage de toutes les autres et les ancrait davantage dans les sentiments d'invincibilité que leurs pasteurs, au nom de la Cause, leur avaient insufflés.

Au retour d'Italie, c'est au cardinal de Richelieu que Louis confia la reconquête des villes huguenotes.

À cet instant, Richelieu, de ministre principal de

Sa Majesté qu'il était, devint, sans en avoir le titre, le lieutenant général de ses armées. Sur tous ceux qui jusque-là l'avaient précédé en ces fonctions, il détenait un avantage immense : une grande armée, laquelle était de surcroît réputée invincible depuis qu'elle avait pris La Rochelle et occupé Casal. Une armée en outre bien garnie en soldes, en vivres, disciplinée et aguerrie.

Il disposait surtout d'un atout dont n'ont pas toujours disposé nos vaillants maréchaux : un jugement clair, libre de tout *a priori,* qui pèse, en de fines balances, le pour et le contre d'une situation et d'une stratégie avant de prendre une décision en toute clarté et connaissance de cause. Et il imagine, en effet, de ne point attaquer de prime une seule place huguenote importante, mais de les attaquer toutes, sans en excepter aucune, et en même temps. Or, l'armée dont il est maintenant le chef est assez nombreuse pour qu'il puisse la fragmenter et attaquer partout où la rébellion résiste encore derrière ces murailles : le prince de Condé met le siège devant Montauban, Monsieur de Vantadour devant Castres, le maréchal d'Estrées devant Nîmes. Quant au roi et à Richelieu, ils attaquent le sommet de l'arc de cercle que nous avons décrit, c'est-à-dire la pointe la plus avancée vers le nord des huguenots en le royaume de France : Privas. Le dix-neuf mai, dix-neuf mille fantassins, six cents cavaliers et une artillerie, qui n'avait plus à craindre d'être immobilisée par les neiges d'Exilles, encerclent la ville. Le vingt-six mai, la ville se rend.

Belle lectrice, pardonnez-moi : vos beaux yeux vont pleurer. Privas prise, le roi et le cardinal disputèrent s'il y avait lieu de la faire bénéficier de la généreuse clémence dont ils avaient usé après la capitulation de La Rochelle, et certes, ni l'un ni l'autre n'avaient la tripe cruelle, mais il leur apparut que cette magnanimité, si belle en soi, n'avait servi de rien. Aucune autre ville huguenote, ensuite, ne s'était déclose à eux. Et cette fois ils se prononcèrent pour la sévérité. Pour la première fois, et j'imagine non sans vergogne ni remords subséquents, Louis lâcha la bride à ses soldats, et aussitôt ils coururent à leurs coutumiers exploits. Privas fut pillée, saccagée, brûlée et, en oyant les cris de désespoir des pauvres habitants, les hautes flammes qui dévoraient leurs maisons, j'en fus fort troublé et malheureux, mais les jours suivants, force me fut de constater que Saint-Ambroix, Alès, Anduze, Nîmes, Castres, Mazamet et Montauban, ouvrirent l'une après l'autre leurs portes au roi. Chose étrange, ces redditions sans coup férir ne laissèrent pas, en y réfléchissant plus outre, de me donner quelques idées fort tristes sur l'espèce humaine, l'odieuse brutalité des soldats à Privas réussissant où clémence et douceur avaient jusque-là échoué.

Pourtant, clémence et douceur réapparurent, mais accompagnées aussi de quelques précautions, quand Louis, le vingt-sept juin, promulgua l'Édit de grâce qui réglait le sort des villes protestantes. Elles devaient raser leurs murailles et remparts, et c'était bien le moins qu'elles rétablissent partout le culte catholique. On supprima aussi les privilèges concédés par Henri IV et dont le plus exorbitant était l'exemption de la taille. Mais surtout — miracle de l'équité royale ! — les biens confisqués leur furent restitués, et Louis, s'interdisant de revenir sur le passé, s'engagea à respecter à jamais la sûreté des huguenots et de leur religion en France.

Quant à moi, je n'eus pas à faire preuve de grandes qualités diplomatiques pour traiter au nom du roi avec le duc de Rohan. Il n'aspirait qu'à tirer son épingle du jeu, et pour de fort bonnes raisons. Le traité de paix entre la France et l'Angleterre l'avait privé de son alliée naturelle et la reddition des villes huguenotes venait de lui ôter, en même temps que l'espoir d'un État protestant en France, son alliée contre nature : l'Espagne. Les grands de ce monde apparemment ne sont pas aussi chatouilleux que leurs peuples sur les religions qu'ils professent.

J'avais, quant à moi, à offrir au duc de Rohan des conditions si généreuses qu'il eût été bien malvenu de les barguigner. Il recevait sa grâce, ses biens lui étaient restitués, et on lui versait, pour le consoler de sa défaite, cent mille écus. Il y avait toutefois une ombre à ce tableau : le duc était tenu d'ores en avant de résider hors de France, et de prime au sein de la république de Venise, notre amie de toujours, laquelle, redoutant fort les empiétements des Espagnols, du Milanais, avait grand besoin d'un chef de guerre pour le moins aussi suffisant que l'était dans le camp adverse le marquis de Spinola.

On conduisit donc le duc de Rohan avec tous les honneurs possibles jusqu'à Toulon où sans tant languir on l'embarqua avec femme, fille et trésors jusqu'à la perle de l'Adriatique à laquelle il rendit, en effet, les plus grands services avant d'en rendre d'autres tout aussi précieux au roi, quand Sa Majesté l'employa à empêcher les Espagnols de s'installer dans la Valteline : ce qui succéda, mais pour un temps seulement, faute de renforts.

Louis, je l'ai dit mille fois, avait trouvé très mauvais le venteux, pluvieux et tracasseux climat de La Rochelle et de l'Aunis. Mais à peine Nîmes fut-elle en juin 1629 tombée en ses mains, qu'il trouva la belle cité, malgré ses arbres et ses fontaines, tant chaude, étouffante et insufférable, qu'il ne pensa plus qu'à la quitter. Je n'oserais affirmer qu'il aimait, par-dessus tout, le climat de Paris, car dès qu'il sortait du Louvre, il se plaignait de la malodorance des rues de sa capitale. La commodité de Paris, c'était surtout que Saint-Germain-en-Laye, berceau de ses maillots et enfances, en fût si proche, et que là, enfin, il pouvait respirer, et aussi chasser à loisir dans la garenne du Peq [1].

Il laissa donc le cardinal en Languedoc pour veiller à la bonne exécution de l'Édit de grâce, et le quinze juillet quitta Nîmes. Et de façon tout à fait brusque, inattendue, et comme toujours « au débotté » me fit dire, deux heures avant son départir, que je le devrais suivre. Il se peut qu'il se fût ramentu du désir que j'avais exprimé de me trouver en mon duché d'Orbieu pour les moissons, mais je me gardai bien de lui en toucher mot, ni même de le remercier, de peur qu'il pensât qu'il avait cédé à ma suggestion, ce qui le rebroussait fort, étant si méfiant, si susceptible et si jaloux de son pouvoir.

Il n'emmena avec lui que Schomberg, Saint-Simon, Monsieur de Guron, les officiers de sa maison et moi-même et, pour son escorte, ses trois régiments préférés, chacun prétendant de reste, sans trop le dire, qu'il était meilleur à soi seul que les deux autres.

Saint-Simon [2] — assurément le plus fin, le plus avisé, le plus fidèle, et le moins paonnant des favoris qui se sont succédé auprès du roi — était seul admis de façon permanente dans la carrosse royale, et « permanente », c'est encore trop dire, car Louis, quand il était là, ne laissait pas quand et quand de l'en chasser — le pauvret devant alors se réfugier dans ma carrosse, ou celle de Schomberg, ou celle de Guron. Et comme un jour que je l'avais ainsi accueilli, ou plutôt recueilli, je lui demandais ce qu'il avait fait pour encourir l'ire du roi, il me dit avec un petit sourire :

— Comme de tous ceux qui le servent fidèlement, Louis prend de moi des dégoûts.

— Et à quel propos ?

1. Qu'on écrit maintenant Le Pecq.
2. Le père du mémorialiste.

— Tantôt parce que dans la carrosse je parle trop, et tantôt parce que je ne parle pas assez.

— Et du cardinal, Louis prend-il aussi des dégoûts ?

— Que voilà, dit Saint-Simon avec ce sourire malicieux et juvénile qui le rendait si plaisant à tous, que voilà, Monseigneur, une question délicate !

— Je la retire, dis-je, si vous la trouvez indiscrète.

— Nenni ! Nenni ! Louis aime, estime et admire le cardinal plus que tout autre être au monde, mais parfois son écrasante supériorité l'agace, et comme on fait à un cheval rétif, il lui donne alors un coup de caveçon qui lui meurtrit les mâchoires, pour lui ramentevoir qu'il est la monture et lui-même le cavalier. Mais du diantre si je ne suis pas en train de vous dire, Monseigneur, ce que vous avez vous-même, comme moi-même, éprouvé.

— Que voilà, dis-je en riant, une question délicate ! Mais pour parler à la franche marguerite, la réponse est « oui ». Louis aime taquiner et tantaliser les gens qui le servent, et c'est dans cet esprit, je crois, qu'il m'a promis mon duché plusieurs mois avant de me le donner.

Là-dessus, toutefois, Saint-Simon resta clos et coi comme nonnette en carême, ce qui me donna à penser que le bruit qui courait à la Cour n'était pas faux, et qu'à lui aussi le roi avait promis un duché... Dieu bon ! m'apensai-je, que ce gentil écuyer a peiné peu pour avancer dans l'ordre de la noblesse, et comme d'autres ont peiné prou !...

Si bien je me ramentois, c'est dans l'avant-dernière étape avant Paris que Louis m'accueillit dans sa carrosse, et il avait l'air en ce clair matin si malengroin que je me demandais si l'honneur qu'il me faisait ne tournerait pas à l'aigre en chemin. Le voyage débuta par un longuissime et déquiétant silence, car il allait sans dire que je ne pouvais pas ouvrir le bec avant qu'il n'ouvrît le sien, ce qui n'empêcherait en aucune manière Louis de me reprocher de ne parler point, si le silence se prolongeait.

Je fus donc fort soulagé quand, tirant une lettre-missive de la manche de son pourpoint, Louis me la tendit en disant :

— *Sioac*, comme vous savez, je ne peux lire en carrosse, le branle me donnant la nausée. Voici un rapport que j'ai reçu ce matin de Monsieur le cardinal. Il m'en envoie un tous les jours, dit-il d'un air accablé, qui me donna aussitôt à penser qu'il eût été fort fâché, si Richelieu était resté un jour, un seul, sans lui rendre compte des affaires du royaume. De grâce, lisez cette missive.

— Tout haut, Sire ?

— Nenni ! Je ne vous saurais aucun gré d'assassiner le silence en ma carrosse. Lisez-la à voix basse, et quand vous en aurez fini, résumez-la à voix haute. Monsieur le cardinal est toujours si long. Il n'en finit pas de donner des raisons à l'infini.

C'est justement cette dialectique socratique que j'admirais le plus chez Richelieu et de reste, j'avais ouï plus d'une fois Louis le louer pour la clarté, la méthode et le caractère exhaustif de ses exposés.

Je lus donc tout bas, pour « n'assassiner personne » en cette carrosse, la lettre de Richelieu, et je dis quand j'eus fini :

— Sire, je suis prêt.

— Je vous ois, dit Louis, avec un air de grande lassitude qui cachait mal son plaisir d'être chaque jour par le cardinal renseigné sur tout.

— Sire, le cardinal vous écrit du château de Piquecos.

— Piquecos ? dit Louis, que bizarre me paraît ce nom-là !

— C'est un nom languedocien, Sire.

— Je l'avais deviné. Et où est ce château de Piquecos ?

— À faible distance de Montauban, Sire.

— Voilà qui va bien. Monsieur le cardinal ne veut point dormir dans la ville qui vient de se soumettre à lui. Poursuivez, *Sioac*.

— Voici, Sire. Le corps de ville, lors de l'entrée du cardinal dans la cité, a voulu, quand il est descendu de son cheval, qu'il prît place sous un dais dressé en son honneur, mais Son Éminence a refusé, arguant que c'était là un privilège réservé au roi.

— C'est bien, en effet, le cas, dit Louis, en laissant apparaître quelque satisfaction.

— Le cardinal a aussi refusé, pour la même raison, que les consuls de la ville escortent à pied sa monture jusqu'à la maison de ville.

— Et cette fois encore, il a bien fait. Que sont, de reste, ces gens qui se donnent des noms romains ? Des consuls ! Sommes-nous à Rome ou à Montauban ?

— Sire, « consuls » est le nom qu'on baille en votre Languedoc aux membres du corps de ville.

— Poursuivez, *Sioac*.

— Observant ensuite que de l'église Saint-Jacques de Montauban il ne restait plus qu'une chapelle, tant les réformés l'avaient mutilée, Monsieur le cardinal a ordonné qu'elle soit incontinent rebâtie sur l'argent du roi.

— C'est bien le moins que je puisse faire, dit Louis.

— Et à la parfin, Sire, Son Éminence a harangué les ministres du culte huguenot. Il les a assurés que d'ores en avant ce serait par la fidélité à votre personne, Sire, et non par la religion, que Votre Majesté fera des différences entre ses sujets.

— Bien dit.

— Votre Majesté, a-t-il enfin déclaré, désire que tous ses sujets soient réunis dans la même croyance. Mais il n'attend ce résultat que de la volonté de Dieu, et de Dieu seul.

— Voilà qui ne va pas plaire à nos bons dévots, dit Louis, mais qui résume à merveille ce que je pense.

— Monsieur le cardinal conclut enfin sa lettre sur un mot vigoureux adressé à votre personne. Puis-je le citer, Sire ?

— Citez, *Sioac.*

— « Sire, tout ploie sous votre nom. On peut dire maintenant avec vérité que les sources de l'hérésie et de la rébellion sont taries. »

À cela, Louis réfléchit un petit, et dit lentement :

— Nenni ! Cela n'est qu'à demi vrai : les sources de la rébellion sont en effet taries, mais non celles de l'hérésie. Cependant que pouvons-nous faire d'autre que de promulguer cet Édit de grâce ? Massacrer les huguenots ? Jeter ces bons Français hors de France ? Et d'autres inhumaines sottises dont nos bons dévots se caressent les méninges ?

Pour une fois, il avait dit les « méninges » et non les « mérangeoises », comme disait son père, et c'était là un mot que je n'ai ouï de personne, sauf de lui.

Après cela, l'œil clos, Louis demeura si longtemps silencieux, que je crus qu'il s'allait ensommeiller. Mais à la parfin, ouvrant l'œil, il dit d'une voix claire et distincte :

— Il faut rendre au cardinal l'honneur qui lui est dû. Tout ce qu'il y a eu d'heureux succès, dedans et dehors le royaume, l'a été par ses conseils et ses courageux avis.

*

Trois jours plus tard, Louis me bailla derechef l'hospitalité de sa carrosse, mais à une fin si inattendue et si amicale qu'elle me combla d'aise.

— *Sioac,* dit-il, vous ramentez-vous le plan que j'avais fait pour Orbieu, d'un châtelet d'entrée après l'attentement dont vous aviez failli être victime de la part de soldats licenciés ?

— Bien je m'en ramentois, Sire, et votre plan, mis

sous verre dans un cadre doré, anoblit le mur de mon plus beau salon.

— Eh quoi ! *Sioac* ! N'avez-vous fait que l'encadrer et le pendre à votre mur ? Un plan n'est-il qu'un ornement ? Ou est-il fait, dans la réalité des choses, pour servir de modèle à une bâtisse ?

— Mais c'est bien ainsi que je l'ai entendu, Sire. J'ai bel et bien construit ledit châtelet d'entrée très exactement selon votre plan, et j'y ai mis à demeure des soldats, et depuis je n'ai plus eu à souffrir la moindre alerte.

— Vous fîtes bien, dit Louis. Un duché, pas plus qu'un royaume, ne doit souffrir d'intrusion.

« *Sioac,* reprit-il, après un silence, nous atteindrons Montfort-l'Amaury demain soir à la nuit, j'ai donné l'ordre qu'on y cantonne mes régiments. Pour moi, je serais heureux, si cela vous agrée, de passer la nuit à Orbieu.

— Sire, dis-je, mon épouse et moi-même serons infiniment heureux et honorés de vous recevoir à Orbieu, et je n'ai aucun doute que mes descendants, s'ils abordent heureusement aux époques futures, ne commémorent d'ores en avant chaque année avec joie et fierté la date de votre visite.

Il était fort difficile de contenter Louis par un merciement. Trop long et trop rhétorique, il y soupçonnait l'enflure et la flatterie. Trop court, il le trouvait désinvolte et quasi insultant à sa dignité. Mais cette fois-ci, à voir une sorte de sourire flotter sur son grave visage, j'entendis bien que j'avais observé les bonnes proportions.

Notre long ruban de carrosses, de cavaliers, de charrettes et de fantassins s'arrêtant toutes les deux heures, Louis me donna mon congé à l'arrêt suivant, et je me mis incontinent à la recherche de Nicolas, de son frère le capitaine de Clérac, et du maréchal de Schomberg. Le premier, pour lui dire d'avoir le lendemain à se mettre en route deux heures avant la pique du jour pour courre prévenir la duchesse d'Orbieu que le roi logerait chez nous à la nuitée du même jour, et d'avoir en conséquence à tout préparer pour le recevoir dignement ; le second (j'entends Monsieur de Clérac), pour le prier de bailler à son frère Nicolas une dizaine de ses mousquetaires pour l'escorter jusqu'à Montfort-l'Amaury ; le troisième (j'entends, par le troisième, Schomberg), pour qu'il donne à ses gardes et sentinelles l'ordre de laisser passer ce peloton avant l'heure fixée pour le départir.

— La Dieu merci, dit Schomberg, je suis bien aise d'apprendre à l'avance que le prochain gîte sera Montfort-l'Amaury. Il y a là au bord d'un étang, pour élever nos tentes, un champ fort vaste qu'on appelle le camp Henri IV, Dieu sait pourquoi.

— Mais moi j'en sais, par mon père, la raison, dis-je en riant. Henri IV faillit y être tué par une jeune paysanne armée d'une serpe, laquelle était outrée parce qu'il faisait ses affaires dans un champ qui lui appartenait.

— Et comment Henri se sortit-il de ce prédicament ?

— Avec son habituel à-propos. « Ma mignonne, dit-il, ne serait-ce pas une grande injustice d'aller tuer le roi parce qu'il fume votre terre ? — Je ne savons point si vous étions le roi, dit la paysanne, mais vous étions bien fendu de gueule, comme on dit qu'il est, et à ce que je voyons, l'œil bien accroché aussi sur les tétins des garces. »

*

J'étais en ce prédicament moins heureux que flatté de recevoir le roi en mon petit royaume, pour la raison que j'avais conçu mon retour, comme Ulysse avait conçu le sien après que Troie fut prise, n'ayant cœur et pensée que pour retrouver en Ithaque sa fidèle Pénélope. Mes longuissimes randonnées en

Italie et Languedoc finissant avec la paix enfin rétablie, je n'aspirais moi aussi qu'à rejoindre mes champêtres retraites, et celle qui en était le plus bel ornement, et qui en mes songes viendrait à mon encontre, portant dans ses bras le bel enfantelet qu'elle m'avait donné.

Et lecteur, pour te le dire à la franche marguerite, et sans rien retrancher de mon attachement pour le meilleur des maîtres, j'eusse préféré jouir de ce bonheur que me promettaient mes retrouvailles avec mon aimable épouse sans que j'eusse dans le même temps à me torturer les mérangeoises pour traiter Louis selon les règles du protocole.

Au dit protocole, Louis était en effet très attaché, et il n'en pardonnait que très difficilement les manquements, fussent-ils involontaires, aux égards qui lui étaient dus. Cette particularité (qui eût fait sourire son père — en tous temps, en tous lieux, si familier à tous) n'était pas due à une vanité paonnante, mais au fait qu'en ses enfances et adolescences, il avait été traité outrageusement par les usurpateurs de son pouvoir, sa mère et les infâmes Concini.

De tous ses enfants, garçons et garcelettes, la reine-mère n'aimait que le moins estimable : Gaston. Elle vit partir à jamais hors de France ses trois filles sans le moindre émeuvement. Elle ne versa pas une larme quand son fils Nicolas, mal allant dès sa naissance, mourut. Elle fit bien pis. Ne pouvant ignorer que Louis, en revanche, était fort attaché à son pauvre cadet, elle dépêcha à Saint-Germain pour lui annoncer l'affligeante nouvelle l'infâme Concini, lequel s'acquitta de sa tâche avec la dernière brutalité, et comme jouissant du chagrin qu'il allait provoquer. Même quand Louis fut couronné, les humiliations ne cessèrent pas pour autant, et quand, présidant pour la première fois le Conseil qui portait son nom, il voulut prendre la parole, la malitorne lui cria d'une voix furieuse :

— Taisez-vous donc !

Louis ne voulut pas en plein Conseil d'un esclandre avec sa mère. Il se tut. Il resta impassible. Il ne lui pardonna jamais.

Plus tard, quand saisissant à la parfin la réalité du pouvoir, dont il n'avait que l'apparence, il fit assassiner Concini et exila sa mère à Blois, toujours sobre en paroles, il n'eut qu'un commentaire : « La reine-mère ne m'a traité ni en roi ni en fils. »

Cette plaie qu'avait laissée en lui cette mère désaimante et rabaissante ne guérit jamais tout à plein, bien que le dol perdît de sa pointe avec le temps, et j'oserais affirmer que l'ombrageux attachement que Louis montra toute sa vie à ses prérogatives royales en était la lointaine conséquence. Il craignait perpétuellement qu'on lui manquât. Ses serviteurs connaissaient tous cette excessive susceptibilité, et le plus grand de tous, Richelieu, était avec lui, comme on a vu, plus humble, plus feutré et plus respectueux que le dernier valet, et malgré tout, à son insu, et absolument innocent de toute arrogance ou d'insolence ou de discourtoisie, il recevait quand et quand ces coups de caveçon dont j'ai parlé plus haut.

C'est te dire, lecteur, comme je craignais d'offenser Louis en cette visite chez moi et comme je craignais aussi que Catherine, qui a bon bec et peu de respect pour les grands de ce monde, ne l'offensât par un propos trop franc. Mais il n'en fut rien, et tout se passa à merveille. Louis visita mon châtelet d'entrée et en fut tout aussi content que s'il l'avait construit de ses propres mains. Il visita aussi l'église d'Orbieu et fut heureux d'apprendre de ma bouche que j'avais suppléé l'évêque défaillant dans la consolidation de ses murs, la réfection du toit et la commodité du presbytère, prenant aussi en considération le bien-être matériel du curé.

Parlant des évêques en général, Louis fit, une fois de plus, des remarques fort acerbes sur la chicheté des émoluments qu'ils attribuaient aux pauvres curés de campagne et remarqua qu'on pourrait supprimer une dizaine de ces riches évêques sans nuire en rien à l'exercice de la religion en ce royaume. Mais en revanche, que deviendrait-il sans les curés de nos villages et de nos villes ?

Il poussa la minutie jusqu'à désirer voir les cahiers des recettes et des dépenses du domaine, tant est que je lui présentai Monsieur de Saint-Clair, qui les tenait, et Lorena, qui l'aidait dans cette tâche. Il me parut très sensible à la beauté de ce couple, et en particulier à la jeunesse de Lorena qu'il appela « ma mignonne », appellation qui, dans sa bouche, se trouvait tout aussi dénuée d'arrière-pensées qu'elle en eût regorgé chez son père.

Il voulut ensuite faire à cheval le tour de mon duché, et il apparut alors qu'il était un peu moins content qu'il n'avait été jusque-là.

— J'entends bien, dit-il, que ce serait ruineux pour vous d'élever des murs sur toute la périphérie de ce domaine, mais plantez au moins des haies. Quand une haie est assez haute et épaisse, elle est beaucoup moins facile à franchir qu'un mur.

— On peut cependant, Sire, y mettre le feu.

— Oui-da, mais le feu, cela se voit de loin, dit Louis, et l'effet de surprise est alors perdu pour les assaillants.

Il voulut ensuite inspecter mes Suisses, et comme j'avais prévu cette exigence, quand ils se mirent au garde à vous devant lui, ils étaient plus étincelants que des soleils. Louis approuva leur carrure, leur allure, leur vêture et leurs armes, mais critiqua leur petit nombre.

— *Sioac,* me dit-il, il vous en faut le double, et à demeure. Il y va de votre sécurité et aussi de votre dignité de duc et pair.

Je le lui promis la mort dans l'âme, n'étant pas chiche-face, mais, comme mon père, économe.

Et quand, à la fin de cette épuisante journée, je rejoignis Catherine sous le baldaquin de notre lit, l'huis bien clos sur nous, et les courtines de tous côtés tirées, elle me dit :

— De grâce, ne soufflez pas encore les bougies parfumées : de prime, parce qu'elles sont parfumées, et ensuite, parce que je veux voir votre visage, tandis que je vous parle.

— Parce que nous allons parler? dis-je avec un soupir.

— De grâce, mon ami, ne désespérez pas : la nuit est longue, Dieu merci. Mais avant les délices, je désire les éclaircissements.

— C'est bien, je sursois et je vous ois, dis-je, tout en pensant *in petto* que le sens du mot « maîtresse » que les amants chérissent est souvent plus littéral qu'ils ne le croient.

— Première question, dit-elle en me caressant la joue pour m'apazimer avec une petite moue charmante, Louis vous a-t-il fait une visite, ou vous a-t-il infligé une inspection? C'est à peine si je l'ai vu.

Ce qui voulait dire, je pense, que c'est à peine s'il l'avait vue...

— Que voulez-vous, m'amie? dis-je, Louis est comme son père : un roi-soldat.

— On peut être comme son père, soldat et fort galant.

— Mais pour tout dire, m'amie, je n'eusse pas accueilli son père céans d'un cœur aussi léger. Ramentez-vous, de grâce, comment le prince de Condé a dû s'enfuir aux Pays-Bas avec sa belle épouse pour la soustraire aux assiduités du Béarnais.

— Mais de toute façon, dit-elle d'un ton plutôt malengroin, votre Louis, dont vous êtes si raffolé, n'aime pas les femmes.

— Voire mais! Il n'aime ni sa mère, ni son épouse, et pour de fort bonnes raisons, mais il adorait ses cadettes. Et par-dessus tout, il est adamantinement fidèle au Décalogue : tu ne convoiteras pas la femme de ton voisin.

— Et vous, Monsieur, dit Catherine en me plantant dans les yeux ses yeux mordorés, en vos guerrières randonnées, vous êtes-vous appliqué à suivre ce précepte ? Avez-vous, ou n'avez-vous, pas convoité la femme de votre voisin ?

Vramy, belle lectrice, je fus béant de la rapidité avec laquelle en ce prédicament Catherine avait fait jaillir l'épée du fourreau ! Et que voilà, me dis-je, une enquête qui menace d'être encore plus inquisitive que l'inspection du roi !

Je pris alors le parti de la vérité, lequel parti, lecteur, est un pari dangereux, même quand on est innocent.

— Madame, dis-je, pour parler à la franche marguerite, j'ai été confronté deux fois à de dangereuses Circés, mais je n'ai pas succombé.

— Où, quand et avec qui ? dit Catherine d'un ton accusateur. Et quel était le « voisin » dont vous ne deviez pas convoiter la femme ?

— Madame, il n'y a pas eu de voisin. L'une des dames était une veuve chez qui j'étais cantonné, et les autres, deux orphelines chez qui le comte de Sault et moi-même étions logés à Suse.

— Eh quoi ! dit Catherine, ai-je bien ouï ? Deux Italiennes ! Deux fournaises de femmes ! Et vous osez dire que vous n'avez pas succombé !

— Non, Madame, aidé en cela par le comte de Sault qui, pour m'obliger, prit sur lui d'être bigame tout au long de notre séjour à Suse.

— Le comte de Sault ! Autre grand adorateur du *gentil sesso* ! Quelle belle garantie ! Et il vous a, dites-vous, « obligé ». Que le terme est galant ! Et comme il me séduit ! Je croirais plutôt que vous vous êtes obligés l'un l'autre en vous partageant les fournaises !

— Madame, dis-je avec humeur, il n'y a pas

l'ombre du début d'un semblant de vérité dans cette folle assertion. Je vous fus en ces campagnes adamantinement fidèle, et comme vous aimez à dire : « Un point à la ligne et c'est tout. »

Mais si j'avais cru par la magie de cette formule mettre fin à son réquisitoire, j'eusse pu rêver tout aussi bien d'arrêter un torrent avec un petit caillou. Et en effet, il se poursuivit tant et tant qu'à la parfin, excédé et exténué, je tournai le dos à ma belle : attitude peu courtoise, je le confesse, et qui amena des sanglots à vous fendre le cœur, mais ces pleurs à leur tour entraînant de ma part, sinon des excuses que je ne sache pas que je lui dusse, mais à tout le moins des mignonneries et des enchériments, nous sentîmes bien l'un et l'autre que l'heure n'était plus aux paroles. Et encore que Catherine ne voulût en rien renier ses folles accusations, toutefois elle ne les reprit pas, tant est que par un accord tacite nous feignîmes de les oublier et, grâce au ciel, la nuit finit plus tendrement qu'elle n'avait commencé.

*

Louis ne demeura à Orbieu que deux jours et deux nuits. Il repartit le vingt et un juillet et en notre dernière repue, se tournant vers Catherine, il lui dit :

— Ma cousine...

Bien que l'appellation fût protocolaire s'adressant à une duchesse, Catherine ne pouvait l'ouïr sans un plaisant rosissement de la face et un petit brillement de son œil.

— Ma cousine, reprit le roi après un temps de silence, mon cousin, Siorac que voici, est un des rares ducs en ce royaume qui ne pleure pas sa peine quand il s'agit de servir son roi et de bien administrer son propre domaine. Il me plaît donc qu'il en soit remercié, récompensé, et d'autant plus qu'il m'a si bien servi en Italie et en la campagne du Languedoc. J'ai demandé à Monsieur le cardinal, quand il sera sur le chemin du retour, de passer par Montfort-l'Amaury et de l'emmener avec lui, ainsi que vous-même, ma cousine, en Paris. Cela adviendra aux alentours du dix septembre, tant est que, pendant un peu plus d'un mois, je le laisse, ma cousine, à votre bonne garde...

— La grand merci, Sire, dit Catherine, quasiment les larmes au bord des cils.

Louis vit ces larmes et tout aussitôt, sans transition, se mit à parler de chasse. Tout ce qui était féminin dans la conduite des femmes lui inspirait de l'antipathie, sans doute parce qu'il pensait alors à sa mère et se ramentevait ses scènes, ses crises, ses sanglots, ses fureurs. Cependant, contrairement à ce que murmuraient tout bas les coquebins du Louvre, il aimait les femmes, mais là un autre nœud d'étranglement apparaissait, noué en ses maillots et enfances. On avait tant craint et redouté qu'il devînt, comme son père, le volage adorateur du *gentil sesso*, que des prêtres bien intentionnés l'avaient élevé dans une profonde horreur du péché de chair, présenté comme le plus horrible, et si j'ose dire, le plus capital de tous, et par conséquent, le plus propre à vous précipiter le moment venu dans les flammes de l'Enfer.

À jamais, je pense, je me ramentevrai les deux remarques que Louis me fit, tandis qu'au moment de son départir nous l'accompagnions jusqu'à sa carrosse, Catherine et moi.

— Nos bons corsaires, dit-il, ont fort bien combattu, pendant le siège de La Rochelle, contre les flottes anglaises. Et parmi eux furent hors de pair, en leurs exploits, Monsieur de La Lathumière et vos deux frères Pierre et Olivier de Siorac. Et comme ils sont tous les trois cadets nobles, mais sans titre, je vais avant peu leur conférer celui de marquis. Vous pourrez dès maintenant le leur annoncer.

Je le remerciai, fort trémulant de la joie que j'allais donner à mes frères en leur apprenant sans tant languir par lettre-missive ces merveilleuses nouvelles, et d'autre part, ma Catherine se trouvant très liée avec Madame de La Lathumière, elle fut fort aise à la pensée d'avertir sa grande amie d'un avancement qui allait la mettre beaucoup plus en joie que son mari, lequel préférait, à des titres, la gloire et les pécunes. Je remerciai Louis avec chaleur d'honorer ainsi ma famille, et comme il allait monter en sa carrosse je lui dis :

— Votre Majesté, après avoir triomphé à Suse et au Languedoc, doit être bien aise de se retrouver enfin en Paris.

— Point du tout autant que je l'aimerais, dit Louis en s'assombrissant. D'après ce que j'ai ouï, j'y vais retrouver les mêmes cabales qu'à mon département, lesquelles, en vertu de ma longue absence, auront probablement empiré en méchantise et en venin.

Dès que la carrosse l'emporta, entouré de sa garde et précédé par ses trois régiments, Catherine me lança un œil interrogatif, fort intriguée qu'elle était par les propos si tracasseux du roi à son départir. Mais la présence de Monsieur de Saint-Clair et de Lorena mit un bœuf sur sa langue, et ce n'est que le soir au coucher qu'elle y revint au cours de ce qu'elle appelait « le babil des courtines », ces courtines étant celles qui nous fermaient du monde dans notre baldaquin et faisaient de ce lit une petite pièce close et chaude dans la grande. Ces rideaux, il va sans dire, n'étaient pas opaques et laissaient passer, en la filtrant joliment, la lumière des bougies parfumées, lesquelles brûlaient sur les chevets à dextre et à senestre du lit.

Le « babil des courtines » pouvait suivre ou précéder nos tumultes, mais on y venait tôt ou tard, Catherine ayant bon bec et moi-même n'étant pas paralysé de la glotte, tant est que l'habitude s'était prise de ce bec à bec tendre et confiant, souvent jusqu'à une heure avancée de la nuit.

— M'ami ! dit Catherine, dès qu'elle fut étendue à mon côté, sa jolie face entourée de ses cheveux bouclés, et l'œil dans la lumière des courtines vif et mordoré. Comment peut-il se faire, poursuivit-elle, qu'un aussi puissant roi ait au Louvre des ennemis qui lui donnent des inquiétudes ? Et que sont ces cabales dont il redoute le venin ?

— Si j'en crois Richelieu, m'amie, elles sont trois.

— Trois ?

— Celle des Grands, celle des femmes, celle des « étrangers » et des dévots. Elles sont toutes les trois dirigées contre Richelieu et travaillent ardemment à sa perte, laquelle, si elle était consommée, serait aussi, sinon la perte du roi, du moins une grande perte pour lui.

— Qui sont ces femmes ?

— Me permettez-vous, m'amie, de suivre l'ordre de Richelieu et de commencer par les Grands ?

— Qui sont-ils ?

— Ceux qui sont de la cabale, on ne les connaît pas tous, car ils marchent à pas feutrés, ayant beaucoup à perdre. Toutefois, je crois pouvoir citer le duc d'Épernon, le prince de Condé, le duc de Guise, le comte de Soissons, le duc de Bellegarde, et le duc de Montmorency.

— Et ces gens-là détestent Richelieu ?

— Du fond du cœur.

— Et quelles raisons ont-ils de nourrir pour lui tant d'aversion ?

— Ils n'ignorent pas qu'il entre dans son propos de rabaisser les Grands en ce royaume. Et dans cette perspective, qui leur est grandement à dol, la prise de La Rochelle les a frappés d'une frayeur mortelle.

— Et pourquoi ?

— Si le roi et Richelieu sont venus à bout d'emporter une place aussi fortement remparée que celle de La Rochelle, ils pourront tout aussi bien raser « les places que nous tenons ».

— Et qui a dit cela ?

— Le duc d'Épernon.

— Et ces Grands-là sont-ils dangereux ?

— Point autant qu'ils le voudraient. Même en unissant leurs forces (ce qui serait déjà très difficile) ils ne sauraient les mesurer à celles du roi.

— Songeraient-ils à un assassinat ?

— Ils en font assurément des rêves délicieux, mais ils savent bien que ce n'est là que songe. Le roi et le cardinal sont jour et nuit puissamment protégés, et la police cardinaliste abonde en rediseurs [1], étendant partout les mailles de leurs filets, tant est que nul Grand en ce royaume ne saurait boire vin, lait ou bouillon, sans que sa tasse elle-même ne l'aille répéter à Richelieu.

— Ce qui nous amène, dit Catherine en riant, à la cabale des femmes.

— Oui-da, Madame, vous voilà donc satisfaite.

— C'est bien le moins qu'une femme veuille savoir ce qu'à la tête d'un royaume une femme serait capable de faire.

— Rassurez-vous, m'amie : beaucoup de mal !

— Monsieur, vous êtes un méchant ! Et je vous veux mal de mort de cette méchantise ! Et d'ores en avant, vous n'aurez rien de moi !

Mais ce disant, elle me tendait ses lèvres qui, rencontrant les miennes, me furent si douces, si chaudes et si prenantes qu'elles dissipèrent à l'instant l'orage qui menaçait.

— Ma mignonne, dis-je, je pense tout le rebours de ce que je vous ai dit. Mais je ne vais pas vous conter toutes les femmes qui en Angleterre et en France excellèrent en le gouvernement d'un royaume. Ce n'est pas là le sujet. Les dames qui nous occupent sont, elles, fort funestes à l'État.

1. Espions.

— Et qui sont-elles ?
— La duchesse de Guise.
— La duchesse de Guise ! Votre propre mère !
— M'amie, ne dites pas cela ! Bien que ce ne soit, à la Cour, qu'un *segreto di pulcinella* [1], je tiens, quant à moi, à ne jamais l'admettre, même si, malgré ses évidentes faiblesses, j'aime la duchesse de grand amour.
— Ses faiblesses ?
— Elle se tient à la Cour pour la plus haute dame après les reines et assurément elle ne l'est pas. Les princesses du sang passent avant elle.
— Et à son âge elle intrigue encore ?
— À vrai dire, elle n'y met que le bout d'une patte, étant prudente et mal allante. D'aucunes de ces dames sont bien plus à craindre : ma demi-sœur la princesse de Conti, la comtesse de Soissons, et surtout la plus infernale, la duchesse de Chevreuse. M'amie, vous devriez lire mes Mémoires, ils sont pleins de leurs méfaits.
— Je les lirai. Mais une autre question encore. Pourquoi haïssent-elles le roi et Richelieu ?
— Elles sont filles et épouses de grands féodaux, elles ont peur d'être avec eux rabaissées. Mais il y a une autre raison. Elles ont beaucoup à se glorifier dans la chair, et leur beauté leur donnerait un grand ascendant à la Cour, si le roi et Richelieu n'étaient pas plus froids que glace à leur endroit. Elles ne leur pardonneront jamais ce déprisement-là.
— Sont-elles dangereuses ?
— Oui-da ! C'est la duchesse de Chevreuse qui a mis dans la pauvre cervelle de Chalais l'idée d'assassiner Louis.
— Et l'eût-il pu faire ?
— Il en avait tous les moyens. Il était gentilhomme de la chambre.

1. Secret de Polichinelle (ital.).

— Mais ne peut-on punir ces façonnières ?

— M'amie, dans le royaume de France, on ne coupe pas la tête aux dames.

— Mais on pourrait les bannir ?

— Ce serait se fâcher avec une grande famille. Cependant, on a agi ainsi pour la Chevreuse. Las ! la belle, exilée, faisait, hors le royaume, encore plus de gâchis que dedans. On l'a rappelée.

— Et la haine de ces succubes continue à se faire sentir ?

— Moins maintenant sur leurs maris que sur la reine-mère, sur laquelle leur influence renforce celle des dévots, ou, si vous préférez, des « étrangers ».

— Méchant, dit Catherine, avec un grand soupir, ne me dites pas meshui que la cabale des étrangers est la pire de toutes.

— Elle l'est, m'amie, assurément ! Mais laissez-moi vous dire que par « étrangers », le roi et Richelieu ne désignent pas que les Espagnols vivant à Paris et dont le plus actif est le Señor Mirabel, ambassadeur espion de Philippe IV.

— Ma fé, dit Catherine, comment peut-on dire, de ceux qui sont nés en France, qu'ils ne sont pas de véritables Français ?

— Parce que, par haine des huguenots, ils ont embrassé la cause espagnole. Ceux-là sont les dévots, dont j'ai déjà parlé, et dont les chefs, comme vous savez, Marillac et Bérulle, ont conquis l'oreille de la reine-mère, et sa cervelle aussi, pour le peu qu'elle en a.

— Ah, Monsieur mon mari, dit Catherine, mi-riant mi-fâchée, parlez mieux de la reine-mère !

— Ma mignonne, rassurez-vous. Je ne tiendrai pas ce propos devant le roi, encore que je ne sois pas sûr qu'en son for il ne l'approuverait pas.

— Il me semble, pourtant, dit Catherine, après s'être réfléchie un petit, que les dévots devraient savoir gré au roi d'avoir écrasé une fois pour toutes la rébellion des huguenots.

— Mais le roi n'en a pas profité pour éradiquer l'hérésie par le fer et le feu, crime impardonnable aux yeux de nos dévots. Il en a, au contraire, autorisé l'exercice par l'Édit de grâce : autrement dit, il continue la politique de tolérance et la politique anti-espagnole qui a valu à son père d'être assassiné.

Sur ce mot « assassiné », Catherine demeura si longtemps close et coite que je crus qu'elle s'ensommeillait, comme à son ordinaire, en un battement de cils. Ce qui, je ne sais pourquoi, m'attendrézait toujours : elle paraissait alors si enfantine, si abandonnée, et si confiante en ma protection.

Toutefois, je me trompais, car elle dit tout soudain, d'une petite voix chagrine :

— Donc, le roi ne se trompe pas quand il craint que le cardinal, à son retour à Paris, n'encontre sur son chemin que haine et méchantise.

— M'amie, dis-je, je ne prédis rien, mais je ne prendrai en aucun cas la gageure de vous assurer le rebours.

CHAPITRE VI

Louis ne se séparait ni volontiers ni longtemps de ceux de ses serviteurs en qui il avait toute fiance. Toutefois il ne faillait pas non plus en équité et tâchait de donner à chacun son dû. Combien qu'il fût peu amoureux de son épouse, il n'avait pas laissé de sentir combien j'étais attaché à la mienne, et m'avait, en conséquence, baillé un congé bien plus long que je n'eusse osé l'espérer et je lui en sus un gré infini.

Ces quarante jours passés dans mon Ithaque avec ma Pénélope furent si délicieux qu'ils ne s'effaceront mie de mes plus chères remembrances et pourtant, au moment d'en toucher mot, ils embarrassent ma plume. Et du diantre si je sais pourquoi il est si aisé de dépeindre la peine, le dol et le souci, alors que les mots ne viennent pas si aisément quand c'est le bonheur qu'on décrit.

Peut-être cette malaisance est-elle due au fait que l'homme, inclinant davantage à l'espoir qu'au désespoir, estime au fond de soi que le bonheur, comme la bonne santé, est un état dont il n'y a pas tant à parler, puisqu'il est naturel, alors que le chagrin amoureux, lui, est une sorte de maladie qui demande des gloses. Et comment Catherine et moi eussions-nous pu penser autrement puisque, étant nous-mêmes si naturellement dans les félicités, nous n'étions entourés que de gens heureux : Monsieur de Saint-Clair avec sa Lorena, et Nicolas avec son Henriette ?

C'est pourquoi, à ce que j'opine, une grande amour se vit comme innocemment, sans études ni questions. C'est seulement quand un couple s'estrange que l'homme, perdant sa belle, et se retrouvant tout soudain sec et seul, se met à explorer son cœur qui le douloit.

Mais dans la grande amour en sa première fleur, il n'est que de se laisser porter par la vague, et les choses s'enchaînent sans qu'on y pense et sont ainsi faites que dans les bonaces elles-mêmes se trouvent des voluptés. Alors viennent ces tendres entretiens où dans l'heureuse lassitude des corps, on ne parle que pour dire des riens, auxquels la voix, le regard, le soupir donnent un sens qui n'est pas dans les mots.

Pourtant, dans ces tendres bec à bec avec Catherine, surgirent au moins deux fois des fâcheries soudaines, où Catherine, griffes dehors et l'œil suspicionneux, me reprocha les deux « fournaises » de Suse, comme si c'était moi qui avais allumé leurs feux. Je laissai alors éclater mon ire de ce qu'elle lançait contre moi répétitivement ces injustes accusations, me demandant une fois de plus si je n'aurais pas dû taire mes tentations, puisque je n'y avais pas cédé.

Et pourquoi diantre, m'apensai-je encore, faut-il qu'elle choisisse pour objet de sa jalousie les orphelines de Suse pour le seul fait qu'elles sont Italiennes, en lieu et place de la Circé d'une précédente étape dont les avances furent si répétées et si enveloppantes, qu'en pensée au moins, j'y succombais, tant est que j'eus même plus tard quelque regret de ne l'avoir point fait, me disant même, comme je l'ai confié plus haut au lecteur, qu'à mon sentiment l'exercice de la vertu est chose bien ingrate.

Ces petites griffures entre Catherine et moi étaient sans conséquence, ne laissant de part et d'autre aucune estafilade. Je me disais que l'amour de l'autre étant assurément la plus belle, mais aussi la plus déraisonnable des passions humaines, si Catherine était départie comme moi pendant de longues semaines dans des contrées lointaines, j'aurais assurément nourri les mêmes suspicions sans peut-être les oser dire, car jamais l'ombre d'un on-dit n'avait effleuré sa réputation, alors qu'avant son mariage j'aimais si insatiablement le *gentil sesso* qu'à défaut même de le pouvoir toucher, je ne pouvais me passer de le voir ; à telle enseigne que, pénétrant au hasard au Louvre dans une salle, si je n'y voyais que des gentilshommes sans qu'il y eût là le moindre vertugadin pour donner charme et couleur à cette foule, j'éprouvais aussitôt un sentiment de mésaise et de mélancolie. Et comme au Louvre — tous les courtisans vivant en vase clos — on est sans cesse autant épié qu'épiant, nos coquebins de cour n'avaient pas manqué d'observer chez moi cette idiosyncrasie, et derrière mon dos ils en faisaient de petits vers et des épigrammes. Il est vrai qu'à la Cour personne, et pas même Louis, n'échappe à ces petites méchantises.

En ces retrouvailles avec Catherine, nous n'étions pas seulement heureux l'un par l'autre, mais heureux aussi l'un en même temps que l'autre quand Emmanuel passait de ses bras dans les miens. Belle lectrice, si le ciel vous a fait la grâce d'être mère, et mère aimante, portant aussi aux nues votre progéniture, allez-vous me pardonner mes paternelles partialités, si j'ose dire qu'Emmanuel est le plus bel enfantelet du monde, et sa mère, la meilleure des mères ?

Il faut bien avouer qu'en ce royaume, plus les dames sont hautes, moins elles prennent soin de leurs enfants, laissant ces devoirs aux nourrices et aux chambrières, qui ne sont point toujours ni trop propres ni trop douces. Catherine, faute de lait, avait dû prendre, elle aussi, une nourrice, mais l'avait choisie avec la plus éclairée prudence, assistant à toutes les tétées, ne craignant pas de changer elle-même l'enfantelet, de le baigner, de le vêtir, et s'il pleurait la nuit dans la petite pièce attenante à la nôtre, en un clin d'œil, avant même la nourrice, elle était debout : toutes conduites qui, si elles avaient été connues par Madame de Guise, lui eussent déplu au dernier point, car elle n'eût vu là que des façons de faire bien bourgeoises, pour ne pas dire communes.

Pour en revenir à mon Emmanuel — et pardon, lecteur, d'y revenir encore — il fut dès sa naissance un très beau drôle, large d'épaules et bien membré, et à la vérité, tant je l'aime, que ses défauts mêmes m'attendrissent, car pour ne vous rien celer il fut, passé deux ans, d'humeur passablement acaprissate, et quand il recevait un ordre auquel il était rebelute, il se versait de soi à terre, ruait des coups de pied, et huchait à gorge déployée : « Point ne veux! Point ne veux! » Ce qui, dans sa parladure, se disait : « Point ne meux! Point ne meux! », le « v » ne lui étant pas encore accessible.

Ces quarante jours, hélas, ne furent que trop prompts à se changer en nuits, et les nuits en jours, et les jours en nuits, cette infernale machine du temps, si longue aux moribonds et si courte aux amoureux, ne s'arrêtant jamais.

Le quarantième jour touchait à sa fin quand je reçus une visite inattendue : celle du maréchal de Schomberg, mon intime et immutable ami. Il m'apportait un ordre du roi : Sa Majesté m'enjoignait de rejoindre incontinent Richelieu à Nemours, sa dernière étape avant Fontainebleau, où le roi et les reines l'attendaient pour l'honorer et le féliciter des émerveillables succès de La Rochelle et du Languedoc. Toute la Cour, prenant les devants, s'était portée, en effet, à Nemours pour l'acclamer et lui faire une escorte d'honneur jusqu'à Fontainebleau.

Je fus fort aise de participer à ces célébrations, et décidai de départir le lendemain à la pique du jour avec Schomberg. Catherine, noulant quitter les lieux si vite pour la raison qu'il lui faudrait deux jours au moins pour paqueter ses affiquets et ses vertugadins, il fut décidé qu'elle me rejoindrait en fin de semaine, escortée par mes Suisses, en mon hôtel de la rue des Bourbons à Paris, n'appétant pas, de toute manière, à se plonger dans le tohu-va-bohu de la Cour en ses géantins déplacements. Quant à moi, je me pouvais passer de mes Suisses, Schomberg étant escorté par ses propres soldats.

Le voyage jusqu'à Nemours dans la carrosse de Schomberg fut fort instructif, car le maréchal m'y conta ce qui s'était passé à Nîmes entre Richelieu et le roi, quand celui-ci, fort incommodé par la chaleur étouffante qui régnait en la ville, avait décidé de s'en retourner en Paris sans tant languir. Le cardinal lui dit alors qu'il accédait volontiers à son désir « pourvu, ajouta-t-il, qu'il plaise à Votre Majesté de faire à Nîmes, auparavant, une entrée solennelle ».

Cette entrée revêtait en effet, aux yeux de Richelieu, une grande importance politique, car le roi devait y confirmer qu'il accordait aux Nîmois huguenots, comme il l'avait promis, la liberté du culte. Mais dès que Richelieu eut tourné les talons, Louis se fâcha rouge.

— Et pourquoi donc ? dis-je, béant.

— À cause du *pourvu que*.

— Quel *pourvu que* ?

— Peux-je répéter la phrase où apparut ce malheureux *pourvu que* : le cardinal accédait volontiers au désir du roi de regagner Paris, « *pourvu qu*'il plaise à Sa Majesté de faire à Nîmes, auparavant, une entrée solennelle ».

— Et où est le mal dans cette phrase ?

— Le *pourvu que* résonna insufférablement aux oreilles du roi et, devant témoins, il lâcha la bride à son ire : « Le cardinal me pose des conditions. Avez-vous ouï cela ? On me traite en garcelet dont on beurre le pain en tartines ! On me permettra de retourner en Paris *pourvu que* je fasse mon entrée à Nîmes ! Et qu'arrivera-t-il si je refuse de faire mon entrée à Nîmes ? Me refusera-t-on la permission de retourner à Paris ? Que diantre ! Suis-je un écolier ? Qui est le maître de la boutique ? Le cardinal est-il mon gouverneur ? Y a-t-il au monde quelqu'un de plus opiniâtre que le cardinal et qui ait moins le souci de ma santé ? Dieu bon ! J'ai en horreur cette abominable chaleur ! Et faut-il que je m'aille trantoler comme on dit ici sur les pavés brûlants de cette ville, pour complaire à Monsieur le cardinal ! *Pourvu que* ! A-t-on jamais ouï pareille impertinence ! »

« Moins d'une heure après cette colère royale — dont d'aucuns s'attristèrent tandis que d'autres en jubilèrent — Richelieu apprit par un de ses rediseurs les termes de cet éclat : il trémule, il rougit et il pleure.

— Il pleure ?

— Eh oui ! Il pleure ! Tout chez cet homme est excessif : l'étendue du savoir, la lucidité de l'entendement, la puissance de travail, la force de la volonté, le courage indomptable, et aussi, mon cher duc, ne le saviez-vous pas ? la sensibilité. Mais rassurez-vous, le cardinal sèche bientôt ses pleurs, baigne ses yeux, court chez le roi, et là, tout miel et souplesse, il lui propose un plus accommodant projet : « On publiera que le roi fera son entrée à Nîmes, puis, au dernier moment, on placera à la tête des gardes françaises et des Suisses un maréchal, et moi-même j'expliquerai au corps de ville que le roi a dû départir en hâte pour présider les États de Tarascon, et je confirmerai alors vos promesses, Sire, pour tout ce qui touche à la liberté du culte que vous reconnaissez aux Nîmois. »

— N'est-ce pas étrange, dis-je, que les libellistes

aux ordres de Gaston accusent Richelieu de tyranniser le roi ! En cet exemple, au moins, c'est le rebours !

— Cependant, mon cher duc, attendez un petit. Il y a une ultime péripétie à ce conte et il serait dommage de ne la point dire, tant elle est savoureuse.

— Je vous ois.

— Le roi rentré dans ses gonds, Richelieu s'en retourne chez lui, sain et sauf une fois encore, mais fort attristé et chagrin. Comme chez tous les nerveux, dès que le moral pâtit, le corps lui douloit, quasiment en toutes ses parties. Il se couche, dort une nuit remuante et tracasseuse et le matin, l'œil ouvert, se sentant mal allant, il garde le lit. Et tandis qu'il garde le lit, il entend en son logis une grande commotion, des bruits de bottes, des portes qui claquent, et tout soudain l'huis de sa chambre est à la volée déclos, le roi apparaît, entre en coup de vent, et dit d'une voix rapide :

« — J'ai changé d'avis ! Je vais incontinent faire mon entrée solennelle à Nîmes à la tête de mes soldats ! Et que personne, ajoute-t-il d'un ton tranchant, n'essaye de me dissuader ! On me donnerait alors un aussi grand déplaisir que celui qu'on m'a baillé hier, en tâchant de me persuader de le faire !

« Et il part, la tête haute.

Là-dessus, tournant vers moi sa face carrée, Schomberg m'envisagea et me dit :

— Eh bien, qu'en pensez-vous ?

— Que le revirement est un tantinet puéril, mais en même temps infiniment touchant. Louis est un homme pour qui le mot « devoir » n'est pas un vain terme. Après avoir de prime chanté pouilles à Richelieu, il a dû penser que c'était en effet à lui-même de faire une entrée solennelle à Nîmes, et qu'il pouvait seul rassurer les Nîmois sur leur avenir et la liberté de leur culte. Il cède alors, mais se donne les gants, tout en cédant, de courber Richelieu sous sa loi.

— Mais il y a aussi, dit Schomberg, un autre

aspect à la conclusion de cette scène. Elle ressemble fort à une querelle d'amoureux qui finit bien, l'amour et l'estime étant trop fortes des deux parts pour qu'on songe à une rupture.

— Et là, dis-je, envisageant le beau Schomberg avec un sourire, on sent bien que c'est le mari fidèle qui parle.

Là-dessus, Schomberg se mit à rire à gueule bec et dit :

— Mais ne sommes-nous pas, en ce domaine, mon cher duc, devenus frères de la même couvée ? À ce que j'ai ouï, vous êtes bien le seul gentilhomme, en Italie, qui ait résisté aux Italiennes. Et nos beaux coquebins de cour en sont affreusement déçus, ne pouvant plus faire sur vous, comme ils faisaient autrefois, des contes à l'infini.

*

— Monsieur, un mot de grâce !

— Belle lectrice, je vous ois.

— Vous m'oyez ? J'en suis béante.

— Qu'est cela ? Vous ai-je jamais mal accueillie ?

— Nenni ! Mais d'évidence nous n'avez plus besoin de moi.

— Et pourquoi cela, s'il vous plaît ?

— C'est meshui Madame la duchesse d'Orbieu qui pose les questions. Adonc, mon rôle est terminé.

— Belle lectrice, où prenez-vous cela ? Allez-vous sur une petite pique tout à plein imaginaire rompre un aussi plaisant commerce que le nôtre ? Que diantre, Madame, si Catherine me pose questions, n'est-il pas naturel que je lui réponde ? Et si vous me posez d'autres questions, pourquoi, en toute courtoisie, n'y répondrais-je pas ?

— Dieu bon ! Quel délice et soulage ! Moi qui me voyais jà reléguée dans les banlieues et faubourgs de votre bon plaisir.

— Mais point du tout ! Où avez-vous pêché cela ? Parlez, Madame ! Parlez !

— Fort bien donc ! J'ai deux questions à vous poser. La première, petitime, la seconde, de grande conséquence.

— Voyons de prime la petitime.

— Monsieur, comment se fait-il que dans le chapitre italien de vos présents Mémoires vous n'avez fait que mentionner, sans les décrire, les deux sœurs de Suse ?

— Et pourquoi les aurais-je décrites, puisqu'il ne s'était rien passé ?

— Parce que, Monsieur, vous avez jusque-là non seulement mentionné mais décrit toutes les hôtesses que les fourriers du roi vous avaient baillées dans vos étapes précédentes.

— Et ces étapes n'avaient pas d'intérêt historique. Celle de Suse en avait un et si grandissime qu'il éclipsait tous les autres.

— Mais de ces gentilles sœurs, le comte de Sault a dû vous parler en quelque détail.

— Fi donc, Madame ! Le comte de Sault est un gentilhomme ! Il ne clabaude pas sur les belles qui lui ont voulu du bien. Madame, pourrions-nous en venir à votre question de grande conséquence ?

— Ma fé ! Vous voilà fâché contre moi de nouveau ! Ah, je suis bien malheureuse !

— Nenni ! Nenni ! Mais je ne vous cèlerai pas que j'ai les oreilles rebattues et tympanisées sur ces demoiselles de Suse !... Votre deuxième question, Madame, je vous prie.

— La voici. Pourquoi le cardinal et Louis, et avant eux Henri IV, éprouvent-ils tant d'aversion pour l'Espagne ?

— Madame, je voudrais, avec votre permission, élargir votre question à l'Europe entière. Pourquoi l'Angleterre, la Hollande, les Pays-Bas, les princes luthériens d'Allemagne, la Suède, les Grisons de la

Valteline, le Milanais, le Mantouan et la république de Venise partagent-ils cette aversion ? Parce que tous ces États, qu'ils fussent grands ou petits, avaient souffert, ou redoutaient, l'invasion de leurs territoires par les Habsbourg d'Espagne et les Habsbourg d'Autriche, lesquels menaçaient l'Europe entière de leurs puissantes griffes.

— De ces deux branches Habsbourg, laquelle menait le jeu ?

— La branche aînée : l'Espagne. Car elle était aussi la plus puissante, détenant l'or des Amériques, et disposant d'une infanterie qu'Henri IV, qui était orfèvre, tenait pour la meilleure d'Europe. Quoi de plus tentant, alors, pour elle, que de grignoter, morceau par morceau, les États limitrophes ? Et d'autant que Dieu le voulait ainsi.

— Dieu le voulait ainsi ?

— Madame, vous fâcheriez fort Philippe IV, s'il venait à apprendre que vous osez en douter ! Peux-je vous le ramentevoir, ce roi, dévot et consciencieux, ne fait rien — pas même s'emparer par force de Casal en tuant beaucoup de monde — sans consulter au préalable ses théologiens, et, quand je dis « ses », combien, en effet, ils étaient les siens !

— Et qu'opinaient-ils ?

— Que Dieu était favorable, en effet, à la prise de Casal... Et plus tard, quand le roi d'Espagne les consulta sur ses vastes projets, ils conclurent, après de longues citations empruntées au prophète Daniel, que Dieu verrait d'un œil approbateur l'établissement par l'Espagne d'une monarchie universelle.

— Une monarchie universelle ! Vramy ! Et comment justifiaient-ils cette ambition démesurée ?

— Par le fait que le roi très catholique était le bras armé du pape, et le seul capable d'appliquer le concile de Trente en extirpant partout en Europe par le fer et le feu l'hérésie protestante.

— Il me semble, Monsieur, qu'à ouïr ceci, je ressens quelque mésaise.

— Qui ne ressentirait cela ? L'intolérance et la cruauté sont vices humains. Et je ne vois pas comment on se pourrait sentir proche du Seigneur en s'y vautrant.

*

Quand Schomberg et moi-même parvînmes à Nemours le douze septembre, toute la Cour se trouvait là déjà. La ville était comme submergée par une population nouvelle, et les embarras de rues tels et si grands que nous dûmes descendre de la carrosse et monter nos chevaux. Nous avançâmes alors un peu plus, je ne dirais même point au pas, car la foule des piétons était immense, et parmi elle, au milieu d'une insufférable noise capable de vous rendre sourd à jamais, je reconnus, marchant à pied, à ma stupéfaction, de beaux gentilshommes et de nobles dames qui n'avaient trouvé que ce moyen-là pour rejoindre la maison du corps de ville où se trouvait Richelieu. Ils cheminaient cahin-caha en se tordant les chevilles sur les pavés disjoints des rues, cet exercice-là leur étant manifestement déconnu. Mon Accla, à vrai dire, n'aimait pas davantage ces mêmes pavés parce qu'ils étaient glissants, et moins encore que les passants osassent lui caresser au passage le chanfrein et les naseaux : familiarités si indignes de son rang qu'elle les aurait punies d'un coup de dents, si je ne l'avais aussitôt bridée.

Je fus béant quand je m'ouïs répétitivement appeler par une voix féminine « mon cousin », tant est que je ne crus pas de prime que ce fût à moi que cet appel était adressé. Mais au troisième appel, me retournant sur ma selle, j'aperçus, cheminant, la princesse de Conti à pied, vous avez bien lu : *à pied* ! soutenue à dextre et à senestre par le comte de Sault et le maréchal de Bassompierre.

À la Cour, comme à la ville, la princesse m'appelait

« mon cousin », afin de cacher à tous ce que tous savaient, à savoir qu'elle était ma demi-sœur ayant pour mère, comme moi, la duchesse de Guise.

— Mon cousin, dit-elle, ou plutôt cria-t-elle, car autrement la noise de cet immense concours de peuple ne m'eût pas permis de l'ouïr, je vous serais obligée toute ma vie de me prendre en croupe ! J'ai les pieds en sang !

— Avec joie ! dis-je, pour peu que ces Messieurs veuillent bien vous hisser jusqu'à moi. Cependant, du diantre si je vois comment vous pourrez vous asseoir à califourchon sur le dos de mon Accla avec votre vertugadin.

— Qu'à cela ne tienne ! dit la princesse. Je le vais ôter.

— M'amie ! s'écria Bassompierre. Ai-je bien ouï ! En public ! Dans cette foule !

— Et pourquoi pas ? dit la princesse sur un ton qui montrait bien que notre grand Bassompierre ne portait pas chez lui le haut-de-chausses.

Et incontinent, elle fit comme elle avait dit avec une dextérité qui montrait bien que même une très haute dame n'a pas besoin de ses chambrières pour se dévêtir, le comte de Sault et Bassompierre étant, quant à eux, beaucoup plus vergognés qu'elle n'était, et tâchant de faire écran du mieux qu'ils pouvaient à ce dévêtement.

— Mon Accla, dis-je *sotto voce,* en la caressant entre ses deux fines oreilles, ce n'est guère le moment de faire la méchante ou l'acaprissate : tu vas recevoir, en plus de moi sur ton dos, une princesse, lourde par le titre, mais légère par le poids, et si tu es sage, ce soir, pour te récompenser, je te baillerai une grande louche de miel.

— Mon cher duc, dit le comte de Sault, croyez-vous qu'elle vous entende ?

— Elle entend fort bien le mot « sage », et mieux encore le mot « miel », cela lui suffit pour entendre le tout.

Et en effet, Accla ne broncha mie quand la princesse de Conti, hissée par nos deux galants, retomba sur son dos, la dame demandant aussitôt son vertugadin pour le nouer autour de ses reins. Ayant fait, elle m'enveloppa de ses deux bras et se serra contre mon dos.

— Ma cousine, dis-je à voix basse en me retournant sur ma selle, n'est-ce pas étrange que vous vous mettiez à tant de peine pour voir un ministre que vous détestez ?

— Mais je le déteste et le détesterai toujours, même après l'indigne mort que je lui souhaite, dit-elle vivement. Quant à vous, mon cousin, si vous connaissiez mieux la Cour...

— Mais qu'y ferais-je ? On n'y fait rien !

— À tout le moins vous y auriez appris qu'il est de certains événements où il faut voir et être vue.

— Et surtout être vue, j'imagine.

— Raillez, beau Sire ! Vous verrez que demain la gloire de votre faquin de cardinal sera éclipsée et qu'on ne parlera plus à la Cour que de moi et de mon public dévêtement.

En quoi ma belle demi-sœur se trompait, car le lendemain, à la stupéfaction générale, survint à Fontainebleau un esclandre ou pour mieux dire un scandale d'une si grande conséquence qu'il ébranla les colonnes de l'État, et dans le grand remuement qui s'en suivit, le dérobement de ma belle cousine n'eut pas plus d'importance qu'une feuille qui tombe à l'eau et que le courant emporte.

Quant à moi, lorsque le cardinal apparut sur le perron de la maison de ville, je fus ravi d'ouïr des cris, des applaudissements et des acclamations à l'infini qui ne venaient pas seulement de la Cour, laquelle était là pourtant, en sa totalité, bien reconnaissable à son beau plumage, mais aussi des bourgeois de ville, des prêtres, des commerçants, des vendeurs à la criée, des ouvriers mécaniques, des maçons, des terrassiers, et même des paysans venus des villages voisins. Le cardinal prononça seulement quelques mots sur les bienfaits de la bonne entente enfin rétablie entre tous les bons Français, laquelle, dit-il, ne pourrait faillir à rendre ce royaume d'ores en avant assez fort pour que le roi puisse résister victorieusement aux assauts de l'ennemi.

Si bref qu'il fût, ce discours me parut très habile, car Richelieu y trouvait le moyen de se rendre *sotto voce* justice tout en reportant toute la gloire sur le roi. Le résultat fut celui qu'il en attendait : le nom de Louis fut acclamé plus fort et plus haut que le sien.

La nuit, cependant, tombait. Il nous fut évidemment impossible de trouver un gîte à Nemours. Comme disaient coutumièrement nos fourriers : vous n'auriez su y loger une épingle. Tant est que Schomberg m'offrit pour la nuit la banquette de sa carrosse, lui-même s'accommodant de l'autre, non sans omettre de dépêcher un écuyer, le mien, et nos quatre chevaux dans le camp des mousquetaires du cardinal afin que le cardinal, le lendemain, sût où nous trouver.

Et bien fit-il, car le lendemain, à la pique du jour, un enseigne desdits mousquetaires, suivi de nos écuyers et de nos chevaux, nous vint dire qu'il avait ordre de nous conduire jusqu'à la carrosse du cardinal. Il ajouta que, sachant à qui mes gens et mes chevaux appartenaient, ils avaient pris soin des uns, pour le pot et le rôt, et des autres, pour l'avoine et l'eau claire, et ceux-là au surplus le poil plus bichonné que garcelette qui se va marier. À ouïr son accent, le mousquetaire était Gascon et, à ce qu'il m'apparut, fort bien fendu de gueule.

En chemin, notre cocher suivant notre Gascon à cheval, Schomberg ne laissa pas de me confier combien il avait été scandalisé, la veille, par la dénudation de la princesse de Conti. À quoi je souris *in petto,* Schomberg poussant la vertu jusqu'à la naïveté.

— Pour moi, dis-je, plutôt que dénudation, je préférerais dire dévêtement, car les dessous de la princesse étaient si abondants qu'on ne voyait pas un seul pouce carré de sa peau.

— Mais qui eût cru, dit Schomberg d'une voix quasi effrayée, qu'une grande princesse manquerait à ce point de pudeur !...

— Mon ami, sur ce point vous errez. Ce sont les princesses et les reines qui en manquent le plus, pour la raison qu'elles sont trop hautes pour ne se point croire au-dessus des lois. Voyez la reine Margot ! Voyez aussi notre reine-mère bien-aimée, qui l'été, par les grandes chaleurs, se couche sur les dalles toute dépoitraillée, et ainsi faite, donne ses instructions au capitaine des gardes, lequel est gêné pour deux.

— Le ciel me préserve de juger la reine-mère, dit Schomberg pieusement.

— Mais je ne la juge pas non plus, dis-je sur le même ton.

Richelieu nous accueillit l'un et l'autre avec une gentillesse qui n'était pas tous les jours à sa disposition, et pour finir nous bailla l'hospitalité dans sa carrosse, ce qui fit que celle de Schomberg suivit la sienne, mais non point vide, Schomberg la mettant à la disposition de ceux de ses hommes qui étaient trop courbatus ou mal allants pour se tenir à cheval. Richelieu ne faillit pas de l'en féliciter, ajoutant que prendre soin de ses hommes était le premier devoir d'un chef. Tant est que Louis, dès qu'il avait été le maître en son royaume (allusion clarissime à l'exil de la reine-mère hors Paris), avait porté énergiquement remède aux abus infinis qu'il avait découverts en ses armées touchant plus particulièrement les soldes — dont les capitaines pillaient une partie —, touchant aussi le peu de soins qu'on prenait des malades et des blessés.

Là-dessus, Schomberg demanda au cardinal s'il

était satisfait de la tournure qu'avaient prise les choses en France et hors de France. Si Schomberg n'avait pas été si naïf et si honnête homme, Richelieu qui pas plus que le roi n'aimait qu'on lui posât question l'aurait sans doute rebuffé. Mais soit qu'il noulût attrister un aussi vieil et fidèle serviteur du roi, soit qu'il eût le cœur aux talons à force de penser aux perfides intrigues dont il était l'objet, il parla pour une fois à la franquette et sans y mettre sa coutumière circonspection.

— Le siège de La Rochelle, dit-il, la victoire de Suse, la libération de Casal, la soumission du Languedoc ont été pour le roi de très grands succès, auxquels j'ai de mon mieux contribué. Mais la rançon de ce succès, c'est bien évidemment la haine, qui ne pouvant atteindre Sa Majesté, menace de tomber sur moi. Il n'y aura jamais en ce royaume pénurie d'âmes viles et basses qui, à la vue de la vertu d'autrui, ne sentent leurs entrailles déchirées du désir d'anéantir, si elles pouvaient, celui qui possède les qualités qu'elles n'ont pas.

— Cependant, Éminence, dit Schomberg, vous avez tout lieu d'être satisfait du résultat de votre immense labeur.

— Je suis satisfait, dit Richelieu, mais pour parler à la franche marguerite, je mange mon pain dans la sueur et l'inquiétude.

Un grand silence tomba alors dans la carrosse et sur nous, car ni Schomberg ni moi-même n'avions envie de prononcer le moindre mot après ce déchirant aveu. Toutefois, à y réfléchir plus outre, il me sembla que les inquiétudes du cardinal n'étaient point justifiées, et qu'il sous-estimait grandement la fermeté du roi à le soutenir contre ses ennemis. La raison en était sans doute que l'extrême sensibilité de Richelieu lui faisait ressentir, plus profondément qu'il n'aurait dû, les coups de caveçon que lui infligeait le roi, et parmi ces coups-là, le plus récent, qu'avait provoqué leur différend sur l'entrée solennelle du roi à Nîmes, avait été le plus dur à subir, car l'ire du roi contre son ministre s'était exhalée en public dans des conditions si humiliantes pour Richelieu qu'elles l'avaient plongé dans des détresses et des insomnies qui ne peuvent se dire.

Les confidences que le cardinal venait de nous faire durent le surprendre tout le premier, car appuyant sa tête maigre et douloureuse sur le cuir du dossier, il ferma les yeux, non j'en jugerais pour dormir, mais pour signifier qu'il ne voulait plus qu'une seule parole fût d'ores en avant prononcée dans sa carrosse jusqu'à notre arrivée à Fontainebleau.

Nous avions quitté si tôt Nemours que seulement la moitié de la Cour était de retour à Fontainebleau quand nous parvînmes jusqu'au château où, à la grande déception de Richelieu, on lui annonça que le roi n'était pas encore revenu de la chasse. Néanmoins, le grand chambellan annonça que la reine-mère, informée de son arrivée, l'attendait, entourée de tout ce qu'il y avait de plus grand à la Cour. Richelieu fut quelque peu rechigné de l'absence de Louis pour la raison que la veille, à Nemours, lui était parvenu un billet du roi lui disant la joie qu'il aurait de le voir bientôt.

Lecteur, il y a ici deux versions de l'entrevue mémorable du quatorze septembre 1629, entre la reine-mère et le cardinal. La première repose tout entière sur le mutisme de Marie de Médicis, mais dans la seconde, la reine-mère pose une question anodine à Richelieu : « Comment vous portez-vous, Monsieur le Cardinal ? », et à cette question, Richelieu aurait répondu vertement : « Je me porte mieux que beaucoup de gens qui sont ici ne voudraient. »

Je récuse en son entièreté cette version des faits pour deux raisons : la première parce que Mathieu de Morgues, qui en est l'auteur, libelliste venimeux et sans scrupule à la solde de Gaston, n'a jamais dit que du mal du cardinal. La seconde est que la question de la reine-mère et la réponse du cardinal sont toutes les deux invraisemblables.

Marie de Médicis qui avait choisi, pour accueillir Richelieu, le procédé du mépris écrasant et muet n'aurait pu, ni voulu renoncer au dernier moment à cette attitude pour lui demander aimablement des nouvelles de sa santé. La seconde invraisemblance est que le cardinal ne se serait jamais permis de prononcer, s'adressant à la reine-mère, une phrase aussi chargée de sous-entendus insolents. Même quand un an plus tard, alors qu'il était à genoux devant Marie de Médicis et qu'elle l'accablait des injures les plus grossières, jamais il n'aurait osé répliquer et moins encore avec impertinence, si grand était le respect auquel il se sentait tenu à l'égard de la reine-mère.

Je n'oserais affirmer que Morgues ne fût pas présent à la scène qu'il décrit, car il était fort rusé, et comme souvent les libellistes, il réussissait à parfois se glisser en des lieux où il n'aurait pas dû être. S'il a vu cette scène, possédé par la passion de nuire à Richelieu, il l'a indignement travestie.

Lecteur, voici comment il en alla dans la réalité des choses. J'entrai un peu avant Richelieu dans la grand-salle où trônait la reine-mère, et m'inclinant profondément devant Sa Majesté, j'allais l'informer que j'annonçais la venue du cardinal quand elle me dit de ce ton rude, revêche et rechigné qu'elle prenait pour de la grandeur :

— Eh bien, Duc, où est notre homme ?

— Madame, dis-je, à peine Monsieur le cardinal était-il descendu de sa carrosse qu'il a été happé par une foule dont ses mousquetaires entreprennent de le dégager. Ils réussiront en moins d'une minute et Monsieur le cardinal viendra alors se mettre aux pieds de Votre Majesté.

À ces mots elle ne répondit rien, et cessant même

de m'envisager, elle tourna les yeux sur son bracelet de diamants et le fit tourner autour de son poignet. Discourtoisie qui était chez elle coutumière avec tous ceux qui n'étaient pas au moins maréchaux de France ou princes du sang. Saint-Simon, non sans raison, disait d'elle qu'elle était « bornée à l'excès » et c'est sans doute ces bornes-là qui expliquaient l'idée démesurée qu'elle se faisait de son sang. On m'a dit qu'exilée une deuxième fois par son fils, elle dit un jour : « J'ai souffert ce qu'une femme de moindre condition que moi aurait bien de la peine à souffrir avec patience. » Cette phrase me paraît si naïve que j'hésite à en entendre le sens. Veut-elle dire qu'une reine, étant donné son rang, devrait souffrir moins que sa chambrière ? Et si tel est le sens, comment ne pas lui donner raison ? Même avec les grands de ce monde, la maladie et la mort sont si mal élevées...

Je la saluai alors une deuxième fois, et comme le commandait le protocole, je reculai de trois pas, la saluai de nouveau, rejoignis le groupe des Grands et des hautes dames et fus par eux bien accueilli — par les dames, parce qu'elles me savaient grand admirateur du *gentil sesso,* et par leurs galants pour la raison que même ceux qui n'avaient pas participé à nos combats étaient sensibles à nos victoires... Je me fondis donc parmi eux, et comme eux envisageai la reine-mère avec un respect auquel, lecteur, si vous aviez été là, vous n'eussiez pas dû vous fier, car derrière son dos d'aucuns entre nous l'appelaient « Jézabel », surnom qui vous paraîtra peu flatteur, si l'Histoire Sainte est demeurée en votre remembrance.

Cependant, je l'envisageai en me disant que lorsqu'on vieillit il faut de force forcée rester mince comme ma marraine, la duchesse de Guise, dont la silhouette, le port et le pas demeuraient élégants. Mais hélas, sur ces points la reine-mère ne lui ressemblait pas. Grosse mangeuse, grande dormeuse et siesteuse, et mâcheuse à l'infini de sucreries, elle avait, au surplus, une soixantaine bien trop débordante en charnure, et quant au visage, il était élargi par des bajoues et allongé par un double menton.

Quelle pitié qu'une bonne fée ne pût réduire au moins la moitié de son poids, car elle était superbement attifurée en un haut de corps et vertugadin de satin bleu pâle orné de perles jetées çà et là comme à la truelle. Et derrière sa nuque se dressait une grande collerette en points de Venise constellée de diamants. Belle lectrice, je vous demande pardon de ne point vous décrire par le menu les trois colliers qu'elle portait sous son double menton, ni la demi-douzaine de bagues d'un grand prix qui ornaient ses doigts, car mes yeux s'attachèrent avant tout à un superbe bracelet qu'elle portait au poignet gauche et dont elle devait se paonner beaucoup, car elle s'arrangeait toujours pour le mettre le plus en évidence qui se pouvait.

Ce célèbre bijou avait une histoire. La reine l'avait acheté au début du siècle à des joailliers italiens. Et c'était assurément le plus gros, le plus lourd et le plus onéreux bracelet de diamants alors en vente en Europe. On lui en demanda quatre cent cinquante mille livres. Quand il ouït ce prix, Henri IV laissa éclater son ire : « Et vous l'avez acheté ! cria-t-il. Ventre Saint-Gris, Madame ! vous êtes folle ! Vous êtes folle à lier ! Voulez-vous ruiner le royaume ! Quatre cent cinquante mille livres ! De quoi lever toute une armée contre nos ennemis ! Rendez cet amas de stupides pierres aux rusés joailliers qui vous l'ont vendu. Quant à moi, dites-vous bien que je ne les paierai jamais. »

Ces joailliers, en effet, étaient gens astucieux. Le roi demeurant inflexible, ils barguignèrent avec la reine un arrangement tout à leur avantage au terme duquel elle verserait des intérêts annuels élevés sur les quatre cent cinquante mille livres qu'elle leur devait jusqu'au jour où elle pourrait se libérer de sa dette en payant le capital. La reine n'y vit que du feu. Elle accepta et paya lesdits intérêts année après année, et dès que l'assassinat d'Henri IV l'eut fait régente, elle courut mettre la main sur le Trésor d'État de la Bastille, paya les joailliers, et dissipa le reste en folles magnificences. On eût alors fort étonné la reine-mère en lui apprenant qu'avec les intérêts qu'elle avait payés année après année, et le capital qu'elle avait ensuite réglé, le bracelet lui avait coûté le double de son prix initial, si élevé que fût celui-là.

À la parfin, Richelieu pénétra dans la grand-salle et marcha d'un pas mesuré vers le trône où la reine-mère siégeait. Le silence régnait déjà. Il devint plus profond. Les Grands de la Cour se tinrent rigoureusement bouche close et cousue et tendirent l'oreille dans l'attente de ce que le cardinal allait dire à la reine-mère, et de ce que la reine-mère allait répondre au ministre qui avait si bien servi son fils en ses campagnes guerrières.

— Madame, dit Richelieu, ma joie est grande de revoir Votre Majesté après tant de victoires qui sont dues aux armées du roi et qui vous apportent, Madame, à Votre Majesté et à votre fils, une gloire qui retentira dans les âges futurs.

Comme dans toutes les circonstances de la vie, que ce fût au Grand Conseil du roi ou dans les entretiens au bec à bec, Richelieu trouvait infailliblement les mots qui convenaient et aux circonstances et à son interlocuteur, personne ne s'étonna de ce compliment si habile et si bien tourné. Ce qui étonna, ou pour mieux dire frappa de stupeur les assistants, ce fut l'attitude de la reine-mère. Car, à ce grand ministre, à ce fidèle serviteur du roi à qui le royaume devait tant, elle ne répondit ni mot ni miette, mais le torse redressé, les lèvres serrées, le menton saillant, et le regard glacial, elle le toisa de haut avec le dernier mépris. Si cette attitude n'avait pas été si blessante, j'y aurais trouvé un élément de comédie. Car, de toute évidence, ce silence outrageant et cette attitude dédaigneuse à l'égard de l'artisan de nos victoires, avaient été conçus et composés à l'avance, se peut même répétés devant un miroir. Mais la reine-mère, hélas, était mauvaise comédienne : le moment venu, elle en faisait trop.

Si blessé qu'il fût en son for par un accueil auquel il ne s'attendait guère, le cardinal, fort pâle mais maître de lui, attendait respectueusement que la reine-mère lui donnât son congé, ce qui dut la gêner beaucoup, car s'étant résolue à ce silence glacial et méprisant, elle ne savait plus comment faire pour le rompre, tant est que plus il se prolongeait et plus il paraissait artificiel, et contraire à toutes les règles du protocole.

À la parfin, le cardinal mit fin lui-même à ce tête-à-tête où les têtes n'avaient assurément pas le même poids : il salua la reine-mère en y mettant tout le respect qui lui était dû, recula de trois pas, fit de nouveau un profond salut et se retira. Tous ces mouvements furent exécutés selon les règles protocolaires, et même avec toute la grâce qu'à la Cour on attend d'un gentilhomme.

À peine Richelieu eut-il franchi l'huis de la grand-salle que l'assistance se mit à bruire de mille remarques faites de bouche à oreille *sotto voce* et, à ce qui me sembla, défavorables, pour la plus grande part, à la reine-mère, ceux-là mêmes qui n'aimaient pas le cardinal trouvant qu'elle avait été bien trop loin dans l'aigreur et le mépris, la part que Richelieu avait prise à nos victoires étant indubitable.

Tout le temps que ce bruissement dura, j'envisageai la reine-mère avec la plus grande attention, et il me sembla qu'elle était fort satisfaite d'avoir rompu si rudement avec Richelieu, croyant peut-être, en son peu de cervelle, qu'étant donné son rang, elle ne pouvait que gagner la guerre qu'elle venait de déclarer à ce « faquin de cardinal », comme elle aimait l'appeler. Quant à savoir qui de Marillac ou du cardinal de Bérulle lui avait conseillé cette attaque, je pencherais plutôt pour Bérulle, car lui aussi était naïf, et il n'avait assurément pas saisi combien il était inopportun d'attaquer Richelieu, alors qu'il était tout resplendissant des services qu'il venait de rendre à son roi.

Si Richelieu avait besoin d'un baume pour adoucir sa blessure, il ne fallut pas longtemps pour qu'il le reçût, car le roi, revenant de la chasse, l'accueillit, selon les mots mêmes du cardinal, « avec des tendresses et des affections qui ne peuvent se dire », et Richelieu ayant quis de lui la permission de lui parler au bec à bec, le roi acquiesça, et comme il s'enfermait avec lui dans un cabinet pour un entretien, Richelieu obtint de m'inclure comme témoin de ce qui s'était passé, ne voulant pas que le roi pût croire qu'il exagérât le moindrement l'importance des mépris de la reine-mère à son endroit. La scène s'était déroulée en effet sans paroles, et rien n'est plus difficile à décrire qu'une mimique.

En fait, Richelieu en fit au roi un récit sobre, et comme il achevait et se tournait vers moi, afin que je confirmasse ses dires, Louis l'interrompit :

— Monsieur d'Orbieu, dit-il, votre témoignage n'est pas utile. Je crois le cardinal. Je ne connais que trop les mimiques théâtrales dans lesquelles la reine-mère, du haut de son Olympe, exprime ses plus profonds mépris. Elle les a plus d'une fois employées en mon endroit en mes enfances. Quand on a hérité comme elle du menton prognathe des Habsbourg, il n'est que trop facile de faire des moues qu'on croit dévastatrices...

— Cependant, Sire, dit Richelieu, la reine-mère, qui est par notre constitution le deuxième personnage de l'État, m'a publiquement insulté. Je ne peux, dans ces conditions, que vous supplier d'accepter que je me retire des affaires.

— Oh, pour cela il n'en est pas un seul instant question ! dit Louis avec la dernière fermeté. Je ne veux pas que vous pensiez à autre chose qu'aux affaires de l'État. Avez-vous réfléchi à l'éclat et au mal que causerait votre démission non seulement dans le royaume, mais à l'étranger ? Quant à la reine-mère, ne vous inquiétez pas de ses petites mimiques. Je me déferai un jour ou l'autre de ses importunités et je mettrai fin du même coup aux agitations des cabales.

Au sailli de ce petit cabinet, et le roi nous quittant, le cardinal m'entraîna jusqu'aux appartements du château qui lui avaient été départis. Ses valets, son majordome, un capitaine et deux enseignes des mousquetaires se trouvaient déjà là, les uns appropriant les chambres, et les autres établissant les factions et les rondes de sécurité.

— Charpentier ! Où est Charpentier ! Je veux voir Charpentier ! Où diantre est Charpentier ? cria impatiemment le cardinal une fois le seuil franchi, et parcourant en vain d'un pas rapide toutes les pièces de son logis.

— Éminence, dit alors le majordome avec cette lenteur et cette lourdeur qui paraissent s'attacher à ce genre de fonction, Monsieur votre secrétaire n'est point céans.

— Et où est-il ?

— Votre Éminence l'a envoyé au débotté porter un pli à Monsieur le maréchal de Bassompierre.

— En effet ! En effet ! En effet ! cria le cardinal et par tous les saints, ajouta-t-il très à la fureur, le voilà parti quand j'ai le plus besoin de lui.

Ce grief était d'une injustice à la fois si criante et si comique qu'il en prit lui-même conscience aussitôt. Il se calma dans la seconde même et, se tournant vers moi, il sourit :

— Mon cousin, dit-il, penseriez-vous vous abaisser beaucoup si vous consentiez à écrire sous ma dictée une lettre à la reine-mère ?

— Éminence, je ne me sentirais pas rabaissé du tout, mais fort honoré par un tel service. Si vous voulez bien vous en ramentevoir, je vous l'ai déjà rendu dans votre carrosse autrefois.

— En effet, dit Richelieu, et je me ramentois encore de la rapidité et de l'élégance de votre écriture.

J'avalai cette cuillerée de miel cardinaliste avec le respect qu'il fallait, et un valet ayant apporté des feuilles de papier, de l'encre et tout un jeu de plumes, je choisis la mieux taillée, la trempai dans l'encre et j'attendis. Et lecteur, vous ne sauriez croire avec quelle jubilation j'écrivis sous la dictée du cardinal la lettre que je transcris plus loin. Car cette missive adressée à la reine-mère n'était point le jeu du chat et de la souris, mais à l'inverse, le jeu d'une souris qui, ayant échappé à la griffe d'un chat, s'amuse, pour se revancher, à lui chatouiller les moustaches.

> « Madame, j'ai ce jour d'hui la même passion à vous servir que j'eus toujours. Mais voyant que je vous déplais, j'en éprouve la plus grande peine que j'eus jamais et je vous supplie de trouver bon que je me retire. Avec respect je remets donc entre vos mains toutes les charges que je tiens de vous. J'emmène avec moi ceux de mes parents qui étaient à votre service. Croyez, de grâce, que si j'ai perdu votre bienveillance, je ne me considère pas pour autant dégagé de ce que je vous dois depuis quatorze ans, tant est que, quoi que vous fassiez, je serai votre serviteur jusqu'au dernier soupir de ma vie. Je vous prie instamment d'insister auprès du roi pour qu'il accepte ma démission, ma résolution sur ce point est si absolue que j'aimerais mieux mourir que de demeurer à la Cour en un temps où mon ombre me fait peine.
>
> Cardinal de Richelieu »

Ce poulet-là, qui n'était d'amour qu'en apparence, et de respect que de surface, me fut dicté d'une traite, tandis que le jetant sur le papier aussi vite que je pus, j'admirais l'élégance et les trouvailles de style de Richelieu — comme par exemple « mon ombre me fait peine » — par quoi se terminait la dictée. Le cardinal, ayant appelé son *maggiordomo*, signa, cacheta la missive et la lui remit avec l'ordre de la faire tenir sur l'heure à la reine-mère. Puis, se levant, il alla déclore une de ses fenêtres, prit un grand respirement, et ayant jeté un œil sur la foule des courtisans qui attendaient dans la cour, il reclosit aussitôt ladite fenêtre et se tournant vers moi il me dit :

— Ces gens attendent que vous sortiez pour quérir de vous ce qu'il en est de mon présent prédicament : que leur allez-vous dire ?

À quoi, ayant réfléchi un petit, je répondis :

— Le roi a consolé Monsieur le cardinal du premier accueil qu'il a reçu céans.

— Nenni ! Nenni ! dit Richelieu vivement. Cela ne se peut ! Ce serait critiquer la reine-mère ! Contentez-vous de dire que je suis consolé, mais sans dire de quoi.

« Mon cousin, reprit-il, les fourriers vous ont logé au château avec Monsieur de Guron. Dites-lui, le soir venu, d'éloigner le domestique. La raison en est qu'en toute probabilité vous recevrez à la vesprée la visite d'une garcelette.

— Éminence, dis-je, si je dois lui déclore l'huis moi-même, ne peux-je savoir son nom ?

— Vous l'avez déjà encontrée.

Et baissant la voix, comme si les murs eux-mêmes avaient des oreilles, il ajouta :

— C'est la Zocoli.

CHAPITRE VII

La Zocoli [1], lecteur, appartenait à cette race modeste mais fort utile des rediseurs dont Richelieu usait mieux qu'aucun autre ministre avant lui, tant il jugeait importantissime d'être renseigné jour après jour, et j'oserais même dire, heure par heure, sur les agissements des cabales et les menées de l'étranger.

Au recrutement de ces rediseurs, le cardinal apportait tous ses soins. En outre, il savait émerveillablement les instruire, les surveiller, les récompenser, et le cas échéant, les détruire. Il va sans dire, en effet, que les rediseurs, étant devenus experts dans l'art de surprendre les secrets de nos ennemis, pouvaient être aussi tentés, dans les occasions, de leur vendre les nôtres.

Quant à cette Zocoli, fine mouche parmi les mouches, Richelieu avait réussi, par de subtils intermédiaires, à l'introduire comme chambrière dans l'entourage de la reine-mère. Elle y faisait merveille, ayant l'oreille fine et un infini courage. Toutefois, pour ses sûretés, et pour la bonne réputation du cardinal — tout innocent, il va sans dire, de ces basses cuisines —, elle ne devait jamais l'approcher, mais prendre langue, soit avec Monsieur de Guron, soit

1. Prononcer « Socholi ».

avec moi-même, qui à Son Éminence redisions ses redisances. C'est ainsi que j'avais déjà encontré la Zocoli, non sans péril pour mes vertus, car le ciel lui avait donné un visage d'ange, et le diable, un petit corps à damner un moine escouillé en cellule. Raison pour laquelle le cardinal avait hésité de prime à l'employer, ayant ouï que la belle était si raffolée de toute créature de Dieu portant mentule que toute occasion lui était bonne pour paillarder qui-ci qui-là hors la couche conjugale, laquelle était, de reste, mêmement désertée par Il Signor Zocoli, dont on disait qu'il était bougre.

Toutefois, ayant fait surveiller la drolette, Richelieu s'aperçut que, toute chaleureuse qu'elle fût, elle gardait la tête froide et, par le plus judicieux des choix, n'usait de son devant qu'avec les amis et les créatures du cardinal, et jamais avec ses ennemis, ou ceux qu'elle soupçonnait être tels. Laissant alors au Seigneur Dieu le besoin de pardonner ou de punir, le moment venu, les terrestres errements de la Zocoli, le cardinal l'avait prise à son service, en quoi il avait sagement agi, car elle était plus habile et rusée que pas une fille de bonne mère en France.

Monsieur de Guron, qui savait déjà qui j'allais encontrer chez lui, m'accueillit, je ne dirais pas à bras ouverts, car justement il les referma sur moi avec maintes tapes douloureuses sur les omoplates, avant que de m'étouffer à demi par la fougue de ses embrassements.

— Du diantre, dit-il, si je trouve les mots pour vous dire comme je suis content de vous voir céans ! Nous allons pouvoir jaser à l'infini ! ajouta-t-il, ce qui me donna tout de gob à penser que des deux, le seul jaseur, ce serait lui.

— Je ne sais, dis-je, si nous en aurons le temps, et non plus quand la rediseuse me viendra voir. Mais dans cette perspective, il faudrait qu'elle ne soit vue par aucun, ni aucune de votre domestique.

— J'y veillerai, dit-il.

— Et j'aimerais, ajoutai-je, que trois ou quatre de vos soldats soient présents quand la porte sera pour elle déclose.

— Et pourquoi cela ?

— À supposer que votre rediseuse soit capturée en chemin, qu'on la torture, et qu'elle dise tout, un attentement contre nous ne serait pas exclu.

— Fort bien donc.

— Et que sont vos soldats ? dis-je.

— Des Suisses frais venus des monts helvétiques et qui parlent le français comme moi je parle allemand.

— Et vous le parlez comment ?

— *Die, der, das.*

— Voilà qui va bien ! dis-je en riant.

Il va sans dire que l'attente où nous étions de l'advenue de la Zocoli ne nous dispensa pas de nourrir « la pauvre bête ». Le lecteur se ramentoit sans doute que Monsieur de Guron était un des « goinfres » de la Cour et qu'une repue chez lui valait quatre des miennes, sans compter que le vin y coulait comme ruisseau dans la bouche — dans la sienne, du moins. Et comme je l'avais prévu, les bouchées les plus grosses ne l'empêchaient pas de clabauder à cœur content et toujours sur soi.

Sa faconde m'eût tué si, la repue à peine finie, on n'avait pas toqué à l'huis. Monsieur de Guron et moi-même gagnâmes l'antichambre suivis des quatre Suisses géantins, les piques basses. Je portais un pistolet à la main senestre, un autre à la ceinture. Les trois gros verrous repoussés par Monsieur de Guron, je déclouis l'huis par degrés et, apercevant le joli museau de la Zocoli, j'ouvris juste assez pour que son petit corps mince et rondi pût passer en deçà.

— Vous revoilà donc, mon beau Seigneur ! s'écria la Zocoli. Vous ramentez-vous de moi ? Et, de grâce, ne m'appelez pas la Zocoli ! Pour vous je suis Clairette, bien que de cette eau claire, vous n'ayez pas voulu boire !

Ce disant, elle me jeta les bras autour de la taille et me serra si fort que j'eus peine à me désenlacer de ce petit serpent. Quand je dis « peine », j'entends que ma reluctance à le faire fut aussi grande que le muscle qu'il y fallut. Vramy ! m'apensai-je, s'il en est ainsi la deuxième fois qu'elle me voit, que sera-ce de la troisième ?

— Clairette, dis-je, es-tu parvenue céans sans encombre ?

— Sans encombre, oui-da ! puisque me voilà ! dit la Zocoli qui avait bon bec, étant fille du pavé de Paris, et comme toutes celles-là que je dis, vive, frisquette, effrontée, et ne craignant rien en ce monde, sauf les archers du roi, mais même ceux-là, elle ne les craignait plus, depuis que, grâce à l'emploi que lui avait baillé le cardinal, elle avait l'heur de servir le roi, et elle le servait bien, ayant l'esprit vif et la langue déliée aussi, pour ce qu'elle avait été nonnette en un couvent où, à défaut de vertu, on lui avait appris le bon français.

— Mais, dis-je, s'il n'y a pas eu d'encombre à la nuitée dans les couloirs de Fontainebleau, où fut le mal de les traverser ?

— Mon beau Seigneur, les couloirs sont mal éclairés, et il n'y eut pas un seul soldat en faction devant la porte d'un Grand qui, au passage, ne m'ait pastissé les arrières.

— Eh bien ! dis-je, où est le dol ?

— Le dol, dit la Zocoli, c'est qu'ils ne sont pas allés plus loin, tant ces pleutres ont peur que leur sergent, les surprenant à ces façons, ne les condamne au fouet ou à l'estrapade.

« Mais qui sont ces autres soldats que voilà ? poursuivit-elle, en apercevant les Suisses qui, faiblement éclairés par la lanterne de leur sergent, demeuraient au garde à vous et les piques hautes.

— Des Suisses de Monsieur de Guron. Ils étaient là pour te protéger.

— Que beaux et géantins ils sont ! dit la Zocoli en les envisageant l'œil en fleur et la bouche ouverte. Je gage, reprit-elle, qu'ils s'en donnent à cœur joie, la ville gagnée, pour le forcement des garcelettes.

— M'amie, au lieu de rêver avec délices au forcement de ton petit corps par ces gros Suisses, voudrais-tu me dire ta râtelée de ce que tu sais.

— Mon beau Seigneur, dit-elle à Monsieur de Guron en s'asseyant sans façon sur une chaire à bras que le protocole lui eût défendu, vous feriez une bonne action si vous consentiez à me faire servir, avant que je parle, quelque petit vin pour me rafraîchir le gargamel et aussi quelques friandises de gueule, tant le gaster me creuse de tous les désagréments que j'ai subis en venant jusqu'ici.

Monsieur de Guron étant touché de compassion — mais était-ce bien de compassion qu'il s'agissait ? — lui fit porter les bonnes nourritures qui, sur cette terre, nous donnent de si bons moments. La Zocoli but à gueule bec le flacon de vin tout entier et mangea à elle seule un jambonneau, et par surcroît, quelques crèmes et sucreries pour faire passer le tout. Monsieur de Guron, qui la regardait avec une admiration qui croissait à chaque minute, me dit *sotto voce* à l'oreille que c'était bien là le genre de garcelette qui, tous les jours que Dieu fait, a faim par tous les bouts.

Ce disant, il l'envisageait avec des yeux si enflammés, ou devrais-je dire plutôt si affamés, que je décidai tout de gob de la laisser à ses soins, dès qu'elle m'aurait fait son conte. Monsieur de Guron, ayant alors quitté les lieux par discrétion, la Zocoli me fit son récit, et elle le fit si congrûment que j'eus d'ores en avant la meilleure opinion de sa jugeote.

— Mon beau Seigneur, dit-elle, je ne saurais dire l'heure à laquelle Madame (laquelle, prudemment, elle ne nomma jamais autrement) reçut une lettre-missive, mais à peine l'eut-elle lue qu'elle se mit dans ses fureurs. Et qui n'a vu Madame en ses fureurs n'a rien vu ! Non que j'aie pu la considérer à mon aise en cette occurrence, car dès que commença l'ouragan, je me jetai à plat ventre derrière un coffre que j'étais occupée, un plumeau à la main, à dépoussiérer, car ce qu'il faut à tout prix éviter en tel prédicament, c'est surtout que Madame ne vous voie, car non contente de briser et casser tout ce qui lui tombe sous les doigts, elle gifle encore à la volée tout être humain qui passe à sa portée. Cependant, la curiosité l'emportant sur la peur, je risquai un œil par le côté du coffre, et je pus observer quand et quand son déchaînement. Ma fé ! mon beau Seigneur, c'est un spectacle qu'aucun bateleur en Paris n'égale ! La dame pâlit ! elle tape du pied ! elle rougit, la sueur lui coule à flots dessus la face ! et s'étouffant, sans vergogne aucune elle se dépoitraille et s'échevelle ! qui plus est, elle vomit des milliasses de paroles sales et fâcheuses ! Vramy ! Elle en remontrerait à une harengère des halles ! Et Dieu sait où Madame a appris ces horreurs, sinon peut-être de son cocher.

« À la parfin, épuisée par ses hurlades, Madame se tut, et à ce que je vis en risquant un œil sur le côté du coffre, elle s'assit sur l'unique fauteuil de son salon (ce qui indiquait que nul ne devait s'asseoir en sa présence) et, là, tâcha de reprendre son vent et haleine, et souffla fort, ce faisant. Là-dessus, j'ouïs la voix du *maggiordomo* lui demandant si Sa Majesté consentait à recevoir Monsieur de Marillac. À quoi elle répondit « oui » d'une voix éteinte et à ce que je vis, risquant derechef un œil, elle entreprit de reboutonner son corps de cotte, mais point jusqu'en haut, étant encore hors de souffle, tant est que ses gros tétins apparaissaient plus qu'il n'eût fallu : ce qui m'amusa fort.

— Et pourquoi cela, ma Clairette ?

— Parce que Monsieur de Marillac est un grand dépriseur de tétins, et dès qu'il en voit un, fusse la moitié d'un, il escamote sa tête comme tortue sous sa carapace. Néanmoins, Madame aime beaucoup Monsieur de Marillac, et la preuve en est qu'à peine fut-il entré qu'elle lui commanda de s'asseoir.

— Elle le lui commanda ? Elle ne le pria point ?

— Oh ! Madame est trop haute pour prier, sauf peut-être le Seigneur Dieu. Et Monsieur de Marillac, ne voyant pas d'autre chaire, s'assit sur mon coffre, ce qui m'apeura fort, car s'il s'était retourné, il m'eût à coup sûr découverte. Mais m'avisant qu'on ne peut tourner le dos à Madame sans violer le protocole, je repris mon assiette, et même me réjouis fort à la pensée d'ouïr les jaseries de ce beau bec à bec, n'ayant rien recueilli qui valût de tout le mois. Et là au moins, m'apensais-je, j'allais faire belle et bonne moisson pour Monsieur le cardinal.

Ici la Zocoli fit une pause, se peut pour reprendre son souffle, car elle parlait à la parisienne d'une voix pointue, vive et précipiteuse, se peut aussi pour donner plus de poids à ce qu'elle allait dire.

— Poursuis, ma Clairette, je te prie. Je t'ois des deux oreilles.

— Voici, mon beau Seigneur. À peine Monsieur de Marillac fut-il assis sur mon coffre, que Madame recommença ses cris :

« — Monsieur de Marillac, cria-t-elle, vous ne sauriez croire ! Ce faquin de cardinal m'a écrit ! à moi ! Il m'a écrit, alors même que je l'ai en public écrasé de mes furieux mépris ! Il a osé m'écrire ! Moi qui ai chassé ce gueux de la Cour, de ma maison et du royaume ! Et il pousse l'impudence jusqu'à m'écrire et jusqu'à se dire encore mon serviteur !

« — Madame, dit Marillac d'une voix grave, le cardinal n'est aucunement détruit, tout le rebours et le moment n'est pas encore venu de triompher. Quand il a sailli de la grand-salle où vous l'aviez écrasé de vos mépris, les larmes lui coulaient des yeux, grosses comme des pois — vous n'ignorez pas, ajouta-t-il avec quelque mesquinerie, comme notre grand homme a le pleur facile ! Mais le roi, revenu de la chasse, s'enferma avec le cardinal dans un petit cabinet, et quand le cardinal ouvrit l'huis, afin que Sa Majesté puisse se retirer, la Cour darda sur Richelieu d'ardents regards, et n'y vit pas trace de pleurs, mais bien au rebours une face rayonnante. Là-dessus, Richelieu s'enferma assez longuement avec le duc d'Orbieu. Toute la Cour était là sous les fenêtres, attendant que le duc sortît, et quand il sortit enfin, on l'entoura, on le pressa de questions, et il répondit ces simples mots : *le roi a consolé Monsieur le cardinal.* Ce qui mit la Cour en une joie et une liesse qui ne peuvent se dire.

« — Une liesse ? dit Madame. *E che cosa significa questa parola* [1] *?*

« — Une grande joie ! Madame.

« — Une grande joie ? *Santa Maria ! C'è da impazzire* [2] *!* Ces Français sont de grands fols ! Moi, reine de France, je foudroie ce petit excrément de mes furieux mépris ! Et le roi, mon fils, l'embrasse ! Et la Cour l'acclame ! *E tutta la nazione è contro di mi* [3] !

« — Folle ou non, Madame, dit Marillac, la Cour a pris le parti du cardinal, hélas, contre Votre Majesté. Et moi-même on me prit à partie, on me chanta pouilles ! On m'accusa de vous avoir inspiré cet esclandre ! Et plus d'un de me prédire avec une fausse compassion que le roi ne tarderait pas à me chasser, moi, de la Cour. Et Bérulle aussi.

« — Bérulle, dit soudain Madame, sautant comme à l'accoutumée d'une idée à une autre. Mais où donc est Bérulle ? Pourquoi diantre n'est-il point céans ?

1. Et que veut dire ce mot ? (ital.).
2. Sainte Vierge ! Il y a de quoi perdre la raison ! (ital.).
3. Et tout le pays est contre moi ! (ital.).

N'est-ce pas un comble qu'il ne soit pas à mes côtés pour *aiutare mi come l'ho aiutato di tasca mia. Che persona ingrata* [1] !

« — Madame, le cardinal n'est pas ingrat. Il est au lit. Il est quasiment au grabat, et d'après les médecins il n'en a plus pour longtemps.

« — Mais je ne veux pas qu'il meure ! s'écria Madame, comme indignée. Allez-lui dire de ma part que je ne veux pas qu'il meure ! J'ai encore beaucoup trop besoin de lui !

« — Et pourquoi, Madame ? Pour qu'il vous pousse à commettre derechef une énorme faute ? dit Marillac avec une fausse douceur. Je vous l'avais bien dit, Madame, et je l'avais répété bien en vain à Bérulle ! Richelieu revenant du Languedoc couvert de gloire et brillant de toutes les vertus, le moment était fort mal choisi pour le piétiner en public.

« — Et malgré cela, dit Madame avec un petit ressac de sa grande colère, le fourbe a osé m'écrire !

« — Il vous a écrit ? dit Marillac béant. Madame, peux-je vous demander la grâce de lire cette lettre ?

« — *Che puzzo* [2] *!* dit Madame.

« Il y eut alors un assez long silence, le temps pour Monsieur de Marillac de lire la lettre et peut-être de la relire, puis il dit :

« — Cette lettre, Madame, paraît, à vue de nez, humble, soumise et respectueuse. Mais en fait, Madame, à lire entre les lignes, le cardinal vous daube.

« — Il me daube ? *E che cosa significa questa parola ?*

« — En d'autres termes, Madame, il se moque de vous.

« — De moi ? Il se moque de moi ! de MOI ! hurla Madame. Et... et... et comment ?

1. Pour m'aider comme je l'ai aidé de ma bourse. Quelle personne ingrate ! (ital.).

2. Voici cette puanteur ! (ital.).

« Je crus qu'elle allait derechef laisser courre son ire. Cependant il n'en fut rien. La curiosité fut trop forte.

« — Et comment ? reprit-elle.

« — Mais en vous priant d'intercéder auprès du roi pour que le roi accepte sa démission.

« — Et en quoi se moque-t-il en écrivant cela ?

« — Parce que cette démission, Madame, le roi l'a visiblement déjà refusée, et votre démarche auprès de Louis ne pourrait qu'elle ne vous expose à une sévère rebuffade.

« — Mais c'est le diable que ce faquin de cardinal ! s'écria Madame.

« Mon beau Seigneur, reprit la Zocoli, c'est là tout ce que j'avais à dire ou plutôt à redire, sauf que Monsieur de Marillac départi, et Madame s'allant coucher, je pus enfin me lever de ma cachette.

Je remerciai la Zocoli et lui voulus bailler un écu pour sa belle râtelée, mais elle le refusa avec dignité, me disant qu'elle n'avait qu'un maître, et que c'était lui qui la payait. J'hésitai à lui donner au départir, comme j'en avais envie tant j'étais content d'elle, une affectueuse brassée, mais réfléchissant qu'affectueuse, ladite brassée ne le serait pas longtemps avec elle, je préférai la remettre aux mains de Monsieur de Guron, et le cœur allégé, je regagnai ma chambre. Et là, au lieu de m'ensommeiller tout de gob, je jetai de prime sur le papier tout ce que la reine-mère avait dit afin de le pouvoir répéter le lendemain au cardinal mot pour mot.

Je me sentais fort las après cette journée où s'étaient passées tant de choses. Mais m'étant moi-même dévêtu — l'heure étant si tardive que je noulus réveiller mon valet — je tirai autour de moi les courtines de mon baldaquin, je me couchai sans tant languir et j'attendis mon sommeil, mais il ne vint pas. Au lieu de cela, je pensai longuement à Marillac.

Il me semble, lecteur, que je vous ai déjà touché un

mot du genre de réflexion qu'il m'inspirait. Mais quel que fût ce mot, le voici, plus complet, je crois, et plus fouillé, qu'une simple remarque en passant. Marillac n'était point, certes, niais et simplet comme le pauvre Bérulle, qui à force de s'adresser à Dieu en était venu à penser que Dieu lui faisait, en retour, des confidences et des prédictions. Comme le lecteur s'en ramentoit, il s'en était autorisé pour écrire à Richelieu que ce n'était pas la peine de construire la digue, que les murailles de La Rochelle tomberaient d'elles-mêmes : il en avait eu la révélation.

Monsieur de Marillac, lui, avait beaucoup d'esprit, il était fort laborieux, il remplissait à merveille sa charge de garde des sceaux, et il avait eu le mérite d'établir ce fameux Code Michau qui mettait de l'ordre dans les ordonnances royales.

On pouvait certes entendre qu'étant grand dévot, et désirant avant tout l'éradication par le fer et le feu de l'hérésie huguenote, il pût prôner l'alliance espagnole, maugré les dangers qu'elle présentait pour la France. On pouvait même, à la rigueur, entendre que, pour réaliser cette politique, il pensât que nul autre que lui-même n'y suffirait, et qu'il faudrait que Richelieu disparût pour qu'il pût prendre sa place. Mais c'est là, à cet instant de mon discours, que le bât me blesse.

Sur quoi et sur qui Monsieur de Marillac pouvait s'appuyer pour réaliser ce dessein ? Sur le roi ? Mais Louis qui adorait son père était viscéralement anti-espagnol. Il n'ignorait pas que ce père tant aimé avait été assassiné, coïncidence peu fortuite, au moment où il se préparait à engager une guerre sans merci avec l'Espagne. Louis savait aussi que ce même père avait rejeté pour son dauphin la proposition d'un mariage espagnol, proposition que sa mère, dès qu'elle fut veuve, avait, à son grand dol, remis sur pied. Et bien qu'il y eût d'autres raisons pour ne parvenir point, de prime, à « parfaire son mariage » avec Anne d'Autriche, le fait qu'elle fût Espagnole n'ajoutait pas à son ardeur. La preuve en est qu'il renvoya, non sans brusquerie, de l'autre côté de la Bidassoa, les turbulentes dames de compagnie qui s'en étaient venues en France avec Anne d'Autriche. Et à mon sentiment il l'aurait bien renvoyée elle-même, s'il l'avait pu.

Monsieur de Marillac pouvait-il alors s'appuyer sur la reine-mère pour amener Louis à accepter l'alliance espagnole ? S'il a vraiment cru cela, c'est la pire bévue que cet homme d'esprit ait jamais faite. Il y avait belle heurette qu'il n'y avait plus d'autre sentiment entre le roi et la reine-mère que la considération imposée par le protocole. Je l'ai dit mille fois et pardonne-moi, lecteur, de le redire encore, désaimé, humilié par Marie de Médicis en ses enfances, non seulement il ne l'aimait point, mais il la respectait moins encore, ayant la plus pauvre opinion de son entendement et de son caractère. Il abhorrait ses partis pris obtus, ses furieux entêtements, ses colères escalabreuses et, plus que tout, les vulgarités de son langage.

Or, s'il y a une chose au monde que Louis de tout cœur détestait, c'était qu'on se laissât aller en sa présence à des querelles, qu'on élevât la voix, qu'on en vînt à des paroles sales et fâcheuses. Il considérait que c'était là une insulte gravissime infligée à sa dignité royale. Oyant un jour en sa chambre le comte de Guiche chanter pouilles à voix stridente et en termes grossiers à un huissier qui lui interdisait l'entrant de la chambre royale, il lui dépêcha tout de gob une douzaine de gardes, l'arrêta et l'expédia en Bastille pour une semaine.

La reine-mère ! Dieu bon ! m'apensai-je en mon insomnie. Comment un homme d'esprit comme Marillac avait pu choisir, pour atteindre sa fin, un instrument aussi peu fiable, lequel pouvait s'échapper à tout instant de ses mains pour tailler et découdre à tort et à travers, lui laissant la responsabilité de ses errements, puisqu'il était connu pour être son conseiller. Position excessivement périlleuse et qui pouvait l'amener un jour ou l'autre à une disgrâce, dont la Cour déjà pressentait qu'elle ne serait pas douce.

Dès le quinze septembre, le roi réussit à replâtrer une sorte de paix entre Richelieu et sa mère. Ce qui, à mon sens, fit céder si vite cette éternelle entêtée, fut le désaveu universel que lui infligea la Cour en cette occasion. Le même soir, le cardinal, se sentant infiniment soulagé, m'invita à dîner avec lui au bec à bec, ce qui piqua quelque peu Monsieur de Guron qui pourtant, une semaine plus tôt, s'était paonné de ce même privilège. « Bah ! me dit-il avec une petite moue en me donnant sur l'épaule une forte tape, vous verrez, mon cher duc ! Grandissime honneur sans doute, mais chère petitime ! » C'est tout à la fois le goinfre et le fin bec de la Cour qui parlait là, car en ce qui me concerne, je bois fort peu et mange plus sobrement encore. Ce n'est point là, lecteur, ascétisme et vertu, mais simple vanité, car pour moi *bedondaine* est synonyme de *barbon* [1], et je voudrais conserver le plus longtemps que je puis la taille svelte dont me loue ma Catherine.

Le lecteur a déjà deviné qu'un souper avec le cardinal n'est pas un babillage de caillettes et de coquebins. On y travaille plus qu'on y mange. Et à peine étions-nous assis devant nos couverts de vermeil, que Son Éminence me dit d'un ton pressé et expéditif :

— Eh bien, mon cousin, que vous a dit la Zocoli ?

— Éminence, dis-je, j'ai jeté sur le papier tout ce qu'elle m'a dit. Désirez-vous lire cette relation écrite, ou que je vous en fasse de vive voix le conte ?

1. On appelait *barbon*, au XVIIe siècle, un homme de quarante ans. Avec ou sans barbe, c'était déjà « un vieux ».

— La relation écrite me suffira, dit Richelieu. Je connais vos rapports : ils sont excellentissimes.

Je lui remis alors le pli et je l'observai très à la discrétion, tandis qu'il le lisait. Sa face était pâle et creusée et portait la trace d'une immense fatigue. Dieu bon ! m'apensai-je, quel courage adamantin, quelle invincible opiniâtreté, quel sublime dévouement sont les siens ! Et sauf par le roi, comme ils sont peu récompensés ! Plus il fait du bien au royaume, plus on lui fait du mal !

Ayant fini sa lecture, le cardinal relut ma relation, puis plia le papier, et disant, comme se parlant à soi : « Il faut que le roi lise cela », il enfouit le pli dans la poche intérieure de sa soutane, puis baissa les yeux sur son assiette et demeura ainsi un bon moment.

Ce qui suivit, lecteur, me laissa tout à plein béant. Car ce n'était point souvent que le cardinal, toujours secret et cousu, se laissât aller, même devant un serviteur en qui il avait toute fiance, à exprimer un émeuvement, ou à conter une de ses remembrances. Et ce soir-là, il fit les deux.

— Mon cousin, dit-il, pensez-vous que la reine-mère puisse un jour à mon endroit venir à résipiscence ?

— Il me semble, Éminence, qu'après le cuisant échec qu'elle vient d'essuyer, il serait raisonnable qu'elle le fasse.

— Raisonnable ! dit Richelieu en ouvrant grands les yeux. Et quand fut-elle jamais raisonnable !

Il n'en dit pas davantage, et pour l'instant du moins, il demeura bec cousu. Je l'imitai. Comme bien on sait, pas plus au roi qu'au cardinal on ne doit poser questions : passer outre à cette règle serait la pire des impertinences. Je demeurai donc plus silencieux que taupe en son trou, mais en même temps fort éveillé, car à mon sentiment Richelieu en avait déjà trop dit pour ne point en dire davantage. Et en effet, il revint, mais par un chemin très détourné, à son propos.

— Mon cousin, reprit-il, ce n'est pas à vous, qui y avez pris si courageusement part, qu'il faut ramentevoir le coup d'État du vingt-quatre avril 1617. L'infâme Concini exécuté sur l'ordre du roi, sa mégère emprisonnée, et une fois le pouvoir royal arraché à des mains indignes, la reine-mère reclose en ses quartiers. Vous ramentez-vous ces détails surprenants ? Pour l'empêcher de s'enfuir, Louis ne lésina pas sur les moyens : il remplaça sans tant languir les archers de sa garde par les siens, dépêcha des maçons pour murer les deux portes dérobées de ses appartements et trois terrassiers géantins pour abattre à coups de masse le petit pont de bois qui permettait à sa mère de franchir les douves pour s'en aller promener dans les jardins du bord de Seine : autre issue par laquelle elle eût pu quitter le Louvre. Tant est que la reine-mère, avant même d'être exilée au château de Blois, se sentait serrée en geôle et assurément elle l'était. Elle entra alors dans une de ces escalabreuses colères qui avaient si longtemps ébranlé les plafonds du Louvre, et dont la Zocoli nous a donné déjà un échantillon. Hurlant, pleurant, échevelée, et se tordant les mains, elle maudissait les Concini qu'elle avait si longtemps adorés et révéla dans le même temps, par les initiatives qu'elle prit, le trait dominant de son caractère.

« Elle envoya son premier écuyer, Monsieur de Bressieux, dire au roi qu'elle désirait s'entretenir avec lui... Si j'avais été avec elle à ce moment-là, poursuivit Richelieu, je lui aurais déconseillé une démarche aussi inopportune. La reine-mère avait si odieusement privé Louis de ses prérogatives royales après même qu'il fut devenu majeur, qu'un accommodement, pour le moment du moins, était tout à plein impossible.

« Qui pis est, l'assassinat de Concini, l'exécution de la Galigaï, montraient chez Louis un degré de résolution et de rigueur qui ne laissait pas le moindre espoir à la reine-mère qu'il revînt sur ses décisions. Je ne fus donc pas surpris quand Monsieur de Bressieux approcha le roi pour présenter la requête de la reine-mère : il essuya un refus des plus nets. "Je la verrai en temps voulu", dit Louis sèchement. Toute autre que la reine se le serait tenu pour dit. Point du tout. Elle envoya une deuxième fois Monsieur de Bressieux porter la même requête, laquelle essuya le même refus. Pis même, elle envoya une troisième fois Monsieur de Bressieux au roi. Cette fois-ci ce ne fut pas un refus, mais une menaçante rebuffade, le roi laissant entendre au pauvre Bressieux que s'il le revoyait à nouveau porteur du même message, il le serrerait en la Bastille.

« Croyez-vous que la reine-mère, après cela, cessa ses encharnées requêtes ? Que nenni ! Elle dépêcha auprès du roi la princesse de Conti qui, plus prudente que Monsieur de Bressieux, demanda audience à Louis. Étant princesse et appartenant à la puissante Maison des Guise, il n'était pas question de la menacer de la Bastille. Le roi lui répondit galamment qu'il la recevrait avec joie, mais à condition qu'elle ne lui parlât point de la reine-mère. Qui aurait pu imaginer, après cela, que Marie de Médicis recommençât pour la cinquième fois une démarche qui s'était avérée si parfaitement inutile ? Suivant ses instructions, sa dame d'honneur, Madame de Guercheville, encontrant le roi dans un couloir du Louvre, s'alla jeter dramatiquement à ses pieds. "Sire ! s'écria-t-elle, allez-vous chasser votre mère ! — En effet, dit Louis, elle est ma mère. Mais par ci-devant, elle ne m'a jamais traité en fils."

Ce discours fut pour moi du plus vif intérêt, car si j'ai parlé dans un tome précédent de mes Mémoires de ces requêtes inopportunes de la reine-mère, je les ai résumées en trois lignes, et sans doute n'étais-je pas aussi bien informé que Richelieu, car, au lieu de cinq démarches de la reine, Dieu sait comment, je lui en avais prêté six.

— La leçon de ce conte, conclut Richelieu, c'est qu'il vous donne à réfléchir sur la différence entre la ténacité et l'obstination.

— J'avoue, Éminence, que je sens cette différence, mais sans la pouvoir définir.

— Je m'y suis essayé, dit Richelieu avec une humilité dont je ne fus pas dupe (car il aimait les poètes et les subtilités du langage). Eh bien! je dirai, pour ma part, que la ténacité est une volonté éclairée par la raison. Et l'obstination, une volonté qu'aucune raison n'illumine. Je compare l'obstination à une grosse guêpe qui se heurte cent fois à la même vitre sans chercher, ni trouver la fenêtre déclose par où elle pourrait s'envoler. C'est pourquoi, ajouta-t-il, après un moment de silence, je ne me fais guère d'illusion sur la précaire paix que Louis vient de rétablir entre sa mère et moi. Que je fasse bien ou que je fasse mal, la reine-mère s'est butée contre moi une fois pour toutes, et son dard me poursuivra toujours.

Ayant dit, une légère rougeur apparut sur le visage pâle et creusé du cardinal. Et il me sembla qu'il éprouvait quelque vergogne à s'être laissé emporter par sa métaphore en parlant, au sujet de la reine-mère, de « dard », ce qui donnait à penser qu'il la comparait à la grosse guêpe dont il venait de décrire les désordonnés volètements.

Mais comme je gardais une face impassible, lui donnant à entendre par là que je n'avais établi aucun lien entre la grosse guêpe et le dard, Richelieu se rasséréna et me dit du ton bref et expéditif qu'il affectionnait :

— Mon cousin, il est temps, comme disait Henri IV, que mon sommeil me dorme, et que le vôtre vous dorme aussi. Le Grand Conseil du roi est convoqué demain à huit heures. Soyez-y. Il y sera beaucoup question de la mauvaise tournure que prennent nos affaires en Italie. Et aussi de Monsieur! Et de l'absence de Monsieur! Monsieur, c'est vraiment un os bien dur à ronger.

Ma fé! m'apensai-je en le quittant, une grosse guêpe! Un gros os dur à ronger! *Che famiglia!* comme disait le Vénitien Zorzi.

*

— Monsieur, un mot de grâce.

— Belle lectrice, je vous ois.

— Oserais-je quérir de vous pourquoi jusqu'ici vous avez si peu parlé en vos Mémoires de Monsieur, frère du roi.

— Nenni! Nenni! J'en ai parlé, Madame qui-ci qui-là dans différentes parties de ces Mémoires que peut-être vous n'avez pas tous lus. Aussi bien, il ne serait pas mauvais que je rassemble pour vous toutes ces parcelles, vu le rôle qu'il va jouer dans ce qui suit, et dresser de lui un portrait plus complet.

« J'aimerais assurément pouvoir dire le contraire, mais le seul rôle que Gaston ait joué, du début à la fin du règne de son frère, est un rôle de nuisance et de déplaisance. Avez-vous vu au château de Blois la statue de Gaston d'Orléans? Ce qui frappe le plus quand on l'envisage avec attention, c'est la mollesse et la faiblesse de ses traits. À eux seuls ils vous éclairent sur la consistance du personnage.

— Monsieur, pouvons-nous voir cela davantage dans le détail?

— Eh bien, de prime, Madame, Gaston était fort débauché.

— Monsieur, ce n'est pas parce que vous êtes, avec votre mariage, devenu vertueux, quoique bien à contrecœur, que vous devez meshui regarder de haut les faiblesses humaines. Si bien je me ramentois, il y eut en vos jeunesses toute une farandole d'accortes garcelettes.

— Ah! De grâce, Madame! Ne comparez pas ces pauvres filles, qui vendent leur devant à des gentilshommes pour une nuit, à mes charmantes chambrières. Elles travaillaient pour leurs maîtres. Elles étaient dévouées à leurs maîtres, et elles m'aimaient, et je les aimais aussi et le lien a duré tout le temps que j'ai pu. Et chaque fois que je les ai dû quitter, les larmes n'étaient pas que dans leurs yeux.

— Pardonnez-moi, Monsieur, à mon tour, j'ai osé vous juger. Vais-je aggraver mes torts envers vous en vous disant que, maintenant que vous êtes vertueux devenu, je ne vous trouve plus aussi séduisant ?

— La grand merci, Madame, d'encourager ma modestie. Il est vrai qu'un homme marié est rarement séduisant, puisqu'il a déjà fait son choix.

— Et un choix excellent, Monsieur, d'après ce que j'ai ouï.

— Merci, belle lectrice, pour cette réplique généreuse. Elle rachète tout. Je n'eusse pas aimé que notre bec à bec devînt une prise de bec.

— Mais revenons, Monsieur, à nos blancs moutons.

— Gaston n'est pas si blanc que cela, hélas, Madame, mais pour une part ses fautes viennent de la situation qui était la sienne. Frère puîné d'un roi qui n'avait pas d'enfant, et par conséquent héritier présomptif du trône, Gaston, ce joyeux drille qui n'aimait que le jeu, la farce et les pitreries, nourrissait tout du même de grandes ambitions. Et c'est là, Madame, le mauvais de notre système : le sang donne le rang, et le rang n'a à aucun degré l'esprit, l'étude, l'application, la suffisance, le zèle qu'il faudrait pour diriger les grandes affaires. Et bien le prouva Gaston quand il réclama à cor et à cri le commandement du siège de La Rochelle. Puis-je vous ramentevoir, Madame, ce quasi comique épisode ? De guerre lasse, on l'envoya à La Rochelle sous la discrète surveillance des maréchaux. Gaston n'y fit rien qui valût. À la première sortie des Rochelais, il voulut paonner sa bravoure et se porta au premier rang de l'action, tant est que ses hommes cessèrent d'être commandés. Le soir même, d'un ton quelque peu doux et aigre, mais avec tout le respect dû à son rang, le maréchal de Schomberg remontra à Gaston qu'il s'était comporté en soldat et non en chef. Mais de toute façon Gaston n'avait pas la vocation des armes. Au bout de quelques petites semaines, le climat venteux et tracasseux de l'Aunis et surtout la monotonie harassante de la vie militaire le dégoûtèrent tout à plein. Alors, sans crier gare, et sans la moindre vergogne, il planta là son armée, il s'en retourna de son propre chef en Paris où, pour échapper à la surveillance de la reine-mère, il se logea, non au Louvre, mais dans un petit hôtel discret. Et là, dans un perpétuel farniente, il se livra à ses débauches, à ses repues, et aux petites pitreries dont il était raffolé.

« Non qu'il fût sot, Madame, il avait, au rebours, beaucoup d'esprit. Mais c'était un esprit vautré. Et bien qu'il fût mieux garni en mérangeoises que la plupart de ses contemporains, il était trop nonchalant pour les utiliser. En voulez-vous un exemple? En ses jeunes années, le roi, oyant que le régent de son frère, le maréchal d'Ornano, l'encourageait à s'opposer à la volonté royale, dépêcha le maréchal en prison. Aussitôt Gaston, sans l'ombre d'une preuve, se persuade que c'est Richelieu qui a inspiré cette mesure. Et alors, sans davantage réfléchir, il décide de l'assassiner. Voici un conte que j'ai déjà fait pour vous, Madame, et je le résume en cinq lignes. Gaston envisagea, avec une trentaine d'amis, de se faire inviter par le cardinal en son château de Fleury en Bière. Et là, ses amis feindraient, au cours de la repue, de se prendre entre eux de querelle, les épées jailliraient du fourreau, et dans le tumulte qui s'ensuivra, une épée traverserait, par le plus grand hasard, le cœur du cardinal.

— Et qu'arriva-t-il?

— Le cardinal connut le complot avant même

qu'il fût au point, et allant trouver Gaston à son lever, l'intimida par son escorte, et en même temps lui offrit gracieusement d'échanger le château de Fleury en Bière contre celui de Gaston, qui était bien moins commode. Gaston trouva le cardinal « fort charmant », accepta son offre et il ne fut plus question de repas à l'italienne. Ramentez-vous en ce qui concerne l'Italie, belle lectrice, que si Gaston par son père est un Bourbon, il est par sa mère un Médicis.

— J'ai aussi ouï dire, Monsieur, que les conseillers de Gaston étaient fort mauvais.

— Madame, mauvais ! Je dirais plutôt, en citant cette belle langue latine en laquelle je fus nourri en mes enfances, qu'ils étaient *abominandi atque exsecrabiles* ! Voici les noms de ces tristes sires : Le Coigneux, Bellegarde, Puylaurens. Le pauvre Gaston était entre leurs mains comme la marotte d'un bouffon : ils en faisaient ce qu'ils voulaient.

— J'avoue, Monsieur, que mon savoir, ici, me faille. Qu'est-ce qu'une marotte ?

— Une marotte, belle lectrice, est un sceptre surmonté d'une tête coiffée d'un capuchon bigarré et garni de grelots. Le bouffon l'agite à sa guise, le jette en l'air, le rattrape, le branle pour sonner ses clochettes, bref, fait avec lui mille tours. Mais dans le sens figuré du terme, la marotte est quiconque, homme ou femme, qui est tombé sous l'emprise d'un conseiller, et ne fait rien sans lui. Vous vous ramentez sans doute que Marillac et Bérulle, nos bons apôtres, finirent par persuader la reine-mère que Richelieu, au cours des années, avait fait d'elle sa « marotte », ce qui la mit contre lui dans des haines, des fureurs et des ressentiments qui ne peuvent se dire.

« Pour en revenir à Gaston, dès que la première campagne d'Italie fut envisagée...

— Monsieur, pourquoi la première ? Y en a-t-il donc une seconde ?

— Il y en aura une seconde, Madame, je le crains. Mais c'est demain au Grand Conseil du roi que nous aurons à envisager la mauvaise tournure que prennent nos affaires en Italie. Pour en revenir à la première expédition d'Italie, dès qu'elle fut décidée, Gaston en demanda aussitôt le commandement.

— Eh quoi ! Après ce qui s'était passé à La Rochelle ?

— Oui-da, Madame ! Que voulez-vous ? L'insuffisance est souvent la mère de la suffisance.

— Que se passa-t-il alors ?

— Il était de toute évidence impossible de lui accorder le commandement, mais fort difficile aussi d'opposer au frère du roi un refus humiliant. Il n'y avait qu'un moyen d'éviter le pire, et ce fut celui que le roi choisit : il prit lui-même le commandement de la campagne.

— Donc, tout va bien !

— Hélas, non, Madame, tout va mal ! Cette guerre familiale à peine apaisée, une seconde éclate. Peux-je vous le ramentevoir : l'épouse de Gaston, Madame de Montpensier, meurt en couches le quatre juin. Veuf inconsolable, Gaston, quatre jours plus tard, sèche ses larmes, ne pense plus qu'à se remarier et s'éprend de Marie de Gonzague, fille du duc de Nevers, ce jour d'hui duc de Mantoue. Or, voici les éléments nouveaux de cette histoire, concernant les mobiles de la reine-mère et du roi. Ils sont pour une fois d'accord : ils sont tous deux opposés à cette union. La reine-mère pour une raison peu raisonnable et que l'on sait déjà : Le duc de Nevers, vingt ans plus tôt, a pris les armes contre elle. Le refus du roi est inspiré par des raisons politiques. Gaston, devenu gendre du duc de Mantoue, l'Italie s'ouvre à lui. Or, Gaston a un faible pour les ennemis de son frère. Il est ami très proche du duc de Lorraine qui nous déteste. Et en Italie, qui pourrait l'empêcher de s'aboucher avec les Espagnols ?

« Comme vous voyez, belle lectrice, Gaston n'a pas encore découvert le sens du mot "patrie", très semblable en cela, je me hâte de le dire, à la plupart des Grands qui, sous la faible régence de la reine-mère, ne se faisaient pas faute de se révolter contre son pouvoir les armes à la main, afin d'obtenir d'elle des terres ou des clicailles.

« Quand Louis revient victorieux de sa première campagne d'Italie, Gaston, pour marquer sa bouderie, passe aussitôt en Lorraine, ce dont le duc, notre ennemi, est ravi. C'est pour lui, et ses grands amis les Habsbourg, un immense avantage. S'ils décidaient d'attaquer Louis, ils pourraient se targuer de défendre les intérêts de son frère, ce qui donnerait à leur attaque une sorte de légitimité. Et d'un autre côté, Gaston et le triste trio, dont il est la marotte, entendent combien il est importantissime pour Louis d'avoir à son côté son frère cadet dans les guerres qui le menacent. Ils lui firent alors savoir que Gaston serait disposé à rentrer en France, mais à son prix. Et en terres, en apanages, en places, en titres, et en clicailles pour lui-même et son triste trio, Gaston demandait la lune. La réponse royale ne tarda pas. Louis groupa une armée en Champagne pour faire pièce à une éventuelle attaque de la Lorraine, et Richelieu entreprit de barguigner avec Gaston. Et je vous laisse à penser, m'amie, quel âpre bargoin cela fut !

— Et quel en fut le résultat ?

— Je l'ignore encore. Je le saurai demain à huit heures et demie au Grand Conseil du roi. Mais comme vous savez, Madame, une fois hors le Conseil, les conseillers du roi sont plus muets que carpes.

*

Louis était fort attaché au château de Saint-Germain-en-Laye, séjour des premières années de sa vie.

Il aimait son parc, la belle vue qu'on y avait sur la Seine et la forêt du Vésinet, un air assurément plus pur que celui de Paris, la garenne du Peq où il rêvait déjà d'aller chasser le cerf. Il aimait par-dessus tout quand son père, qu'il aimait de grande amour, le venait voir, et il venait souvent, et comble de bonheur, il venait seul, tant est que l'enfantelet royal n'avait pas à craindre les criailleries, les brimades et les menaces de fouet de sa mère.

En ce qui me concerne, maugré l'émerveillable encontre que j'y fis à dix ans du garcelet royal, moi-même étant de peu son aîné, il me faut bien avouer que le château lui-même — surtout si on le compare à Fontainebleau — n'est pas des plus attachants. Ce qui rend une résidence aimable — et on le sent dès qu'on y met les pieds — c'est qu'elle fut très aimée par ceux qui l'ont construite ou qui y ont vécu. Et ce fut bien le cas pour Fontainebleau, amoureusement créé sur les ruines d'un château et d'un couvent par François Ier, enrichi par les artistes italiens qu'il admirait, et embelli ensuite par Henri IV qui, tout chiche-face qu'il fût, consacra deux millions et demi de livres à son embellissement. Il est vrai que Louis XIII, qui y était né, consacra beaucoup moins de pécunes à Fontainebleau, car quoiqu'il aimât fort la splendide résidence, il préférait Versailles pour la raison que Versailles n'était situé qu'à cinq lieues de Paris, ce qui n'imposait pas un si grand déplacement que Fontainebleau qui se trouvait, comme disait mon Alizon, « au diable de Vauvert ».

À huit heures et quart, aussi exact qu'un officier prussien, et après avoir parcouru toute la longueur de la cour du Cheval blanc (dont la statue avait depuis belle heurette disparu), je montai en rechignant l'escalier Henri II, pestant à haute voix contre le piteux état des marches disjointes et sur lesquelles le danger de glisser et de choir était grand.

Je vis enfin Beringhen qui m'attendait tout sourires sur le seuil de l'huis à deux battants déclos. Lecteur, de grâce, ne vous y trompez pas. Si mon valet de chambre est fils de bonne souche paysanne, Beringhen, lui, est noble (qui pourrait habiller et dévêtir le roi, sinon un gentilhomme?) et, de reste, on n'appelle pas Beringhen valet, mais officier de la maison du roi. Et de ceux-ci il y en a plusieurs, mais Beringhen en est le premier, raison pour laquelle on l'appelle, non sans respect, « Monsieur le Premier », titre dont il se paonne fort et à juste titre. Beringhen est d'origine flamande, l'œil bleu, le teint rose, le cheveu blond, meshui tirant sur le blanc, bon bec et bonne bedondaine, et connaissant si parfaitement le protocole et ses subtils problèmes que le roi lui-même le consulte là-dessus dans les occasions.

— Avec mes respects, Monseigneur, dit Beringhen avec un salut des plus profonds, mais en me parlant en même temps avec une familiarité de bon aloi qui tenait au fait que mon père avait connu le sien et l'avait toujours traité avec amitié. J'ai cru ouïr, poursuivit-il, que vous n'aimez guère le degré Henri II. Mais personne ne l'aime à la vérité, et tous redoutent les chutes qu'ils y pourraient faire. Je me permets de le dire, de temps à temps, à Sa Majesté.

— Et que vous répond-Elle ?

— « Plus tard, Beringhen ! Plus tard ! Pour l'instant je n'ai pas un seul sol vaillant. Mes guerres me raflent tout. »

Au bout de la galerie François Ier, que je ne parcours jamais sans quelque émeuvement tant je la trouve superbement ornée, Beringhen m'entraîna sur la gauche, et non sur la droite, comme je m'y attendais, puisque à l'ordinaire c'était dans la salle de bal que se tenait le Grand Conseil. Je restai bec cousu, devinant la raison de ce déplacement.

La monumentale cheminée de la salle de bal est flanquée de chaque côté de deux satyres de bronze noir. Ils ont les cuisses fort velues, symboles des vices charnels. Ils sont placés à proximité du foyer pour bien faire entendre que c'est dans les flammes que se terminera, dans l'au-delà, leur vie dévergognée.

Quand Henri IV tenait Conseil, il s'asseyait le dos à la cheminée et encadré, en conséquence, par les deux satyres, ce qui le gênait si peu qu'il en faisait quand et quand des plaisanteries friponnes.

Par respect pour un père adoré, Louis, quand il séjournait à Fontainebleau, tenait ses Grands Conseils dans la même salle, et lui-même assis le dos au feu. Mais je suis bien assuré que la présence des deux satyres derrière lui le devait gêner, car dès que le temps devenait quelque peu inclément, il disait que la salle de bal était trop grande et trop refroidie par ses immenses baies vitrées, et il tenait Conseil dans une pièce beaucoup plus petite qu'on appelait le Salon du roi et qui n'était autre que la chambre où il avait vu le jour.

Beringhen, ayant à recevoir d'autres ducs et pairs ainsi que les deux maréchaux de France qui appartenaient au Conseil (la courtoisie de l'accueil ne descendant pas plus bas), me quitta à mi-chemin de la galerie François Ier pour s'en retourner au degré Henri II. Quant à moi, je gagnai le salon Louis XIII mais je ne fus pas seul longtemps. Que trouvai-je là, sinon le Révérend docteur médecin Fogacer, lequel me bailla une forte brassée et me considéra longuement avec un évident plaisir, ses longs sourcils se relevant vers les tempes en même temps qu'un sinueux sourire apparaissait sur ses lèvres. Ces mimiques, en ses années plus vertes, lui donnaient alors un air méphistophélique qui correspondait assez bien, comme on sait, au printemps de sa vie et à ses folles avoines, mais les années passées et le pécheur en lui étant venu à résipiscence, ses lèvres étant moins écarlates, et quelques creuses rides aussi qui-ci qui-là, il n'avait plus du tout cet air diabolique, non plus celui d'un chanoine, car son œil était pétillant, ses mouvements vifs et son parler rapide.

— Ma fé ! dis-je, que faites-vous céans, Révérend docteur médecin ? Vous n'appartenez pas, que je sache, au Grand Conseil du roi !

— Que nenni ! Mais étant les yeux et les oreilles du nonce apostolique, je suis toléré dans le couloir du salon par respect pour Sa Sainteté le pape.

— Mais étant dehors et non dedans, que vous apporte cette attente ?

— Voici. J'attends que les conseillers sortent du Conseil, je scrute les visages des partisans du roi et de Richelieu, je scrute aussi les visages des dévots, et à l'air qu'ont les uns, et l'humeur que je vois aux autres, je tire mes petites conclusions...

— Mais pour en juger ainsi, il faudrait que vous sachiez déjà beaucoup de choses.

— Mais je sais déjà beaucoup de choses, dit Fogacer avec son sinueux sourire. Sous-estimez-vous à ce point la diplomatie du Saint-Siège ?

— Et par exemple ?

— Par exemple que les affaires de la France en Italie sont très mauvaises, et que la séance à laquelle vous allez assister, mon cher duc, sera très agitée, et j'oserais même dire, tempétueuse.

CHAPITRE VIII

Les conseillers — le roi y tenait très fermement la main — arrivaient fort ponctuellement en nos assemblées. Et le seul qui survint avec quelque retard et auquel on bailla incontinent une chaire à bras, fut le pauvre cardinal de Bérulle. J'en fus fort étonné. Si j'en croyais la redisance de la Zocoli, Marillac avait décrit son état comme étant désespéré et avait dit de lui qu'il était « quasiment au grabat », expression bizarre, car elle veut dire, en fait, que le malade est à la mort, et non étendu sur un lit misérable, ce qui n'est sûrement pas le cas, quand il s'agit d'un cardinal.

J'en conclus qu'en tenant ce propos à la reine-mère, Marillac, par un pieux mensonge, avait voulu l'empêcher d'appeler le cardinal à rescourre, afin de demeurer son seul et unique conseiller. Non que le pauvre Bérulle allât mieux. Il était pâle comme la mort, et ne pouvait marcher qu'avec l'aide de deux clercs, l'un à dextre et l'autre à senestre, et s'assit avec un soulagement visible sur la chaire qu'on lui avait apportée.

Dans le désamour comme dans l'amour, il y a des degrés, et je désaimais moins Bérulle que Marillac, et point seulement en raison de la belle œuvre qu'il avait accomplie en créant l'Oratoire. À mon sentiment, Bérulle n'était point méchant. Il était seulement borné, et entièrement dépourvu d'imagination. Quand il disait, et il le disait souvent, qu'il fallait « éradiquer par le fer et le feu l'hérésie protestante », il ne voyait, ni même n'imaginait, multipliée par mille, à l'échelle de l'Europe, une sanglante Saint-Barthélemy. Ce qu'il avait dans l'esprit restait confus et abstrait.

À l'accoutumée, le roi exposait au début du Conseil, sommairement, l'affaire dont il était question, et quand tous ceux qui désiraient opiner l'avaient fait, il demandait son avis à Richelieu.

C'était bailler au cardinal l'occasion d'un exposé magistral, où, reprenant toute l'affaire depuis le début, il en envisageait un à un tous les éléments. Après quoi, très habilement, il proposait au roi deux solutions entre lesquelles il le priait de choisir.

L'analyse était claire, complète, méthodique, elle ne faisait appel qu'aux faits et à la raison, jamais à la passion ni aux préjugés. Je ne saurais dire si Richelieu avait lu les *Regulae ad directionem ingenii* [1] de Descartes, paru juste après le siège de La Rochelle en 1628. Mais si Richelieu ne l'avait pas lu, il était cartésien sans le savoir. Quant à moi, j'attendais toujours avec le plus grand plaisir ses lumineux exposés. Et combien ils étaient agréables à ouïr après les inanités et les projets confus qui les avaient précédés !

Ce matin-là, le roi, la face imperscrutable, entra, s'assit sur l'estrade dressée devant la cheminée, le dos tourné au feu. La reine-mère s'assit avec quelque effronterie presque en même temps que le roi, et se tint fort raide sur son siège, le menton haut levé, la lèvre hautaine, le tétin arrogant et l'air, disait Guron, de se préparer à ne rien entendre à ce qui s'allait dire devant elle.

Ce matin-là, à peine la reine-mère fut-elle assise à la dextre du roi, et le cardinal debout à sa senestre,

1. Règles pour la direction de l'esprit (lat.).

qu'à la surprise générale Sa Majesté changea l'ordre habituel des choses, et au lieu de le faire Elle-même, requit Richelieu de décrire l'état actuel de nos affaires en Italie.

L'exposé du cardinal, sobre et posé, plongea les conseillers dans la stupeur et la désolation : les Impériaux d'Autriche, revenant sur leur parole, avaient franchi la Valteline avec vingt-sept mille hommes, mis le siège devant Mantoue où le malheureux duc de Nevers avait peu de chances de leur résister longtemps. De leur côté, les Espagnols, sous la direction de Spinola, se dirigeaient vers Casal pour en recommencer le siège avec dix-huit mille hommes et forcer Toiras à capituler.

Ce que Richelieu ne dit pas, mais que je sus plus tard, c'est qu'avant de réunir le Conseil, le roi avait déjà dépêché dans les Alpes cinq de nos meilleurs régiments, et envoyé des chevaucheurs à Toiras pour lui dire d'accumuler au plus vite les approvisionnements en Casal, en même temps que lui-même acheminait vers Embrun, dans nos Alpes du Sud, des canons, de la poudre et du blé, bref tout ce qu'il fallait pour répondre aux besoins d'une grande armée.

Richelieu conclut son exposé en disant qu'on pouvait, évidemment, faire encore la paix avec les Habsbourg, mais à des conditions « faibles, basses et honteuses », en leur cédant Casal qui était pourtant, pour nous, la clef de l'Italie, et en les laissant chasser le duc de Nevers de son duché de Mantoue, bref, en abandonnant tous nos alliés italiens, y compris Lodène, Parme et la république de Venise. Si on ne voulait pas de cette politique, alors il faudrait rassembler cinquante mille hommes et courre sus aux Espagnols.

Le roi demanda alors au Conseil d'opiner. Or, tous les ennemis de Richelieu n'étaient pas pour autant hostiles à la guerre contre l'Espagne. La plupart étaient au contraire fort sensibles à l'honneur, et il y aurait eu assurément bien de la bassesse à ne pas secourir nos alliés. Quant à Bérulle et Marillac, se sentant floués et isolés, ils se turent. La consultation du Conseil était à leurs yeux une creuse cérémonie : la décision était déjà prise. Alors — maladresse à peine croyable — n'osant pas s'en prendre au roi, ils s'attaquèrent furieusement à Richelieu : « Vous sacrifiez à votre grandeur, dit Monsieur de Marillac, la paix de tout un État, la fortune de tout un peuple... Vous voulez satisfaire à la folie qui vous porte à abaisser la Maison d'Autriche... Vous visez à brouiller la France avec tous les pays d'Europe... »

Le roi, qui trouvait ces attaques *ad hominem* indécentes et détestait le tour polémique que Marillac donnait à la délibération, se leva, demanda le silence, et le silence rétabli, dit d'une voix forte et résolue : « Nous n'avons pas rompu la paix. C'est l'Espagnol qui l'a rompue. C'est l'Espagnol qui a envahi le Mantouan avec quarante-cinq mille hommes. Eh bien ! puisque les Espagnols veulent la guerre, ils l'auront, et jusqu'à la gueule ! »

*

Le pauvre cardinal de Bérulle mourut, si bien je me ramentois, au début d'octobre, mais cette nouvelle n'adoucit pas Marillac, tout le rebours. On eût dit que, d'ores en avant, il portait seul sur ses épaules le poids de la parole divine, et qu'il devait, au prix de son salut, la communiquer au roi. Il la lui répétait à satiété chaque fois que sa charge lui permettait de le voir, et combien que Sa Majesté le tînt en haute estime pour le labeur, le zèle et la suffisance qu'il mettait en son emploi, Elle laissait percer à chaque fois une impatience que Marillac ne sentait même pas, tant il était persuadé que faire la guerre aux Espagnols était la chose la plus impie qu'on pût faire en ce monde.

Cela alla très loin, et jusqu'à une offre de démission de sa charge de garde des sceaux faite à Richelieu. Le cardinal en fut béant.

— Mais qu'est cela ? dit-il. Le gouvernement vous paraît-il injuste ?

— Mais que nenni, Éminence ! La retraite est un désir que j'ai depuis vingt ans.

— Ce désir a-t-il quelque rapport avec la mort du pauvre cardinal de Bérulle ?

— Assurément non. Ma démarche est inspirée simplement par le désir de prendre ma retraite.

— Alors, demandez-la au roi, mais je doute qu'il l'accepte. Ce n'est pas au moment où nous partons en guerre qu'on peut abandonner un ministère, et surtout un ministère d'aussi grande conséquence que le vôtre. Il ne faut même pas y penser.

Cette démarche, pour le moins incongrue, fut bientôt connue de toute la Cour, et nos coquebins en firent des commentaires à l'infini. Les uns disaient que Marillac, par le poids seul de cette démission, voulait détourner le roi d'entrer en guerre. Les autres, « que le garde des sceaux avait bien fait de vouloir sortir par la porte, car un jour viendrait où on le jetterait par la fenêtre ».

Cependant le roi ne pouvait partir pour l'Italie sans s'accommoder avec son frère, toujours festoyé par notre pire ennemi, le duc de Lorraine (et c'était là, comme avait dit Richelieu, « un os longuissime à ronger »). Nous n'en serions jamais venus à bout, si Marie de Gonzague n'avait écrit à Gaston qu'elle le priait de renoncer à elle, car un mariage clandestin, en fâchant Louis XIII, aurait mis fort en péril son père qui, assiégé dans Mantoue par les Impériaux, n'attendait son salut que du roi de France.

En mon opinion, cette demoiselle fut admirable en son filial amour, et le lecteur ne peut qu'il ne se ramentoit l'histoire de Titus, lequel, maugré qu'il fût follement épris de Bérénice, laquelle l'aimait aussi, dut renoncer à elle quand il devint empereur. L'historien romain Suétone a exprimé cette situation en une formule qui par son élégance et sa concision est devenue célèbre : *Invitus invitam dimisit* [1].

Cependant le renoncement de Marie de Gonzague ne suffit pas aussitôt à avancer les choses. Gaston s'accrochait comme fol à ses exorbitantes demandes de terres, de titres et de pécunes, montrant par là que la clicaille comptait pour lui plus que Marie. Ce qui fit dire à Catherine, quand je lui contai l'histoire, que la garcelette fut bien inspirée de ne l'épouser point.

Le roi, noulant quitter Paris, tant que Gaston n'y serait point revenu, mais fort désireux, d'autre part, de ne pas lanterner plus outre, décida de dépêcher, de prime, Richelieu avec le gros des troupes en Italie, lui-même le rejoignant dès qu'il aurait fait la paix avec son frère.

Catherine fut au désespoir d'ouïr de ma bouche ce département. Elle craignait que Richelieu ne désirât m'emmener derechef comme interprète en Italie. Et ses craintes se firent certitudes quand un chevaucheur, le lendemain du Conseil du roi, me vint dire, quasiment au galop, que le cardinal me voulait voir d'urgence au palais. Catherine, m'entourant avec force de ses bras et me serrant à elle, me dit, les pleurs roulant sur sa belle face, que cette « urgence » voulait dire que la décision était prise déjà, et que le cardinal m'allait arracher à elle pour m'emmener avec lui dans la froidure des Alpes et là, à coup sûr, je serais tué par balle ou boulet, ou pis encore péri de male peste...

— M'amie, dis-je, « urgence » dans la bouche du cardinal ne veut rien dire, car il n'a jamais assez de secondes dans une minute, ni de minutes dans une heure pour venir à bout de son immense labeur. Ce qu'il veut m'annoncer ce jour, je n'en ai aucune idée,

1. Malgré lui, malgré elle, il la renvoya (lat.).

et je ne formule non plus là-dessus la moindre hypothèse. En outre, je ne suis pas le seul gentilhomme à la Cour à parler italien. Le maréchal de Créqui en est un autre, pour ne citer que lui.

— Mais il est vieil et mal allant.

— Mal allant, m'amie, il ne l'est plus. Il se porte meshui comme un charme et son âge ne l'empêche nullement, comme il fit toujours, de courre comme fol le cotillon.

Que cette remarque fût malheureuse, je l'appris à mes dépens sans tant languir.

— Et comme vous fîtes vous-même, Monsieur, avant que de me marier, dit Catherine du ton d'un juge qui prononce un arrêt. Et comme vous ferez sans doute, ajouta-t-elle d'une voix trémulante, demain en Italie. Dieu, que j'abhorre ce pays-là ! Et tous ses habitants, hommes et femmes ! Les femmes surtout ! Avec leurs yeux de jais, leur teint mat, leur chevelure brune ! Vous ne m'en direz mais : tout ce noir veut bien dire quelque chose ! Fournaises, toutes ! Putains cramantes ! Et diablesses d'Enfer !

— Madame, dis-je, vous allez trop loin ! Vous insultez le *gentil sesso* italien.

— *Gentil sesso !* s'écria-t-elle. Vous en avez plein la bouche de votre *gentil sesso* ! Et vous avez encore le front de le défendre !

Dieu bon ! me dis-je. Ne peux-je articuler un seul mot sans qu'aussitôt il ne se retourne contre moi ? Et voilà, hélas ! Catherine tout entière possédée derechef par ce tracassin de jalousie qui l'avait saisie au sujet des deux sœurs de Suse, dont j'avais eu le tort de parler avec trop de chaleur. Ah ! lecteur, nous ne sommes jamais trop prudents avec nos sensibles épouses ! De reste, qu'on soit innocent ou coupable, c'est tout du même. Un rien, un semblant les enflamment ! Ce sont alors des suspicions, des chasses aux indices, d'insensées interprétations et, pour finir, des réquisitoires toujours, toujours recommencés. Et le pis, c'est qu'il ne se peut alors trouver parole de raison qui puisse endiguer cette folie. Il n'eût servi de rien, par exemple, de dire à Catherine qu'il était inutile de s'effrayer à l'avance de ma future et présumée infidélité italienne, puisqu'il n'était pas encore certain que Richelieu me voulût emmener avec lui.

À mon sentiment, le *gentil sesso* parlant deux fois plus vite que le sexe barbu, on ne doit jamais répondre à l'orage par l'orage. Ce serait risquer d'être submergé. Je demeurai donc, sous les éclairs et la foudre, stoïque et bouche cousue. Mais enfin, lecteur, quand sur mer la tempête grossit, que fait le lourd galion comme la légère frégate : il fuit devant le temps. Et c'est là le parti qu'à la fin je pris, arguant que, hors Louis, nul en ce royaume ne pouvait faire attendre le cardinal de Richelieu.

*

Dès que je fus assis dans la chaire à bras qu'il me désigna, Richelieu dit à sa façon, prompte et péremptoire :

— Mon cousin, pendant que je serai fort occupé dans les Alpes, vous aurez, vous, beaucoup à faire à Paris. Raison pour laquelle je ne vous emmènerai pas avec moi en ces froidures. Vous y serez suppléé en votre qualité d'interprète par le maréchal de Créqui et le comte de Sault.

La Dieu merci ! m'apensai-je. Je ne serai donc pas tué par balle ou boulet, ni non plus péri de male peste, ni pis encore, embrasé par les fournaises ardentes.

— Le comte de Sault ? dis-je avec quelque surprise.

— Il a beaucoup labouré à son italien depuis son retour de Suse, et à Suse même il s'était initié à la langue en parlant quotidiennement avec les habitants. Tant est que meshui, d'après le maréchal de Créqui, orfèvre en la matière, il le parle très bien.

Je souris en mon for. À mon sentiment, ou bien le cardinal pour une fois était mal renseigné, ou bien il feignait de l'être, ou bien quand il s'agissait du *gentil sesso* il trahissait quelque naïveté : car les « habitants de Suse », grâce à qui le comte de Sault s'était initié à l'italien, se réduisaient aux deux orphelines qui nous logeaient et se partageaient ses faveurs, tandis que je restais à l'écart, victime de ma vertu. Mais que le bellissime comte voulût aussi apprendre leur langue, c'est bien là la preuve qu'il n'était pas qu'un miroir pour attirer les alouettes de cour. Homme de bon métal, il ne craignait pas de se donner peine pour faire travailler sa cervelle et étendre son savoir.

Il est vrai que dans cette tâche à Suse il était fort aidé. Rien ne vous entre plus vite en méninges qu'une langue étrangère, quand elle vous est apprise au bec à bec, et chacun des deux becs ayant de l'amour pour l'autre.

— Mon cousin, reprit Richelieu, vous connaissez bien, je crois, le chanoine Fogacer.

— En effet, Éminence. Il a été le condisciple et le mentor de mon père à l'École de médecine de Montpellier et dès l'enfance je l'ai connu et admiré.

— Il passe pour être à la Cour les yeux et les oreilles du nonce apostolique.

— Éminence, qui le sait mieux que vous ? Mais je suis bien assuré que le chanoine Fogacer ne révèle rien au nonce de ce qui peut être dommageable à Louis.

— Le voyez-vous souvent ?

— Pour lui, mon huis est toujours déclos, et ma table, mise.

— En votre opinion, le nonce apostolique déplore-t-il que Louis intervienne contre les Espagnols et les Impériaux afin de repousser leurs attaques sur Mantoue et Casal ?

— Je suis bien assuré que non, tant Fogacer paraissait heureux, après le dernier Conseil du roi à

Fontainebleau, de courre annoncer au nonce la nouvelle de notre entrée en guerre.

— Et qu'en concluez-vous ?

— Que le Saint-Père n'est pas dupe de l'hypocrisie espagnole. Le roi très catholique se donne pour le champion de la lutte contre les protestants, et en réalité il ne s'attaque, pour les asservir et les occuper, qu'à des principautés catholiques comme le Milanais et meshui le Mantouan. D'après Fogacer, le pape commencerait à craindre pour ses propres États, sachant bien que si les Espagnols s'en empareraient, ils ne manqueraient pas, ensuite, de le vassaliser.

— Si cette analyse est juste, mon cousin, reprit Richelieu après un moment de réflexion, il s'ensuivrait que quiconque aide Henri dans sa politique anti-espagnole rendrait du même coup un grand service au Saint-Père. Dans ces conditions, le chanoine Fogacer serait-il rebelute à servir le roi en ses desseins ?

— Je suis bien assuré que non, dis-je aussitôt. Dois-je le demander à Fogacer, Éminence ? Et s'il dit oui, que lui faudra-t-il faire ou faire faire ?

— Rien qui ne soit convenable à sa robe. Ouïr en confession une ou plusieurs petites personnes qui ont l'oreille fine et la remembrance excellente, mais qui, la chair étant faible, ont aussi des péchés à confesser.

— Dois-je en conclure, Éminence, que si notre chanoine oit ces petites personnes en son confessionnal, il doit ensuite demander que je le reçoive à pot et rôt. Je devrais alors jeter sur le papier tout ce qu'il m'aura dit et le communiquer à Louis et à vous-même ?

— Cela même. Et comme vous ne me quérez pas, mon cousin, pourquoi je désire que le chanoine devienne une sorte de relais entre vous et moi, je vais là-dessus vous éclairer. Je crains que les petites personnes que j'ai dites ne soient un jour suivies jusqu'au domicile de Monsieur de Guron ou du vôtre, et par là, confondues. Mais qui penserait du mal à les voir entrer dans une église pour se confesser ? Quant au courrier que vous m'adresserez à leur sujet en Italie, signez-le du nom d'un philosophe grec, mais différent à chaque fois.

— Il y en a donc tant ?

— Il y en a beaucoup, et tous, fort subtils. Et s'ils n'ont pas résolu toutes les énigmes que nous posent le monde et la vie, ce n'est pas faute d'avoir essayé.

Là-dessus, le cardinal s'enquit fort civilement de la santé de Madame la duchesse d'Orbieu, et sans écouter ma réponse plus qu'il n'eût fallu, il me fit raccompagner par un de ses mousquetaires jusqu'à la porte de sa demeure. Ce n'était pas que courtoisie, il en était, en effet, aussi difficile de sortir de chez lui que d'y pénétrer.

Avant même que j'eusse sailli hors le palais cardinalice, le tendre hennissement de mon Accla, qui m'avait senti avant même que de me voir, m'accueillit. J'avais alors avec moi peu de monde : Nicolas et quatre Suisses, les escortes privées, sur l'ordre du roi, étant réduites à minima pour ne pas gêner, dans la capitale, les mouvements des régiments.

La pauvre Accla n'eut pas tant de caresses qu'elle eût voulues tant j'avais hâte de retrouver Catherine et la tirer de ses mésaises. Mais apparemment je n'étais pas le seul à m'inquiéter, car dès qu'il put trotter à mon côté, Nicolas me dit d'une voix quelque peu trémulante :

— Monseigneur, peux-je vous poser question ?

— Déjà ! dis-je. Ne peux-tu attendre que nous ayons atteint chacun notre chacunière [1] ?

— Monseigneur, c'est que la question est importante pour moi, mon destin étant lié au vôtre.

— *Destin* ! Diantre ! Que voilà un grand beau mot pour désigner l'avenir !

1. Chacunière a ici le sens de maison.

— C'est que le dol serait grand, Monseigneur, en nos familles si nous étions arquebusés.

— Ou péris de male peste ? Ou qui sait, embrasés par des fournaises ardentes ?

— Monseigneur, vous vous moquez. Songez pourtant aux pleurs que coûterait à Madame la duchesse votre disparition !

— Ou à Henriette, la tienne !

— Monseigneur, vous me daubez !

— Mais pas du tout. Pose ta question, Nicolas, et fais-la brève.

— Monseigneur, la voici en deux mots : irons-nous ?

— Nicolas, il manque un mot à tes deux mots. Irons-nous *où* ?

— Là où vous savez. On le crie déjà sur le Pont-Neuf, Monseigneur, et toute la ville le sait.

— Et tu sais, toi aussi, où nous allons ?

— Oui, Monseigneur. En outre, j'ai appris par mon aîné, Monsieur de Clérac, que les mousquetaires du cardinal sont meshui consignés dans leurs quartiers et fort occupés à bichonner et à ferrer de neuf leurs chevaux.

— Et Nicolas, dis-moi comment un capitaine aux mousquetaires du roi peut savoir ce qui se passe chez les mousquetaires du cardinal ?

— C'est que nous les espionnons un tantinet, étant pour ainsi parler quelque peu leurs rivaux.

— Quelque peu ?

— Nous craignons surtout qu'ils n'aillent au combat avant nous.

— Tu dis « nous ». Tu n'es pas encore mousquetaire.

— Et bien heureux de ne pas l'être encore, puisque je vous sers, Monseigneur.

— Tu me sers, Nicolas, mais du même coup tu as l'effronterie de quérir de moi un secret d'État.

— Un secret d'État ! dit Nicolas.

Et il ajouta avec une naïveté qui ne laissa pas de m'égayer et de m'attendrézir :

— C'est que je n'en demandais pas tant !

— Allons ! Allons ! dis-je avec bonne humeur. Le grave, le sérieux, c'est de dire, ce n'est pas de demander. Une fois arrivé à l'hôtel des Bourbons, voici ce que je ferai : je dirai à Madame ce qu'il en est, et avec ma permission elle le répétera à ton Henriette.

Je dis à l'accoutumée « mon hôtel des Bourbons » mais seulement pour faire court, car c'est la rue qui s'appelle ainsi. L'hôtel lui-même n'a jamais été occupé par une famille royale. Il est, de reste, un peu trop grand pour nous, mais ayant été construit sous François Ier avec des fenêtres à meneaux, il a une tournure élégante, dont je suis quasiment amoureux tant est que je l'entretiens avec beaucoup de soin, d'amour et de pécunes.

Catherine, qui sans être chiche-face regarde plus que moi à la dépense, eût voulu que, pour acheter moins grand, je vende mon hôtel des Bourbons. Mais je m'y refusai tout à trac et avec tant de véhémence qu'elle ne revint jamais sur le sujet, n'étant pas femme à harceler son mari au nom de ses propres partialités.

Comme fit mon père pour son propre hôtel, j'ai fortifié le mur qui donne sur la rue et j'ai aspé de fer mon huis, me prémunissant ainsi contre les attaques nocturnes des mauvais garçons. En outre, j'ai, comme mon père, acheté la maison qui fait face à la mienne de l'autre côté de la rue, et j'y loge une partie de mes Suisses, tant est que si mon huis était nuitamment attaqué par d'audacieux coquarts, ils seraient pris pour leur plus grand dol entre deux feux de mousqueterie. Mes Suisses ont bonne réputation dans la rue des Bourbons, car ils ne sont ni querelleurs, ni bruyants, et leur apparence, leur carrure et leur allure rassurent nos voisins. J'ai ouï dire que l'un d'eux, qui voulait vendre sa maison de ville pour se retirer en sa maison des champs, faisait valoir aux acheteurs que la rue des Bourbons était la plus sûre de Paris, les caïmans prenant leurs jambes à leur col à la seule vue dc mes Suisses...

Dès que Catherine ouït l'huis de l'hôtel des Bourbons se déclore en grinçant et les sabots de nos chevaux frapper le pavé de la cour, elle parut sur le haut du perron et moi, déjà démonté de mon Accla, je lui criai en latin : « *Maneo* [1] ! », noulant que le domestique l'apprît avant elle. Quant à Catherine, ayant été élevée par les bonnes sœurs de Nantes, elle m'entendit fort bien, sa belle face se fleurit de la joie la plus vive, et elle dégringola les degrés si vite qu'elle manqua la dernière marche et tomba dans mes bras. Elle ne se fit aucun mal, et moi non plus.

Comme il est étrange que cette étreinte me revienne meshui si proche en cervelle comme un moment doré de ma vie, alors qu'avant et depuis, j'ai si souvent serré contre moi le corps tendre de Catherine dont le contact, seul, est déjà une caresse. Je ne sais si la puissance qui gouverne le ciel me voudra déclore un jour son paradis, ni si dans ce lieu éthéré — mon âme ayant perdu son corps — je goûterai à cœur content un bonheur infini. Pour moi — mais de grâce, ne répétez pas à mon curé ce damnable propos — mon paradis, ce sont les personnes que j'aime céans sur cette terre.

*

Le vingt-huit décembre 1629, devant le Grand Conseil réuni à cet effet, Louis bailla à Richelieu par commission le titre de lieutenant général des armées royales, lui donnant ainsi toute autorité sur les maréchaux de France et nommément sur Bassompierre, Schomberg, Créqui et La Force qu'il devait emmener avec lui le lendemain en Italie.

1. Je reste ! (lat.).

Ce n'est pas la première fois que Louis conférait ses pouvoirs à Richelieu. Il l'avait déjà fait à La Rochelle au moment où, las et recru du temps venteux et froidureux de l'Aunis, il était départi se rebisculer à Paris pendant quelques semaines.

Cependant, quelque peu jaloux de la grande autorité qu'il laissait derrière lui au cardinal, il lui avait fait cette remarque acerbe : « Sans moi, vous n'aurez pas plus d'autorité qu'un marmiton. » Petite méchantise, mais dont, le jour suivant, il consola le cardinal par des paroles très affectueuses, venues du bon du cœur.

En fait, le propos pessimiste de Louis se trouva démenti. Les maréchaux s'aperçurent que le cardinal connaissait beaucoup mieux qu'eux-mêmes les batailles d'Henri IV, qu'il travaillait beaucoup sur les cartes (qu'eux-mêmes ne consultaient que rarement), que son service de renseignements était excellent, qu'il prévoyait avec la dernière minutie les péripéties de toute entreprise, mais qu'il savait aussi improviser dans le chaud du moment.

À cette compétence il savait joindre la séduction. Ferme avec les maréchaux, il était avec eux, hors service, le meilleur fils du monde. Il les invitait à sa table, les traitait magnifiquement, jouait avec eux aux cartes et perdait volontiers.

J'ai toujours pensé que, s'il n'y avait pas eu dans sa famille un évêché qu'il ne fallait pas laisser perdre, jamais Richelieu, cadet impécunieux, n'aurait choisi la soutane plutôt que la cuirasse. Avec quelle évidente joie il avait porté ladite cuirasse pendant le siège de La Rochelle, et avec quel visible contentement il la portait le vingt-neuf décembre 1629 quand, tôt le matin, à la tête de vingt-deux mille hommes, il quitta Paris. Je le vis alors. Il possédait, ce que je ne savais pas, une très belle jument baie et il la chevauchait, panache au vent, en bottes blanches, vêtu d'une cuirasse couleur d'eau qui laissait voir un habit feuille morte brodé d'or. Et enfin une belle épée, plus guerrière que véritablement évangélique, battait sa cuisse gauche.

Calculant qu'à la vitesse de marche de l'infanterie il faudrait plus d'un mois et demi pour que son armée atteignît Briançon, et la moitié moins aux chevaucheurs du courrier de cabinet (lequel est plus rapide et surtout plus sûr que la poste ordinaire), je n'attendais pas de nouvelles avant un mois et demi. Et en effet, elles arrivèrent à peine un peu plus tard sous la forme d'un courrier, lequel était cacheté de cire, et couleur mauve, et par surcroît parfumé. Diantre ! m'apensai-je, le cardinal ne se mettrait-il pas au goût de nos coquebins ?

Le mystère s'éclaircit dès que j'eus fait sauter le cachet de la missive, laquelle contenait en fait deux plis : l'un adressé à moi-même par le comte de Sault, le second adressé au roi et signé par Richelieu, mais visiblement écrit, sous la dictée, par la plume du comte de Sault.

Voici la lettre adressée à moi par le comte de Sault. Autant celle de Richelieu au roi décrivait gravement une situation gravissime, autant celle-ci, à moi adressée par le comte, était rieuse et enjouée, comme j'eusse dû m'y attendre d'ailleurs de la part d'un gentilhomme qui ne rêvait que parfaire son italien à Suse en si bonne compagnie. Ah lecteur ! Quel petit pincement au cœur je ressentis alors de n'être pas le comte de Sault ! Et qu'il est donc dur d'être vertueux, même en pensée !

Voici la lettre du comte de Sault dont, pour plus de lisibilité, je ne reproduis pas l'orthographe :

> « Mon cher duc, à peine eûmes-nous franchi le col de Montgenèvre dans la froidure et la neige, que Charpentier et les deux autres secrétaires de Son Éminence se réveillèrent un beau, quoique glacé, matin, catarrheux, toussoteux et fébriles,

tant est que Monsieur le cardinal n'eut d'autre recours que moi-même pour dicter sa lettre au roi. Mais trouvant à me relire "mon écriture illisible, mon orthographe incertaine, et ma syntaxe fautive" (vous savez combien le cardinal est parfois prodigue en éloges...), il me pria d'expédier cette missive à vous-même afin que vous la rhabilliez de neuf avant que de la remettre à Sa Majesté. Je vous demande mille pardons pour ce pensum dont je porte l'évidente responsabilité. Hélas, mon cher, nous ne sommes pas à Suse. Je vous écris ceci de Chiomonte où j'ai ouï de la part des habitants de splendides éloges sur vous : sur votre élégance, votre munificence, et l'*estrema gentilezza d'animo* avec laquelle vous avez transporté à Suse dans votre propre carrosse un paysan qui voulut recouvrer sa hache, instrument retenu depuis dix ans par un cousin indélicat. En bref, j'ai appris tant de merveilleuses choses sur vous que je m'attends, d'ici cinquante ans — si je vis jusque-là —, à vous retrouver transformé en saint sur un des vitraux de la *chiesa comunale* [1]. En ce pieux espoir, je vous embrasse du bon du cœur.

Comte de Sault »

Et voici la lettre adressée à Sa Majesté par le cardinal :

« Sire, au mépris de toutes nos conventions, et infidèle une fois de plus à ses engagements, le duc de Savoie nous interdit la traversée de son territoire pour courre au secours de Casal. Qui pis est, j'apprends que le duc, en sa noirceur, a enlevé partout sur ses terres les foins et les vivres, afin que notre armée ne puisse pas se nourrir sur le pays.

1. Église communale (ital.).

Confronté à cette nouvelle trahison, je pense que le mieux est d'attaquer et de traiter désormais la Savoie en pays ennemi. Sire, je n'attends que vos ordres, et vous prie, dans cette attente, de me croire votre humble, fidèle et respectueux serviteur.

Richelieu »

Louis s'empourpra à lire les navrantes nouvelles que lui écrivait Richelieu sur ce duc de Savoie qu'il avait traité jusque-là avec une singulière mansuétude en raison de leurs liens familiaux. Le fils du duc, si bien on s'en ramentoit, avait épousé la sœur du roi. Mais les liens de famille ne tinrent pas longtemps devant son ire. « Ma fé ! dit-il, si celui-là veut la guerre, il l'aura. » Et cette fois il n'ajouta pas « jusqu'à la gueule » mais je suis prêt à gager qu'il le pensait.

Pendant les longues semaines où j'avais attendu le courrier de Richelieu, je reçus plusieurs fois Fogacer au bec à bec à la repue de midi, et il me fit plusieurs récits des redisances qu'il avait ouïes en confession, en exceptant, bien sûr, les péchés. Je fus grandement atterré d'apprendre ce qui se disait sur le roi et sur Richelieu en de certaines cabales à la Cour et à la ville. Je répétai fort exactement au roi ces vils et bourbeux propos. Une fois, une fois seulement, je me permis, non sans quelque vergogne et mésaise, à changer une parole de ces médisances qui, à mon sentiment, mettrait un jour grandement en danger le fol qui l'avait prononcée.

Ce fol était mon demi-frère le duc de Guise, lequel, si le lecteur se ramentoit, s'amusait en ses vertes années à élever un lion dans son hôtel parisien, à la grande détestation et terreur du domestique. Le duc voulait ainsi prouver, qu'à défaut d'esprit et de savoir, il pouvait montrer du courage. Et en effet, la Cour s'amusa un jour ou deux de cette *bravura,* puis s'en lassa, et finit par la dauber. Et comme il fallait s'y attendre, l'éducation du fauve tourna mal. Car il se trouva que le lion, faisant ses affaires comme à l'accoutumée sur les tapis de la noble demeure, un valet un jour le tança vertement et le menaça même d'une brosse qu'il tenait à la main. Le lion, qui était aussi haut que son maître, fut outragé par l'insolence de ce faquin, et d'un seul coup il sauta sur lui et d'un coup de ses terribles mâchoires lui ouvrit la gorge. On avertit le duc qui, étant à ses cartes, noulut se déranger pour si peu, et ordonna à ses soldats d'aller arquebuser le fauve et de l'enterrer ainsi que le valet dans le jardin.

Revenons à nos moutons, bien que je les trouve bien noirs. Il se trouva que peu avant le départ de Richelieu pour la seconde campagne d'Italie, Bassompierre et le maréchal Louis de Marillac (frère du garde des sceaux) étaient venus voir le duc de Guise à son hôtel. L'entretien tomba sur Richelieu et s'échauffa au point que, souhaitant d'un cœur ardent la disgrâce du cardinal, notre trio en vint à la tenir pour certaine et se mit à rêver à ce qu'on ferait de lui, dès que le roi l'aurait renvoyé. Ici, me dit Fogacer, la rediseuse hésita quelque peu à me révéler la suite. Mais, à mon instante prière, elle finit par la déballer : le maréchal de Marillac avait opté pour la mort, Bassompierre pour la prison, et le duc de Guise également pour la mort, en ajoutant « et, bien entendu, la plus ignominieuse des morts ».

J'enrageais d'ouïr des propos aussi peu ragoûtants. Car bien que j'estimasse peu le duc, fils de même mère sans doute, je n'eusse pas aimé pourtant qu'on le châtiât aussi durement que le méritait son propos, car la disgrâce aurait rejailli alors sur ma bonne marraine, la duchesse douairière de Guise, que j'aimais, comme on sait, de grande amour et qui était depuis peu si mal allante qu'elle ne quittait plus guère le lit.

Je m'ouvris de cette difficulté à Fogacer qui me dit

d'une voix suave : « Mon ami, cela ne ferait de mal ni au cardinal ni au duc de Guise si son choix était par vous corrigé, et s'il choisissait, par exemple, au lieu de la mort, l'exil, punition assurément plus douce. En outre, la symétrie est meilleure à l'oreille, ne trouvez-vous pas : Marillac choisit la mort, Bassompierre la prison, et le duc, l'exil. Le plus grand seigneur choisit le moindre mal. »

Je sus gré à Fogacer d'avoir vaincu mes scrupules et je fis au roi la relation que Fogacer jugeait « la meilleure à l'oreille ». La face royale néanmoins se durcit comme pierre à ouïr mes révélations, et il dit : « Ce sont là de grands nigauds. Ils parlent à la volée. Et parce que leurs propos sont inconséquents, ils croient qu'ils n'auront pas de suite. Ils se trompent. »

Pour tout dire, la mission à laquelle j'étais employé ne me plaisait guère, combien qu'elle fût utile à Louis et au cardinal. Fogacer, bien au rebours, trouvait plus de plaisir à ces redisances que je n'aurais pensé :

— Vous ne sauriez croire, me dit-il un jour, comme je suis las de ces luxures qui me sont confessées — de reste, du bout des lèvres — par des gens qui, avant même d'être pardonnés, ne songent qu'à se replonger dans les mêmes délices. À son sentiment, poursuivit-il avec un sinueux sourire, mon Église bien-aimée attache beaucoup trop d'importance aux péchés de chair, d'autant que la luxure est infiniment moins grave, par exemple, que l'avarice qui engendre tant de mesquineries, de bassesses, d'injustices, et même de cruauté. Car c'est l'amour des autres qui nous sauve, et l'avare est un être inhumain.

— Et que pensez-vous des rediseurs et des rediseuses que vous oyez ?

— Chose curieuse, du bien. Ce serait une erreur de les croire seulement intéressés par les pécunes qu'ils reçoivent. Je les trouve souvent indignés par les propos qu'ils ont à répéter. Et j'ai souvent le sentiment que ces petites personnes se sentent ineffablement heureuses de servir les sûretés d'un grand roi. Elles sont aussi impavides, car elles n'ignorent rien des tortures affreuses que leur feraient subir leurs maîtres, si leur commerce avec nous était découvert.

Les semaines passèrent, puis le mois, et c'est seulement à la fin de mars 1630 qu'une lettre du cardinal, avec croquis, parvint au roi, lequel, éprouvant quelque difficulté à la lire lui-même, me pria de la déchiffrer et de la lire ensuite devant son Grand Conseil. En voici le contenu :

Le quinze mars, de Chiomonte, que le lecteur connaît déjà, ne serait-ce que par la plaisante prophétie qu'a faite le comte de Sault de me voir immortaliser en vitrail dans la *chiesa comunale,* Richelieu dépêcha un ultimatum à Suse pour demander libre passage pour l'armée royale par les chemins et routes du duché. Il ne reçut qu'une réponse, bien dans la manière du duc de Savoie : vague, évasive et dilatoire. Le cardinal décida alors d'attaquer. Il entra à Suse sans coup férir, le duc de Savoie l'ayant quitté pour se retirer à Turin. Le cardinal poursuivit alors son chemin vers Turin, mais sans l'intention d'en faire le siège, et à quelques lieues de la ville, alors qu'il faisait halte dans un village nommé Rivoli, il apprit qu'un millier de soldats savoyards s'étaient réfugiés à Pinerolo (qu'on nomme en français, Dieu sait pourquoi, Pignerol), petite place, lui dit-on, fortifiée. Il envoya alors le maréchal de Créqui avec sept mille hommes pour reconnaître ladite place. Mais quand ils parvinrent sur les lieux, ils étaient vides. Les troupes savoyardes, craignant d'être accablées sous le nombre, s'étaient retirées sans tirer une mousquetade. Créqui, jetant alors sur la place fortifiée de Pignerol le regard du soldat, fut enchanté de sa prise et dépêcha aussitôt une lettre par un chevaucheur au cardinal, lequel fut tellement alléché par la description que lui faisait Créqui qu'il accourut à brides avalées. Et dès lors qu'il survint sur les lieux, il fut lui aussi au comble de l'enthousiasme et écrivit sur l'heure au roi que la prise de Pignerol — obtenue sans combat — était une « grande victoire ». La place avait, en effet, une immense valeur stratégique.

*

— Monsieur, un mot de grâce.

— Belle lectrice, je vous ois.

— Il me semble que vous tombez ici dans un travers qui me taquine fort chez les historiens. Ils vous disent d'un ton docte qu'une place a une immense valeur stratégique, mais ils ne vous expliquent jamais pourquoi. C'est à se demander si eux-mêmes le savent !

— Belle lectrice ! Vous les calomniez ! Bien entendu, ils le savent, mais peut-être la valeur stratégique d'une place leur paraît-elle trop évidente pour exiger une explication.

— Et à vous, Monsieur, celle de Pignerol vous paraît évidente ?

— Assurément ! Et désirant, m'amie, conserver vos bonnes grâces, je vais tâcher, sans être trop docte, de vous l'expliquer. Mais permettez-moi, de prime, un petit retour en arrière. Jusqu'ici la place que nous considérions comme étant pour le roi de France la clef de l'Italie, c'était Casal, cette ville que Toiras tenacement défend depuis plusieurs mois contre une puissante armée espagnole commandée par Spinola. Or, à bien examiner, Casal, bien que ville beaucoup plus grande que Pignerol, est loin, bien loin d'avoir la même valeur stratégique !

— Et comment cela ?

— Casal est d'abord beaucoup trop éloignée de la frontière française : de Briançon pour porter secours à Casal il faut parcourir quarante-cinq lieues. Mais de Briançon pour atteindre Pignerol on n'a que quinze lieues à franchir.

— Si je vous entends bien avec Pignerol, Monsieur, la clef de l'Italie se rapproche considérablement de la Porte de France.

— Ce mot, Madame, est tout à fait galant et, qui plus est, il ne laisse pas d'être vrai. Observez, en effet, m'amie, que les quinze petites lieues qui séparent Briançon de Pignerol rendent infiniment plus faciles les communications, les envitaillements et, si besoin est, les renforts, alors que Casal est périlleusement éloignée de la France et située en outre de la façon la plus périlleuse entre deux villes hostiles : Turin, qui appartient au duc de Savoie, meshui ouvertement notre ennemi, et Milan que l'Espagnol occupe.

— Cependant, Casal, avez-vous dit, est beaucoup plus grand que Pignerol.

— M'amie, la valeur stratégique d'une place ne se mesure pas à sa taille, mais à la difficulté pour un ennemi de s'en emparer. Or, Pignerol est, de prime, un excellent site. Il est huché sur le haut d'une colline et comporte en son centre un donjon remarquablement haut qui donne des vues lointaines sur les alentours et permet ainsi de surprendre toute approche ennemie. Ce donjon est entouré par un château lui-même défendu par des tours percées de meurtrières. Le roi et le cardinal ajoutèrent fort au site pour le rendre inexpugnable. Ils entourèrent le château primitif non pas d'une, mais de deux murailles successives, lesquelles n'étaient pas rondes, mais rectangulaires, et comportaient l'une et l'autre des créneaux et des échauguettes. Au surplus, ces murs étaient construits, non pas droits, mais obliques, tant est que le bas étant plus en retrait que le haut, il était quasiment impossible de placer une échelle d'escalade contre eux : elle n'eût pas trouvé assez de pied pour tenir.

« Un château d'entrée défendait l'accès des deux

enceintes successives et on y entrait par un pont, lequel pont était porté sur des colonnes et défendu par des tours carrées.

— Et par qui, Monsieur, furent construites ces astucieuses fortifications ? Par l'architecte de la digue de La Rochelle ? Par Métezeau ?

— Madame, ai-je bien ouï ! Vous vous ramentez de Métezeau à qui pourtant je n'ai consacré que deux ou trois pages dans le onzième tome de mes Mémoires ! Votre mémoire, Madame, me laisse béant.

— Monsieur, de ce que j'ai le cheveu long, il ne faudrait pas conclure que j'ai la mémoire courte.

— Fi donc, Madame ! Jamais telle sottise sur le *gentil sesso* ne m'a traversé les mérangeoises ! Mais pour répondre à votre question, je doute que ce fût Métezeau qui fortifia Pignerol, car en 1630 il était fort occupé à construire l'hôtel Le Barbier sur le quai Malaquais à Paris.

— Une dernière question, Monsieur, pour finir. Maintenant que nous avons Pignerol, allons-nous abandonner Casal ?

— Que nenni ! Si nous laissions Casal, les troupes espagnoles qui l'assiègent se retourneraient aussitôt contre Mantoue, notre alliée et amie, que déjà les Impériaux d'Autriche menacent.

— La guerre n'est pas donc près d'être finie ?

— Ne dites pas la guerre, Madame, dites les guerres : d'une part, celle du roi et du cardinal contre les Espagnols et les Impériaux. Et d'autre part, la guerre de la reine, de la reine-mère, de Gaston, de Marillac, des dévots et des Grands contre le roi et son ministre. Et celle-ci, Madame, en cette année 1630, va devenir de plus en plus encharnée et cruelle.

CHAPITRE IX

C'est seulement après un long et pénible bargoin — qui lui coûta de considérables pécunes — que Louis réussit à faire saillir Gaston de la coquille Lorraine où il s'était escargoté, et à le faire revenir à Paris.

Pour Gaston, frère du roi et héritier présomptif du trône, il n'y avait ni mésaise, ni vergogne à être l'hôte d'un ennemi juré de la France. Tout le rebours : cela lui permettait d'exiger de son aîné apanages, terres et clicailles, pour revenir en son pays. L'idée qu'il eût pu être davantage fidèle aux lares paternels ne l'effleurait même pas. Bien différent en cela de son aîné, l'ombre d'Henri IV ne planait pas sur lui.

Dès lors qu'il fut revenu, dûment payé pour faire son devoir, dans la capitale, et pour qu'il y demeurât, Louis le nomma par commission « lieutenant général de Paris », titre flatteur dont Gaston se paonna prou, mais qui, s'il lui apportait des pécunes, ne lui donnait aucun pouvoir, car toutes les troupes royales étaient aux mains de Louis et de Richelieu. Gaston pouvait, tout au plus, commander aux archers qui avaient la charge — qu'ils assuraient assez mal — de garder les Parisiens contre les coupe-bourses, les caïmans et autres coquarts qui, dès qu'on éteignait les lumières de la ville, devenaient les maîtres de la rue.

Son frère englué, les poches pleines, dans les délices parisiennes, et le roi étant, par là, libéré d'un tracassant souci, départit avec son armée de Paris le vingt-huit avril et arriva à Lyon le deux mai. Les deux reines, fortement accompagnées, reçurent l'ordre de l'y rejoindre le cinq mai, et bien que je n'eusse rien à voir avec cet équipage, je le suivis avec Nicolas, Fogacer et le nonce apostolique dont il était le bras droit, et qui était fort désireux de connaître les négociations qui allaient s'engager entre les Espagnols et nous.

Je départis le vingt-neuf avril 1630 de Paris, et bien je me ramentois que la veille j'eus au lit avec Catherine un longuissime « babil des courtines ». La lumière des bougies, voilée, mais non cachée par lesdites courtines, me permettait de voir son ravissant visage où étrangement la colère se mêlait aux larmes, alors même que son corps contre le mien demeurait tendre et chaleureux.

Mais tendre, sa voix ne le fut pas, lecteur, quand elle m'attaqua, pour ainsi parler, sabre au clair...

— Monsieur, dit-elle, vous êtes un traître ou un méchant, et peut-être les deux ! Vous m'avez juré de ne point aller en Italie et meshui vous y courez !

— Nenni ! Madame, je n'y cours point. J'ai reçu un ordre du roi, mais je vais demeurer à Lyon sans être, en conséquence, exposé aux combats.

— Et que ferez-vous à Lyon ? dit Catherine, toujours aussi suspicionneuse.

— Ce que le roi m'ordonnera de faire.

— Et qu'est cela ?

— Je ne sais, dis-je, le sachant fort bien.

Elle décela, Dieu sait comment, qu'il y avait en cette réponse quelque dissimulation, et l'interprétant selon sa passion de jalousie, elle me dit d'un ton acerbe :

— Que me chantez-vous là ? Vous allez partir demain avec seulement Fogacer et six Suisses par les chemins hasardeux de France ?

— Point du tout. Je suivrai le convoi des reines, lequel est très fortement accompagné.

— Et qu'avez-vous affaire avec les reines ?

— Rien du tout. Puis-je vous ramentevoir, m'amie, que je n'appartiens ni à la maison de la reine, ni, la Dieu merci, à celle de la reine-mère.

— Mais vous êtes duc et pair : elles voudront vous voir.

— Je suis bien assuré que non. Servant le roi et Richelieu avec fidélité, je ne suis à leurs yeux qu'un suppôt de Satan.

— Mais vous serez à la portée des yeux et des mains de leurs dames d'honneur !

— Des mains, Madame ! Comme vous y allez !

— Et pourquoi pas ?

— Madame, vous ne connaissez pas la Cour : tout y est clan et cabale, et jamais une dame d'honneur n'oserait donner le bel œil à un gentilhomme que sa maîtresse tiendrait pour un ennemi de son clan.

Et preuve qu'en effet Catherine ne connaissait pas la Cour, elle ajouta foi à cette hasardeuse allégation... Mais ce ne fut là qu'une brève rémission de sa jalousie. Elle reprit tout aussitôt :

— Et *quid* des logeuses en vos étapes ?

— Madame, je serai logé aux étapes avec le chanoine Fogacer. Et vous n'allez pas penser qu'à proximité d'un chanoine j'irai enfreindre les commandements de Dieu.

Pour une fois j'avais été prudent et j'en fus récompensé. Je n'avais jamais touché mot à Catherine du temps où, en sa folle jeunesse, Fogacer semait ses folles avoines, et circonstance aggravante, les semait dans des terrains qui n'étaient pas faits pour elles.

Ma remarque sur Fogacer apaisa tout à plein Catherine, et sa jalousie se tournant en curiosité, elle quit de moi pourquoi diantre le roi avait ordonné aux reines de l'accompagner jusqu'à Lyon.

— Sans doute pour qu'elles quittent Paris et soient ainsi soustraites à l'influence des cabales et de Marillac. Si c'est bien là le sens de cette manœuvre, elle n'a qu'à demi réussi. Car la reine-mère a déclaré haut et fort qu'elle n'irait pas à Lyon si elle n'y était pas accompagnée par Monsieur de Marillac. Et il a bien fallu que Louis s'inclinât, encore que la place d'un garde des sceaux fût bien plutôt en Paris qu'en Lyon.

— Ne trouvez-vous pas que Louis a fait là preuve de faiblesse ?

— Tout le rebours ! Il a fait preuve de patience et de prévoyance. Un conflit avec la reine-mère, au moment d'entrer en campagne en Italie, eût été désastreux. Dieu sait ce qu'elle aurait pu faire dans la capitale avec la complicité de Gaston, toujours à l'affût d'un mauvais tour à jouer à son frère.

— Dieu bon ! dit Catherine, comme je plains le pauvre roi ! La triste famille que voilà ! Pour pires ennemis il a sa mère et son frère !

— Et ajoutez aussi son épouse, m'amie, et le tableau sera complet.

— Quoi ! La reine, ennemie du roi ?

— Ou se conduisant du moins comme telle. M'amie, avez-vous ouï parler du procès Chalais ?

— Fort peu. Monsieur, ramentez-vous que je n'étais alors à Nantes qu'une petite provinciale et que j'ignorais tout de la Cour et de ce qui s'y passait.

— Rien de bien ragoûtant, je vous assure. Chalais, gentilhomme sans cervelle, avoua qu'il avait été quinze jours « dans l'intention de tuer le roi ». Il y eut procès et on décapita ce petit sot. Mais au cours de l'enquête, on apprit que la reine, sous la pression de l'ambassadeur d'Espagne, avait accepté l'idée, si le roi mourait, d'épouser son beau-frère Gaston, successeur à son aîné sur le trône de France.

— Et où était, dans ce cas, l'avantage pour l'Espagne ?

— La reine, mariée à Gaston, demeurait reine de France et pourrait, comme elle avait fait ci-devant, transmettre par l'ambassadeur Mirabel, des informations importantes sur la politique de la France.

— Dieu du Ciel ! s'écria Catherine. Deux fois traîtresse ! Et à son mari et à son roi ! Que fit Louis en apprenant cette éprouvante nouvelle ?

— Que voulez-vous qu'il fît ? Le roi très chrétien ne peut pas divorcer.

— Et vous, Monsieur, dit-elle en me faisant une petite moue ravissante, que feriez-vous si je vous trahissais ?

— À coup sûr, je vous tuerais, dis-je en faisant la grosse voix.

Et ce disant, la prenant avec force dans mes bras, je me juchai sur elle, l'écrasant de mon poids.

— Ma fé ! dit-elle avec un petit rire. Je n'eusse jamais cru que la mort fût si douce ! Frappez, beau Sire ! Frappez ! Pardon ne quiers, et grâce ne veux !

*

Dans la nuit, dormant précairement moi-même, j'ouïs Catherine qui pleurait à petit bruit, et sans que je pipasse mot, et comme si j'étais moi-même en un demi-sommeil, je lui caressai doucement le dos, la nuque et les épaules, ce qui, par degrés, l'apazima. Je m'attendais le lendemain, au déjeuner, avant mon départir, à de nouvelles larmes, mais l'arrivée de Fogacer, qui devait voyager avec moi dans ma carrosse et que j'invitai incontinent à déjeuner, ainsi que le petit clerc qui l'accompagnait, rassura Catherine et la rasséréna. On eût dit qu'elle voyait en mon chanoine une sorte d'ange gardien qui, par sa seule présence, m'empêcherait de tomber dans les pièges de chair qui n'allaient pas manquer de se refermer sur moi au cours de cette longue absence.

En outre, Fogacer, qui de sa vie n'avait jamais

serré une femme dans ses bras, les aimait néanmoins beaucoup, et se faisait aimer d'elles par des gentillesses et des délicatesses qui n'étaient pas elles-mêmes sans affinité avec celles du *gentil sesso*.

Au sujet du petit clerc que Fogacer m'avait demandé d'asseoir à son côté, je ne laissais pas d'apercevoir, au cours du déjeuner, que Fogacer avait pour lui des attentions d'une mère, et de temps à autre, interrompant notre entretien, il lui expliquait par signes de quoi il s'agissait, car le pauvret, qui était, de reste, fort joli, était sourd et parlait difficilement, et Fogacer m'expliqua qu'il avait pour lui inventé un langage par signes qui n'était connu que de lui-même et de son protégé.

Lecteur, je ne te veux point celer qu'il me vint alors en cervelle l'idée que Fogacer n'avait peut-être pas abandonné les folles avoines de son passé autant que l'exigeait sa soutane, et d'autant que l'infirmité du petit clerc, si mon hypothèse était juste, lui assurait une discrétion exemplaire. Cependant, je ne laissais pas d'écarter de mes mérangeoises cette pensée, car de tout ce long voyage que nous fîmes tous trois ensemble, rien ne vint jamais confirmer la déquiétante supposition que je m'étais forgée.

Non que je me permette de formuler céans le moindre jugement sur ces hommes qui, préférant leur propre sexe à l'autre, ont péri pendant tant de siècles dans les flammes du fanatisme. Et du diantre si j'irai jamais apporter ma petite bûche à ces bûchers barbares ! Je n'ai pas lu non plus sans mésaise dans l'Ancien Testament la cruelle destruction de Sodome, et d'autant que dans la ville devaient subsister des hommes et des femmes qui s'aimaient ; sans cela, faute de naissances, la ville aurait de soi dépéri, sans qu'il fût nécessaire de l'embraser et de la tuer toute.

Je ne me ramentois que deux choses de ce long voyage, l'une qui éclaira la physionomie de Fogacer d'une lumière inattendue, et l'autre qui fut une « redisance » dont il me dit qu'elle était de la plus grande conséquence. Et en effet, lecteur, elle l'était, comme on verra plus loin.

Pendant les premiers temps de ce chemin cahotique, Fogacer, qui était pourtant, comme disait mon père, « bien fendu de gueule », baissait beaucoup la voix, ou même demeurait bouche cousue, quand le petit clerc, s'aquiétant, s'assoupissait ou paraissait s'assoupir. À mon sentiment, il ne devait pas avoir plus de dix-sept ans. Il s'appelait Saint-Martin, et quand il dormait, il avait, en effet, l'air d'un saint, et même d'un ange, tant il portait sur le visage un air d'innocence, de bonne foi et d'enfantine gentillesse.

Rien de tout cela n'était perdu pour Fogacer. Mais n'osant trop le couver de l'œil en raison de ma présence, il le regardait quand et quand d'une façon rapide et furtive, et même alors, ses yeux ne laissaient pas de faire apparaître une amour sans limites, et dont je m'apensais qu'elle irait jusqu'aux derniers sacrifices, s'il en était besoin. Je me fis alors cette réflexion que tout sentiment, quel que fût son objet, était noble, dès lors qu'il comportait un tel oubli de soi.

Ce fut seulement quand le petit Saint-Martin s'endormit tout à plein que Fogacer, *sotto voce*, me révéla la redisance qu'il avait annoncée.

— La source, dit-il, est tout à fait digne de confiance. Et de reste vous la connaissez. Elle appartient à ce que vous appelez — bien inexactement — le *gentil sesso*, et vous l'avez encontrée chez ce luron de Guron (*giocco di parole*, m'apensai-je, bien dans la manière d'un chanoine).

Toutefois, même au bec à bec et Saint-Martin dormant à poings fermés, Fogacer ne cita pas de nom : on eût dit que les coussins de la carrosse pouvaient avoir des oreilles, tant il était prudent. Il est vrai que ce qu'il me répéta dépassait tout ce que j'eusse pu imaginer de pire, et me laissa béant et consterné.

Voici, lecteur, le récit de Fogacer tel que je le transcrivis aussitôt, afin de le remettre sans délai au roi.

La reine-mère reçut à la nuitée, avant que de départir de Paris, un quidam, lequel avait le nez fort bouché dans son manteau. L'entretien eut lieu sans témoin, à tout le moins visiblement, car notre rediseuse, éveillée par ce mystère, colla à l'huis sa mignonne oreille et apprit de prime que le visiteur de sa maîtresse s'appelait le Censuré.

— Mais j'ai ouï parler de ce coquart ! dis-je, béant.

— Moi aussi, dit Fogacer, et d'autant que c'est mon évêque qui l'a censuré pour avoir tiré pécunes d'aucunes sottes gens à qui il avait prédit l'avenir en affirmant connaître, par ses charmes, le secret des destins. Toutefois, étant protégé par un grand seigneur, aussi crédule que les commères des halles, il ne fut ni serré en geôle, ni pendu. Tant est que faisant de sa propre censure une gloire, il se fit appeler, avec la dernière effronterie, Monsieur le Censuré, ce qui — les hommes étant ce qu'ils sont — ajouta prou à sa réputation et augmenta sa clientèle.

— Et la reine-mère fit appel à cet imposteur ?

— Eh oui ! Et ce ne fut assurément pas la première fois qu'une reine ou un roi de France consulta un devin. Contrairement à ce qu'on pourrait penser, la crédulité n'est pas l'apanage des manants et des ouvriers mécaniques.

— Et quelles questions la reine-mère posa-t-elle à ce coquart d'enfer ?

— Ah, mon ami ! dit Fogacer. C'est là que le bât commence furieusement à blesser, tant étranges et déquiétantes furent ces questions-là...

— Et les réponses ?

— Les réponses ? Prudentissimes. Le Censuré n'est pas un enfantelet dont on beurre le pain en tartines. Il est retors, et ne tient pas outre mesure à jeter un jour par un nœud coulant son dernier regard vers le ciel. Première question de la reine-mère : quel est l'avenir du cardinal ?

— Diantre !

— Réponse du Censuré : pour l'instant fort bon, mais il se pourrait qu'il change.

— Ce qui se pourrait dire tout aussi bien de vous, de moi ou même de la reine-mère.

— En effet. Deuxième question : le cardinal possède-t-il des charmes pour se faire aimer ?

— En tout cas, dis-je, pas du *gentil sesso.*

— Mon cher ami, celui dont le cardinal se fait aimer, se peut par des « sortilèges diaboliques », est assurément le roi... La reine-mère n'entendant rien aux grandes affaires, n'entend pas davantage les grands services que Richelieu a rendus à Louis, ni en contrepartie l'attachement du roi pour « *le meilleur serviteur qu'il eût jamais* ». D'où les « charmes et sortilèges », évidemment diaboliques, qui, aux yeux de la reine-mère, expliquent l'inexplicable.

— Et quelle fut la réponse du Censuré ?

— Fort astucieuse. « Il se peut, dit-il, que celui que désigne Votre Majesté possède des sortilèges, mais on ne peut les acertainer, parce qu'il les cache sous des qualités apparentes. »

— Les qualités apparentes ! Quel habile homme ! Je suis raffolé des qualités apparentes...

— Troisième question. Et là, mon cher ami, nous sortons de la comédie pour entrer en plein dans le drame. Voici cette troisième question qui jette un jour sinistre sur cette consultation : Richelieu possède-t-il des charmes pour échapper aux arquebusades ?

— Dieu bon ! Mais c'est abject ! Pense-t-elle vraiment à un assassinat ?

— J'en ai peur, et le Censuré le craignit aussi, car il feignit de ne pas entendre le sens de la question. « Si le cardinal, dit-il, s'expose en Italie ès lieux périlleux, tous les charmes du monde ne sauraient l'empêcher d'être arquebusé. »

— Excellente réponse !

— Je le crois aussi, et je poursuis. Quatrième et dernière question de la reine-mère, et de toutes la plus déquiétante. La voici : voyez-vous dans l'avenir que le cardinal puisse être un jour blessé par un coup de hallebarde ?

— Révérend chanoine, cette fois la chose est claire. L'instrument de la meurtrerie étant une arme blanche, la reine-mère envisage une embuscade rapprochée. Et que répondit le Censuré ?

— Ceci : « Votre Majesté voudra bien m'excuser, mais ma voyance ne voit pas au-delà des cinq années futures et en deçà de ces cinq années, je ne discerne pas le moindre coup de hallebarde à la personne que vous dites. »

— Émerveillable Censuré ! m'écriai-je. Je lui souhaite, loin des geôles et des gibets, longue vie et prospère voyance !

Je ne me ramentois aucune des étapes de Paris à Lyon, tant je me tracassais les mérangeoises au sujet du cardinal. Outre que la reine-mère était une Médicis et que les Médicis, comme l'Histoire l'atteste, sont race assassinante, il me semblait que la crédulité de la reine-mère, son peu de bon sens, et la fureur qu'elle mettait à l'assouvissement de ses rancunes la pouvaient, en effet, pousser à des entreprises qui, en cas de succès comme en cas d'échec, ne pourraient que lui valoir un exil éternel. Par malheur, elle était si obtuse et en même temps si emportée en ses ressentiments, que je suis bien certain qu'elle n'avait même pas perçu les réticences du Censuré à ses périlleuses questions.

Dès que nous atteignîmes Lyon — ville que j'aime entre toutes pour ses deux fleuves et sa presqu'île — je confiai à Fogacer le soin de prendre langue avec les officiers du cantonnement afin de quérir d'eux un logis, et je gagnai en grande hâte le palais de l'archevêché où je savais que le roi logeait.

À l'exception de Beringhen et du Révérend docteur médecin Bouvard, il n'y avait assurément, sur l'ordre de Sa Majesté, personne auprès d'Elle. Déjà en vêtements de nuit, allongé à demi sous son baldaquin, et le dos soutenu par de grands oreillers, Sa Majesté tenait fermement entre ses cuisses une large et profonde écuelle de soupe épaisse, fumante et odorante dont il tirait provende quand et quand avec un cuiller aussi grand qu'une louche, dont il s'engouffrait le contenu en gueule avec une visible délectation, mâchant et aspirant avec des succions si bruyantes que ma bonne marraine, la duchesse douairière de Guise, les eût trouvées « ressentant par trop le commun ». Mais peu chalait à Louis qu'on le trouvât goinfre. Il en tirait gloire, au contraire. Tout comme le roi Henri, m'avisai-je un jour, Louis souffre d'insatiabilité. Mais l'objet de ce gros appétit n'est pas le même. Pour Henri, la garcelette, et pour Louis, le mangeoir.

Mon père, quant à lui, se désolait fort qu'il fût si grand mangeur et s'étonnait que le défunt docteur Héroard comme le docteur Bouvard, qui lui avait succédé, n'aient pas tâché de le freiner en des excès qui lui paraissaient si nuisibles à la santé du roi, étant donné la faiblesse de ses entrailles et le pâtiment qu'elles lui baillaient souvent.

Dès qu'il me vit, Louis entendit aussitôt qu'il se passait quelque chose d'inusité, et faisant à Beringhen et à Bouvard un geste qui les éloigna à l'autre bout de la pièce, il me dit *sotto voce* :

— *Sioac*, prends place à mon chevet, là, sur cette escabelle, et de grâce, dis-moi ce qu'il y a dans ce papier que tu tiens à la main.

Lecteur, je te confesse que ce fut pour moi assez déquiétant de lire la redisance que l'on sait, tandis que Louis avalait sa soupe à grande noise et succion. Toutefois, cette noise même ne dura que le temps de la première et deuxième question de la reine-mère, lesquelles lui parurent, comme à Fogacer et à moi-même, plus sottes que venimeuses.

Tout changea, quand il fut question d'arquebusade et de coup de hallebarde. Le cuiller lui tomba des mains dans la soupe, et il pâlit en son ire, le visage crispé, les lèvres tremblantes, les yeux lançant des éclairs. Toutefois, cette colère blême ne dura que peu. Louis se reprit, le sang lui revint aux joues, et il dit d'une voix sourde :

— De toutes les cabales qui me font des complots, c'est celle de la reine-mère qui me donne le plus de tracassin. Elle est pour mon malheur et pour le sien vindicative à l'excès, et n'ayant pas l'ombre d'une jugeote, ses erreurs ne lui apprennent rien. Elle fonce, elle ne rencontre que le vide, et elle recommence. *Sioac* ! Avez-vous jamais ouï parler d'une pareille folie ? Une reine-mère rêvant d'assassiner le ministre de son fils, le meilleur serviteur qu'il eût jamais !

Louis parut alors se perdre, les yeux mi-clos, en des songeries mélancoliques dont il ne saillit que pour dire à Beringhen : « Enlève-moi cette écuelle. Je n'ai plus faim. » Puis il soupira et dit, comme se parlant à lui-même : « Il faudra bien pourtant qu'un jour je mette fin à ces extravagances. »

*

À peine fus-je hors l'évêché que je vis mon équipage au complet qui m'attendait, et Fogacer nous guida jusqu'à mon nouveau logis qui me parut petit, mais fort plaisant. J'y vis Nicolas, allant et venant, l'air très malengroin, portant assiettes et couverts sous la houlette de l'hôtesse qui me parut, comme sa demeure, petite, plaisante et l'œil fort fripon. Elle m'expliqua qu'elle venait de renvoyer valet et soubrette pour « *insolence, paresse et lascivité* ». Ce dernier mot me donna à penser que la soubrette, ayant du goût pour le valet, avait, se peut, perdu les bonnes grâces de sa maîtresse en marchant sur ses brisées. « Me voilà donc, dit l'hôtesse, comme navire désemparé, et j'aurais été bien en peine, si Monsieur de Clérac n'avait consenti à m'aider dans mes humbles tâches domestiques avec beaucoup de bonne grâce. »

Nicolas l'aidait, en effet, mais que ce fût de bonne grâce, j'en doutais fort. Il était bien plutôt humilié de porter des assiettes au lieu que de bichonner nos chevaux et de vérifier leurs fers. Cependant, il ne laissait pas de jeter des regards mécontents à la ronde, tantôt sur Saint-Martin — trouvant que nous faisions trop de cas de « ce petit pimpésoué » —, tantôt à moi-même, parce que de Paris à Lyon je n'avais pas une seule fois admis mon écuyer dans ma carrosse, comme j'en avais l'habitude, alors que durant tout ce voyage, ce « petit pucelet de merde » s'était aparessé avec nous sur les coussins.

Je ne lui donnais pas tort. Mais comment Fogacer aurait-il pu me redire la redisance que l'on sait devant un écuyer qui avait, lui, l'oreille fort bonne, et aimait fort en user?

Notre hôtesse, qui se nommait Madame de Monchat, présida notre table au souper et parut fort aise d'avoir à elle seule en son logis tant d'hommes à la fois, dont l'un, comble de bonheur, était chanoine, ce qui plaçait, si je puis dire, le remède à côté du mal, car si notre bonne dame de Monchat succombait au mitan de la nuit obscure à la tentation, elle pourrait, dès l'aurore, confesser sa faiblesse au chanoine Fogacer, et la conscience fraîchement lavée, commencer une nouvelle journée sans tache ni macule. La pauvrette, hélas, ne se doutait pas que des quatre hommes qui se trouvaient là, deux n'aimaient pas les femmes, et les deux autres qui les aimaient prou, avaient fait vœu d'être fidèles à leurs épouses.

Étant las de ce long voyage, je me préparais à m'ococouler sur ma couche, derrière les courtines, tout au long d'une longuissime nuit. Mais il n'en fut rien, car à la pique du jour un garde du cardinal vint toquer à l'huis pour dire que Son Éminence m'attendait sur le coup de huit heures en son logis, ayant besoin de mon truchement en italien. Morbleu ! m'apensai-je en me tirant de ma couche tout en pestant contre qui vous savez, et où diantre à cette heure est le comte de Sault qu'il faille que je le remplace au pied levé ! Et avec quelle mauvaise grâce il se leva, ce pied, je vous le laisse, lecteur, à penser.

Ce n'était guère dans la manière du cardinal de s'excuser pour avoir fait lever un duc et pair aux aurores. Néanmoins, il voulut bien m'expliquer que le comte de Sault, souffrant depuis Paris d'une molaire, s'était enfin décidé à la faire arracher à Lyon, son hôtesse lui ayant affirmé qu'elle connaissait en sa ville un barbier aussi renommé pour sa douceur que pour son adresse.

Or, un truchement était, ces matines, indispensable au cardinal, car il allait accueillir le légat du pape, Barberini, accompagné de son secrétaire Mazarini [1], lequel, poursuivit le cardinal, est « le plus beau génie et celui des deux qui entre le plus heureusement dans les négociations ». Mazarini, il est vrai, gazouillait assez joliment le français, mais point du tout Barberini à qui Mazarini traduisait au fur et à mesure ce qui se disait entre le cardinal et lui.

— Je voudrais, dit Richelieu, savoir exactement de vous ce que Mazarini dit en italien à Barberini, et ce sera là votre tâche, mon cousin.

— Il se pourrait, Éminence, que je sois mieux à même de remplir cette tâche si je savais au préalable ce dont il s'agit.

Comme bien sait le lecteur, pas plus qu'à Louis on ne doit au cardinal poser questions, tant est qu'il

1. Mazarin.

faut prendre des détours infinis, quand ces dites questions vous paraissent nécessaires.

— J'allais le préciser, dit Richelieu en marquant quelque humeur. Voici ce dont il est question. Le pape s'entremet entre les Espagnols et le roi de France afin d'éviter un affrontement sur le sol italien, lequel affrontement, pense-t-il, pourrait être fatal à ses États. Cette entremise, qui a pour but d'éviter la guerre entre les deux rois catholiques, n'est pas seulement évangélique, elle est aussi très habile. Elle permet au pape de ne prendre parti ni pour l'un ni pour l'autre des belligérants. Mais en réalité elle nous favorise, car du fait même qu'il y a négociation, le pape reconnaît que la présence des Français en Italie est tout aussi légitime que celle des Espagnols. Or, ce n'est assurément pas la position de Philippe IV d'Espagne qui a toujours considéré qu'il a occupé le Milanais de la façon la plus pieuse. De reste, ajouta Richelieu avec quelque dérision, n'avait-il pas toujours consulté au préalable ses théologiens pour savoir si le Seigneur permettait cette appropriation ?

S'agissant d'une tractation et non d'une ambassade, l'entretien n'eut pas lieu en présence de la Cour, mais dans un petit salon, le roi étant seul assis, le cardinal debout à sa dextre, et moi à sa senestre, et faisant face tous deux au légat Barberini et à Giulio Mazarini.

Francesco Barberini était parent du pape Urbain VIII. Et selon une coutume que je trouve quelque peu étrange, mais qui est bien enracinée en Italie, le pape, dès qu'il fut élu, commença par faire la fortune de sa famille. Il nomma cardinaux son frère Antonio et ses deux neveux Francesco et Antonio.

Celui-ci, dédaignant la pourpre et le palais, se fit moine, et fut le seul de la famille — pape compris — qui vécût une vie ascétique, vouée à la charité.

Moins édifiant, mais en revanche plus artiste,

Francesco, que je vous présente céans, consacra ses pécunes, son temps et ses pensées à élever ce qui devint le fameux Palais Barberini, lequel est, assurément, le plus magnifique, en notre siècle, des palais romains. Toutefois, le pape lui confia aussi quelques missions diplomatiques dont, par nonchalance, il se serait bien mal acquitté, s'il n'avait pas requis les services de Giulio Mazarini. En la présente circonstance, Son Éminence Francesco Barberini, après un profond et gauche salut à Sa Majesté, se contenta de réciter, en français, un petit compliment fort bien tourné, mais dont il n'était assurément pas l'auteur, car il trébucha deux ou trois fois dans ses phrases, les rendant quasi inintelligibles. Venant enfin à bout de cette ingrate besogne, Francesco voulut bien dire à Sa Majesté que son secrétaire, Il Signor Mazarini, allait entrer dans le détail de sa mission. Puis, ayant salué profondément le roi, il ne pipa plus mot de tout l'entretien, et les yeux à demi clos se retira en ses pensées, lesquelles, à ce que j'imagine, touchaient à la construction de son émerveillable palais.

Giulio Mazarini avait alors vingt-huit ans, et d'après ce que j'ai ouï dire à Rome, à Paris et à Madrid, il était « *il più elegante cavaliere della creazione* [1] » et un grand favori des dames, lesquelles ne restaient jamais insensibles à ses manières courtoises, à ses attentions délicates, à sa vêture où dentelles, soies, broderies et rubans étaient du meilleur goût, et par-dessus tout, il va sans dire, à ses yeux vifs et veloutés, à ses lèvres si bien dessinées et aux paroles dorées qui s'en échappaient.

Cependant, Mazarini plaisait aussi aux hommes mais pour d'autres qualités. Bien que n'ayant passé que quelques mois aux armées pour la raison que discipline et routine ne le ragoûtaient guère, il était

1. Le cavalier le plus élégant du monde (ital.).

néanmoins renommé pour sa bravoure qui était, en effet, sans faille et dont je donnerai plus loin un éclatant exemple.

À cette bravoure-là s'ajoutait, sinon la plus belle vertu, du moins la plus utile en ce monde : Mazarini avait de l'esprit à revendre, lequel allait droit au cœur de tout problème et en trouvait la solution. Richelieu l'admirait, et c'est tout dire, car le cardinal, hors lui-même, admirait peu de gens. Ajoutez à cela, en ce qui concerne Mazarini, un caractère qui se pliait avec grâce aux circonstances sans se raidir jamais, mais sans non plus perdre de vue son but. Bien je me ramentois qu'ayant un jour demandé à Fogacer comment il définirait au besoin l'humeur de Mazarini, il répondit : « souplesse, finesse, adresse ».

Le salut que fit Giulio Mazarini au roi, avant que de parler, fut infiniment gracieux et plut à Sa Majesté, et d'autant plus que sans être bougre, Elle aimait les beaux hommes, pourvu qu'ils ne fussent ni rudes, ni grossiers.

— Sire, dit Mazarini en un français dont toutes les intonations étaient chantantes et italiennes, je suis votre très humble serviteur, et je quiers de Votre Majesté de bien vouloir ouïr le message que Sa Sainteté le pape a confié à Son Éminence Francesco Barberini, son légat, dont je ne suis ici que le modeste truchement.

— Je vous ois, Monsieur, dit le roi.

— Sire, reprit Mazarini, Sa Sainteté, soucieuse que le sang des Français et des Espagnols ne se répande pas sur le sol italien, a demandé à l'Espagnol à quelles conditions il consentirait à ne pas assiéger Mantoue.

— Et qu'a-t-il répondu? dit le roi.

— Sire, dit Mazarini, j'ose à peine vous répéter ses conditions, tant elles me paraissent extravagantes et léonines.

— Répétez-les, Monsieur, de grâce! dit le roi. Nous sommes prêts à tout ouïr.

— Sire, l'Espagnol consentirait à ne pas assiéger Mantoue pour peu que Votre Majesté rende Pignerol et Casal...

Un silence suivit cette impudente proposition. Je vis Louis pâlir et serrer les dents, tant est que je craignis qu'il laissât éclater une ire bien légitime. Mais une fois de plus il se brida, et se tournant vers Richelieu qui bouillait lui aussi de fureur contenue, mais qui ne perdait pas pour autant le jugement incisif qu'il portait sur les événements, il lui fit signe de répondre à sa place.

— Sire, dit Richelieu, c'est un bien étrange échange qu'on nous propose là — un échange où les deux objets échangés ne sont pas de valeur identique, ni même payés de la même monnaie... D'une part, Votre Majesté abandonnerait à l'Espagne deux villes fortes dont l'une, Casal, est de reste assiégée, sans aucun succès, par l'Espagnol depuis un an. Et comme si Casal n'était pas suffisant, nous devrions livrer aussi Pignerol que nous venons de conquérir. L'une et l'autre de ces places sont construites à chaux et à sable et possèdent une immense valeur stratégique. Et que nous donnerait-on en échange ? La promesse de ne pas assiéger Mantoue ! Vous avez bien ouï, Sire, une promesse ! Une simple promesse écrite sur beau parchemin et décoré d'un sceau princier à coup sûr très élégant. Monnaie bien légère, Sire, comparée aux solides murailles de Casal et de Pignerol, et qui ne coûte guère à celui qui la donne, puisque la feuille de parchemin sur laquelle elle est écrite, même un enfant pourrait la brûler à la chandelle.

— Sire, dit Mazarini, peux-je répondre à l'exposé de Son Éminence le cardinal de Richelieu ?

— De grâce, Monsieur, répondez, dit Louis avec une courtoisie un peu froide.

— Éminence, dit Mazarini, il n'a pas échappé au

Saint-Père que les conditions du général Coalto[1] étaient léonines, comme je me suis permis de le dire moi-même avant que de les exposer. Toutefois, il y a un grand avantage à traiter, même si on n'accepte pas les conditions de l'adversaire. Aussi longtemps qu'on parle, on ne se bat point, et le temps même, en passant, peut modifier l'aspect des choses. C'est ainsi que, me plaçant du point de vue de la France — ce que je fais très volontiers, Sire —, je dirais qu'il ne me semble pas qu'il soit de votre intérêt, Sire, de faire à Coalto la réponse roide, tranchante et déprisante que ces propositions assurément méritent.

À ouïr ce discours, je n'en crus pas mes oreilles. Le pape avait donc deux politiques : l'une publique, favorable à l'Espagne ; l'autre, secrète, favorable à la France. Et à mon sentiment, Mazarini allait plus loin encore, il nous proposait à mi-mot et *sotto voce* les services que sa personne pouvait nous rendre.

Cette nuance n'échappa ni à Louis ni à Richelieu, et ils commencèrent à considérer Mazarini avec d'autres yeux.

— Monsieur, dit Louis, je vous remercie des bonnes dispositions que vous montrez à l'égard de ma personne et de mon royaume. Je vous en sais le plus grand gré. Quant à vos conseils qui me semblent sages, je discuterai avec mon cousin le cardinal de Richelieu, et aussi avec mon Conseil, du parti à prendre, et dès qu'il sera pris, je le communiquerai à Coalto et en même temps, par votre truchement, à Sa Sainteté.

Mazarini avait tout lieu d'être satisfait de ces paroles, puisqu'elles admettaient implicitement que le pape et lui-même étaient acceptés par nous comme médiateurs en cette affaire. Il traduisit en

1. Coalto commandait l'armée des Impériaux et le marquis de Spinola commandait l'armée espagnole qui assiégeait Casal, défendue par Toiras.

italien au cardinal Barberini, en les résumant beaucoup, les propos que nous venions d'échanger, Barberini ne lui prêtant de reste qu'une oreille distraite, probablement parce que ses mérangeoises étaient encore tout absorbées par les rêves que l'on sait.

Dès qu'ils furent tous deux départis, le cardinal échangea quelques paroles *sotto voce* avec le roi, ce qui fit que je m'éloignai d'eux et allai jeter un œil à la fenêtre. J'ouïs alors Louis appeler Beringhen et lui commander d'aller, sans tant languir, chercher le grand chambellan, lequel ne devait pas être bien loin, car il fut là en un battement de cils.

Le roi lui dit alors d'aller prévenir les deux reines qu'il quittait le lendemain Lyon pour Grenoble avec son armée, mais qu'il voulait qu'elles demeurassent à Lyon où elles seraient assurément mieux accommodées qu'elles ne pourraient l'être ailleurs. Quant à Monsieur de Marillac, le roi lui fit demander ce qu'il préférait : ou demeurer à Lyon, ou l'accompagner à Grenoble. À quoi Monsieur de Marillac, prétextant son grand âge et ses infirmités, répondit qu'il aimait mieux demeurer à Lyon. En réalité, notre archidévot désirait rester auprès de la reine-mère pour l'ancrer davantage dans ses refus de toute guerre avec l'Espagne.

Le roi quitta Lyon avec son armée pour Grenoble le sept mai, et je suivis le long cortège avec mes Suisses et Nicolas, lequel, cependant, j'appelai plus souvent à prendre place dans ma carrosse avec Fogacer et Saint-Martin, les Suisses gardant alors ma monture et la sienne. Nicolas fut si content d'être avec nous à l'abri de l'air aigre du matin que, bercé par le branle de la carrosse, « son sommeil le dormit ».

Fogacer en profita pour me poser quelques questions auxquelles je répondis avec prudence avant de déclore le bec, tournant sept fois ma langue dans ma bouche. Car, d'une part, je voulais récompenser

Fogacer pour l'aide qu'il apportait au cardinal et au roi en devenant le confesseur des rediseurs, mais d'autre part, sachant que mes réponses allaient être répétées par Fogacer au nonce apostolique, et par conséquent au pape, je pesais dans de fines balances ce qu'il était utile que Sa Sainteté apprît et ce qu'il valait mieux qu'elle ne sût pas.

— Je ne voudrais pas être indiscret, me dit Fogacer — formule qu'on emploie toujours quand on se propose de l'être —, mais je voudrais savoir pourquoi les deux reines ont été laissées à Lyon alors que Grenoble est fort belle ville avec de grandes et commodes demeures et où elles ne pourraient, en aucune façon, être menacées, le théâtre de la guerre étant bien loin de leurs demeures.

— Je ne sais pas les raisons, dis-je, mais nous pouvons essayer de les deviner.

— Devinons ! dit Fogacer d'un ton enjoué. Plaise à vous de commencer, mon ami, étant plus haut que moi dans l'État.

— La grand merci. Le plus haut dans l'État va donc essuyer les plâtres. Si les reines ont été laissées à Lyon, ce n'est sûrement pas pour des raisons de sécurité.

— Je conclus, dit Fogacer, que la raison en est politique.

— Mais si elle est politique, continuai-je, elle ne concerne que la reine-mère. Et ce n'est que pour cacher la manœuvre qu'on a ajouté la reine.

— Et en quoi consisterait la manœuvre ? dit Fogacer en souriant de son sinueux sourire, les sourcils se relevant vers les tempes.

— À empêcher la reine-mère, s'il y a un Conseil à Grenoble, de s'élever furieusement en public en faveur de la paix à tout prix avec la sacro-sainte Espagne (grâce à qui, un jour, les huguenots seront à jamais éradiqués).

— Ce qui, dit Fogacer, si je vous ai bien entendu,

eût été un régal pour les oreilles ennemies, ne serait-ce que pour celles de certaines ambassades qui feraient aussitôt de joyeux rapports à leurs maîtres sur la dissension au sein de la famille royale de France et la faiblesse qui en résulterait, à n'en pas douter, dans la poursuite de la guerre.

— Cependant, dis-je, il faudra une sorte de Conseil pour décider avec le roi pour faire la guerre ou ne la faire point.

— Mais ce ne sera pas le Grand Conseil, dit Fogacer, puisque la reine-mère est restée à Lyon ainsi que bon nombre de conseillers. On peut donc gager, poursuivit Fogacer, qu'à Grenoble ce sera un simple Conseil de guerre réunissant seulement les maréchaux de France et les maréchaux de camp qui, eux, sont si indignés par les conditions de paix « basses et honteuses » proposées par les Impériaux qu'ils voteront la guerre à l'unanimité.

— On aura donc, dis-je, réussi à escamoter la reine-mère dans la délibération. Et comme eût dit mon père, ce sera là « un beau coup de moine ».

*

Le vote du Conseil de guerre qui se tint à Grenoble le dix juin fut, en effet, unanime. Il rejeta les propositions des Impériaux et décida d'occuper la Savoie, tant pour punir le duc régnant de sa félonie que pour prendre des gages et se fortifier contre une attaque ennemie. La conquête de la Savoie, qui fut rapide comme l'éclair — Chambéry, Rumilly et Annecy étant prises en deux semaines —, enchanta véritablement le roi.

— Et pourquoi cela, Monsieur? Pourquoi Louis fut-il si enchanté de se saisir de ces villes qui ne lui appartenaient pas?

— Qu'est cela? Est-ce bien vous, belle lectrice, qui faites irruption dans mon récit sans crier gare? Et l'interrompez sans la moindre vergogne ? Et qui pis est, en posant des questions accusatrices sur mon roi ?

— Monsieur, vais-je vous demander pardon ? Est-ce qu'à défaut d'un sanglotant pardon, un petit regret suffirait à vous apazimer ? On dit que vous êtes à l'ordinaire fort indulgent à l'égard du *gentil sesso*, tant vous l'aimez.

— Dois-je entendre, m'amie, que si vous exprimiez un petit regret, cela doulerait moins votre superbe qu'un sanglotant pardon ?

— Assurément. Je tiens qu'à un gentilhomme une dame doit toujours tenir la dragée haute, et d'autant plus que la dame est plus évidemment dans son tort.

— Est-ce là « le petit regret » ?

— Oui, Monsieur.

— Il suffira, m'amie. Quand le pécheur a votre apparence, je ne saurais vouloir sa mort.

— Ah ! Voilà qui est fort galant !

— Et qui mieux est, voici la réponse à votre question. Le roi s'empare de ces villes, mais à titre de gages contre les Espagnols et point pour les garder. La guerre finie, il les rendra à leur possesseur, comme son père fit en 1601, quand le duc de Savoie ayant eu l'impudence d'assiéger Grenoble, le Vert Galant envahit la Savoie, et la paix revenue, rendit au duc de Savoie ses villes en ne retenant pour soi que de petits lopins pour arrondir son royaume.

— Et Louis en fera autant ?

— Oui-da ! À l'exception de Pignerol, il rendra tout, non au pauvre duc qui meshui est quasiment au grabat, mais à son fils et héritier le prince de Piémont, lequel, comme vous savez, a épousé une oiselle douce, charmante et pépillante : Christine de France. M'amie, voudriez-vous que Louis arrache des plumes à son beau-frère ?

— Un mot encore, de grâce, Monsieur. Pourquoi Louis fut-il au comble de la joie en mettant les pieds sur les traces de son père quand il conquit la Savoie ?

— Louis naquit l'année même de cette conquête en 1601, et son enfance fut bercée par les récits épiques que lui en fit son entourage. Or, vous le savez, Madame, étant privé dès le berceau de toute affection maternelle, Louis n'eut qu'une seule amour en ses maillots et enfances : son père, lequel fut à la fois son idole et son modèle. C'est ainsi que Louis devint, lui aussi, un roi-soldat, sans aucun esprit de rapines et de conquêtes, mais uniquement pour défendre son droit et celui de ses alliés. Savez-vous qu'en son enfance, Louis voulait qu'on l'appelât Louis le Juste. C'était, à bien voir, une sorte de serment, et il le tint. Cependant, Madame, j'aimerais vous faire remarquer que la justice a deux fonctions : elle garantit l'intégrité des biens, mais aussi elle punit les méchants qui ne la respectent pas.

— Et le roi va-t-il à la parfin punir les méchants ?

— Il les punira, soyez-en bien assurée, m'amie, le moment venu, implacablement.

CHAPITRE X

Le dix-huit juillet 1630 — date exécrée par Louis — fut le tournant de la campagne d'Italie. Jusque-là, les armes du roi avaient volé de victoire en victoire. Elles avaient pris Pignerol, conquis la Savoie, défait et dispersé l'armée du duc à Veillane, et enfin conservé Casal, défendue par Toiras.

Mais cette campagne-là n'était pas le seul enjeu de l'expédition. Il y en avait un autre tout aussi important. Pendant que les Espagnols assiégeaient Casal, les Impériaux, venus d'Allemagne par la Valteline, encerclaient Mantoue, qui avait échu, comme on sait, par droit de succession à un prince français, le duc de Nevers. L'Empereur contestait cette succession et réclamait le duché pour un de ses proches.

L'Empereur voulait, en fait, bien davantage. Les Habsbourg d'Espagne occupant déjà le Milanais, les Habsbourg d'Autriche voulaient se saisir du Mantouan et, de proche en proche, grignoter toute l'Italie du Nord : grignotement benoît et dévot, béni et recommandé par les théologiens espagnols, et première étape de la monarchie universelle promise à l'Espagne par le prophète Daniel dans la Bible...

Le duc de Nevers était assurément un seigneur de haut rang, mais le rang ne remplace ni le vouloir, ni le savoir. Sa défense de Mantoue fut faible et endormie, et ce peu de vigilance permit aux Impériaux de se saisir de la ville par surprise. Le dix-huit juillet 1630, le duc de Nevers eut tout juste le temps de se réfugier à Ferrare où, j'imagine, il se rendormit aussitôt. Quant à la ville, elle fut affreusement pillée.

Rien ne voyage plus vite qu'une mauvaise nouvelle, et chose étrange, elle ne vient jamais seule. À peine avions-nous appris dans la désolation la chute de Mantoue, que des chevaucheurs rapides, dépêchés par nos maréchaux, nous annoncèrent que la peste était apparue dans quelques cantonnements, et que déjà un de nos régiments avait été décimé.

Le roi convoqua sans tant languir un Conseil de guerre restreint, car plusieurs maréchaux étaient sur le terrain avec leurs troupes. J'y fus appelé quasiment à la pique du jour et là, outre le roi et le cardinal, je trouvai le père Joseph, Monsieur Brulard de Léon (que je connaissais à peine), le conseiller Bouthillier, Richelieu bien entendu, et seulement deux maréchaux, Schomberg et Créqui, tous mal réveillés et la face longue et triste. Le roi me parut pâle, mais cependant résolu, et il demanda de prime aux maréchaux s'il était à leurs yeux possible de reconquérir Mantoue.

— Sire, dit Créqui, il nous faudrait traverser le Milanais et affronter les Espagnols, puis entrer dans le Mantouan et affronter les Impériaux, à moins que les deux armées, apprenant notre approche, ne se réunissent pour nous écraser par le nombre.

— Schomberg, qu'en êtes-vous apensé ?

— L'entreprise, Sire, serait très périlleuse pour la raison qu'elle nous entraînerait beaucoup trop loin de nos bases.

— Mon cousin ? dit Louis en se tournant vers le cardinal.

— Sire, je pense, moi aussi, qu'il faut obéir à la géographie : Mantoue est beaucoup trop éloignée de nos frontières pour que nous courions le risque d'un combat douteux. À mon sentiment, il faut traiter, et par là au moins gagner du temps. Il faudrait, en fait, deux négociations : l'une avec l'Espagne au sujet de Casal pour laquelle nous demanderons l'entremise du pape et de Mazarini, l'autre qui tâcherait de régler sans intermédiaire notre différend avec l'Empereur.

À cet instant, je craignis fort d'être désigné pour l'ambassade d'Autriche en raison de ma connaissance de l'allemand, mais le cardinal avait sans doute prévu pour moi un autre emploi, car il demanda au père Joseph et à Monsieur Brulard de Léon s'ils étaient consentants à prendre langue avec les Impériaux. Le mot « consentant » dans la bouche du roi ou du cardinal m'ébaudissait toujours et le lecteur sait bien pourquoi. Mais cette fois-ci, il fit plus que m'ébaudir. Il me soulagea.

Le roi congédia alors tout son monde, mais demanda au cardinal et à moi-même de demeurer, ce qui m'étonna fort, mais me parut de bon augure pour ma nouvelle mission.

L'huis à peine reclos sur les partants, Richelieu, se tournant vers le roi, lui dit :

— Je n'ignore pas que Grenoble n'est pas si loin de Lyon, mais je suis béant que Monsieur de Marillac ait appris la chute de Mantoue presque aussi vite que nous, comme la lettre-missive que je reçois de lui ce jour me semble le prouver.

— Et que dit-il de la chute de Mantoue ? dit le roi.

— Je ne dirais pas qu'il en triomphe, ou qu'il s'en réjouit, mais visiblement ce grave revers de nos armées ne lui fait pas peine. Il m'écrit : « De ces mauvaises nouvelles nous devons en attendre de jour en jour beaucoup d'autres. »

— Quiconque prophétise des malheurs à autrui les souhaite en son for, dit Louis. Ce fol aime tant son Espagne qu'il la voudrait victorieuse partout, même de son pays.

— Je pense aussi, dit Richelieu, que la cabale va

tirer grand profit de cette victoire de l'ennemi, et que n'osant s'en prendre à vous, Sire, elle va crier haro sur le baudet. Et le baudet c'est moi. Sire, il m'est venu en pensée qu'il serait peut-être bon que vous regagniez Lyon pour calmer un peu les cabaleurs, afin qu'on ne m'accuse pas au surplus d'avoir escompté votre mort en vous retenant ès lieux infestés par la peste.

— J'y vais penser, dit Louis, avec l'air clos et cousu qu'il prenait toujours quand il ne voulait pas qu'on pût penser qu'il cédait en tout à Richelieu.

— Sire, dit le cardinal, il sera fait selon le désir de Votre Majesté, et si Votre Majesté se décide pour le départir, j'aimerais que le duc d'Orbieu parte aussi, ne serait-ce que pour reprendre langue avec le chanoine Fogacer et ses « pénitents ». Dieu sait à quel point, en ces troubles jours, nous avons besoin d'être tenus au fait des murmures et des machinations !

À la parfin, comme je l'avais prévu, le roi accepta et le retour et que je revinsse avec lui de Grenoble à Lyon, voyage qui est court sur la carte, mais qui fut long sur le chemin, par une chaleur insufférable. Pour comble de mésaise, nous fûmes cantonnés aux étapes dans des logis médiocres, oyant autour de nous des rumeurs de peste, laquelle, semblait-il, voyageait vers le Nord presque aussi vite que nous.

Je fis une partie du voyage dans ma carrosse, mais Louis m'invita par deux fois dans la sienne : une première fois avec Monsieur de Guron et le Révérend docteur médecin Bouvard, et une seconde fois, seul. Bouvard étant fort disert et Guron, grand bavard, Louis ne me voulut avec lui, je gage, que parce qu'il savait que je jaserais peu, du moins en sa présence, car avec Catherine, qui est rieuse et enjouée, je tiens fort bien ma partie dans le « babil des courtines ».

Observant que Sa Majesté, la nuque appuyée sur le coussin, gardait les yeux clos, j'en conclus qu'il dormait, ou faisait semblant, pour s'assurer de mon silence, tant est que je fermai à mon tour les paupières, et de prime, rêvai à mon père, à sa verte vieillesse si joliment dorée par le blond cheveu de Margot, à l'aimable et primesautier Miroul qui lui tenait compagnie, à Mariette qui lui faisait à merveille et le pot et le rôt, puis, passant de cette famille-là à cette famille-ci, j'entends ma Catherine et mon petit Emmanuel que j'allais revoir dans si peu de jours, ce peu lui-même augmentant mon impatience d'atteindre Paris. De les imaginer tous deux, mère et fils, en mon hôtel des Bourbons, m'attendrézit au point de m'enfoncer peu à peu en des rêves éveillés qui devinrent par degrés des rêves endormis.

— Eh quoi, *Sioac* ! dit Louis d'une voix mi-sérieuse, mi-rieuse, vous dormez ! Vous dormez en présence de votre roi ! Quel damnable manquement à l'étiquette !

— Ah, Sire ! dis-je en m'éveillant tout à plein, je vous demande mille pardons ! Mais vous voyant les yeux clos, Sire, j'ai pensé que vous étiez ensommeillé, et par degrés insensibles, j'ai glissé moi aussi dans le sommeil...

— Et vous avez bien de la chance, *Sioac,* dit Louis avec un grand soupir. Et du diantre si je n'aimerais pas être à votre place ! Mais quelque effort que j'y fasse, je n'en peux mais. Le sommeil me fuit.

— C'est que Votre Majesté se fait peut-être quelque tracassin au sujet de Mantoue.

— Nullement ! Mantoue n'est qu'un revers dans une guerre où il y aura nécessairement, des deux côtés, des échecs et des succès. Nenni ! Nenni ! Ce n'est pas Mantoue qui me point, c'est ma guenille.

— Votre guenille, Sire ?

— Comment, *Sioac* ? Ne savez-vous pas que c'est ainsi que nos grands dévots appellent le corps de l'homme ? Ils affectent de le dépriser, parce qu'il est périssable.

— Ma fé ! dis-je, si je suis guenille, je me trouve

fort bien accommodé de l'être, tant que je ne suis ni navré, ni mal allant.

— C'est là justement le point, *Sioac*. Je pâtis de maux de tête assez souvent, et ce jour d'hui ce n'est point le cas, mais je me sens néanmoins faible et comme étrange.

— Étrange, Sire ?

— Bouvard m'a pris ce matin mon pouls, et m'a assuré que je n'avais pas de fièvre. Je ne suis donc pas malade. D'autre part, je ne pâtis de rien, ni de la tête, ni du gaster, ni des entrailles. Mais je ne suis pas bien allant non plus, et comme on dit : je ne me sens pas dans mon assiette.

— Sire, c'est sans doute le branle de la carrosse et les mauvais gîtes où vous avez dormi. Mais dès que vous retrouverez votre belle chambre de l'archevêché de Lyon, ce mésaise, Sire, vous quittera et vous dormirez comme un ange.

— Le ciel t'entende, *Sioac* !

Louis me donna mon congé à l'étape, désirant sans doute se faire examiner par le docteur Bouvard, en raison de son « étrangeté ». Je regagnai alors ma carrosse où je trouvai Saint-Martin endormi et Fogacer le regardant dormir d'un air attendrézi. Le chanoine me fit signe de ne point parler, ce que je fis volontiers, mon bec à bec avec Louis m'ayant laissé triste et songeux. Toutefois, le silence ne dura pas, Saint-Martin se réveillant et Fogacer, soucieux de son éducation, entreprit aussitôt de lui décrire le palais archiépiscopal de Lyon.

— Au début, dit-il, ce n'était qu'un grand cloître dans le quartier Saint-Jean. C'est seulement au XIe siècle que Humbert Ier « *domum episcopalem cum turribus aedificavit* ».

— Et pourquoi des tours ? dis-je.

— Parce qu'au XIe siècle les bandes de mauvais garçons qui écumaient le pays s'attaquaient volontiers aux palais des archevêques pour piller l'or qu'ils pensaient y trouver.

— Mais, dis-je, ils étaient, dès lors, excommuniés.

— Peu leur chalait. Ces mécréants ne craignaient que la corde ou la roue. Et savez-vous que Richelieu plus tard consacra beaucoup de temps, de soin et de pécunes à ajouter deux voûtes à ce palais-ci, mais il n'a pu encore trouver les loisirs et les clicailles qu'il faudrait pour achever le gros œuvre au bord de la Saône.

— Le palais s'élève donc au bord de la rivière de Saône ? dit Saint-Martin d'un air joyeux.

— Oui, dit Fogacer, et c'est ce qui lui donne une partie de sa beauté. En outre, il est très éclairé, et en hiver fort bien chauffé.

Fogacer me demanda de descendre peu avant le palais, y ayant là une maison où demeurait un prêtre de ses amis qui les devait héberger, Saint-Martin et lui-même. L'ayant déposé, je poursuivis seul mon chemin dans une rue peu encombrée, en ces matines, de charrettes, de piétons et de cavaliers, à telle enseigne que ma carrosse rattrapa la carrosse du roi. Je le vis en sortir devant moi pour gravir le degré du palais. Je le suivis à respectueuse distance, mais m'arrêtai tout à plein quand je vis surgir sur le dernier degré la reine-mère. Elle s'y tenait immobile, massive, la lippe hautaine, le sourcil levé, l'œil en flamme, et fort semblable à une marâtre qui, le fouet en main, se prépare à chanter pouilles à un galopin qui a manqué l'école.

— Eh bien, Monsieur mon fils, dit-elle d'une voix rude, vous voilà bien avancé ! Vous avez perdu la guerre ! et à qui la faute, sinon aux bons conseils que vous a baillés Richelieu ! Est-ce que les écailles ne vous tombent pas enfin des yeux ? Et qu'attendez-vous meshui pour le renvoyer ?

— Madame, dit le roi avec un grand salut, mais l'œil étincelant et la voix glaciale, je n'ai pu perdre Mantoue, car Mantoue n'était pas à moi, donc je n'ai pas perdu la guerre. En revanche, j'ai conquis Suse,

Pignerol et toute la Savoie. Et je détiens toujours Casal. Quant à Monsieur le cardinal, quoi qu'en disent les ignorants, c'est le meilleur serviteur que la France eut jamais.

Là-dessus, le roi fit à sa mère un autre grand salut, et contournant ce monument d'orgueil et d'obstination, il entra à grands pas dans l'archevêché, et gagnant sa chambre, sur un signe qu'il fit en se retournant, je l'y suivis.

— *Sioac* ! dit-il en se jetant sur son lit épiscopal, avez-vous ouï cette mère rabaissante ? Elle ne m'a pas vu depuis trois mois, et tout ce qu'elle trouve à me dire c'est : « Vous avez perdu la guerre ! Renvoyez donc le cardinal ! » Que diantre ai-je fait aux Dieux pour avoir une mère de cette étoffe ! *Sioac,* écrivez sans tant languir au cardinal de venir me retrouver à Lyon. De toute manière, avec cette peste qui se répand partout, il faut faire une trêve avec l'ennemi, et pour cela, il nous faut le cardinal. Quant aux maréchaux, qu'ils demeurent à Grenoble pour prendre soin des troupes et les empêcher de déserter. Courez, *Sioac,* écrivez cette lettre et me la rapportez céans. Vous verrez, dit-il avec rage, que la reine-mère va me demander tous les jours, à toute heure et à toute minute, de renvoyer le cardinal. Qui vit jamais une aussi obtuse obstination ?

Le lendemain de son arrivée, le roi, après une bonne nuit de sommeil dans le bon lit de l'archevêché, me parut fort rebiscoulé et ne se sentant plus las, ni « étrange », comme il voulut bien me le dire à son réveil, après que Bouvard lui eut pris son pouls. L'arrivée, deux jours plus tard, de Richelieu acheva de le remettre comme il avait dit « dans son assiette ». Le cardinal apportait une nouvelle non point bonne, mais à court terme fort bien venue. Grâce à l'astuce et l'obstination de Giulio Mazarini, les Espagnols avaient accepté une cote mal taillée pour Casal : Toiras et les Français conserveraient la citadelle, et les Espagnols occuperaient la ville et le château. Cette trêve devait durer jusqu'au quinze octobre. À cette date, si l'armée française n'apparaissait pas sous les murs de Casal, Toiras devrait quitter la citadelle avec ses troupes.

Cette trêve me parut cependant si étrange que je m'en ouvris à Fogacer, car ce n'était sans doute pas sans quelque incitation papale que Mazarini l'avait imaginée et imposée aux belligérants.

— Mon ami, dit Fogacer, maintenant que les Impériaux se sont emparés de Mantoue, leur armée a les mains libres et les Espagnols ne souhaitent aucunement qu'ils viennent leur prêter main forte sous Casal, et le pape moins encore. Car bien qu'Espagnols et Impériaux soient poussins de la même couvée Habsbourg, il ne s'ensuit pas qu'ils s'aiment d'amour tendre, les Ibériques trouvant les Impériaux bien trop envahisseurs et envahissants, et le pape aussi.

Chose étrange, j'ai beau fouillé mes mérangeoises, j'ai failli et faillirai à jamais, je crois, à me ramentevoir quel jour exactement le roi fut saisi à Lyon par la maladie qui fut à deux doigts de l'emporter. Fut-ce le samedi vingt et un septembre 1630, ou le dimanche vingt-deux ? Il m'est impossible de l'acertainer, et quand on en appelle à la mémoire de ceux qui se trouvaient là, les uns disent le vingt et un et les autres le vingt-deux. Je sais bien que la date est un détail futile, quand il s'agit d'un événement de si grande conséquence qu'il faillit changer, et changer pour le pire, les destinées du royaume. Néanmoins, je trouve quelque peu déquiétant que l'Histoire ne puisse même pas préciser une date aussi mémorable.

La reine-mère, avant le retour de Louis à Lyon, logeait à l'archevêché, mais au retour du roi, soit qu'elle trouvât Lyon trop étouffant même en septembre, soit qu'elle préférât loger assez loin du roi afin de recevoir à son aise des personnes hostiles à sa politique, elle s'était transportée de l'autre côté de la Saône et demeurait à l'abbaye d'Ainay, site plus champêtre, en effet, où elle convia son fils à tenir un Grand Conseil à la date que je n'ai pas, plus haut, pu préciser.

Rien ne se passa en ce Conseil qui n'eût pu être prédit d'avance. Avec véhémence, la reine-mère et Marillac plaidèrent pour la paix à n'importe quel prix. Le reste du Conseil, trouvant déshonorant de tout abandonner, voulait poursuivre la lutte. Et le roi ayant opiné comme chacun s'y attendait en ce sens, Marillac et la reine sortirent une fois de plus fort déconfits de cette confrontation.

Or, à peine fûmes-nous hors de l'abbaye d'Ainay que la maladie du roi commença : le roi chancela, posa sa main pour rétablir son équilibre sur l'épaule de Richelieu, se plaignit d'une voix étouffée d'un subit mal de tête et d'être parcouru par des frissons. Richelieu le fit entrer dans sa carrosse, et ne voulant pas perdre du temps à faire le détour jusqu'au pont, lui fit traverser la Saône en barque, ce qui l'amena en face du palais épiscopal. Nous le soutînmes de dextre et de senestre pour monter les degrés, et à peine dans sa chambre, on appela ses médecins.

Mais déjà les coquebins, les pimpésouées et les clabaudeurs de cour semaient partout la panique dans le palais en criant aux quatre vents que le roi avait attrapé la peste et que la peste s'allait répandre dans le palais et nous tuerait tous et toutes.

Ayant déshabillé Louis avec l'aide de Beringhen, le docteur Bouvard vit aussitôt qu'il n'en était rien, et sur la prière instante de Richelieu, alla sur le seuil de l'huis rassurer les courtisans dont certains disaient déjà qu'ils allaient, pour éviter la contagion, faire leurs bagages et vider les lieux. J'accompagnai Bouvard afin de faire taire les plaintes, les sanglots et les hurlades de ces coquefredouilles. À notre vue, ils se reculèrent avec autant d'horreur que si nous fussions nous-mêmes pesteux. Je criai d'une voix de stentor que le roi n'avait pas la peste, et les priai ensuite de faire silence afin que le docteur Bouvard pût se faire ouïr. Et tel est l'ascendant d'une voix forte sur une foule aux abois qu'aussitôt le silence se fit.

— Il est absolument certain que le roi n'a pas la peste, dit Bouvard, pour la raison qu'il ne présente aucun des signes qui caractérisent cette intempérie. Il n'a pas le bubon, il n'a pas les charbons et il n'a pas le pourpre.

Toutefois, la foule des courtisans ne fut qu'à demi rassurée par ces mots qu'elle ne connaissait pas, et je conseillai à Bouvard d'expliquer en langue vulgaire les termes dont il s'était servi, ce à quoi il ne consentit que de très mauvaise grâce, tant nos médecins aiment entourer de mystère le savoir qu'ils ont acquis. « Qui pis est, me contait mon père, quand un médecin a trouvé un remède efficace contre une intempérie, il se garde bien de le communiquer à ses confrères, afin d'en garder pour lui seul la gloire et le profit. »

— Voici, dit Bouvard, à quoi on reconnaît qu'un homme est atteint de la peste : *primo,* par un gros aposthume qui lui tend la peau de l'aine droite et qu'on appelle le *bubon. Secundo,* par des pustules noires sur le ventre qu'on appelle les *charbons.* Et *tertio,* par de petits boutons de couleurs variées sur la poitrine qu'on appelle le *pourpre.* Sa Majesté ne présente aucun de ces symptômes. Adonc, elle n'a pas la peste.

Je repris alors la parole pour recommander d'un ton ferme aux personnes présentes de se retirer chacun dans sa chacunière et sans noise ni bruit afin que le roi pût reposer en paix. Là-dessus, une douzaine d'archers, commandés par le comte de Guiche, survinrent pour garder l'huis, et les courtisans à leur vue se retirèrent de la chambre royale, quoique avec lenteur et mauvaise grâce. Je sus plus tard que, ne pouvant plus parler de peste, ils se consolèrent en attribuant la maladie du roi à la seule responsabilité du cardinal qui avait entraîné Sa Majesté en des lieux empestés. Thèse ouvertement acceptée et même soutenue par la reine Anne qui, encontrant Richelieu dans un couloir, lui dit d'une voix encolérée : « Voilà ce qu'a fait ce beau voyage ! »

Bouvard appela en consultation tous les médecins de la Cour, lesquels constatant, d'une part, que le ventre du roi était dur et gonflé et, d'autre part, qu'il rendait continuellement une diarrhée sanguinolente par « la porte de derrière », souffrait de dysenterie. Ayant établi ce diagnostic, ils prescrivirent une saignée, ce qui me parut fort étonnant étant donné tout le sang que le roi avait déjà perdu. Quand plus tard je contai l'affaire à mon père, il en rugit de rage. Lecteur, tu aurais tort de penser, en effet, que tous nos médecins étaient partisans de la saignée, mode venue d'Italie et qui reposait sur une comparaison inepte : quand l'eau d'un puits devient mauvaise, il suffit d'en tirer de bonnes quantités pour que le puits vous donne derechef une eau claire et buvable. De même, quand un homme est malade, il suffit de lui tirer du corps son sang pourri pour que son corps fabrique derechef du sang pur et sain. Mais comment diantre sait-on, disait mon père, si le sang qu'on tire est pourri ou non ?

Pendant deux jours la fièvre de Louis ne cessa de monter, la diarrhée sanguinolente se poursuivant. Le souffle devenait court et par moments tombait dans la suffocation.

Au père Suffren qui tâchait de le consoler, le roi répondit d'une voix faible, mais ferme :

— Quand vous verrez que je suis en danger, ne manquez pas de m'en avertir à temps. Je ne crains aucunement de mourir.

Le vingt-sept septembre, le père Suffren, n'osant

lui dire que les médecins le tenaient pour perdu, lui dit que ce jour-là étant l'anniversaire de sa naissance, en cette occasion il serait bon qu'il communiât.

— J'en serai aise, dit Louis. Et d'autant que je crains fort que la date de mon anniversaire ne soit aussi celle de ma mort...

Puis il reprit sans que son visage se voilât le moindrement de tristesse, de regret ou de crainte :

— J'ai au jour d'hui vingt-neuf ans.

Je ne sais comment expliquer ou m'expliquer pourquoi, avant une agonie, il y a souvent un moment où le malade paraît reprendre des forces, comme si l'intempérie faisait mine de l'épargner pour revenir plus forte et l'emporter.

Cette rémission ne faillit pas chez Louis qui parut aller mieux dans la nuit du vingt-huit au vingt-neuf. Mais le vingt-neuf au matin survint une rechute brutale. À partir de onze heures, Louis perdant une abondance de sang, on le tint pour définitivement perdu, et de nouveau il se confessa et communia. Le malheureux roi, que pouvait-il dire de plus au père Suffren qu'il n'avait dit déjà deux jours plus tôt ? Pèche-t-on sur un lit d'agonie ?

Quand il eut communié, Louis se ramentevant que le roi de France doit naître et mourir en public, commanda d'ouvrir l'huis de sa chambre à deux battants. Les courtisans entrèrent, et réduits au silence par l'aspect décharné de Louis, ils s'agenouillèrent et le roi leur dit :

— Je demande pardon à tous ceux que j'ai offensés et ne mourrai pas content si je ne sais pas que vous me pardonnez.

Il y eut alors un incident très remarquable mais qui dans le tragique de l'heure passa presque inaperçu. Louis fit signe à sa femme d'approcher et la baisa en silence sur les deux joues. Il fit signe aussi à Richelieu, et à son tour l'embrassa.

Mais à aucun moment il n'appela sa mère à son chevet. Sur son lit de mort il demandait pardon à tous, mais à elle, il ne pardonnait rien, si profonde encore était la blessure que le désamour et le déprisement maternels lui avaient en sa brève vie infligée. Se peut aussi qu'étant une âme si consciencieuse, il pensât qu'il ne convenait pas de faire un geste ou de feindre un sentiment à son égard qui ne lui viendrait pas du cœur.

Le docteur Bouvard demanda au grand chambellan de prier les courtisans de se retirer dans la galerie, les deux battants de l'huis demeurant déclos, afin que la chambre royale ne devînt pas étouffante en raison de leur nombre. Ce qu'ils firent sans plus de noise qu'il n'en fallait, la plupart, pressentant que la veillée serait longue, s'asseyant sur le tapis. Seuls demeurèrent autour du lit, assis sur des chaires à bras, la reine-mère, la reine, Gaston, Marillac et Richelieu. Les médecins, les gentilshommes de la chambre du roi et moi-même nous nous tenions en retrait, debout pour la plupart. Toutefois, le docteur Bouvard, qui me connaissait de longue date, me fit porter un tabouret par un valet, ce qui me soulagea fort, car les reins au bout d'une heure me doulaient, et les jambes me rentraient dans le ventre d'être resté si longtemps debout.

À la demande du roi, la chambre était éclairée à profusion par des chandeliers portant des bougies parfumées, et je voyais fort bien, entourant le lit de l'agonisant, les visages de cette famille qui aimait si peu son roi.

Anne d'Autriche était peut-être encore la plus tourmentée, mais pour des raisons touchant beaucoup plus à son propre destin qu'à celui de Louis. Bien qu'elle eût été plus d'une fois enceinte, jamais aucune de ses grossesses n'avait abouti, et n'ayant pas donné de dauphin à la France, une fois devenue veuve, elle ne serait plus rien à la Cour. Son unique espoir, et elle le caressait depuis longtemps, serait d'épouser Gaston. De reste, elle avait toujours eu beaucoup de penchant pour lui, son peu de cervelle s'accommodant fort bien de la légèreté de Gaston et de ses clabauderies. Mais que ferait Gaston devenu roi ? Quelle fantaisie entrerait alors en ses mérangeoises d'épouser telle ou telle ? Il se reprenait aussi vite qu'il se laissait prendre. Il était la marotte de ses conseillers, sa tête était une sorte de moulin tournant au souffle de leur fantaisie. Anne, bien sagement assise sur sa chaire à bras, tenait à la main un mouchoir de dentelle qui donnait à penser que, le moment venu, elle pourrait verser quelques pleurs. Cependant, elle jetait des regards subreptices à Gaston qui ne les apercevait même pas, étant ébloui et comme soulevé de terre par l'idée qu'il allait devenir roi. À mon sentiment, le premier acte de son règne serait tristement semblable à celui de la reine-mère quand Henri IV fut poignardé : il irait vider incontinent, à son seul usage, les coffres du Trésor, et ayant raflé tous les écus qui eussent permis au royaume de maintenir une puissante armée, il ferait à n'importe quel prix la paix avec l'Espagne...

Massive, les hanches débordant de sa chaire à bras, le torse droit et le port de tête arrogant, la reine-mère regardait Louis se débattre dans les bras de la mort avec une face qui laissait paraître une affliction de bon aloi. En réalité, de ses six enfants, elle n'avait jamais aimé que le moins aimable : Gaston.

Bien qu'elle n'en laissât rien paraître, et ne l'eût jamais avoué, cette agonie était pour la reine-mère un jour de gloire et de revanche. En 1617, son fils, une fois majeur, lui avait arraché par la force le pouvoir légitime qu'elle lui refusait illégitimement. Qui pis est, il l'avait exilée, et même s'il l'avait à la parfin rappelée, elle n'avait jamais reconquis une parcelle de pouvoir. Et de même qu'elle considérait qu'étant la mère du roi, elle avait tous les droits, et lui tous les devoirs, de la même façon le pouvoir politique par là même devait lui revenir : ce pouvoir qu'elle aimait tant et qu'elle exerçait si mal. Meshui, grâce à Dieu, les années d'impuissance et d'humiliation étaient terminées. Elle faisait son affaire de Gaston, une fois qu'il serait devenu roi. Il avait peu d'intérêt pour les grandes affaires et ne se plaisait qu'à ses plaisirs. Pourvu qu'il fût bien garni en pécunes, tout le reste lui importait peu. Elle régnerait donc sans conteste. Quant à Richelieu, le roi ayant quitté cette terre, il ne serait plus qu'un proscrit, menacé de toutes parts par les haines et les hallebardes. Si tant est que ce ne serait pas là pour lui une mort trop douce encore.

Quant à Monsieur de Marillac, assis à côté d'elle, il priait, s'étant pardonné de ne pas prier à genoux, vu son âge et ses infirmités. Je voyais ses lèvres remuer, et si je savais par cœur les prières qu'il récitait, comment eusse-je pu connaître aussi les pensées qui les accompagnaient ? Et pourtant, je m'y essayai. Car enfin notre dévot touchait au but. Jusque-là, il n'avait jamais obtenu du roi ou de Richelieu qu'ils entendissent que la seule politique digne d'un roi catholique était celle du concile de Trente, et qu'au lieu d'accorder, après la guerre du Languedoc, aux protestants « l'odieux » Édit de grâce, il eût fallu bien au rebours éradiquer à jamais du royaume et de l'Europe entière le culte de l'hérésie et de ceux qui la professaient. Pour cette tâche immense, une profonde entente de la France avec les Impériaux et les Espagnols s'avérait nécessaire. Et pour redevenir leurs amis, il faudrait assurément faire quelques petites concessions : renoncer à Pignerol, à Suse, à Casal, abandonner nos amis italiens, et mettre fin à ces guerres si ruineuses pour le royaume que le mécontentement populaire en France provoquait partout des émeutes.

Je voudrais que le lecteur se ramentoive ici que

Monsieur de Marillac était un homme infiniment respectable. Catholique sincère, époux fidèle, père rigide mais affectueux, charitable aux pauvres, et enfin ministre intègre, capable et laborieux, il menait une vie austère qui n'était faite que de devoirs et de vertus. Cependant, il y avait deux défauts à cette étincelante cuirasse. Le premier, c'est qu'oyant chaque dimanche à messe le devoir évangélique d'aimer son prochain, il pût en même temps appeler de ses vœux les plus ardents le massacre d'un million de protestants.

Un second défaut s'était glissé dans cette belle armure, car le combat de Monsieur de Marillac n'était pas absolument pur de tout intérêt personnel. Il n'ignorait pas que le triomphe de sa politique serait aussi le sien, car Richelieu disparu de cette terre, la reine-mère l'appellerait à coup sûr à le remplacer.

Quant au cardinal, assis au milieu de cette famille royale qui désirait si furieusement et la mort du roi et la sienne, il ne regardait personne, et personne ne lui faisait l'aumône d'un regard. On eût dit qu'il allait quitter le monde avec le dernier souffle du moribond. Tant est que, voyant avec un immense chagrin disparaître de sa vie le maître qu'il servait avec tant de dévouement et d'amour, Richelieu se demandait s'il n'était pas déjà plus mort que vif.

*

Ce qui suivit fut considéré comme un miracle par tous ceux qui se trouvaient là. Sur les onze heures du soir, la diarrhée sanguinolente reprend, plus forte que jamais. On croit le patient perdu, puisqu'il se vide, mais c'est ce qui, précisément, le sauve. Louis ne souffrait pas de dysenterie comme le croyaient les médecins, mais d'un abcès intestinal qui, par bonheur, creva et s'évacue maintenant avec le sang.

La convalescence s'avéra aussi rapide qu'avait été foudroyant le début de la maladie. La fièvre tomba, le douloir disparut, le malade s'endormit paisiblement. Le lendemain, il demanda à se lever et à souper.

Pour Marillac et pour la famille royale, que d'espoirs perdus ! que d'ambitions déçues ! et que de haines cuites et recuites, et maintenant inassouvies !

Cependant, la partie n'est pas encore perdue : les deux reines en secret confabulent. Le roi est encore faible et dolent. Ne pourrait-on pas tirer avantage de sa faiblesse pour lui arracher, par les voies les plus douces, le renvoi de Richelieu ?

Essuyant d'absentes larmes avec son mouchoir de dentelle, la reine Anne vient s'asseoir avec grâce au chevet de son époux, et charmante en son désarroi, lui dit son immense soulagement, dans l'état où elle est (attendant de nouveau un dauphin), de le voir sain et sauf après avoir souffert mal de mort à la pensée de le perdre... Là-dessus, elle le prie, elle le supplie de renvoyer Richelieu, « la cause de tous nos maux et du vôtre, Sire, en particulier ».

Louis est à son tour fort galant. Il exprime à la reine son espoir et ses vœux pour que sa grossesse, cette fois, aboutisse, et lui fait « de grandes excuses pour n'avoir pas bien vécu avec elle jusque-là ».

Est-ce là générosité ou ironie ? Car c'est bien plutôt cette tête folle qui devrait s'excuser, et de sa légèreté dans l'affaire Buckingham, et de son trouble rôle dans l'affaire Chalais, et par-dessus tout, des renseignements traîtreux qu'elle a donnés pendant si longtemps à l'Espagne sur la politique de la France.

Mais Louis se sent trop faible pour ne pas se ménager et par conséquent pour ne la ménager point. Outre qu'il est fort déquiété en son for par l'indélicatesse d'une telle démarche en un tel moment, il ne veut pas entamer avec Anne une querelle qui se répéterait tous les jours. « M'amie, dit-il, vous avez mille fois raison, mais vous entendez bien que je ne pourrai accéder à vos vœux tant que la paix ne sera pas signée avec l'Espagne. »

La petite reine prend pour argent comptant cette réponse dilatoire. Elle court la rapporter triomphalement à la reine-mère, à qui ce triomphe déplaît fort, car s'il y a quelqu'un en ce monde à qui le roi doit céder, c'est à sa mère, et à nulle autre. Elle décide donc, de tout son poids, d'emporter le morceau.

Cette seconde démarche horrifie le roi. S'il n'estime guère la reine Anne, en revanche, il éprouve pour elle un certain attachement. Bien qu'il y ait eu au début quelques difficultés à « parfaire son mariage », il a depuis triomphé de ces réticences. Le docteur Bouvard, à qui la chambrière de nuit rapporte chaque matin ce qui s'est passé entre les deux époux, tient un compte rigoureux des rapports amoureux du couple royal. Il remarqua avec bon sens que si le roi ne faisait l'amour avec son épouse qu'une fois par nuit, cela voulait dire qu'il remplissait son devoir monarchique et désirait un dauphin. Mais s'il le faisait deux ou trois fois, cela signifiait de toute évidence qu'il y prenait plaisir. Le docteur Bouvard tordait ainsi le cou par avance à toutes les légendes qui allaient courir sur la frigidité de Louis, tant il est vrai que la malignité et la médisance ont toujours la vie plus dure que la simple vérité.

Avant même que la reine-mère s'assoie majestueusement, non pas au chevet, mais sur une chaire à bras à côté du lit, Louis sait ce qu'elle va lui demander, en quels termes, et s'il lui dit non, avec quelles hurlades elle accueillera ce refus. Aussitôt, Louis prend les devants avec l'humilité qui convient à un bon fils en présence d'une mère vénérée. Il sait, dit-il, ce qu'elle va lui demander et il accède à sa requête bien volontiers. Sa décision est prise. Mais l'exécution sera quelque peu retardée car, bien entendu, il ne peut rien faire avant son retour à Paris...

Autre réponse dilatoire, et le seul fait qu'il y en ait deux, l'une pour Anne et l'autre pour elle-même, devrait mettre à la reine-mère puce au poitrail. Mais la *finezza* n'est pas son fort. Elle exulte : elle est venue, elle l'a vu, elle a vaincu. Cependant, le roi lui ayant fait promettre le secret, elle ne peut pas proclamer tout de gob sa victoire autant qu'elle eût voulu, tant qu'il n'aura pas regagné le Louvre.

Louis était si impatient en effet de retourner en Paris — où il pensait qu'au bon air de Versailles il se remettrait tout à fait — qu'il décida de départir sans la Cour, ni les reines, ni Richelieu. Cependant, ayant reçu à Roanne le traité de paix que le père Joseph et Brulard de Léon avaient signé avec l'Empereur à Ratisbonne, il en fut fort indigné, et le dépêcha par courrier rapide à Richelieu avec ordre, quand il arriverait à Roanne, de réunir un Grand Conseil sous la présidence de la reine-mère à seule fin de discuter du traité et de le rejeter.

Quand Richelieu lut à son tour ledit traité, il jeta feu et flammes : ce n'était pas un traité, mais une capitulation ! Nous rendions tout : Pignerol, Suse, Casal, et l'Empereur, lui, ne rendait rien, et surtout pas Mantoue qu'il venait de conquérir. Nous abandonnions en fait nos alliés italiens et par cette trahison la France devenait l'alliée de l'Empereur, sinon même sa vassale.

Richelieu ne sut que plus tard ce qui s'était passé dans l'esprit de nos envoyés. Ayant appris à Ratisbonne que Louis étant mourant, ils en avaient conclu que le cardinal ne tarderait pas à périr lui aussi, et que dans le chaos qui en résulterait, Gaston et la reine ayant si peu le sens des grandes affaires, il valait mieux faire la paix avec l'Empereur à quelque prix que ce fût.

Quand je sus qu'on allait débattre à Roanne, en l'absence du roi, et sous la présidence de la reine-mère, j'augurai du pire, mais la reine-mère, qui croyait en sa pauvre jugeote qu'à peine Richelieu revenu à Paris il serait par Louis renvoyé, jugea inutile de combattre le roi sur ce terrain, et d'autant plus que l'unanimité du Conseil regardait ledit traité comme infâme et déshonorant. Marillac fut donc bien le seul à prendre parti pour lui. Depuis la guérison du roi, il vivait de sombres jours et avait vu s'éloigner de lui les deux grands desseins de sa vie : la conquête du pouvoir et l'éradication de l'hérésie. Aigre et rageur, il attaqua Richelieu sur un insignifiant détail du traité, insinuant que sur ce détail Richelieu avait menti. Cette petite guérilla ne servit à rien. Le traité fut rejeté et ordre fut donné aux maréchaux de poursuivre la guerre en Italie.

Richelieu partit fin octobre pour Paris, je l'y suivis, mais au lieu de prendre le bateau sur la rivière de Loire avec la reine-mère et Richelieu, tous deux s'entendant à merveille, à tout le moins en apparence, je poursuivis en carrosse et arrivai en Paris le cinq novembre, et touchai terre à la parfin à mon hôtel des Bourbons, sur le coup de midi.

À mon entrant, il se fit naturellement quelque bruit et je fus reçu sur le degré, non point par Catherine comme je m'y attendais, mais par Henriette, laquelle me parla, mais en n'envisageant que Nicolas :

— Monseigneur, dit-elle, ne vous alarmez pas. Madame la duchesse est au lit.

— Serait-elle mal allante ? dis-je fort déquiété.

— Nenni ! Nenni ! Dolente tout au plus. Et la preuve en est qu'elle s'est baignée et pimplochée. Depuis votre lettre de Roanne, elle vous attend tous les jours, à toute heure, et à part les moments qu'elle passe avec Emmanuel, elle se réfugie sous son baldaquin, les courtines tirées. Ce n'est pas là une maladie, Monseigneur, poursuivit Henriette avec un petit sourire. Ou alors, si c'en est une, j'en pâtis tout autant.

Ayant dit, Henriette se jeta dans les bras de Nicolas avec fougue et l'étreignit, tandis que je les dépassais et montais le degré en courant.

— Monsieur, dit Catherine en écartant à mon entrant les courtines du baldaquin, vous êtes un méchant de me déserter si longtemps ! Et n'allez pas me parler de vos devoirs ! Votre premier devoir, c'est moi ! Toutes ces guerres et intrigues ne sont que billevesées ! Votre place est ici, avec moi, défaites-vous, je vous prie, sans tant languir.

— Mais, m'amie, dis-je, je ne suis ni lavé, ni rasé.

— Mieux encore, je vous aurai à l'état de nature, comme le sauvage que vous êtes, la Dieu merci, au fond de votre cœur. M'avez-vous trompée, dites-moi ?

— Madame, je vous ai été d'un bout à l'autre de ce voyage adamantinement fidèle.

— Le jurez-vous ?

— Je le jure par tous les saints, sur votre tête, sur la mienne, sur celle d'Emmanuel, de Nicolas, d'Henriette, et de tout le domestique.

— Vous êtes un grand fol, Monsieur, et vous lambinez à vous dévêtir comme le dernier des niquedouilles. Ne pouvez-vous sauter hors de votre vêture au lieu de la délacer ? Dites-moi, m'avez-vous été fidèle ?

— Madame, je viens de le dire et je le répète : adamantinement.

— Et vous me le jurez ?

— De nouveau, je vous le jure.

— Savez-vous que si vous osez me mentir, je vous enfoncerai mes griffes dans le cœur !

— Madame, seriez-vous donc en mon absence panthère devenue ? Et vais-je hasarder ma vie à vous mignoter ?

— Et vous, Monsieur, seriez-vous assez couard devenu pour n'oser m'approcher ?

— Fi donc ! Fi donc ! dis-je, je vous le veux prouver, Madame, dans la minute.

Sur quoi, je la rejoignis derrière les courtines, et les minutes qui suivirent furent assurément perdues pour toute conversation sérieuse.

Nos tumultes apaisés, je voulus voir Emmanuel, lequel, à ce que j'avais ouï, couchait dans le cabinet adjoint à notre chambre. Honorée était avec lui, toujours aussi bien dotée par la nature, et à mon entrant elle me fit une profonde révérence, moitié par respect et moitié, je pense, pour que je m'assurasse que ses globes prodigieux étaient toujours là. Ce que je vis, et ce qui fit que Catherine griffa ma main en tapinois en me disant *sotto voce* d'une voix sifflante : « Seriez-vous ému par ces énormités ? »

« Que nenni ! » dis-je, faisant le chattemite, et dans mes bras je pris Emmanuel, à qui mon visage, qu'il avait dû oublier pendant ma longue absence, ne parut pas toutefois déplaire, car aussitôt, avançant sa main potelée, il me tira la moustache. « Quelle famille ai-je là ! dis-je en riant : l'un me tire la moustache, l'autre me griffe la main ! »

Mais cette longue sieste — qu'elle fût, comme eût dit Perrette, bougeante ou paressante — ne pouvait pas s'arrêter là, et recouchant Emmanuel, et remerciant Honorée sans la regarder plus bas que le menton, je regagnai avec Catherine notre lit, notre baldaquin et nos courtines, comme s'ils eussent été un miraculeux bateau à l'abri de toutes les tempêtes de l'océan, mais non des nôtres.

— Mais que vois-je? dit Catherine, tandis que rompu, repu et soufflant fort, je fermais à demi les yeux. Vous iriez vous ensommeillant? En ma présence ! à mes côtés ! alors que j'ai tant de questions à vous poser !

— M'amie, dis-je avec un soupir, posez, posez ! Je vous répondrai de mon mieux !

— Est-il vrai que Louis à Lyon était à deux doigts de la mort ?

— C'est vrai.

— Et qu'il s'en est tiré par miracle?

— Le miracle, m'amie, fut qu'un abcès qu'il avait dans ses entrailles creva et fut évacué.

— Est-il vrai, comme toute la Cour le dit, que Louis mort, le cardinal aurait été exécuté?

— C'est hélas infiniment probable. Beaucoup de gens avaient juré sa mort : d'Épernon, La Rochefoucauld, Marillac.

— Le ministre?

— Nenni! Son frère, le maréchal de France. D'aucuns ont même proclamé, comme Monsieur de Troisville, enseigne aux mousquetaires, que si on lui en donnait l'ordre, il ferait ce que Monsieur de Vitry avait fait en 1617 à Concini : il tirerait à l'improviste une balle de pistolet à bout portant dans le visage du cardinal.

— Et vous, qui êtes un de ses plus fidèles serviteurs, vous tuerait-on aussi? dit Catherine, la voix trémulante.

— C'est peu probable. Quand un Grand est condamné, on ne tue pas ses serviteurs, car on estime que c'était leur devoir de servir fidèlement leur maître.

— Donc, vous seriez sauf.

— Pas tout à fait. On pourrait, se peut, me bannir de la Cour, et même de Paris. Nous devrions alors aller vivre à Orbieu, et on ne me donnerait plus de missions. De reste, peu me chaudrait. Je n'aimerais pas servir la politique espagnole de la reine-mère et de Gaston.

Il y eut alors un silence, et interprétant ledit silence, j'en conclus que Catherine serait assez dépitée d'être bannie de Paris, mais, en revanche, fort débarrassée des appréhensions que lui donnaient mes absences. D'autre part, si peu que j'allasse à la Cour, elle serait ravie que j'en fusse banni, car elle voyait la Cour comme une armée de vertugadins affamés qui n'avaient en tête que les hauts-de-chausses des gentilshommes.

— Êtes-vous bien assuré qu'on ne vous tuerait pas ? dit-elle.

— Oui-da ! Outre que je serais toujours bien gardé, on n'oserait pas s'en prendre au filleul de la duchesse douairière de Guise.

— Une question encore !

— La dernière ?

— Oui-da, je le jure au nom de ma sainte patronymique. Est-ce que la cabale contre le cardinal va se poursuivre, dès lors que la paix semble se dessiner ?

— Paradoxalement, plus que jamais, m'amie. Car toute raison est absente de ces cervelles-là.

CHAPITRE XI

— Belle lectrice, un mot de grâce !

— Comment, Monsieur ? C'est vous qui ce jour d'hui m'interpellez ! Ma fé ! Quel étrange renversement des rôles ! Que diantre se passe-t-il et qu'avez-vous affaire à moi ?

— Vous voyant, Madame, si assidue à lire l'un après l'autre les volumes de mes Mémoires, j'aimerais savoir ce que vous pensez de Louis.

— Pour dire le vrai, de prime peu de bien. Son désamour pour le *gentil sesso,* son retard à « parfaire son mariage », le fait qu'il vivait plus volontiers avec ses favoris qu'avec son épouse, son caractère clos et cousu, et dès lors qu'il frappait, son implacable justice, ne me l'ont pas rendu très aimable. J'ai même cru discerner chez lui un soupçon de méchantise dans la façon dont, selon le mot que vous employez, il *tantalisait* les gens qu'il voulait punir, c'est-à-dire en leur faisant croire par son retardement qu'ils allaient échapper à son ire. N'est-ce pas très surprenant chez le roi très chrétien ? Et à quoi attribuez-vous ce raffinement dans la punition ?

— À sa jeunesse, Madame, odieusement brimée par sa mère et par les Concini. C'est à ce moment-là que Louis apprit à attendre, à se taire, à attendre encore, à mâcher, à remâcher ses ressentiments, jusqu'au moment où à seize ans, ayant méticuleusement choisi ses acolytes et de main de maître organisé un complot, il frappa vite et durement. Il mit à mort les Concini, et exila sa mère. Et ce jour d'hui encore, malgré cela, les clabaudeurs de cour continuent à dire de lui qu'il est faible, mou, hésitant et un toton [1] dans les mains de Richelieu. Faut-il que l'erreur ait un cou cuirassé pour qu'il soit, même ce jour d'hui, si difficile à tordre!

*

— Si j'entends bien, Monsieur, de ces temps difficiles qui ont marqué sa jeunesse, Louis a pris l'habitude du silence et de la temporisation, et elle est devenue pour lui, avec le temps, une méthode de gouvernement. Il rassure ses ennemis par ses silences, ou de fausses promesses, et le moment venu, alors qu'ils croient avoir partie gagnée, il frappe.

— *Bene! Benissimo,* belle lectrice! comme dirait Mazarini.

— Ah, Monsieur! Merci de vos éloges! Ils me font le plus grand bien, et pour tout dire, je suis toujours très raffolée des compliments qu'on me baille. Tant est que je ne laisse pas de m'en ouvrir quand et quand à mon confesseur.

— Et qu'en dit-il?

— Il me blâme pour ma vanité.

— Et à mon sentiment, Madame, il a tort. Comment peut-on aimer les autres — ce qui est à la fois la joie et le devoir de la vie — si on ne s'aime pas de prime soi-même? Les bilieux, les mécontents, les misanthropes, les atrabilaires sont de pauvres amants de l'humanité...

— Monsieur, je jette cette rafraîchissante remarque dans l'escarcelle de ma remembrance et

1. Une toupie.

j'en ferai à l'occasion un onguent pour frotter mon aimable petit corps dès que je serai tentée de l'aimer trop.

— Madame, la duchesse d'Orbieu éprouverait quelque mésaise si notre entretien prenait un tour trop personnel.

— Monsieur, croyez-moi de grâce, c'est par étourderie que j'ai parlé de mon « aimable petit corps ». Je n'y voyais pas malice.

— Toutefois, ce n'est pas le genre de propos qui invite un galant homme à baisser les yeux. Revenons donc, belle lectrice, à nos moutons.

— Revenons-y. Dirais-je, Monsieur, que votre préambule sur les attentes, les silences et les retardements calculés de Louis jette sur ce qui va suivre une note dramatique. Vais-je l'y trouver ?

— Elle s'y trouve, en effet. Il ne s'agit de rien moins que d'une révolution de palais qu'un plaisant de cour a appelée « la journée des Dupes », appellation si appropriée que l'Histoire l'adopta.

— Et qui furent les dupes ?

— La reine-mère, Marillac et quelques autres.

— Et qui fut le dupeur ?

— Et qui d'autre sinon le roi ?

— Le roi ?

— Eh bien oui, Madame, le roi ! Les faits sont là ! Louis est bien plutôt un Machiavel qu'un instrument passif aux mains de Richelieu.

— Mais Monsieur, la duperie est un procédé assez peu ragoûtant.

— Voire ! Il l'est, quand les dupés sont de bonnes et honnêtes gens. Mais quand il s'agit d'une haineuse cabale, traître et rebelle à son roi, déserteuse à sa patrie, et qui n'a d'autre dessein que d'abattre un grand serviteur de l'État, afin de pouvoir ensuite faire de la France la vassale de l'Espagne et d'organiser à l'échelle de l'Europe une sanglante Saint-Barthélemy des protestants, alors, Madame, pour faire pièce à ce sanguinaire projet, toutes ruses sont bonnes...

*

La journée des Dupes se déroula le dix ou le onze novembre 1630. Là encore, l'Histoire est incapable de préciser la date. Et je ne le suis pas davantage, n'ayant point été présent en Paris ces jours-là, me trouvant à Orbieu où Monsieur de Saint-Clair m'avait appelé en raison d'un incendie qui avait pris dans les écuries du château, et dont il voulait me faire constater *de visu* les méfaits. En fait, ce n'est que le quatorze novembre, à mon retour en Paris, que j'appris toute l'affaire, et de qui, sinon du chanoine Fogacer, lequel savait toujours tout sur tout, et il fallait bien qu'il fût émerveillablement renseigné : sans quoi, aurait-il été dans l'emploi du nonce Bagni et, par conséquent, du pape ?

En outre, comme bien le lecteur se ramentoit, le chanoine Fogacer était le confesseur des rediseurs et des rediseuses du cardinal, confession qui comportait une partie religieuse qui ne m'était pas répétée, et une partie profane qui l'était, et dont je faisais aussitôt mon miel pour en nourrir le cardinal.

Le premier acte de la comédie des dupes s'était déroulé, comme on a vu, à Lyon, et l'ayant décrit déjà dans le chapitre précédent, je ne ferai céans que le résumer : Louis, convalescent, gît, faible encore sur le lit qui a bien failli être son lit de mort, quand les deux reines, coup sur coup, viennent le harceler : va-t-il enfin renvoyer le cardinal, cause de tous les maux et des siens en particulier ? Il acquiesce, ou plutôt il en fait le semblant. Mais, ajoute-t-il, pour renvoyer Richelieu, dit-il à l'une, il faudra toutefois attendre que soit signé le traité avec l'Espagne. Pour se défaire de Richelieu, dit-il à l'autre, il faudra toutefois attendre qu'on soit de retour en Paris. Nos deux reines prennent pour espèces sonnantes et trébuchantes ces réponses dilatoires et se retirent, radieuses, chacune dans sa chacunière.

Le deuxième acte de la duperie se déroula en Paris au Petit-Luxembourg où loge la reine-mère. Elle m'est contée par Fogacer qui apprend tôt le matin (le dix ou le onze, lui-même ne saurait le préciser) que la reine-mère a fait savoir à la Cour qu'elle ne recevra personne ce matin-là, hormis le roi car elle a, dit-elle, pris médecine la veille. La Zocoli, car c'est elle la porteuse de cette nouvelle, en rapporte en même temps une autre à Fogacer, plus troublante encore : dès que le roi sera dans les murs de la reine-mère, le *maggiordomo* a reçu l'ordre de verrouiller toutes les portes du palais. La Zocoli ajoute encore qu'à tout hasard elle ira, après le passage du *maggiordomo,* rouvrir en catimini le verrou qui ferme la porte donnant sur la petite chapelle. Dès que Fogacer lui a remis ses péchés, la Zocoli, sautant les étapes, court prévenir, en mon absence, le comte de Guron, lequel, sans même prendre le temps de mignonner la caillette, dont il est pourtant fort entiché, vole prévenir le cardinal.

Lecteur, imagine l'effet que produisirent sur le cardinal les révélations déquiétantes de la rediseuse sur le huis clos où le lendemain la reine-mère entend cloîtrer le roi pour le chapitrer. Ramentois, de grâce, ce que j'ai dit au chapitre VI du présent tome sur le fait que tout est excessif chez Richelieu, aussi bien la sensibilité que le génie. Pour de bien petites causes, par exemple le coup de caveçon que lui infligea le roi à Nîmes, Richelieu se désespère, il pâlit, il trémule, il verse d'abondantes larmes, mais elles durent peu. Et bientôt Richelieu se raffermit, reprend la capitainerie de son âme et, après mûre réflexion, agit avec vigueur.

En l'espèce pourtant, bien difficile est la réflexion, et d'autant que raison et émotion se heurtent en Richelieu violemment : va-t-il et doit-il intervenir dans le bec à bec de la reine-mère et du roi ? Matériellement, il le peut certes, puisque la porte de la petite chapelle sera, par les soins de la Zocoli, déclose. Mais doit-il ainsi s'immiscer dans une conversation privée entre le roi et la reine ? Ne va-t-il pas attirer sur lui les foudres de Louis ?

D'un autre côté, profitant de ce huis clos d'autant plus menaçant qu'il paraît si secret, la reine ne va-t-elle pas déverser sur Richelieu et sur ses parents des calomnies atroces alors qu'il ne sera pas là pour se défendre ? Déjà, la veille, elle a licencié tous les parents que Richelieu avait introduits en les divers emplois de son palais, s'acharnant en particulier sur Madame de Combalet, à qui elle prête des projets extravagants, comme d'épouser le comte de Soissons, lequel, ayant empoisonné le roi et Gaston, deviendrait roi de France et la Combalet, reine de France.

Dieu sait qui a réussi à instiller cette stupidité dans la pauvre cervelle de la reine-mère, mais elle y croit meshui comme parole d'évangile.

N'était-ce pas déjà très humiliant pour Richelieu que le roi, à Lyon, ait promis aux deux reines son renvoi ? Dès leur retour en Paris, elles en ont caqueté la nouvelle autour d'elles à tout venant, tant est que ledit renvoi se trouve meshui connu et attendu par toute la Cour. Richelieu s'en aperçoit à toute heure, en tout lieu, les courtisans affichant à l'endroit du ministre qu'ils croient en sursis des « contenances extraordinaires ». Cet « extraordinaires », qui est l'expression même de Richelieu, n'a pas besoin de glose. Richelieu en est accablé.

Ce renvoi, la reine-mère et le roi en disputent à l'heure qu'il est à huis clos, et pour Richelieu grande est la tentation d'intervenir. Mais grands aussi sont les risques. Louis est adamantinement à cheval sur l'étiquette, sans doute parce que la reine-mère en ses enfances l'a si impudemment violée à son endroit. Quinze ans plus tard, il le lui reproche encore : « Vous ne m'avez traité ni en fils ni en roi. » Il exige de son entourage un respect constant et pointilleux.

Il ne supporte pas qu'en sa présence on parle trop fort, et moins encore qu'on se querelle, ou qu'on crie, ou qu'on emploie des mots fâcheux et vulgaires.

On s'en ramentoit : Richelieu, bien que si circonspect, a laissé échapper à Nîmes un « pourvu que » qui a paru à Louis trop autoritaire et portant quasiment atteinte à sa dignité royale. Il a laissé éclater sa colère *urbi et orbi.* Il lui a fallu un jour et une nuit pour se calmer malgré les concessions et les cajoleries de Richelieu.

Ayant pesé tous les risques dans de fines balances, le cardinal se décide enfin. Il franchit le Rubicon. Son intrusion dans l'entretien du roi avec sa mère va sans doute offusquer Louis. Mais Louis sait discerner l'essentiel de l'accessoire. Cette violation de l'étiquette lui fera-t-elle oublier les immenses services que le cardinal pendant tant d'années lui a rendus et pour lesquels Louis n'a pas été chiche en remerciements et en témoignages de gratitude et d'affection ? Quant à la reine-mère, il est à prévoir qu'elle va se déchaîner contre Richelieu à sa manière avec des véhémences, des insultes et des accusations auxquelles, humble, soumis et respectueux, il ne répondra rien. Et tant mieux si elle dépasse alors les bornes et exige son renvoi en termes injurieux et impérieux : Louis ne souffre ni les ordres ni les mises en demeure.

Mais il s'agit d'un risque calculé, et comment le définir ? La reine-mère a donné des ordres rigoureux pour que toutes les portes soient en son palais verrouillées. Quel effet de stupeur et d'horreur va produire sur elle l'apparition quasi diabolique de Richelieu ? Est-ce le but recherché par Richelieu ? La provoquer, la pousser à bout ? afin qu'elle se lance contre lui dans une de ces diatribes hurlées plutôt que parlées, et parsemées de mots grossiers qu'on n'entend d'habitude qu'aux halles. Toute vulgarité que Louis tient en grande horreur. Et c'est alors peut-être qu'elle commettra cette faute que Richelieu escompte et qui lui sera fatale : elle mettra Louis en demeure de choisir entre elle et lui.

J'imagine que ce n'est pas sans que le cœur lui toquât rudement les côtes que le cardinal, vêtu comme à l'ordinaire d'une soutane immaculée, pénétra par la porte déverrouillée de la petite chapelle. Étant surintendant de la maison de la reine-mère, il connaissait parfaitement les êtres du Palais du Luxembourg, et parvint sans peine à la salle où se tenait le bec à bec du fils et de la mère.

Le roi est seul [1], et la reine-mère aussi, à l'exception de deux ou trois chambrières qui n'existent pas à ses yeux, et là elle se trompe fort, car l'une d'elles est la Zocoli, et c'est grâce à elle qu'on saura ce qui s'est dit ce jour-là, et d'autant qu'étant mariée à un Italien, elle comprend parfaitement le baragouin de la reine-mère.

À l'entrée de Richelieu dans le salon, où le huis clos avait lieu, le roi trahit une vive contrariété à voir le cardinal s'immiscer sans façon dans son tête-à-tête avec la reine-mère. Mais ignorant qu'elle avait donné l'ordre de verrouiller toutes les portes, il ne fut pas autrement étonné qu'il fût là. Alors que la reine-mère, elle, fut proprement béante de cette apparition, se demandant dans sa simplesse si Richelieu ne possédait pas, comme le diable, l'art de passer à travers les murs.

Richelieu salua tour à tour et profondément le roi et la reine, après quoi il se fit un assez long silence. Le roi gardait, sans piper mot, un air réprobateur, et la reine, la joue rouge, l'œil enflammé et le tétin houleux, paraissait sur le point d'éclater.

— Je suis bien assuré, dit alors Richelieu d'un air enjoué, que Vos Majestés parlaient de moi...

1. Le père de Saint-Simon prétend l'avoir accompagné, mais étant donné les invraisemblances dont son récit abonde, j'incline à le décroire.

Il se peut que la reine-mère eût mieux supporté cette intervention, si Richelieu avait parlé avec le sérieux et la pompe d'un ministre espagnol. Mais le ton léger qu'il employa acheva de la mettre hors d'elle et elle laissa sa colère la déborder, et que je le répète encore, qui n'a pas vu la reine-mère en ses fureurs n'a rien vu...

De prime, elle se mettait à gonfler comme une oie qui se prépare à attaquer, puis elle parlait, et tout en parlant, elle se tordait mains et bras, elle se déchevelait, parfois même elle se dépoitraillait, tout en déversant un torrent de mots que rien ni personne ne pouvait arrêter. Même Henri IV, qui lui-même possédait un gueuloir à se faire entendre d'une armée, n'est jamais arrivé à couvrir la voix de son épouse quand elle se déchaînait. En même temps, elle se donnait, en hurlant et en gesticulant, un mouvement incroyable, des gouttes de sueur grosses comme des pois coulaient de son front, sur ses joues, et dessinaient de peu ragoûtantes traînées sur son pimplochement.

— *Ebbene si ! Noi parliamo di te* [1] *!* cria-t-elle à tue-tête.

— Madame, vous êtes reine de France, dit alors le roi ; de grâce, parlez français, et ne tutoyez pas Monsieur le cardinal.

Mais Louis le comprit aussitôt : autant essayer d'arrêter un torrent avec un petit caillou.

— *Ebbene si ! noi parliamo di te come del più ingrato e del più cattivo degli uomini* [2] *!*

— Mais Madame, dit le roi, que faites-vous ? Une querelle en ma présence !

— *E vero tu mi devi tutto, miserabile ! Tua situa-*

1. Eh bien oui ! Nous parlions de toi (ital.).
2. Eh bien oui ! nous parlions de toi comme du plus ingrat et du plus méchant des hommes ! (ital.).

zione, il tuo potere, tua fortuna. Io ti ho dato più di un milione d'oro [1] *!*

— Madame, dit Louis, il est malgracieux de rappeler ses dons.

— Mais qu'ai-je donc fait, Madame ? dit Richelieu d'une voix tremblante et les larmes roulant sur ses joues.

— *Tu mi hai tradito ! Traditore ! Perfido ! Furbo ! Brigante* [2] *!*

— Mais Madame ! Mais Madame ! dit le roi. Que faites-vous ? Que dites-vous ! Vous querellez devant moi !

— *Et tu vuoi maritare tua nipote al comte de Soissons, perfido* [3] *!*

— Mais Madame, dit Louis, c'est là un ragot de cuisine. Madame de Combalet, qui connaît son rang, n'a jamais rien rêvé de tel !

— *Ebbene si !* dit la reine-mère en se tournant vers Richelieu et en hurlant de plus belle. *Tu vuoi maritare tua nipote, miserabile, al comte de Soissons ! Basterà allora ché il Ré e Gastone per colpa tua siano avvelenati. Ecco Soissons Ré ! e la Combalet regina* [4] *!*

— Mais Madame, dit le roi avec effarement, qui vous a mis en cervelle ce mariage et ce double meurtre ? C'est pure extravagance !

— *Ma e vero !* hurla la reine-mère. *Ecco Soissons Ré ! e la Combalet regina ! Quella femmina da nulla ! E il peggio è la più grande puttana del reame ! Un rifiuto di donna* [5] *!*

1. C'est bien vrai que tu me dois tout, misérable ! Ta situation, ton pouvoir, ta fortune. Je t'ai donné plus d'un million d'or ! (ital.).

2. Tu m'as trahi ! Traître ! Perfide ! Fourbe ! Brigand ! (ital.).

3. Et tu veux marier ta nièce au comte de Soissons, perfide ! (ital.).

4. Mais oui ! Tu veux marier ta nièce, misérable, au comte de Soissons ! Il suffira alors que le roi et Gaston soient empoisonnés par tes soins et voilà Soissons roi ! et la Combalet reine ! (ital.).

5. Mais c'est vrai ! Voilà Soissons roi ! et la Combalet reine ! Une femme de rien ! Et qui pis est, la plus grande putain du royaume ! Une ordure de femme ! (ital.).

— Mais Madame ! Mais Madame ! dit le roi, que dites-vous ? Que faites-vous ? Vous querellez, vous hurlez en ma présence des paroles sales et fâcheuses !

Richelieu, bouleversé, versant des larmes, tombe alors aux genoux de la reine, baise le bas de sa robe, lui assure que s'il l'a offensée, ce fut sans le vouloir, qu'il est prêt à se soumettre à tout ce qu'elle exigera de lui, qu'il reconnaîtra même, pour couvrir l'honneur de la reine, les fautes qu'il n'a pas commises, et fera tout ce qu'elle voudra lui commander. Bref, il est tout respect, soumission et humilité. Mais il est aussi très habile : connaissant sa haine irrémédiable, il n'espère pas adoucir la reine, il espère bien, en revanche, toucher le roi par son exemplaire obéissance.

La reine-mère, cela va sans dire, n'entend rien à ces subtilités. Elle voit son ennemi à terre et s'acharne à le piétiner.

— *Voi siete furbo, miserabile. Anche le vostre lacrime sono false ! Voi sapete recitare bene la commedia ! Ma non sono che smorfie* [1] !

Là-dessus, elle se tourne vers Louis et lui déclare d'un ton impérieux qu'il devra choisir entre elle et ce valet, et qu'elle n'assistera plus aux Grands Conseils tant que Richelieu y sera. À cet ultimatum, Louis ne répond ni mot ni miette. Il prie Richelieu de se retirer. Après quoi, il salue la reine-mère et prend congé d'elle, étant fort pressé, dit-il, de se rendre à Versailles. Là-dessus, il sort du salon à grands pas.

Dans la cour pavée du Luxembourg, sa carrosse l'attend, ainsi que les mousquetaires de son escorte, et Richelieu. Toujours à pas pressés, Louis passe devant son ministre sans lui adresser la parole, ni lui faire l'aumône d'un regard, monte dans sa carrosse,

1. Vous êtes un fourbe, misérable. Même vos larmes sont fausses ! Vous savez bien jouer la comédie ! Mais ce ne sont que simagrées ! (ital.).

fait un signe, le cocher fouette ses chevaux, les mousquetaires royaux se mettent en selle, et le cortège royal s'en va, faisant sur les pavés un bruit d'enfer, triste comme un glas aux oreilles de Richelieu.

Il n'est pas le seul à avoir vu ce départ. Les fenêtres du Luxembourg sont garnies de courtisans qui attendent à peine que Richelieu ait regagné à pied son proche logis pour courir joyeusement conter à la reine-mère que le traître est à la parfin disgracié...

En réalité, ce n'est que le deuxième acte de la duperie, et Louis, sans prononcer un seul mot à quiconque, et sans jeter un seul regard à Richelieu, fait croire à la Cour, et par conséquent à la reine-mère, qu'elle triomphe et que Richelieu est perdu. Et pourquoi agit-il ainsi ? La chose est claire. En ce qui concerne Richelieu, cet apparent abandon n'est simulé que pour le punir de sa fâcheuse intrusion dans le bec à bec du roi et de la reine. Ce n'est rien d'autre qu'un de ces coups de caveçon un peu cruels que Louis inflige quand et quand à son plus fidèle serviteur pour lui ramentevoir qu'il est le roi, et qu'on doit respecter les égards qui lui sont dus.

La punition est dure, mais limitée dans le temps. Louis plonge son ministre dans les souffrances de l'Enfer, mais dans fort peu de temps il l'en retire et lui redonne sa faveur.

Pour la reine-mère, la punition sera en revanche implacable et sans fin. Mais il ne déplaît pas au roi de la tantaliser et de lui donner, avant les humiliations de l'échec, les délices du triomphe. En réalité, il y a longtemps qu'il a résolu de se défaire, comme il dit dans son style mesuré, des « importunités » de la reine-mère. La victoire apparente de la reine-mère aura encore un autre avantage. Elle va amener beaucoup de cabaleurs à se dévoiler, et il sera facile pour les rediseurs et les rediseuses de la police cardinalice de connaître leur identité, les propos qu'ils tiennent et les projets qu'ils forment. C'est toute la cabale, alors, qu'on pourra casser, et sans la moindre indulgence pour les plus compromis.

À Versailles, loin de la Cour et de Paris, Louis respire. Son fils, plus tard, aura le goût du faste. Il aime, lui, la simplicité. Versailles, à l'époque, n'est qu'une petite gentilhommière qui ne comporte que deux ou trois pièces à peine meublées. Ce n'est pas une résidence royale. Jamais le Grand Conseil, ni les ministres, et moins encore la Cour n'y sont invités.

*

— Mon cher chanoine, vous qui y fûtes, que se passa-t-il à Versailles entre Louis et Saint-Simon ?

— Rien de ce que Saint-Simon a susurré, dit Fogacer avec son long et sinueux sourire. Mais Saint-Simon ne l'a laissé entendre *sotto voce* et fort doucement qu'à quelques personnes dont je suis, me trouvant, comme vous savez, dans l'emploi du nonce Bagni.

— Et qu'a-t-il conté ?

— Un conte bleu, ou ce que mon Église appelle un récit apocryphe.

— Mais encore ?

— Il a prétendu qu'une fois à Versailles, le roi lui aurait demandé si, à son avis, il fallait ou ne fallait pas renvoyer Richelieu. Il aurait plaidé alors longuement en faveur de Richelieu.

À quoi je ris à gueule bec.

— Voyez-vous, dis-je, ce petit écuyer de merde qui vole après coup au secours de la victoire et se donne un rôle qu'il n'a jamais joué !

— Vous le décroyez donc ?

— Oui-da ! dis-je avec feu. Et en totalité !

— Moi aussi, dit Fogacer, et aussi le nonce Bagni. La raison en est que le roi, sauf à Luynes — et il devait amèrement s'en repentir —, n'a jamais voulu donner le moindre rôle politique à ses favoris. En second lieu, à mon sentiment, la décision du roi était déjà prise, même avant d'atteindre Versailles, de garder Richelieu et d'éloigner la reine-mère. De cela je suis bien assuré, et à mon sentiment la décision en fut prise, quand la reine-mère dit à Louis que s'il ne renvoyait pas le cardinal, elle n'assisterait plus au Grand Conseil du roi. Autrement dit, si elle n'était pas obéie, elle paralyserait l'appareil d'État. Il devint alors tout à fait clair que si Louis lui cédait, cela voudrait dire qu'elle aurait d'ores en avant le droit de chasser les ministres qui convenaient à son fils et de les remplacer par ceux qui avaient ses propres faveurs. Ce qui voudrait dire aussi que toute la politique du royaume serait changée, et que le roi, abandonnant son sceptre à sa mère, retomberait dans l'odieuse humiliation d'une nouvelle régence.

« Je ne crois pas davantage, poursuivit Fogacer, que Richelieu, laissé seul à Paris et souffrant mal de mort du coup de caveçon que le roi lui avait administré au départir, conçut le projet de s'enfuir tout de gob à Pontoise, et de là gagner Le Havre, ville qui était à lui, et où il se sentirait davantage en sécurité. Là-dessus, son ami le cardinal de La Valette lui aurait déconseillé cette retraite en prononçant le mot célèbre et à mes yeux tout aussi apocryphe : « Qui quitte la partie la perd. »

— Je connais l'histoire, dis-je, La Valette la conte de tous les côtés en s'en paonnant, et je suis bien persuadé qu'elle est fausse. Car fuir pour le cardinal, c'eût été reconnaître que les accusations extravagantes portées contre lui par la reine étaient vraies. Mais surtout, se réfugier au Havre, ville qui, en effet, était à lui et où il pouvait se fortifier, cela eût voulu dire qu'il était rebelle à son roi et entendait lui résister. Or, Richelieu n'a conçu, sa vie durant, qu'un seul devoir, et il eût été folie de le renier en un tel moment : attendre l'ordre du roi et quand l'ordre venait, lui obéir, quel qu'il fût.

— Mais mon cher chanoine, pardonnez mon impatience. Quand et par qui Louis appela-t-il Richelieu à le venir rejoindre ?

— Saint-Simon prétend qu'à Versailles, sur l'ordre du roi, il dépêcha un « gentilhomme qui était à lui » prévenir Richelieu.

— « Un gentilhomme qui était à lui » ! dis-je en riant. Voilà qui est parlé en prince ! Comme il se gonfle, notre petit duc !

— En fait, dit Fogacer, je ne pense pas que Louis attendît d'être à Versailles, c'est-à-dire trois heures plus tard, pour sortir le cardinal des flammes de l'Enfer où il l'avait jeté. À mon sentiment, à peine était-il hors de la capitale qu'il envoya un de ses mousquetaires inviter Richelieu à venir sans tant languir le rejoindre. Honneur extraordinaire en soi, car Versailles est, comme bien vous savez, la petite maison des champs de Louis. Il n'y invite personne, sauf le comte de Soissons, et c'est du reste dans la chambre où dormait d'ordinaire Soissons qu'il logea Richelieu. Ah mon cher duc ! comme j'eusse voulu en ce moment me dédoubler et être à la fois à Versailles et au Palais du Luxembourg à Paris pour connaître en même temps ce qui se passait côté roi et côté reine-mère. Toutefois, je me consolai vite de cette impossibilité, car au Luxembourg se jouait une comédie (qui tenait aussi du tragique) et que je n'eusse voulu manquer pour rien au monde.

— J'y étais, dis-je. Comme le roi, après la tonnante algarade que la reine-mère avait infligée à Richelieu, et l'ultimatum qu'elle avait lancé à son fils de choisir entre elle et le cardinal, était parti sans piper mot, la malheureuse avait conclu en sa simplesse que ce silence valait un acquiescement, et fortifiée encore dans cette folle conviction par le fait que le roi, dans la cour, était passé devant Richelieu sans un regard ni une parole, elle fut convaincue que Richelieu allait être chassé. Elle le dit, elle le publie, et cette version aussitôt se répand de bouche en bouche dans toute la Cour, et devient le sujet d'une immense satisfaction.

« Là-dessus, survient Marillac qui, fort hypocritement, demande au secrétaire d'État Bullion qui se trouvait là : "Qu'est ceci ? Il y a quelque chose ? Dites-moi ce que c'est ?" Ce qui veut donner à penser à la Cour qu'il était ignorant des projets de la reine-mère alors que c'était lui-même, en toute probabilité, qui les lui avait inspirés. Il entre, et la reine-mère lui confirme aussitôt l'éclatante victoire qu'elle vient de remporter et lui offre, dès que le cardinal aura vidé les lieux, de remplir ses fonctions. Marillac accepte sans hésiter, alors que la prudence eût dû lui conseiller d'attendre l'assentiment du roi pour se considérer comme son ministre principal.

« Après cet entretien avec Marillac, la reine-mère, fort agitée encore de ses fureurs, met de l'ordre dans sa vêture, se fait recoiffer et repimplocher par ses chambrières, et fort lasse, mais profondément heureuse, s'allonge sur son lit à demi, le dos appuyé contre le montant du baldaquin. Elle commande alors à son *maggiordomo* de déclore les portes de ses appartements. Par elles aussitôt la Cour s'engouffre, difficilement contenue par les barrières, dans sa chambre. De cette foule s'élève alors, à l'endroit de la reine-mère, un concert d'éloges, d'actions de grâces et de flatteries. Elle les boit à long trait. Elle savoure à la fois son triomphe et sa gloire.

— N'est-ce pas un comble, dit Fogacer, qu'elle puisse penser cela, alors que le roi est resté bouche cousue ?

— C'est que, dis-je, pour cette grande hurleuse, le silence ne veut rien dire. Le roi se tait, donc il accepte. Elle a chassé Richelieu, et dans son esprit enfantin et confus, cela veut dire qu'elle a reconquis le pouvoir et qu'elle va l'exercer seule et sans partage, comme au temps de la Régence. Et déjà, Marillac à ses côtés, elle distribue les emplois à ses favoris, heureuse et triomphante. Sa cervelle est ainsi faite qu'elle oublie ce qu'elle veut oublier et croit ce qu'elle veut croire. Elle ne se ramentoit pas qu'en 1617, le roi n'ayant encore que seize ans, il a exécuté sans crier gare les deux infâmes favoris et l'a reclose dans sa chambre avant de l'exiler. Elle oublie par-dessus tout, dans la douce ivresse des encens qui montent vers elle, que le roi est l'oint du Seigneur et détient, outre sa légitimité, tous les instruments du pouvoir : les corps constitués, l'armée, le Trésor. Mieux encore, elle oublie qu'elle ne l'aime pas, qu'il ne l'aime pas non plus, et que leurs rapports n'étant que protocole et cérémonies, aucun sentiment ne jouera de rôle dans le sort qui l'attend.

— Et quelle impression, dit Fogacer, vous a-t-elle faite alors ?

— Naturellement, dis-je, l'aveuglement de la pauvre reine prêtait quelque peu à la dérision. Depuis sa dramatique prise de pouvoir, Louis avait engagé contre elle, ses violences et ses entêtements, une lutte quotidienne. Et elle s'imaginait encore qu'il allait lui abandonner son sceptre après même qu'elle l'eut de nouveau profondément outragé en accablant son ministre d'injures en sa présence. Toutefois, j'éprouvais aussi pour elle quelque compassion : ce n'était point sa faute si elle était si bornée et si butée, sans connaissance aucune, ni la moindre lumière, et toujours gouvernée à la Cour par les filous, les flatteurs ou les fanatiques. Si au moins elle avait eu quelque cœur qui eût pu racheter ses insuffisances, mais elle n'avait jamais aimé personne, ni son mari, ni ses amis, ni même ses enfants, à l'exception de Gaston, à qui, toutefois, elle chantait pouilles chaque fois qu'elle le voyait.

— Et malgré cela, dit Fogacer, malgré qu'elle eût fait tant de mal pendant sa régence et après sa régence, vous aviez pitié d'elle ?

— À mon sentiment, dis-je, dès lors qu'on avait

dépassé le rire, c'était un très pitoyable spectacle que cette malitorne, à demi couchée sur sa couche splendide et respirant l'encens qui montait vers elle de ces coquebins et pimpésouées de cour qui, à eux tous, avaient à peu près autant de cervelle qu'un moineau. Elle vivait, quant à elle, un rêve magnifique : elle reprenait le pouvoir et dans son obtuse cervelle, elle ne pressentait pas combien, en ce qui la concernait, la roche Tarpéienne était proche du Capitole [1]. Mon cher chanoine, il est en effet dommage que le Seigneur ne vous ait pas donné, en plus de vos aimables vertus, le don d'ubiquité, car vous pourriez meshui me conter ce qui s'est passé à Versailles et les retrouvailles de Richelieu et du roi.

— Néanmoins, je pourrais vous nommer quelqu'un qui pourrait satisfaire là-dessus votre attente.

— Et qui donc ?

— Monsieur de Guron.

— Eh quoi ! Monsieur de Guron se trouvait là ?

— Oui-da, Richelieu l'avait emmené avec lui à Versailles.

— Et pourquoi donc ?

— Se peut qu'il ait eu besoin, en cette importantissime démarche de sa vie, d'une présence amicale. Et c'est bien pitié que vous n'ayez pas été présent en Paris en ce moment-là, mon cher duc, car c'est vous qu'il aurait choisi...

Il ne se peut que le lecteur ne se ramentoive pas Monsieur de Guron, chez qui j'avais reçu la Zocoli et ouï ses précieuses redisances.

Monsieur de Guron, fidélissime serviteur du roi et

1. Les généraux, à qui la Rome ancienne avait accordé le triomphe, montaient au Capitole, et à côté du Capitole se dressait la roche Tarpéienne d'où on précipitait les condamnés à mort dans le vide, fussent-ils même ces généraux victorieux qui, par la suite, avaient trompé la confiance de la République.

du cardinal, était connu partout comme le plus goulu des goinfres de la Cour, fraternité qui par malheur comptait aussi parmi ses membres le roi, quoi qu'en grognât mon père, lequel, s'il avait été le médecin royal, lui aurait déconseillé de tant échauffer ses fragiles entrailles. Pour en revenir à Guron, il portait au *gentil sesso* le même insatiable appétit qu'à son rôt et à son pot, tant est qu'il n'avait fait après mon départ qu'une bouchée de la Zocoli, et poursuivi avec elle quand et quand une relation délicieuse que, bien entendu, Richelieu découvrit et reprocha aussitôt au pauvre Guron, le tançant vertement de ce qu'il mêlât mission et mamours.

Dès que je fus en ma carrosse, je donnai l'ordre à mon cocher de gagner l'hôtel de Monsieur de Guron.

— Monseigneur, dit alors Nicolas en voyant cette adresse, peux-je vous poser question ?

— Tu le peux.

— Allons-nous dîner chez Monsieur de Guron ?

— Nenni ! Nous allons l'inviter à venir souper ce soir en mon hôtel des Bourbons.

— Alors, Monseigneur, vu l'heure qu'il est, et l'éloquence de Monsieur de Guron, nous allons être en retard ce matin en votre hôtel pour la repue de midi.

— En effet.

— Et Madame la duchesse va se trouver fort malcontente et déquiétée.

— Il se peut.

— Et à votre adresse, se peut qu'elle vous chante pouilles.

— Nenni ! Nenni ! Madame la duchesse d'Orbieu ne me chante pas pouilles. Tout au plus, m'adressera-t-elle quelques petites remarques.

— Et mon Henriette, à moi aussi.

— C'est probable, Nicolas.

— Et que ferons-nous alors, Monseigneur ?

— Nous serons avec nos épouses toute repentance et soumission.

— Et pourquoi cela ?

— Parce que, Nicolas, elles ont raison : c'est très irritant de faire préparer le meilleur des rôts pour avoir ensuite à le manger seules.

— Mais Monseigneur, mon retardement n'a pas été de mon fait. J'obéis à mon maître.

— Et moi aux miens. Il est pour moi très important de savoir au plus vite ce qui s'est passé entre Richelieu et le roi à Versailles.

— Pourquoi ne pas dire cette raison à Madame la duchesse ?

— Parce que ce genre d'excuse n'adoucit jamais une épouse. En revanche, je lui promettrai, avec humilité, un petit cadeau pour me faire pardonner.

— Dieu du ciel ! Si vous faites cela, Monseigneur, je devrai en faire autant.

— Fais-le donc, Nicolas ! Pauvre Henriette ! Faut-il la priver d'un cadeau ?

— C'est que, Monseigneur, je n'ai pas, moi, les clicailles qu'il y faut.

— Eh bien, j'y pourvoirai.

— Monseigneur, vous êtes le meilleur des maîtres !

— Je te traite tout simplement comme les miens me traitent, et c'est ainsi, à ce que je crois, que le monde peut devenir meilleur.

Lecteur, comme je t'ai à l'avance révélé le déroulement probable des scènes qui nous attendent, Nicolas et moi, de retour au logis, je laisse à ton expérience conjugale le soin de les imaginer, et sautant quelques heures, dont une sieste très rebiscoulante et un entretien très amical et aussi quelque peu baveux avec mon petit Emmanuel, j'en arrive au moment où Monsieur de Guron, à la nuitée, sonna avec force la cloche de mon portail bardé de fer, et ladite porte déclose par mes Suisses de l'intérieur, mais seulement après que mes Suisses de la maison d'en face eurent reconnu les armoiries de notre ami, j'attendis Monsieur de Guron en haut de mon perron, et j'ose le dire avec quelque appréhension car il était, comme le maréchal de Schomberg, de ces hommes qui vous étouffent à demi dans leurs embrassements, tout en vous meurtrissant le dos de leurs tapes amicales.

Étant tout ensemble gourmand et gourmet, Monsieur de Guron fit grand honneur à la repue dont Catherine avait surveillé avec le plus grand soin la composition. Il en avala, à lui seul, plus de la moitié, Catherine et moi étant sobres par nature, et aussi par philosophie. Monsieur de Guron fit à la maîtresse du logis beaucoup de compliments de cette inoubliable repue arrosée de vins délicieux, et à la parfin, avalant à défaut de poire, une tranche de fromage qui eût nourri toute une patrouille, Monsieur de Guron se sentit fort aise, et comme « après la panse vient la danse » comme on dit dans mon Périgord, il sentit, si je puis dire, son pied se remuer dans sa botte, et fixa des yeux grands comme des soucoupes sur une chambrière que ma Catherine venait d'embaucher le matin. Je la regardai à mon tour, et par malheur ma Catherine surprit ce regard, si bref et si prudent qu'il fût. Le lendemain, à la pique du jour, elle congédia la pauvrette, et j'eus tout juste le temps de lui glisser en menotte quelques écus et de lui donner l'adresse de ma demi-sœur, la princesse de Conti, laquelle aimait fort les jolies filles, honni soit qui mal y pense.

Monsieur de Guron eût volontiers lambiné à table à contempler avec toute la discrétion possible Catherine et Henriette, mais je l'entraînai dans mon cabinet, voulant avoir avec lui le bec à bec que j'ai dit.

— Ces retrouvailles du roi et du cardinal à Versailles, dit-il, se jouèrent en deux actes : le premier en présence de Saint-Simon, du marquis de Mortimar, de Monsieur de Beringhen et de moi-même. Le second fut, entre le roi et Richelieu, un bec à bec sans témoin, et dont je n'eusse jamais rien su, si Richelieu n'avait jugé bon, le lendemain, de m'en conter l'essentiel. Le premier entretien fut sentimental et le second, politique.

— Voyons donc le premier.

— Dès que Beringhen eut déclos l'huis, Richelieu entra, il regarda le roi comme s'il regardait Dieu le Père le recevant en son paradis, et les larmes roulant sur ses joues grosses comme des pois, il courut s'agenouiller devant lui. Louis le releva aussitôt, le prit par les épaules, le serra à lui, l'eût baisé sur les deux joues, je pense, si elles n'avaient été si mouillées, et aux remerciements passionnés de Richelieu, il répondit sobrement qu'ayant trouvé en lui le meilleur et le plus dévoué des serviteurs, il avait considéré que c'était son devoir de le protéger. Certes, si le cardinal avait manqué de gratitude ou de respect à l'égard de la reine-mère, il aurait agi autrement. Mais c'était bien loin d'être le cas. Quant à la reine-mère, elle avait été abusée par les mensonges et les machinations de la cabale. Et contre ces cabales, quoi qu'elle dise et fasse à l'avenir, il le défendra toujours comme étant le meilleur et le plus dévoué de ses serviteurs. Eh bien, mon cher duc, qu'en pensez-vous ?

— Que le roi rend justice à Richelieu, sans pour autant incriminer sa mère ! En quoi il se montre diplomate. Il ne veut pas passer pour un « mauvais fils », pas plus en France qu'à l'étranger. Quant au second acte, celui qui se déroula au bec à bec entre le roi et Richelieu, je présume que Richelieu ne vous l'a pas conté sans raison.

— Assurément non, mon cher duc, dit Guron, et d'autant qu'il m'a autorisé, ou si vous préférez recommandé, de vous le répéter à vous-même, sans vous défendre de le faire connaître au chanoine Fogacer, et par conséquent au nonce, et par conséquent au pape.

— Et par là on voit bien qui a appris au roi les subtils détours de la diplomatie. Mon cher Guron, je vous ois.

— Voici donc mon récit. Une fois que tous les témoins furent éloignés, Richelieu ne laissa pas de répéter au roi la gratitude infinie qu'il aurait à jamais à Sa Majesté pour l'avoir protégé de ses ennemis. Cependant, après avoir tourné et retourné le problème dans son esprit, il pensait, dit-il, que le meilleur parti qu'il pût prendre meshui est de se retirer des affaires. Car bien qu'il honore infiniment la reine-mère, et qu'il n'ait jamais eu l'intention de lui nuire, il se rend clairement compte qu'elle lui sera à jamais irréconciliable. Il est donc malheureusement à prévoir que cette aversion provoquera à tous moments des difficultés inextricables. Il sera à jamais accusé d'ingratitude, de tyrannie, de violence, et dans ces conditions il n'aura plus l'autorité nécessaire pour mener sa tâche à bien. Il honore infiniment la reine-mère, mais plutôt que d'être, malgré lui, la cause d'une continuelle mésentente entre la reine-mère et son fils, il préfère s'en aller et s'enfermer dans la solitude de sa maison des champs. Eh bien, mon cher duc, qu'êtes-vous apensé de ce beau morceau ?

— D'une part, que sa prévision de l'avenir a toutes les chances d'être vraie : la reine-mère, étant à la fois obtuse et obstinée, ne va pas manquer de s'acharner quotidiennement contre lui. Et d'autre part, cette prévision propose ou suggère au roi un choix nouveau. La reine-mère, dans sa violente et vulgaire algarade, avait posé à Sa Majesté un ultimatum : ou vous choisissez votre Richelieu, ou moi. Beaucoup plus suave et subtil, mais par le seul fait qu'il propose sa démission au roi en raison des difficultés incessantes que lui créera à l'avenir la reine-mère, Richelieu avance pas à pas une autre alternative, assurément inexprimée, mais cependant sous-entendue : un jour ou l'autre, Votre Majesté, vous devrez choisir entre la reine et moi. Ce qui serait très intéressant, c'est de connaître maintenant ce que le roi a répondu.

— Sa réponse fut ferme et prudente. D'une part, il refusa péremptoirement la démission de Richelieu :

le cardinal devra garder le timon des affaires. C'est un ordre irrévocable. Il déclara ensuite qu'il respectait sa mère, mais qu'il était « plus obligé à son État qu'à sa mère ». Il dit enfin — phrase qui me parut par ses sous-entendus assez savoureuse — que « si la reine-mère était capable de l'aider à gouverner par de sages conseils, il serait heureux de se servir d'elle. Mais (soupir) hélas ! elle ne le pouvait pas ! » D'ailleurs, poursuivit-il, il ne s'agit pas de la reine-mère, mais de la cabale (mot que Louis ne prononçait jamais sans grincer des dents). « C'est la cabale qui a soulevé cette tempête. Et c'est à la cabale que je vais m'en prendre ! »

Et en effet, dès l'aube le lendemain, sans consulter personne, et pas même Richelieu, Louis lança sa répression. Elle fut méthodique, expéditive et implacable. Chez les cabaleurs qui ne parlaient jusque-là que de « la faiblesse et la mollesse du roi », l'étonnement fut grand, et les pleurs et les grincements de dents ne cessèrent plus. Quant à la reine-mère, pour l'instant du moins, on n'y toucha point. Mais dès que la Cour sut que le roi avait appelé Richelieu à Versailles, le Luxembourg en un clin d'œil fut déserté et la reine-mère se retrouva désespérément seule. Sans qu'elle s'en rendît compte le moins du monde, sa furieuse attaque contre Richelieu l'avait perdue. Elle attribuait, quant à elle, sa défaite au verrou qu'on avait omis de fermer. Elle confondait là la « cause » avec l'effet, sans réfléchir que la cause aurait pu produire un tout autre effet, par exemple si elle n'avait pas attaqué Richelieu si violemment.

CHAPITRE XII

Au rebours de ce que caquetèrent alors les clabaudeurs de cour — et qui fut depuis répété à satiété — ce ne fut pas « l'homme rouge », comme ils l'appelaient sottement — sang et soutane étant pourpres —, qui conçut et appliqua l'implacable répression dont la cabale fut l'objet. Ce fut le roi et le roi seul. Bien que Richelieu approuvât ces châtiments, il ne les inspira en aucune manière et n'y mit pas la main. En quoi il fit preuve de modération et de retenue, l'enjeu de ce complot ayant été son exil, et en toute probabilité, sa vie.

Louis frappa en premier lieu le garde des sceaux Marillac, le considérant comme le principal fauteur de troubles, ayant mené contre la politique anti-espagnole du roi et de Richelieu une guerre à la fois ouverte et cachée : ouverte, parce qu'elle s'était exprimée à plusieurs reprises avec véhémence et âpreté dans les Grands Conseils du roi ; cachée, parce que ayant capté la confiance de la reine-mère, Marillac lui avait instillé jour après jour, par tout un jeu d'insinuations malignes, une aversion profonde pour Richelieu.

Lecteur, pour te conter le sort de Marillac, plaise à toi de me laisser revenir quelques heures en arrière. Après son chaleureux bec à bec avec Richelieu, le roi dépêcha des chevaucheurs à ses secrétaires d'État pour les inviter à venir le retrouver à Versailles pour y tenir Conseil : ce qui ne s'était jamais fait jusque-là, puisque, comme on sait, le petit château campagnard de Versailles n'était pas, par la volonté même du roi, résidence royale.

Pour le dire au plus court, voici les secrétaires d'État qui furent invités à Versailles : La Ville-aux-Clercs, Bullion, Bouthillier, et Marillac. Lecteur, vous avez bien lu : Marillac !

Or Marillac, non plus que la reine-mère, ne savait pas encore, à ce moment-là, que Richelieu avait été tardivement appelé à Versailles auprès du roi. Ils en étaient restés à l'extrême froidure que le roi avait montrée à Richelieu à son départir du Luxembourg. Ils conclurent donc que le roi n'avait convoqué les secrétaires d'État à Versailles que pour congédier Richelieu et le remplacer par Marillac.

L'espoir a ceci de séduisant et de périlleux qu'il peut faire d'une simple supposition une vérité assurée. Et la reine-mère et Marillac baignèrent pour un temps dans les délices de cette vérité-là.

Avant son partement pour Versailles, Marillac passa chez lui pour trousser quelque bagage et prendre les sceaux. Je tiens de son aumônier qui me le conta plus tard, les larmes aux yeux, qu'avant de mettre dans son bagage le coffret qui contenait les sceaux, Marillac l'ouvrit et contempla longuement son contenu, comme si, étant appelé à être ministre principal, il n'allait plus avoir à les porter. Ils étaient là, tous les quatre : le grand sceau royal et son contre-sceau, le sceau du dauphin et son contre-sceau. Il est vrai que le dauphin n'était pas né encore, mais ses deux sceaux l'attendaient déjà, inséparables de ceux de son père.

De ce coffret, le garde des sceaux détenait seul l'unique clef, laquelle, selon l'usage, il portait, sans jamais l'ôter, attachée à son cou par une chaîne en or. Cette clef était aussi importante pour le garde des sceaux que crosse et mitre pour un évêque : elle exprimait à la fois sa fonction et sa dignité.

De reste, si le mot dignité convenait à un officier du roi, c'était certes à Monsieur de Marillac. Grand, maigre, vêtu de noir, l'œil creux et brillant, le nez aquilin, les lèvres minces, le menton long, le geste rare, il gardait en toutes occasions une apparence olympienne et s'exprimait d'une voix péremptoire, comme s'il craignait peu de se tromper, sa longue et profonde dévotion l'ayant rapproché des lumières divines.

Il habitait en Paris rue de Tournon, et je fus chez lui deux ou trois fois au moment où Marillac et Richelieu essayaient — sans grand succès — de s'accommoder l'un à l'autre. Son hôtel n'était ni spacieux, ni bien chauffé, ni bien meublé. Il me parut aussi que son domestique se réduisait au minimum : un aumônier, un cocher, un cuisinier, et deux valets. Pas l'ombre d'une chambrière, et on entend bien pourquoi... Pourtant, bien que Monsieur de Marillac estimât que la chair n'était que vile occasion de péché, et le corps, une guenille, dont tout bon chrétien devait aspirer à être débarrassé pour libérer enfin une âme immortelle et pure, il n'était pas aussi rebelute aux charmes du *gentil sesso* qu'on eût pu s'y attendre : il s'était marié, et devenu veuf, il s'était remarié.

Le petit train de sa maison avait fait dire à nos coquebins et pimpésouées de cour, qui se veulent toujours bien renseignés sur tout, que Marillac était chiche-face et pleure-pain. Il serait plus équitable de dire que le boursicot de Marillac était quelque peu maigrelet. Ministre intègre, ses fonctions ne l'avaient pas enrichi. Et marié deux fois à des femmes sans grande fortune, il n'avait à la parfin pour vivre que ses gages de secrétaire d'État et de conseiller du roi. Même en les cumulant, ce n'étaient point là des pécunes bien grasses. Or, ce qui n'était pour les autres secrétaires d'État qu'un appoint se trouvait être pour Marillac l'essentiel de son revenu. Point de grand domaine, ni de vignes, ni de maison des champs. Il ne possédait en propre que son hôtel de la rue de Tournon.

Grande était la froidure en cette soirée de novembre 1630. Déjà dans la rue, devant la porte de Monsieur de Marillac, l'attendaient, pour une longuissime trotte par les chemins glacés jusqu'à Versailles, carrosse, cocher et chevaux. Et Marillac, avant de sortir, enfilait déjà ses gros gants fourrés quand on toqua l'huis, ce qui, vu l'heure tardive, l'étonna. Il fit signe néanmoins au valet de déclore l'huis, et apparut alors son confrère, le secrétaire d'État Monsieur de La Ville-aux-Clercs qui, sur le seuil, demanda courtoisement s'il pouvait entrer. Béant d'une visite si tardive et si inattendue, Monsieur de Marillac acquiesça. La Ville-aux-Clercs entra, et d'après le conte qu'il m'en fit plus tard, il se serait alors voulu à mille lieues de là.

— Monsieur, dit-il, essayant d'affermir sa voix, le roi m'a chargé de vous remettre cette lettre en main propre.

Il tendit ladite missive à Marillac, aussi vivement que si elle lui brûlait les doigts. Agité de ces pressentiments qui après coup seulement deviennent vrais ou faux, Marillac ouvrit le pli, les mains tremblantes. Il y lit ce qui suit :

« Monsieur,

« Vous vous rendrez, dès le reçu de cette lettre, à Glatigny, accompagné par Monsieur de La Ville-aux-Clercs qui vous montrera le gîte qui vous attend et vous donnera aux matines de nouvelles instructions.

Louis »

— Monsieur, dit Marillac, dès que sa voix redevint audible, asseyez-vous, de grâce !

La Ville-aux-Clercs s'assit, non qu'il en éprouvât le besoin, mais parce qu'il jugeait, à la pâleur de Marillac, que ses jambes ne le portaient plus. Mieux même, il quit de lui qu'on lui apportât un verre d'eau, non qu'il eût soif, mais parce qu'il lui sembla que Marillac avait plus besoin que lui de boire à ce moment.

Et en effet, le valet apportant un carafon et deux verres, Marillac avala d'un long trait le contenu du sien, et la parole, enfin, lui revint.

— Monsieur, dit-il, je suppose que si vous devez, demain, me donner d'autres instructions, vous ne pouvez pas m'en toucher mot ce soir.

— En effet, Monsieur, je ne le puis, dit La Ville-aux-Clercs.

— Néanmoins, peux-je vous poser question ?

— Je le veux bien, pour peu qu'elle soit de celles auxquelles j'ai le droit de répondre.

— Et si elle n'est pas de celles-là ?

— Je vous demanderais alors, Monsieur, de bien vouloir pardonner mon silence.

— Monsieur, reprit Marillac d'une voix faible, voici ma question : Monsieur le cardinal de Richelieu est-il à Versailles avec le roi ?

— Il y est, dit La Ville-aux-Clercs.

Un long silence suivit cette réponse.

— Monsieur, dit enfin Marillac, me permettez-vous de me retirer quelques instants ?

La Ville-aux-Clercs acquiesça et Marillac, à pas chancelants, sortit de la salle. Il gagna sa chambre où il prit un boursicot d'écus et se rendit dans sa petite chapelle.

— Mon père, dit-il à l'aumônier, voulez-vous congédier pour moi le cuisinier et le second valet ? Le premier valet demeurera dans la maison pour la garder jusqu'à ce que je la vende. Voudriez-vous bien aussi leur payer leurs gages, ajouta-t-il en lui tendant le boursicot.

— Je ferai votre volonté, Monsieur, dit l'aumônier, mais Monsieur, qu'y a-t-il ? Êtes-vous mal allant ?

— Le roi m'exile.

— Dieu bon ! dit l'aumônier, et aussitôt il ajouta : peux-je vous suivre en votre exil, Monsieur, et continuer à vous apporter les consolations de notre Sainte Foi ?

— J'accepte de tout cœur, dit Marillac, et j'en serais heureux pour peu que le roi le veuille. Voulez-vous bien à'steure faire ce que j'ai quis de vous ? Notre départir est proche.

L'aumônier une fois hors, Marillac, faible et vacillant, se traîna jusqu'à son prie-Dieu, s'agenouilla et tomba en prières, la face dans les mains. Il avait soixante-sept ans et souffrait dans son corps. Le vide s'était fait autour de lui. Il avait perdu sa seconde femme. Son fils aîné était mort des fièvres au siège de Montauban. Il ne voyait que fort rarement son cadet qui était franciscain, et point du tout sa fille qui était au Carmel. Il se sentait en cet instant affreusement seul dans un monde dépeuplé.

La carrosse de Monsieur de Marillac suivit sur le chemin de Glatigny celle de La Ville-aux-Clercs et était elle-même suivie par une dizaine d'archers à cheval qui à la fois le protégeaient et le gardaient.

Marillac atteignit à une heure du matin Glatigny et le logis qui les attendait. Avant de se séparer de La Ville-aux-Clercs, et sur le seuil de sa chambre, Marillac lui demanda s'il devait lui remettre tout de gob le coffret des sceaux et la clef pendue à son cou. La Ville-aux-Clercs, qui entendit tout le pathétique qui se cachait derrière cette question, répondit que la remise pouvait se faire le lendemain sans inconvénient.

« Ce qui me frappa le plus, devait me dire plus tard

La Ville-aux-Clercs, c'est qu'au cours de cette soirée, ni par lui, ni par moi, les mots "disgrâce" ou "exil" ne furent prononcés. »

Marillac passa ainsi sa dernière nuit en compagnie des sceaux du roi, et dormant mal et peu, à ce que j'imagine, il se leva tôt, et réveilla son aumônier pour qu'il célébrât pour lui la messe dans la chapelle du logis.

Par une coïncidence qui parut à Marillac des plus remarquables, l'épître de la messe commençait par ces mots : « Ceux qui souffrent selon la vérité divine rendent leurs âmes recommandables au Créateur. » À peine Marillac eut-il reçu du Seigneur ce réconfortant message, qu'une main se posa sur son épaule, et quoique, en fait, elle fût légère, elle lui parut fort lourde.

— Mon ami, dit La Ville-aux-Clercs, il est temps de départir pour notre destination.

— Monsieur, dit Marillac, voulez-vous bien que nous achevions d'ouïr la messe ?

— Assurément, dit La Ville-aux-Clercs, non sans que son impatience ne lui donnât après coup quelque vergogne.

Mais à la vérité, la mission qu'il accomplissait là le poignait beaucoup, et il avait hâte d'en finir.

La messe terminée, ce fut dans la grand-salle du logis et en présence de l'aumônier et de l'exempt Desprez qui commandait les archers, que Marillac remit à La Ville-aux-Clercs le coffret des sceaux et l'unique clef qui l'ouvrait.

Un long voyage commença ensuite, qui mena Marillac à la parfin à Châteaudun où il fut resserré au château, et surveillé jour et nuit par les archers en armes, même — ce qui l'humilia beaucoup — quand il faisait ses besoins. Tout était à ses frais, y compris la nourriture de ses geôliers. Or, n'étant plus garde des sceaux, ni conseiller du roi, il ne touchait plus ses gages. En peu de temps il épuisa son maigre pécule, et se trouva contraint d'emprunter de prime sur sa maison de Paris, et ensuite de la vendre. Pour donner quelque sens à sa vie, Monsieur de Marillac s'attacha à une traduction des Psaumes. Mais cet effort fut vain. Deux petites années s'écoulèrent, et en 1632 il mourut, et davantage, dit son aumônier, de sa disgrâce que d'une quelconque intempérie.

*

Plaise à toi, lecteur, de me permettre de revenir à Versailles : le Conseil, sur la suggestion du roi, nomma Monsieur de Châteauneuf garde des sceaux, et Monsieur Nicolas Le Jay, premier président du Parlement de Paris. L'un et l'autre étant de ses amis, Richelieu d'ores en avant était bien gardé à carreau. Dès que la session fut close, je regagnai Paris et mon hôtel des Bourbons où je trouvai Catherine fort déquiétée de ma longue absence. Elle me posa question sur question sur Monsieur de Marillac, mais je ne pus lui répondre que quelques jours plus tard quand j'eus encontré La Ville-aux-Clercs, lequel était encore tout remué par la mission qu'il avait dû remplir. Mais bien entendu, n'ayant pas le don de prescience, je ne pus alors conter à Catherine la mort de Marillac, laquelle ne le frappa, comme on sait, que deux ans plus tard.

— M'ami, dit Catherine, n'eût-on pu vous donner à vous la même ingrate mission que celle de La Ville-aux-Clercs ?

— En aucune façon, m'amie. Marillac étant secrétaire d'État, il fallait un secrétaire d'État pour faire part à l'infortuné de sa disgrâce. On ne me choisirait, moi, pour une telle ambassade que s'il s'agissait d'un duc.

— Et que vous serait-il arrivé, si Richelieu avait été jeté bas ?

— À mon sentiment, peu de choses. Dans notre

monarchie, on n'incrimine pas les serviteurs d'un prince, on estime qu'ils n'ont fait que leur devoir, qui était d'obéir à leur maître. Je pense, cependant, que dans les premiers temps il eût mieux valu, pour prévenir le coup de poignard d'un fanatique, demeurer avec vous, loin de la Cour, dans notre domaine d'Orbieu.

— Et j'en eusse été fort aise ! s'écria Catherine. Toutes ces pimpésouées de cour ne pensent qu'à clabauder des unes des autres et de soi, et quand elles ne clabaudent pas, elles jettent leurs hameçons qui-ci qui-là pour attraper les hauts-de-chausses qui passent à leur portée.

— M'amie, à qui pensez-vous en disant cela avec tant d'âcreté ?

— Mais à qui, sinon à la princesse de Conti, dont vous êtes si raffolé !

— Mais je n'en suis point raffolé du tout !

— Néanmoins, à Nemours, en pleine place publique, vous avez souffert que cette dévergognée ôtât en public son vertugadin pour monter en croupe derrière vous.

— M'amie, pouvais-je refuser ? La princesse de Conti est ma demi-sœur.

— Encore heureux que l'inceste vous sépare ! Sans cela, il y aurait belle heurette que l'impudente vous aurait dévoré tout cru !

— Et j'eusse été si passif que de me laisser dévorer ?

— *Chi potrebbe dirlo* [1] ? dit Catherine.

— Madame, comme dirait le roi : vous êtes duchesse en ce pays, parlez donc français.

— Pauvre Marillac ! dit Catherine en passant du coq à l'âne. Être monté si haut et tomber ce jour d'hui si bas.

— M'amie, ramentez-vous de grâce que Marillac a

1. Qui pourrait le dire ? (ital.).

fait tout le mal possible à Richelieu en étant la tête pensante de la cabale, et qu'il aurait vassalisé la France à l'Espagne, s'il l'avait emporté.

— C'est vrai, et cependant je le plains. Et en même temps, je veux mal de mort à ces archidévots qui, comme lui, ne pensent qu'à éradiquer par le fer et le feu les protestants qui vivent parmi nous. Mais par-dessus tout, chez Marillac, ce qui me laisse béante, c'est le manque de finesse dont il a fait preuve. Comment a-t-il pu à ce point surestimer l'influence que la reine-mère, si butée et si bornée, pouvait avoir sur le roi ? Et comment a-t-il pu sous-estimer le roi, au point d'imaginer qu'il pourrait sacrifier un grand serviteur de l'État à une mère pour qui il ne nourrit en fait, depuis l'enfance, que désamour et mésestime ?

— Il y a là, en effet, m'amie, un mystère, lequel, à ce que je crois, a deux parents : le zèle et l'ambition. Et tous deux, par nature, sont aveugles...

— Savez-vous pas, m'ami, dit Catherine, que je plains aussi La Ville-aux-Clercs d'avoir été chargé d'une si triste ambassade, et d'autant qu'il m'a fait l'impression, quand je l'ai encontré chez le maréchal de Schomberg, d'être un homme si sensible et si bon qu'il pleurerait la mort d'une alouette.

— Si vous le plaignez, Madame, vous l'allez plaindre deux fois. Car à peine fut-il de retour à Versailles, que Louis XIII lui ordonna de repartir, sans souffle reprendre, pour Paris afin d'annoncer à la reine-mère la disgrâce de son favori. Or, d'après ce que j'ai ouï conter, si le discours de La Ville-aux-Clercs à la reine-mère sortit bien de la bouche du messager, c'est le roi qui en avait choisi les termes.

— Et ces termes en étaient rudes ?

— Jugez-en : admis en sa haute et hautaine présence, La Ville-aux-Clercs salua profondément la reine-mère, laquelle était encore à demi couchée, la foule de ses thuriféraires l'entourant et l'encensant dans l'ignorance où ils étaient encore de ce qui s'était passé à Versailles.

— Madame, dit La Ville-aux-Clercs, j'ai un message à vous transmettre *a viva voce* de la part du roi votre fils.

— Je vous ois, dit la reine-mère d'un ton arrogant et malengroin, comme si tout ce qui venait de ce côté-là ne lui inspirait que défiance et dépris.

— Sa Majesté, dit La Ville-aux-Clercs, a estimé que le garde des sceaux dépassait les bornes en entretenant dans l'esprit de Votre Majesté des sentiments contraires à son service.

— Monsieur, dit la reine-mère, que veut dire ce bargoin ?

— Il veut dire, Madame, que le roi estime que le garde des sceaux a fort mal agi en vous inspirant des sentiments si hostiles à l'égard du cardinal qu'à la parfin Votre Majesté a demandé au roi son renvoi.

— Et bien fis-je ! s'écria la reine-mère, approuvée aussitôt par les murmures de ses courtisans.

— Il semblerait que non, Madame, dit La Ville-aux-Clercs avec une douceur évangélique, puisque le roi vient d'appréhender Monsieur de Marillac et de le serrer en un château gardé par des archers.

— Qu'est cela ? Qu'est cela ? dit la reine avec un mélange de colère et d'appréhension. Est-ce encore une *bugia* [1] ?

— Nenni, Madame ! Rien n'est plus assuré.

— *Maggiordomo !* dit la reine-mère très à la fureur. *La mia carrozza ! Subito !* Attelez mes chevaux, mon cocher, mes valets. *Subito ! Subito !* Je pars pour Versailles.

— Courons tous à Versailles ! cria alors un des courtisans, et tirons-en Richelieu par la force !

— Monsieur, dit La Ville-aux-Clercs, d'un ton ferme, permettez-moi de vous dire que votre propos

1. Mensonge (ital.).

est pour le moins inconsidéré. Outre qu'il fleure la rébellion, il est tout à fait hors raison. Le roi est gardé à Versailles par ses mousquetaires et par deux régiments d'élite. Et croyez-vous que ces Messieurs vous laisseraient user de violence à l'égard du ministre principal du roi sans réagir ?

— Mais moi ! cria la reine-mère, plus que jamais résolue à faire « *atteler ses chevaux, son cocher, ses valets* », phrase qui devint célèbre à la Cour, quand la dame y eut perdu tout pouvoir. Mais moi, j'irai ! poursuivit-elle, j'irai à Versailles ! J'irai seule ! Je parlerai au roi, *sola a solo* ! Et on verra bien s'il n'a plus de comptes à me rendre !

— Madame, dit La Ville-aux-Clercs, il serait très fâcheux pour le respect qu'on vous doit en ce royaume, si vous alliez à Versailles sans y être invitée et que le roi ne vous y reçût pas. De reste, il est plus que probable qu'il en sera déjà départi, quand vous y arriverez.

C'était là, comme eût dit la reine, une *bugia pietosa* [1], comme Monsieur de La Ville-aux-Clercs voulut bien me l'avouer par la suite, mais dont l'effet, sur l'instant, fut tout à fait bienfaisant.

— Alors, je n'irai pas ! dit la reine tout aussi fermement qu'elle avait dit une minute plus tôt qu'elle irait. J'attendrai céans que le roi vienne s'excuser de mépriser mes avis et de n'en faire qu'à sa tête !

« Cette scène, me dit La Ville-aux-Clercs me contant l'affaire, me parut d'autant plus pénible que je ne laissais pas d'observer comment, au fur et à mesure que la vérité se faisait jour sur la disgrâce de Marillac, le troupeau des flagorneurs qui entourait le lit de la reine diminuait subrepticement en nombre, tant est qu'à la parfin il ne restait plus autour d'elle qu'une douzaine d'entre eux — les plus fidèles, ou simplement les plus sots... »

1. Pieux mensonge (ital.).

Ayant relaté à Catherine l'ambassade de La Ville-aux-Clercs à la reine-mère, je me tournai vers ma tant aimée et mes doigts passant à travers ses cheveux, je lui caressai doucement la nuque : caresse qui avait pour résultat de l'attendrézir.

— M'amie, dis-je, éprouvez-vous aussi quelque compassion pour la reine-mère en ce prédicament ?

— Tout le rebours ! s'écria Catherine. J'eusse tout juste souhaité que la demi-disgrâce qu'elle essuya alors l'eût frappée dès Fontainebleau, quand elle écrasa Richelieu de son silence hautain, alors qu'il revenait victorieux de la campagne du Languedoc où il avait été à si grande peine et labeur qu'il en avait perdu le sommeil, et presque la santé.

*

Je ne voudrais pas te celer, lecteur, que je ressens quelque mésaise et vergogne au moment de te conter la suite des châtiments terribles que le roi fit peser sur la cabale. L'un, au moins, me fit chagrin.

Ce fut celui qui frappa si durement et, à mon sentiment, si peu équitablement, le frère du garde des sceaux, le maréchal Louis de Marillac, généralissime de l'armée d'Italie, lequel campait à'steure au camp de Foglizzo, sa mission étant de se porter au secours de Casal.

Il est vrai que Louis de Marillac partageait l'antipathie — pour ne pas dire la haine — que son demi-frère, le garde des sceaux, nourrissait pour le cardinal. Et comme c'était un homme de prime saut, escalabreux, paonnard, pensant peu et parlant trop, un jour, en compagnie du duc de Guise et de Bassompierre, il alla jusqu'à dire que si on lui en donnait l'ordre, il ferait ce que Vitry en 1617 avait fait à Concini : il fracasserait la tête du cardinal d'un coup de pistolet...

Comme ce propos était tenu dans la chambre de la

reine-mère qui en faisait ses délices, il n'échappa pas à la mignonne oreille de la Zocoli, et selon la coutumière filière elle le confessa à Fogacer, qui me le répéta, et que je redis ensuite au roi, lequel logea ces paroles dites à l'étourdie, mais néanmoins menaçantes, dans un coin de ses mérangeoises afin de se les ramentevoir dans les occasions.

Et l'occasion surgit quand le roi, tenant à Versailles le mémorable Conseil qui décida d'exiler Michel de Marillac, s'avisa que cette mesure pourrait bien exaspérer son demi-frère, lequel, étant généralissime de l'armée d'Italie, disposait de trente mille hommes. On pouvait donc craindre qu'indigné par l'indignité qui frappait son frère, le maréchal ne voulût s'en revancher, et dans son peu de jugeote entrer en rébellion ouverte contre le roi. Il est vrai qu'en Italie il était secondé par les maréchaux Schomberg et La Force, tous deux adamantinement fidèles au roi, mais en se soustrayant à leur influence, il avait, lui appartenant en propre, six mille soldats qu'il pouvait ramener à Paris et y faire du dégât, et donnant ainsi la possibilité à la cabale de renaître et d'espérer.

On décida donc de dépêcher au camp de Foglizzo un huissier de cabinet, nommé Lépine, porteur d'une lettre du roi au maréchal de Schomberg lui commandant d'arrêter sur l'heure le maréchal Louis de Marillac et de le ramener sous bonne escorte à Paris.

Ce Lépine devait être un cavalier émérite, car il fallait à tout prix qu'il atteignît le camp de Foglizzo avant la poste : une seule lettre, envoyée de Paris et arrivant avant lui à Louis de Marillac, pouvait mettre le feu aux poudres. Lépine dut exténuer plusieurs chevaux sous lui, car il parvint à Foglizzo le vingt et un novembre sous le coup de midi. Et quant à ce qu'il advint, et qui fut, comme on le pressent, fort pathétique, je le sus par mon intime et immutable ami le maréchal de Schomberg qui m'en fit plus tard un récit minutieux, ajoutant que ce fut là, dans sa vie de soldat, la journée la plus pénible qu'il vécût jamais.

Ma belle lectrice se ramentoit sans doute que Schomberg était tenu pour le mari le plus fidèle de France, tant est que bien des dames, y compris la mienne, en ce royaume le donnaient pour exemple à leurs maris. Il possédait, en plus, toutes les autres qualités que nos saints livres nous recommandent, sans pour autant, ce qui eût tout perdu, tomber un seul instant dans le péché d'orgueil. En bref, il eût été pour nous tous, à la ville comme à la Cour, un exemple et un modèle, si sa perfection même ne nous avait à l'avance découragés...

Possédant tant de vertus enviables, il allait sans dire que Schomberg possédait aussi la plus rare : la gratitude. Et comme peut-être on s'en ramentoit, il m'avait voué une reconnaissance immense de ce que j'avais, quelques années plus tôt, intercédé auprès du roi — ce qui n'allait jamais sans péril — afin que Sa Majesté le lavât des calomnies abjectes qui visaient à le faire jeter en disgrâce.

Au chapitre II des présents Mémoires, j'ai décrit les maréchaux Bassompierre, d'Estrées et Créqui, personnages hauts en couleur. Mais mon tableau ne serait pas complet si je n'y ajoutais le maréchal de La Force, présent en cette circonstance avec Schomberg et Marillac au camp de Foglizzo.

La Force n'était que son nom de duc. Il se nommait, en fait, Nompar de Caumont, maître et seigneur des châteaux de Castelnau et des Milandes, dans ce Périgord auquel je suis attaché par les plus chères remembrances de mes vertes années. Or, le père de Nompar de Caumont, François, avait une cousine fort belle nommée Isabelle que mon aïeul, le baron de Mespech, épousa : mariage qui fut à la fois heureux et malheureux, heureux par l'amour qu'ils ne cessèrent de se porter, mais malheureux du fait qu'ils étaient, l'une catholique fervente, et l'autre protestant rigide, et tous deux fort entêtés en leurs croyances. En 1630 à Foglizzo, le maréchal de La Force avait déjà soixante et onze ans, mais cependant vigoureux, joyeux et bondissant. Sa famille tout entière, ainsi que la mienne, était renommée pour son étonnante longévité, et j'ai tout lieu d'espérer que mon aïeul, le baron de Mespech, tout comme François de Caumont, duc de La Force, goûteront le plus tard possible les félicités éternelles.

Le maréchal de La Force, en tant que duc et en tant qu'aîné, eût dû avoir le pas sur Schomberg et Marillac, et il s'était trouvé de reste quelque peu piqué de recevoir la veille — je dis bien la veille de l'arrivée de l'huissier Lépine — une lettre du roi l'informant qu'il nommait généralissime le maréchal de Marillac. En fait, la lettre qui avait été écrite et expédiée le dix novembre, c'est-à-dire avant l'algarade furieuse de la reine-mère et de Richelieu, était une ultime concession du roi à sa mère : il tâchait de la ramener à des sentiments plus doux envers le cardinal en avançant le frère de son favori. Mais par une cruelle ironie du sort, la lettre de Lépine commandant l'arrestation de Marillac parvint à Foglizzo le lendemain de cette promotion. Je gage que jamais dans l'histoire de France la roche Tarpéienne ne fut plus proche du Capitole...

Le moment, pourtant, était aimable. Maugré la froidure, le soleil brillait, illuminant la neige. Et les maréchaux, tous trois grands mangeurs, se préparaient à s'attabler avec la joyeuseté des gens bien portants. À cet instant, l'huissier Lépine apparut, et sans un mot (mais on lui avait recommandé de demeurer bouche cousue) remit la lettre à Schomberg, lequel, s'écartant, rompit le cachet royal et commença à lire. Là-dessus, La Force, n'oubliant jamais qu'il était duc et des trois maréchaux, l'aîné, s'approcha, jeta par-dessus l'épaule de Schomberg un œil sur le parchemin et lui dit *sotto voce* : « Monsieur, lisez votre lettre en particulier. » Schomberg acquiesça, glissa la missive dans le revers de sa manche, et dit :

— Messieurs, je ne mangerai pas. De grâce, dînez sans moi, et après que vous aurez dîné, nous verrons la lettre du roi.

Une fois hors, Schomberg, très ébranlé par ce qu'il venait de lire, appela son adjoint, le maréchal de camp Puységur, et lui ordonna de rassembler en son cabinet les capitaines aux gardes françaises. Et dès qu'ils furent là, Schomberg leur dit d'un air grave :

— Messieurs, je reçois du roi une lettre qui m'attriste et qui vous paraîtra très étrange. Je dois sur l'heure arrêter Monsieur le maréchal de Marillac. Inutile de vous ramentevoir qu'un ordre est un ordre. Il ne nous appartient pas d'en raisonner mais seulement de l'exécuter. Messieurs, peux-je compter sur votre zèle et sur votre obéissance ?

À cela, le plus ancien des capitaines aux gardes s'avança d'un pas et dit de la voix forte, sonore et bien articulée qu'on vous apprend dans les armées :

— Vous pouvez y compter, Monsieur le Maréchal !

À leur tour, de dextre et de senestre, les autres capitaines avancèrent avec ensemble d'un pas et répétèrent d'une même voix la même phrase.

Comme on s'en ramentoit peut-être, je fus assiégé avec Toiras dans l'île de Ré. Et dans la première campagne d'Italie, ainsi qu'au siège de La Rochelle, j'ai reçu quelques missions dont d'aucunes étaient périlleuses. Mais je n'ai jamais été soldat, et la mécanique bien huilée de la discipline militaire me laisse toujours béant, admiratif, et aussi quelque peu horrifié. Dès lors que retentit un ordre énergique, on dirait que les mérangeoises se mettent en sommeil pour laisser le corps agir. J'entends bien qu'il faut qu'il en soit ainsi : sans cela comment les soldats d'un régiment pourraient-ils au feu s'élancer contre des ennemis armés et retranchés avec la certitude que le quart, ou le tiers, ou la moitié d'entre eux, seront dans quelques secondes tués, blessés ou estropiés par les mousquets ennemis ?

*

— Puységur, dit Schomberg, allez voir très à la discrétion si le dîner de Messieurs les maréchaux Marillac et La Force est terminé, et s'il l'est, priez-les de venir me rejoindre céans.

Dix minutes plus tard, les deux maréchaux apparurent. À son entrant, Marillac, dont l'humeur était vive, fut surpris de voir là les capitaines aux gardes et il dit sur un ton quelque peu hérissé :

— Que font là ces officiers ? Nous ne pouvons en leur présence examiner la lettre du roi !

— Par malheur, dit Schomberg, c'est précisément en raison de la lettre du roi que ces Messieurs se trouvent céans.

Et ce disant, il tendit à Marillac la lettre du roi.

Marillac la lut, blêmit, chancela, puis se remettant il dit, contenant avec peine son horreur et son indignation :

— Qu'est ceci ? Promu hier généralissime ! Et meshui arrêté ! Mais qu'est-ce que cela veut dire ?

— Monsieur, dit Schomberg qui, connaissant le caractère escalabreux de Marillac, redoutait un esclandre, vous me connaissez, je suis votre ami. Et je vous demande, ayant reçu la lettre du roi, de patience garder. Il se peut qu'il n'y ait là qu'une méprise et que la chose ne soit rien.

— Monsieur, dit Marillac qui s'était repris, il n'est pas permis, en effet, au sujet de murmurer contre son maître. Je me rendrai en telle place et en telle prison qu'il plaira au roi de m'ordonner.

*

— M'ami, me dit Catherine, à qui je fis ce récit deux ans plus tard, pourquoi vous arrêter là ? Il y eut une suite à cette histoire, dites-la-moi.

— C'est que j'éprouve la plus grande vergogne à vous la conter, et même à y penser, car Marillac fut jugé, et ce jugement, hélas ! juge ceux qui l'ont fait.

— Et pourquoi cela ?

— Parce que, Madame, il fut inique.

— Monsieur, je suis béante : vous critiquez le roi !

— Hélas, oui ! mais je ne le fais que bien tristement et à mi-mot et dans le creux de votre mignonne oreille et l'huis bien clos sur nous.

— M'ami, vous en avez trop dit pour n'en pas dire davantage.

— Eh bien, on eût pu mettre Marillac en Bastille comme Bassompierre et l'y laisser quelques années, ce qui était déjà bien assez dur. Mais non ! On lui fit un procès ! Et on le condamna à mort.

— Et pourquoi cela ?

— Pour une raison d'État : le roi voulait faire un exemple qui terrifiât la cabale et lui ôtât toute envie de recommencer ses complots.

— Mais sur quelle base pouvait-on faire ce procès à Marillac ? Parce que Marillac avait dit que si on lui en donnait l'ordre il tuerait Richelieu ?

— Aucun juge ne l'aurait condamné pour cette forfanterie de soldat, laquelle, du reste, n'avait été suivie d'aucun effet. La méthode de l'accusation fut tout autre. Le roi diligenta une enquête sur le passé de Marillac et les enquêteurs découvrirent que, dans la construction de la citadelle de Verdun dont il avait été chargé, il y avait eu de nombreuses malversations.

— Était-ce vrai ?

— Qui le saura ? Je gage que si on faisait une pareille enquête sur les constructions militaires confiées aux autres maréchaux, il est probable qu'on aboutirait à la même conclusion, sans que pour cela lesdits maréchaux aient eux-mêmes grivelé. Car autour de tels ouvrages grouillent toujours nombre d'ingénieurs, de fournisseurs et d'intendants qui pouvaient trouver là des occasions plaisantes de gonfler leurs boursicots. C'est ce que dit, d'ailleurs, Marillac qui se défendit pied à pied, tant est que la procédure dura deux ans. À la parfin, on tria sur le volet vingt-trois juges, mais même après ce tri si soigneux, il ne s'en trouva que treize qui le jugèrent coupable et dix non coupable.

— Il fut donc condamné à mort ?

— À la plus grande satisfaction du roi et au plus grand déplaisir de Richelieu qui, en son for, trouvait politiquement inutile et moralement déplaisante la mise à mort d'un bouc émissaire.

— Intervint-il ?

— Oui-da ! et c'est ce qu'on oublie souvent : Richelieu demanda et obtint du roi une abolition.

— Une abolition ? Qu'est cela ?

— Une amnistie.

— Et pourquoi diantre Marillac fut-il malgré cela exécuté ?

— Parce qu'il refusa l'abolition.

— Dieu du ciel ! s'écria Catherine. Il refusa l'abolition qui le sauvait de la mort ! Mais quelle folie ! C'était de soi poser sa tête sur le billot !

— Cette folie, m'amie, s'appelle le point d'honneur. S'il est rigoureux déjà chez le gentilhomme, il devient plus rigide encore chez le soldat : Marillac déclara que n'étant pas coupable, il n'avait pas à être pardonné.

— Il eût pu tout aussi bien penser que le roi lui donnait *nel petto* [1] l'abolition parce qu'il le croyait innocent des crimes qu'on lui reprochait.

— M'amie, vous êtes futée !

— Et Marillac ne le fut guère ! Il eût dû aussi s'avi-

1. Au fond du cœur (ital.).

ser que refuser l'abolition du roi, c'était lui faire une offense mortelle.

— Vous avez mille fois raison. Rejeter une grâce royale, c'est quasiment un crime de lèse-majesté. Et c'est ce qu'éprouva sans doute Louis, car il laissa les choses aller jusqu'au billot : le dix mai 1632, à quatre heures et demie de l'après-midi, en place de Grève, le maréchal de Marillac fut décapité.

*

Plaise à toi, lecteur, de me laisser revenir au lendemain de la journée des Dupes le douze novembre 1630. La reine-mère est dans tous ses états, mais elle n'a pas bougé d'un pouce dans ses positions et ses prétentions. J'oserais même dire qu'elle n'a rien entendu à ce qui s'est passé, à tel point qu'elle posa comme condition à sa réconciliation avec Richelieu le retour de Marillac aux affaires ! Dieu bon ! m'apensai-je, par quelle étrange paresse de ses obtuses mérangeoises ne peut-elle jamais adhérer à la réalité et s'adapter à la nouveauté de la situation ? Pour elle, Richelieu est et sera toujours le méchant par lequel tout le mal est arrivé. Louis est un mauvais fils, puisqu'il ne lui obéit pas, et sa politique anti-espagnole, un outrage au Seigneur.

Pour tâcher d'adoucir cette adversaire plus dure et obtuse que roc, le roi lui envoie le secrétaire d'État Claude de Bullion. Plus fin compère que ce Bullion, vous ne trouverez mie sur toute l'étendue de notre douce France. C'est un homme à cheval sur deux siècles, puisqu'en 1600 il avait déjà vingt ans, et du siècle passé il a conservé autour de son cou une grande fraise plissée à la Médicis, qui lui donne je ne sais quel air de dignité et d'antiquité, et d'autant qu'il porte aussi, sur son crâne rond, une calotte quasi cléricale et, sur sa poitrine, la grande croix du Saint-Esprit. Ce n'est pourtant pas un dévot, mais un financier, j'entends un homme qui a le talent de faire des pécunes avec des pécunes.

Il a un grand front, un nez fort, une face pleine, ce qui lui donne un air de bonhomie, lequel est corrigé, mais non supprimé, par la méfiance du regard et la finesse du sourire. Conseiller d'État, maître des requêtes, secrétaire d'État, il a aussi consenti des prêts importants à de grands personnages et au roi lui-même, et comme bien sait le lecteur, plus grand est alors le profit, même s'il faut quelquefois prendre patience pour recouvrer son dû. Il va sans dire qu'un homme aussi avisé que Bullion ne pouvait être que le « paroissien de qui est le curé », et le curé étant Richelieu, il le servait avec dévouement, et un dévouement, il va sans dire, bien récompensé.

Voilà donc notre Bullion qui demande audience à la reine-mère. Il l'obtient. Et bien entendu, le premier mot de la dame est un sarcasme :

— Comment, Monsieur, vous me venez visiter ! Vous allez passer pour un criminel ! On vous excommuniera !

— Madame, dit-il, c'est le roi votre fils qui m'envoie à vous pour trouver un accommodement.

— Ai-je bien ouï ? dit la reine-mère d'un air hautain. Un accommodement ? Et avec qui ?

— Vous pourriez ne rencontrer le cardinal qu'au Conseil du roi.

— Nenni ! dit-elle, point ne le veux ! Et on m'étranglerait plutôt que de me faire faire quoi que ce soit contre ma volonté.

— Madame, dit Bullion, la position que vous prenez est inspirée par la colère. Elle est la plus dangereuse qui soit.

— Peu me chaut !

— Mais, Madame, c'est le roi qui par ma bouche vous presse d'accepter l'accommodement dont je parle.

— Et moi, je ne vois pas qu'il soit nécessaire que

j'aille au Conseil, et moins encore que j'y retrouve Richelieu. J'attendrai que le roi sur ce faquin ouvre les yeux et les oreilles !

— Sont-ils clos, Madame ?

À cela elle ne répond pas, mais suffocante en son ire, elle reprend :

— Dieu ne paye pas tous les jours, mais enfin il paye ! Je prendrai mon temps et je retrouverai ce faquin ! Je me donnerais plutôt au diable que de ne pas me venger !

Quand Bullion, plus tard, me conta cette entrevue, il me dit *in fine* :

— À votre sentiment, quel peut être le sens de « Dieu ne paye pas tous les jours, mais enfin il paye ».

— C'est peut-être une phrase de prêtre, se peut du cardinal de Bérulle, qui signifie sans doute que Dieu, tôt ou tard, punit les méchants.

— Alors, dit Bullion, la reine-mère ne doit pas avoir trop confiance en le châtiment céleste, puisqu'elle ajoute : « Je prendrai mon temps et je retrouverai le faquin ! » Et elle ajoute encore, ce qui est véritablement le comble : « Je me donnerais plutôt au diable que de ne pas me venger. » D'abord Dieu ! Ensuite le diable ! La reine-mère paraît hésiter sur le choix des alliés qui lui permettront d'accabler Richelieu...

Après cela, lecteur, on fit démarche sur démarche auprès de la reine-mère pour qu'elle acceptât de revoir et de recevoir le cardinal. Le père Suffren, le nonce Bagni intervinrent sans pouvoir calmer son délire : on l'insultait, disait-elle, on la piétinait, on la traînait dans la boue, on la menait le bâton à la main...

Toute logique et toute raison, si tant est qu'elles s'y trouvèrent jamais, ont disparu de ses mérangeoises. Elles ne sont plus traversées que par des clameurs ou des humeurs furieuses. Tantôt elle s'apitoie sur son propre sort, gémit et larmoie, et tantôt elle entre en transe, et jure qu'elle se vengera de la façon la plus cruelle. À la parfin, on arrange une entrevue avec Richelieu. Comme à Fontainebleau, à son entrant, elle le foudroie d'un air hautain, et plus froidureuse que glace, n'articule pas un seul mot. On insiste encore. Elle le reçoit derechef, cette fois fond en larmes en le voyant et balbutie qu'elle se conduira envers le cardinal comme le cardinal se conduira envers elle. Est-ce cette fois un début d'accommodement ? Pas le moindrement du monde ! La marquise de Sablé apprend le lendemain de la bouche du docteur Vautier, grand favori de la reine-mère, que cette apparente résipiscence n'était que grimace et comédie. Mais à quoi diantre tend cette feinte ? Quel est son but ? À quoi sert-elle ? Je gage que la pauvre matrone serait bien en peine de répondre là-dessus. Et meshui, devant ce bloc, la situation semble sans issue.

— Et c'est alors qu'intervient, Monsieur, dans votre histoire, un personnage qui me ragoûte peu.

— Qu'est cela, belle lectrice, est-ce vous ?

— C'est moi, ne vous déplaise.

— Rien ne saurait me plaire davantage. J'ai le sentiment que vous me tenez grief de faire un peu moins appel à vous que par le passé.

— C'est vrai. Madame la duchesse d'Orbieu m'a largement remplacée. Mais qu'y peux-je ? Et qu'y pouvez-vous ? Les épouses, elles aussi, ont des droits.

— Que veut dire « elles aussi » ?

— L'expression m'est venue de soi. Je ne saurais l'expliquer. Mais si vous me le permettez, j'oserai vous interpeller qui-ci qui-là, comme je faisais jadis.

— Dites-moi dès lors quel est le personnage qui vous ragoûte peu ?

— Ce fol de Gaston flanqué de ses conseillers gloutons.

— Chaque fois que son aîné se trouve dans un

mortel embarras, Gaston intervient pour compliquer et empirer la situation. Voyant le roi très embarrassé par le refus de la reine-mère de siéger en son Conseil, il se met à réclamer à cor et cri des clicailles et des places pour ses gloutons sous la menace, à peine voilée, de sortir du royaume s'il n'obtient pas ce qu'il veut. Et en effet, la conséquence en serait fort menaçante, car elle rendrait possible une guerre civile soutenue contre le roi par la Lorraine et les Espagnols des Pays-Bas. Notre Gaston est gourmand. Il demande pour Le Coigneux la charge de président à mortier au Parlement de Paris et pour Puylaurens cent cinquante mille livres, et la promesse d'un duché.

« Non sans dégoût, le roi lui accorde en principe sa demande. Trois semaines se passent et les enchères augmentent. Gaston demande pour Le Coigneux, qui est ecclésiastique, le chapeau de cardinal. Le roi et le Conseil sont atterrés. Ils viennent d'apprendre que Le Coigneux, malgré sa soutane, est raffolé du *gentil sesso,* et point tant discrètement qu'il le faudrait. Il a fait des enfants à une femme qui lui intente à Paris un procès public.

« Preuve, belle lectrice, que si notre Église est belle, forte et riche, en revanche, maugré le cardinal de Bérulle et l'Oratoire, le recrutement et la formation des prêtres laissent encore bien à désirer. En bref, demander au pape le chapeau pour ce prêtre dévergogné n'est point possible. Alors, sans oser refuser nettement, on laisse traîner les choses. Mais les gloutons, eux, s'impatientent. Et Gaston, le trente janvier 1631 à neuf heures du matin, à la tête d'une suite importante et quasi menaçante, envahit le domicile de Richelieu et hurle que le cardinal n'ayant pas tenu ses promesses, il ne le tient plus pour son ami ; et sur cette phrase menaçante, il se retire et court visiter la reine-mère. Le soir même, on apprend par la Zocoli que la reine-mère a remis à

Gaston, à son départir, des pierreries d'une valeur d'un million d'or, lequel million pourrait, d'évidence, servir à lever des troupes, et à financer une révolte. L'affaire est claire. La mère et le cadet se liguent contre le roi.

— Et que fait alors le roi ?

— Belle lectrice, je vous le laisse à deviner. Et si point ne le devinez, de grâce, tournez la page.

CHAPITRE XIII

Quelques mois après les gravissimes décisions prises à Compiègne à l'endroit de la reine-mère, j'eus, de retour à Paris, avec Fogacer, un fort intéressant bec à bec, non pas tant sur ce qui s'était passé — qui se trouvait à peu près connu de tous — mais sur les dessous et les ressorts cachés de cet événement de si grande conséquence qui devait changer du tout au tout le déroulement du règne de Louis XIII.

Le bec à bec se tint en mon hôtel des Bourbons à Paris devant un flacon de mon vin de Bourgogne auquel Fogacer fit honneur et auquel je ne touchai pas. Comme à l'ordinaire, j'invitai poliment, et non sans mauvaise foi, Catherine à se joindre à nous, mais elle s'y refusa, sachant que dans un entretien politique je n'aimais pas les interruptions d'une tierce personne. Lecteur, vous me direz que j'eusse pu au préalable inviter mon épouse à demeurer bouche cousue, mais elle aurait conçu alors, de cette injurieuse injonction, un vif déplaisir.

C'est pourquoi, avant que de me retirer *da solo a solo* avec Fogacer dans mon cabinet, je dis à Catherine d'une voix douce accompagnée d'un tendre regard : « M'amie, voudriez-vous pas vous joindre à nous ? » À quoi, sachant ce que valait l'aune de cette prière-là, elle répondit d'une voix moins douce, avec un regard moins tendre : « Hélas non, m'ami ! Et j'en

suis bien marrie ! Je dois m'occuper d'Emmanuel. »
Là-dessus, Saint-Martin, le petit clerc de Fogacer, requit dans son jargon la permission de se joindre à elle tant le jouvenceau, plus jeune que son âge, était raffolé des enfantelets.

Je fis à Fogacer une relation des plus succinctes, m'apensant qu'il en avait ouï plus d'une déjà et qu'il ne voulait ouïr la mienne que pour compléter et corriger la version qu'il avait déjà engrangée dans sa remembrance. Quant à moi, sur la recommandation expresse de Louis, je lui décrivis tout dans le plus grand détail. Louis craignait, en effet, ayant exilé sa mère, de passer pour un « mauvais fils » aux yeux des Cours d'Europe, et il était, en conséquence, fort désireux que la vérité des faits prévalût sur les prévisibles calomnies de ses ennemis. En conséquence, il me laissa entendre que je devais sans rien omettre tout raconter à Fogacer, lequel devrait, à son tour, répéter mon récit au nonce Bagni et à l'ambassadeur Contarini — le pape et Venise étant nos amis les plus sûrs, pour ce qu'ils redoutaient l'un et l'autre les Espagnols et leur insatiable appétit de conquêtes.

Quand j'eus terminé mon récit, Fogacer me dit :

— Mon cher duc, trouvez-vous bon de répondre à quelques questions ? Mais à y réfléchir plus outre, ajouta-t-il, je ne sais si je ne devrais pas vous appeler « Monseigneur ».

— Vous vous raillez, je crois. Vais-je vous appeler, à chaque mot, Révérend docteur médecin chanoine Fogacer ? N'êtes-vous pas une sorte de père pour moi ?

— La grand merci, mon fils, dit Fogacer avec son lent et sinueux sourire. Voici donc ma question. En votre opinion, est-ce vraiment sans arrière-pensée que Louis choisit le château de Compiègne pour respirer l'air des champs ?

« Outre qu'il aimait de grande amour Versailles et Saint-Germain, le château de Compiègne se trouvait resserré dans les murailles de la ville, il était au surplus incommode et passablement délabré. Il comptait même si peu de chambres convenables que la Cour s'y trouverait à l'étroit et que pourraient à peine s'y loger, comme il convient, les personnes royales, les ambassadeurs étrangers et les secrétaires d'État.

— Pourquoi Compiègne, en effet, mon cher Fogacer, alors qu'il y a des résidences plus belles et plus proches ? Plus d'un des présents, j'imagine, se posèrent la question. Mais par malheur, l'esprit de la reine était si gourd que cette anomalie ne lui mit pas puce au poitrail. Elle ne pressentit rien. Elle ne s'alarma pas. Et c'est pitié, car si elle s'était douté que son exil fût si proche, se peut qu'elle eût mis alors un peu d'eau dans son aigre vin. Encore que j'en doute. La pauvre reine avait, en effet, l'esprit si puéril qu'elle pensait qu'en s'entêtant dans un entêtement, elle ne pouvait faillir de gagner... Tant est qu'à peine arrivée à Compiègne, elle se montra plus que jamais escalabreuse et rebelute. Elle clama à tous échos que pas plus à Compiègne qu'à Paris elle ne siégerait au Conseil du roi, si elle devait y rencontrer Richelieu. Notez alors, cher Fogacer, avec quelle application le roi multiplie les émissaires qu'il dépêche à la reine-mère pour la décider à assister au Conseil. Il lui envoie de prime Châteauneuf, le nouveau garde des sceaux. Mais à peine le malheureux déclôt-il la bouche, que la reine-mère hurle : « *La mia riposta è no* [1] *!* » Louis lui dépêche alors son propre favori le docteur Vautier, intermédiaire qui le ragoûte peu, mais à lui aussi elle répond : « *Certamente no !* » Le roi alors, se ramentevant qu'elle a un faible pour les maréchaux, lui envoie Schomberg, mais la hurlade devient plus péremptoire encore : « *No, no ! No ! Poi no* [2] *!* » Le roi lui délègue enfin son

1. Ma réponse est non (ital.).
2. Non, non, et non ! (ital.).

propre confesseur, à qui elle répond avec hauteur : « *Il mio no è molto categorico*[1] *!* » On lui dépêche enfin le comte de Guiche à qui elle dit, ivre de fureur et pour une fois en français : « Qu'on ne me harcèle plus avec toutes ces ambassades ! Pour m'amener au Conseil, il faudrait me traîner par les cheveux ! »

— Vous êtes d'évidence apensé, mon cher duc, dit Fogacer, que Louis a envoyé, coup sur coup, toutes ces ambassades, non pas parce qu'il espérait faire revenir la reine sur son refus, il la connaît trop pour nourrir un tel espoir, mais parce qu'il voulait montrer aux ambassadeurs et aux ministres que la reine était, et serait, à jamais irréconciliable. Je pense, en effet, qu'il voulait faire éclater aux yeux de tous que la reine, en paralysant l'appareil d'État, rendait nécessaire la mesure qu'il allait prendre à son encontre, à savoir l'enfermement à Compiègne.

« C'est donc, poursuivit Fogacer, que la séance du Conseil du roi, qui à Compiègne décida dudit enfermement de la reine-mère, ne fut tenue que pour donner plus de poids et de légitimité à une décision déjà prise ?

— J'en suis en mon for bien persuadé, mon cher Fogacer.

Là-dessus, Fogacer me parut très satisfait de sa propre sagacité et à ce que je suppose pour s'en féliciter lui-même, il but une telle lampée de mon vin de Bourgogne qu'il finit le flacon. Après quoi il reprit :

— La grand merci, mon fils, je me sens dès lors très encouragé à quérir de vous un récit de cette fameuse et peu secrète séance du Conseil où l'on dit que Richelieu, par son habileté et son talent, fut du tout émerveillable.

— Vous avez raison de dire que cette séance fut peu secrète, puisque les conseillers avaient reçu, avant même qu'elle ne se tînt, mission de la faire

1. Non, non est tout à fait catégorique (ital.).

connaître autour d'eux. Et vous avez aussi raison de dire que Richelieu fut émerveillable. Il y a toujours un élément de théâtre dans une assemblée et le cardinal y excelle, alors même qu'il a l'air si sobre et si retenu. Notez bien qu'avant la scène qui se passe sur le théâtre, se place une répétition, et ce serait une erreur de croire que le roi n'ajoute rien ou ne retranche rien à l'exposé de son ministre...

*

À part le jour précis de février 1631 où fut tenue à Compiègne cette importantissime séance du Conseil du roi, je me ramentois tout, et de prime qu'il faisait un froid à geler pierres (et cœur, eût dû dire la reine-mère) tant est qu'en dépit d'un grand feu allumé dans la monumentale cheminée de la grand-salle, à peu que les conseillers ne claquassent des dents. Et il se peut aussi que leur langue fût elle aussi quasi gelée, car ils restèrent bouche cousue, quand le roi leur demanda leur avis après avoir ouvert le débat qui devait régler le sort de la reine-mère. Le roi alors, entendant bien leur vergogne à ouvrir le bec sur le sort d'une personne royale qui était, par son rang, le deuxième personnage de l'État, donna sans tant languir la parole à Richelieu, lequel n'avait en aucune manière, en cet ultime combat, l'air d'un preux chevalier entrant en lice, le heaume fermé et la lance abaissée. Tout le rebours. Il se tenait debout à la dextre du roi, et un peu en retrait, afin de lui laisser le devant de la scène ; le corps, cependant, bien droit en sa soutane pourpre immaculée et le menton haut, il donnait une impression de vigueur que ne parvenaient pas à démentir ses yeux creusés par la fatigue, ses joues maigres et son poil déjà grisonnant. Il parla comme à l'ordinaire sans note, d'une voix courtoise bien articulée, mais sans l'ombre d'une onction cléricale. En ces séances, indifférent aux attaques, si vives qu'elles fussent, il demeurait toujours calme et serein, confiant dans la justesse de ses vues et en sa propre habileté à les faire prévaloir.

Le fait que le roi lui donnait en dernier la parole lui baillait, de reste, un immense avantage, personne n'ignorant que le roi et son ministre marchaient dans toutes les affaires du royaume, *mano nella la mano* [1], comme eût dit la reine. Il va sans dire qu'il y avait là, pour elle, l'effet sulfureux d'un charme diabolique... Mais les conseillers du roi, moins superstitieux, en jugeaient autrement, étant béants et comme subjugués par le talent politique de Richelieu.

— Messieurs, dit le cardinal, Sa Majesté me donnant l'ordre d'opiner, je ne puis que lui obéir, si difficile, voire même si délicate, que soit la décision que nous devons prendre. Pour bien entendre cette décision, elle doit être, de prime, replacée dans le contexte historique qui est le nôtre, et qui est loin de nous être favorable. Le royaume de France n'est, en effet, entouré que d'États qui rêvent à sa perte. Au nord, les Pays-Bas espagnols. À l'est, la Lorraine. À l'est et au sud-est, les Impériaux, et en Italie, le Milanais. Au sud enfin, la Péninsule ibérique. Or, n'ayant jamais réussi à battre sur le terrain les invincibles armées de Sa Majesté, ses ennemis tâchent d'affaiblir la France en fomentant des troubles et des tumultes par l'intermédiaire de personnes qui se sentent plus Espagnoles que Françaises. Ces troubles sont, comme vous savez, l'œuvre de la cabale, laquelle, attachée à cette tâche vile, est traître et perfide au roi, déserteuse à sa patrie, criminelle de lèse-majesté au premier chef.

« Messieurs, reprit-il au bout d'un instant, il serait inutile de nous cacher à nous-mêmes que des personnes royales participent à ces troubles. Et si nous

1. La main dans la main (ital.).

voulons y mettre fin, il ne sied point de les oublier, quelque respect et révérence que nous ayons pour elles. Quant à moi, pour mettre fin à ces insufférables agitations qui menacent les fondements mêmes de l'État, je vois quatre solutions.

« La première serait de s'accorder avec Monsieur. Sa Majesté l'a tenté Dieu sait combien de fois en lui donnant ce qu'il voulait. Mais à peine Monsieur a-t-il reçu ces dons qu'il demande davantage. D'où un nouvel accord fort coûteux et qui est rompu derechef : rupture aussitôt suivie de nouvelles exigences. Messieurs, vous voudrez bien convenir que continuer dans cette voie serait ruiner le Trésor de la Bastille.

« La deuxième solution serait de s'accorder avec la reine-mère. L'ayant servie jadis avec zèle, et lui étant fort reconnaissant des bienfaits dont elle m'a comblé, je souhaiterais de tout cœur cette solution. Mais, hélas, elle est du tout impossible. La reine-mère voudrait que je sois à elle, et non au roi, que je fasse sa politique, et non celle du roi. En un mot, elle voudrait régner et décider de tout. La seule façon de la satisfaire serait de lui remettre dans la main le timon de l'État. Il va sans dire que ce serait là une abdication et il va sans dire aussi que le roi ne saurait, fût-ce même en rêve, y consentir.

« La troisième solution serait que je me retire des affaires. Je préfère et propose cette solution. Cependant, comme je n'ignore pas que l'on ne s'attaque à moi que parce qu'on n'ose pas s'attaquer au roi, je prévois que moi parti, on s'en prendra à son autorité et à sa politique par des assauts encore plus sournois et plus répétés. Si vous permettez ici une métaphore agreste, je poserai la question suivante : “Quelques chiens ôtés de la bergerie, n'attaquerait-on point le troupeau, et ensuite le pasteur ?”

« La quatrième possibilité est de ruiner entièrement la cabale. Mais comme elle n'a sa source, sa force et son appui qu'en la reine-mère, je ne vois d'autre ressource que d'éloigner la reine-mère de la Cour. Toutefois, c'est là une mesure si délicate que je m'abstiendrai de la proposer. Mais si le roi et le Conseil s'y rallient, je ne laisserai pas de m'incliner devant cette décision, tout en persistant dans mon désir de retraite.

Richelieu salua alors le Conseil de la tête, puis salua profondément le roi et recula encore de trois pas comme s'il voulait, par modestie, se fondre dans le décor.

Comme c'était la quatrième fois que Richelieu offrait sa démission — laquelle, quatre fois, avait été catégoriquement refusée par le roi — les conseillers l'écartèrent, eux aussi, en un tournemain. Puis, marchant sur les œufs avec une délicatesse infinie, ils opinèrent en faveur de l'éloignement de la reine-mère, tout en protestant de leur profond attachement à sa personne royale et en faisant remarquer que s'agissant de la mère du souverain, c'était au roi, et au roi seul, qu'il appartenait en tout état de cause d'en décider.

Le roi, prenant alors la parole, constata que les conseillers avaient unanimement accepté la mesure proposée par le cardinal au sujet de la reine-mère. « Quant à moi, ajouta Louis sobrement, je la crois bonne et je me propose de la mettre promptement à exécution. »

*

L'adverbe « promptement » dans la bouche du roi n'était pas un vain mot. Il fit venir, tambour battant, à Compiègne, huit compagnies de gardes françaises, cinquante chevau-légers, cinquante gendarmes, et le vingt-trois février 1631, à la pique du jour, il prévint la reine, la Cour, les ministres et les ambassadeurs de se préparer sans tant languir au département. Et tout ce monde, à grand bruit et dans le plus grand désordre, décampa sans que, sur l'ordre du roi, la reine-mère fût prévenue.

Elle le fut, néanmoins, au dernier moment par la reine qui, une fois de plus, désobéit aux instructions du roi. Mais c'était déjà trop tard. La reine-mère était grande et grasse dormeuse. Il lui fallait du temps pour se réveiller. Tant est que maugré le tohu-va-bohu du départ, elle avait les yeux à peine déclos et les mérangeoises peu désembrumées, quand le maréchal d'Estrées et La Ville-aux-Clercs demandèrent à la voir. Elle les reçut alors sans le moindre souci du décorum, couchée, déchevelée, dépimplochée. Le lecteur se ramentoit que c'est ainsi qu'elle parlait à son capitaine aux gardes quand au Louvre, étendue, dépoitraillée à cause de la chaleur, sur le tapis, elle le recevait pour lui donner ses ordres. Toutefois, je ne voudrais pas que le lecteur se méprenne. La reine-mère n'eut jamais d'amant. Son attitude dévergognée était dédain et hauteur, et rien d'autre.

— M'ami, me dit Catherine quand je lui fis le récit de cette entrevue, pourquoi fallait-il qu'il y eût deux personnages, et non pas un seul, pour annoncer à la reine-mère qu'elle allait demeurer, elle, à Compiègne, loin de Paris et de la Cour ?

— Je dirais que La Ville-aux-Clercs représentait le gouvernement du roi, et le maréchal d'Estrées, la garnison de mille six cents hommes qui devait garder la reine-mère et dont d'ailleurs il reçut le commandement.

— Mais pourquoi tant d'hommes ? dit Catherine.

— Mais parce qu'il était à craindre que Gaston, qui avait pris les armes contre son frère, ne tentât de délivrer la reine-mère. C'eût été, dans son jeu, un atout capital. L'héritier présomptif de France délivrait sa mère des griffes du méchant fils, et l'attaquait ensuite avec l'aide et la benoîte bénédiction des Espagnols et des Impériaux.

— La chose était donc faisable ?

— Elle l'était, mais pas avec Gaston assurément... Quoi que Gaston entreprît, il ne persévérait jamais. Ramentez-vous La Rochelle. Il voulait être le généralissime du siège, et au bout de quelques semaines, il planta là son commandement pour courre se vautrer dans les délices parisiennes.

La Ville-aux-Clercs, un peu surpris de voir la reine-mère en si simple appareil, posa un genou à terre et lui remit la lettre du roi. Elle l'ouvrit, elle la lut, la replia et dit sans marquer d'émotion : « Le roi me reclôt à Moulins. — Madame, dit le maréchal d'Estrées, Moulins est à vous. C'est votre maison. Vous vous y êtes toujours beaucoup plu. Et vous y serez en toute liberté et autorité. »

— Et, Monsieur mon mari, dit Catherine, que répond-elle à ces paroles adoucissantes ? Elle hurle ?

— Eh non, m'amie ! Elle ne hurle pas. Elle pleure !

— Dieu bon ! dit Catherine. Enfin une réaction féminine ! Vous verrez que je vais finir par avoir pitié d'elle !

— Mais le monde entier la plaint ! Est-ce sa faute, si elle n'a pas un atome de jugeote en sa cervelle, mais en revanche, un entêtement aveugle, un orgueil démesuré, et un terrible acharnement à régner, alors qu'elle n'a aucun des talents qu'il y faut ?

— Et que font nos deux messagers ? Faire pleurer la reine-mère, voilà qui est embarrassant, même pour un maréchal.

— Eh bien, ils attendent qu'elle leur donne congé. Et tout soudain, elle s'écrie, les larmes roulant encore sur ses joues, grosses comme des pois : « Je n'ai rien fait qui mérite un traitement pareil ! »

— Monsieur mon mari, reprend Catherine, va-t-elle quitter Compiègne pour Moulins, comme le roi le lui ordonne ?

— Fi donc ! Obéir au roi ! Vous n'y pensez pas ! Elle invente toutes sortes de prétextes pour différer son département : il y a la peste à Moulins (*ce qui est faux*). Le château de Moulins est délabré (*ce qui est faux*). Elle ne partira pour Moulins que si on lui rend le docteur Vautier (*ce qui est impossible, le roi l'a embastillé*). Et enfin, une dernière trouvaille, on ne la veut transporter à Moulins que pour gagner le Rhône et là l'embarquer sur une galère afin de la transporter à Marseille, et de là à Florence où elle n'aura ni honneur, ni bien, ni retraite au milieu de parents lointains qu'elle n'a jamais vus.

— Et que fut sa captivité à Compiègne ?

— Que pouvait-elle être avec une femme d'aussi peu de ressources ? Quand il fait beau, elle se promène sur la terrasse du château avec le maréchal d'Estrées qui est la courtoisie même. Et là, ou bien elle gémit, se répand en plaintes interminables que d'Estrées écoute d'un air compatissant, ou bien elle lit à haute voix, contre le roi et Richelieu, des pamphlets séditieux que d'Estrées fait semblant de ne pas ouïr. Elle a, du reste, reçu toute liberté de se promener dans Compiègne, mais par hauteur elle s'y refuse. Son Luxembourg lui manque et plus encore sa Cour de thuriféraires. Ses jours s'écoulent dans une morne grisaille, éclairée de temps à autre par l'éclair d'un espoir. Elle apprend un jour par une lettre de Madame du Fargis que, d'après les horoscopes, le roi son fils mourra avant la fin de l'année... Voilà qui arrangerait tout ! Et que de beaux rêves lui donne cette mort-là : le retour triomphal à Paris, et une immense autorité sur Gaston, le nouveau roi.

— Ma fé ! mon ami, sous quelles couleurs vous la peignez ! Le tableau n'est-il pas un peu noir ?

— À mon avis, il ne l'est pas assez. La reine-mère n'a jamais aimé ses filles et moins encore son fils aîné. Avez-vous oublié la façon odieuse dont elle l'a traité en ses jeunes années, le rabaissant sans cesse et le livrant aux insolences de Concini ? Quant à Gaston, la reine se fait sans doute quelques illusions sur ce qu'il ferait s'il venait au pouvoir. À mon sentiment, il est bien trop vaniteux pour le lui abandonner, et ses conseillers, certes, ne l'y pousseront pas. Mais laissons, de grâce, ces bas et peu ragoûtants rêves de mort. En dépit de tous les horoscopes, Louis se porte comme un charme.

*

Sa mère reclose en Compiègne, Louis n'en a pas pour autant fini avec sa terrible famille. Car Gaston, sous le prétexte vertueux de libérer sa mère, a levé des troupes avec le million d'or en bijoux qu'elle lui a donné, et s'est installé à Orléans qu'il commence à fortifier. Et qui pis est, il a appelé à le rejoindre des gentilshommes de grande maison dont quatre ont déjà répondu à son appel : le duc d'Elbeuf, le duc de Bellegarde, le duc de Roannez, et le comte de Moret, fils naturel légitimé d'Henri IV. Lecteur, ne vous y trompez pas. Ce ne sont pas là des chevaliers au cœur tendre que la captivité de la reine-mère laisse déconsolés, mais d'avisés et rusés seigneurs qui misent sur la proche mort de Louis et sur la montante étoile de Gaston, héritier présomptif du trône de France, puisque la reine n'a toujours pas de dauphin.

Quant à Gaston, son entreprise n'est que futile gesticulation. S'il voulait vraiment libérer sa mère à Compiègne, il aurait pris position au nord de Paris et non au sud. Louis ne s'y trompe pas et, dès qu'il a quitté Compiègne, marche droit sur Orléans à la tête de son armée. La réaction de Gaston ne se fait pas attendre. À la tête de ses soldats-bijoux — trop précieux pour qu'on les gaspille — et flanqué de ses ducs peu désintéressés, il fuit, et à marches forcées gagne Besançon, propriété alors de l'Espagne. Mais, même là, il ne se sent pas tout à fait à l'abri, ni tout à fait en bonne estime, les Espagnols — qui sont les meilleurs fantassins du monde — regardant de haut ce fils de roi qui lève une armée pour ne pas se battre. Gaston passe alors en Lorraine, où le duc, dont il est le meilleur atout contre la France, le traite avec amitié. Sa puérile épopée est finie. Mais elle ne l'est pas aux yeux de Louis. Connaissant depuis belle heurette les pantalonnades de Gaston, ce n'est pas là ce qui le poigne, mais qu'il ait réussi à entraîner avec lui quatre grands seigneurs. Il y avait là le début redoutable d'une coalition de grands féodaux qui, aux quatre coins de la France, pouvaient se dresser un jour contre le pouvoir royal. Aussitôt, Louis réagit et rédige contre les quatre félons, si je puis me permettre de les nommer ainsi — le duc d'Elbeuf, le duc de Bellegarde, le duc de Roannez, et le comte de Moret (auquel il ajoute les conseillers de Gaston, Le Coigneux et Puylaurens) —, une déclaration où il les accuse d'être criminels de lèse-majesté au premier chef.

— Pourquoi au premier chef, mon ami ? Y a-t-il un crime de lèse-majesté au deuxième chef ?

— Est-ce vous, belle lectrice ?

— Ne m'avez-vous pas donné, Monsieur, licence de vous interrompre pour vous poser question ou dois-je m'effacer tout à plein devant la duchesse d'Orbieu ?

— En aucune façon. Le crime de lèse-majesté au premier chef ne concerne que la personne du roi. Le crime de lèse-majesté au second chef vise les complots contre les ministres, les maréchaux et les gouverneurs de province.

— Tout cela est bel et bon. Mais pourquoi condamner les comparses de Gaston, et non pas Gaston lui-même ?

— Madame, comment condamner l'héritier du trône ? Le roi régnant peut-il porter atteinte à sa propre lignée ? Que deviendrait la dynastie ?

— Une question encore, Monsieur. L'accusation

de lèse-majesté au premier chef implique, je suppose, la mise à mort.

— Bien pis que cela, Madame ! Car après la mort, on peut vous infliger l'anéantissement de votre nom et de votre blason, la confiscation de tous vos biens, le rasement de vos maisons et châteaux, l'incendie au moins partiel de vos forêts et, qui pis est, le refus d'une chrétienne sépulture, et la destruction par le feu de votre aimable petit corps.

— Comment, Monsieur, vous vous ramentez mon « aimable petit corps », alors que sur le moment vous m'avez rabrouée vertement pour m'être exprimée ainsi. À ce que je vois, une femme a toujours raison d'être coquette : il en reste toujours quelque chose.

— Il m'en reste une jolie expression, Madame, et rien de plus. Belle lectrice, avez-vous autre question à me poser ?

— Eh quoi, Monsieur ! Suis-je jà congédiée ?

— Nenni ! Mais ne dois-je pas poursuivre mon récit ?

— Pour en revenir à nos moutons, Monsieur, il me semble qu'après ma mort, si l'on brûle mon corps, peu me chaudra.

— Mais Madame, si on le brûle, il ne sera pas enterré en terre chrétienne et ne pourra donc, le moment venu, ressusciter et jouir au paradis des félicités éternelles.

— Sans doute, mais voulez-vous me dire, Monsieur, pourquoi cette expression « félicités éternelles », que nos prédicateurs emploient si souvent, me laisse toujours un peu froide ?

— Froide ? Comment cela ?

— J'entends bien ce que je perds en perdant mon corps, mais il faudrait plus de lumières que je n'en ai pour imaginer ce que j'y vais gagner.

— Madame, ce n'est pas ainsi qu'on nous l'enseigne. Il me semble que votre propos sent un peu l'hérésie, et que vous devriez en parler à votre confesseur.

*

Son frère puîné défait sans avoir combattu, Louis s'en revint à Paris et le cardinal l'y ayant déjà précédé, Sa Majesté voulut bien me prendre dans sa carrosse. Peu y gagnai-je d'ailleurs, car pendant tout le voyage il me demanda de bien vouloir être son secrétaire et me dicta une série de noms propres dont je parlerai plus loin.

Louis était à tous égards un prince fort rigoureux, observant lui-même scrupuleusement les règles qu'il avait édictées, et tenant fermement la main à ce qu'elles fussent respectées par ses sujets. Raison pour laquelle, ayant fait enregistrer par le Parlement de Bourgogne la déclaration de lèse-majesté au premier chef concernant les ducs félons qui s'étaient enrôlés avec tant de légèreté sous la bannière, elle-même bien légère, de Gaston, il voulut que le Parlement de Paris, étant le premier Parlement de France, l'enregistrât aussi et lui fît tenir ladite déclaration dès son arrivée, par La Ville-aux-Clercs.

À sa très grande surprise, stupeur, et fureur, « le Parlement de Paris refusa l'enregistrement ». Les colères de Louis, lecteur, ne ressemblaient en rien à celles de sa mère, et ne comportaient ni hurlades ni gesticulations. Elles étaient froides, contenues et s'exprimaient en peu de mots. Il ordonna au Parlement de se rendre en corps, et à pied, au Louvre, afin de lui remettre, après l'avoir retirée du greffe, la feuille enregistrant le refus d'enregistrer la déclaration royale.

Ce qui fut fait, à la grande liesse du peuple de Paris qui vit processionner le long des rues ces graves magistrats en robe longue, s'avançant sous une petite pluie fine. À chaque coin de rue, les bons becs de Paris ne laissaient pas de leur demander si, faute de pécunes, ils avaient vendu leurs carrosses... On introduisit enfin les parlementaires dans la grande salle du Louvre où les courtisans, à la vue de nos chats fourrés trempés de pluie et la crête fort rabattue, ne laissèrent pas de les dauber aussi à leur tour, les lardant à mi-voix de mille pointilles.

On les fit attendre une bonne heure, puis le roi apparut, et sans un mot d'accueil, leur rappela que le Parlement de Paris avait deux fonctions : celle de juger les causes civiles en appel et celle d'enregistrer les actes royaux. Mais le Parlement outrepassait fort abusivement ses droits en prétendant juger du contenu desdits actes royaux. Il demanda alors au président, non sans quelque rudesse, de lui remettre « la feuille du refus », comme on l'appelait au Louvre pour faire court. Le roi la lut, puis la déchira en quatre et remit les morceaux à Beringhen en lui commandant de les brûler. Après quoi, d'une voix brève, il renvoya les parlementaires à leurs travaux.

J'observai toutefois que nos parlementaires n'avaient pas l'air, en la circonstance, aussi penauds que je m'y fusse attendu. Je m'en ouvris à Fogacer qui me dit :

— Pourquoi voulez-vous qu'ils le soient ? Ils n'ont aucune raison de l'être. Nos gros matous, bien au contraire, ont réussi un beau coup de moine. Ils se sont attiré les bonnes grâces du futur roi de France en refusant d'enregistrer la déclaration de lèse-majesté contre ses acolytes. Après quoi, ils ont retrouvé la faveur du roi régnant, en acceptant sans rogne ni grogne de l'enregistrer. Les voilà donc, des deux côtés, bien gardés à carreau.

— Et que pensez-vous des horoscopes qui pullulent et prophétisent tous la mort du roi à la fin du mois d'août, et d'autres, plus optimistes, à la fin du mois d'octobre ?

— De prime, mon cher duc, l'horoscopie est

condamnée par notre Sainte Église comme étant pratique hérétique, car nul ne sait l'avenir, hors Notre Seigneur. Ensuite, l'idée même de prévoir le moment où un quidam mourra d'après la position des astres le jour de sa naissance est une incommensurable sottise. Enfin, que si vous désirez qu'un astrologue prédise la proche mort de votre ennemi juré, il vous suffira, mon cher duc, de lui mettre dans les mains un boursicot bien rondelet, en lui précisant la date de décès qui a vos préférences...

Comme on s'en ramentoit, j'avais suivi le roi à Compiègne, puis à Orléans, et puis à la parfin à Paris, où tandis que Sa Majesté ramenait rudement le Parlement à résipiscence, je gagnais bon train mon hôtel de la rue des Bourbons. À peu que je ne faillisse et chusse quand je montai les marches du perron tant le cœur me cognait, mais ledit cœur me poigna de tout autre façon quand je serrai contre lui ma Catherine en l'appelant *mon bulon* [1], *ma doucette, mon amour, ma mignonne,* et ce disant la serrant contre moi en un furieux embrassement.

— *Mon petit cœur gauche* [2], dit Catherine, vous tombez bien. Le dîner est servi. Venez sans tant languir. Je vois à votre air que vous avez plus faim qu'un lion à son réveil.

— C'est de vous, ma mignonne, que j'ai faim.

— Nenni ! Nenni ! Point de tumultes sur un estomac creux, je vous prie ! Ne m'avez-vous pas enseigné vous-même le proverbe périgourdin : après la panse vient la danse. Vous avez bien ouï, après et non avant ! Venez, beau Sire, votre assiette s'ennuie.

À la fin du dîner, apparut Honorée, dont je suis bien assuré que le lecteur ne peut que se ramentevoir, la nature l'ayant dotée de tétins prodigieux, les-

1. Ma petite belle, aux XVIe et XVIIe siècles.

2. Mon petit cœur gauche est une appellation courante au XVIIe siècle, bien qu'elle paraisse sous-entendre un cœur à droite.

quels je n'envisageais jamais qu'en tapinois, afin de ne pas éveiller la jalousie de ma Catherine.

Honorée portait dans ses bras musculeux notre petit Emmanuel qui marchait alors sur ses trois ans, et marchait vite ayant grands pieds et gros mollets. Dès qu'il me vit, jetant en avant brusquement ses deux bras potelés, il se versa dans les miens en disant : « Ah, mon petit papa ! » Car il appelait petit tout ce qu'il aimait : son ours, sa poupée, son toton, sa marotte. Après les baisers claquants de part et d'autre, bien donnés et reçus, il me tira la moustache en chantonnant « Mon petit papa ! Mon petit papa ! Mon petit papa ! » me laissant, quand Honorée le reprit dans ses bras, la lèvre du haut quelque peu cuisante et la face mouillée.

J'ai été toute ma vie si raffolé des enfantelets que je ne puis comprendre ces personnes atrabilaires qui ne supportent pas les autres, ni ne les aiment, et pas plus les petits que les grands, et moins encore les chiens, les chats, et les chevaux, qui sont pourtant de si aimable compagnie quand on les a élevés et chéris dès leur enfance.

Il me semble que ces personnes que je dis perdent beaucoup de l'agrément de l'existence qui est d'aimer et d'être aimé. Je ne saurais non plus imaginer comment elles s'arrangent dans ce désert pour s'aimer elles-mêmes.

— N'est-ce pas un grand honneur, me dit Catherine, d'être revenu d'Orléans dans la carrosse du roi ?

— Assurément, c'est un grand honneur, mais ce n'est pas un grand bonheur, car le roi m'a dicté la liste de ceux qui devront départir en exil.

— Et pouvez-vous me dire qui ils sont ?

— Je le puis, car à'steure ils sont tous arrêtés.

— Et qui sont-ils ?

— La liste est longue : la princesse de Conti, la duchesse d'Elbeuf, la duchesse d'Ornano, Madame de Lesdiguières, Madame du Fargis...

— Dieu bon ! Que de dames ! Et elles doivent toutes s'exiler !

— Mignonne, ramentez-vous que la cabale des vertugadins diaboliques fut la plus encharnée de toutes. Mais rassurez-vous, dans la liste des proscrits, les gentilshommes ne manquent pas. Je vous les nomme : le père Suffren...

— Le confesseur du roi ?

— Oui-da ! Il intriguait. Je poursuis : le docteur Vautier, médecin de la reine-mère, qui fut serré en geôle. Et *last but not least* [1], Bassompierre qui, lui, est embastillé.

— Bassompierre embastillé !

— Il était, comme vous vous ramentez, un des fidèles les plus fidélissimes d'Henri IV, mais par malheur il se maria secrètement avec la princesse de Conti...

— Votre demi-sœur, Monsieur...

— Hélas !... Hélas surtout pour Bassompierre, car il ne laissa pas d'épouser peu à peu les partialités périlleuses de son épouse contre le cardinal. En outre, parce qu'il avait marié une princesse, il se crut prince lui aussi, et devint de plus en plus arrogant et acaprissat.

— Et pourquoi le traite-t-on meshui plus durement que les ducs ?

— Parce qu'il est fort bon général, et pourrait faire demain beaucoup de mal, si une guerre civile éclatait. Une armée commandée par Gaston se disperse au moindre souffle comme fleur de pissenlit. Mais une armée commandée par Bassompierre pourrait donner du fil à retordre, même à une armée du roi.

— Et que dit le peuple de Paris à ouïr que la reine-mère est clôturée et tant de ces grands seigneurs proscrits ?

— Peu lui chaut. Il ne connaît pas « ces biaux

1. Et le dernier, mais non le moindre (angl.).

messieurs et ces belles dames ». À peine voyait-il passer leurs carrosses en grand tapage dans les rues étroites de Paris. Et gare au pauvre faquin qui ne se collait pas assez vite le dos contre le mur ! Il était écrasé, sans que pour si peu le cortège s'arrêtât.

*

Or, lecteur, les affaires avec la reine-mère n'avançaient pas d'un pouce. Elle ne voulut pas de Moulins. On lui proposa Nevers. Elle refusa. On lui proposa Blois. Elle noulut.

Elle écrivit qu'elle n'avait pas « mérité pareil traitement de son fils et qu'il ne serait approuvé ni des hommes ni de Dieu ». Ayant ainsi enrôlé Dieu sous sa bannière, elle dit que puisqu'on l'avait reléguée à Compiègne, elle y resterait, et qu'on ne pourrait l'en faire sortir qu'en « la traînant par les cheveux ». (Le lecteur se ramentoit qu'elle aimait cette image.) Elle ajouta qu'elle n'articulait aucune autre demande sauf une : qu'on la délivrât de ce milliasse de soldats qui la tenait prisonnière.

Richelieu n'ayant pas voulu toucher, fût-ce du bout des doigts, ni au sort des proscrits, ni à celui de la reine-mère, je suis bien assuré que Louis ne le consulta en aucune manière sur la façon dont il fallait répondre à cette étrange requête, ni au non moins étrange et soudain désir de la reine-mère de demeurer à Compiègne.

*

Cette demande de la reine-mère me parvint à l'ouïe par Monsieur de Guron qui m'avait prié, à mon retour à Paris, de partager avec mon épouse son « humble » repue de midi, dont j'étais sûr que je ne mangerais pas le cinquième, tant elle serait pantagruélique. Mais ma Catherine noulut m'accompagner, pour ce qu'Emmanuel, au premier coup de matines, avait rendu beaucoup plus de matières qu'il n'aurait dû « par la porte de derrière », comme disait le docteur Bouvard en parlant du roi. Fogacer, aussitôt appelé et accouru, conclut qu'il ne s'agissait que d'un « petit dérèglement des boyaux sans suite ni gravité ». Mais Catherine, mue par cette intuition féminine dont nos dames nous disent qu'elle est infaillible, se tint persuadée que, si elle s'absentait, le mal de notre fils ne pourrait que croître, et donc, s'excusa de ne se point joindre à moi, me lançant néanmoins au départir cette flèche du Parthe : « Monsieur de Guron et vous-même étant drilles de même farine, vous serez fort aise, hors ma compagnie, de clabauder galamment sur les charmes du *gentil sesso...* »

Je fus béant quand l'huis de Monsieur de Guron me fut déclos par la Zocoli, le cheveu testonné comme dame, la face pimplochée avec art, et portant une vêture qui était une sorte de compromis entre le vertugadin noble et le cotillon roturier. À peu que je ne lui baisasse la main à la voir ainsi attifurée. Mais à vrai dire, je n'en eus pas le temps. Car à peine m'eut-elle vu, qu'elle se colla contre moi, et me piqua le visage de je ne sais combien de baisers chaleureux, me disant que de tous les gentilshommes de ce royaume (et la Dieu merci, il y en avait beaucoup !) c'était moi qu'elle préférait, et que grande piété c'était que je fusse si fidèle à ma duchesse, car elle se fût rendue, comme place démantelée, à mon premier assaut.

— Mais, mignonne, dis-je, que diantre fais-tu là ?

— La reine-mère m'a chassée le lendemain de la journée des Dupes, suspicionnant que c'était moi qui avais déclos le verrou de la petite porte de la chapelle par où Monsieur le cardinal avait pu pénétrer dans ses appartements. Et Monsieur de Guron, me voyant à la rue et quasiment dormant sur le pavé, s'émut de pitié chrétienne à me voir en telle déméritée misère, et me prit alors sans tant languir dans son domestique.

Tout cela était dit, et bien dit, dans le parler vif et précipiteux des bons becs de Paris, encore que je doutasse fort que la seule pitié chrétienne de Monsieur de Guron fût la cause de sa décision.

— Et te trouves-tu bien, m'amie, continuai-je, en ton nouvel emploi ?

— Ma fé, s'écria la Zocoli, j'en suis ravie ! Peu à faire le jour. Et beaucoup la nuit.

Là-dessus, Monsieur de Guron apparut, l'œil brillant, la trogne rouge et le corps quasiment aussi large que long, et du diantre si je n'eusse pas préféré un nouvel assaut chargé de tous les enchériments de la Zocoli aux étouffantes embrassades que son maître m'infligea alors.

Ce n'est qu'au milieu du repas, s'étant déjà à demi rassasié (alors que je l'étais déjà tout à plein), que Guron m'apprit :

— Et je suis autorisé à ce faire, précisa-t-il, vu que vous allez recevoir mission en cette affaire — que la reine-mère voulait meshui *categoricamente* [1] demeurer à Compiègne et qu'elle demandait à cor et cri qu'on retirât les soldats qui la gardaient. Et en votre opinion, mon cher duc, qu'est-ce que cela voulait dire ?

— Qu'elle voulait demeurer à Compiègne, à savoir le plus près possible des Pays-Bas espagnols ; qu'elle voulait que ses gardiens s'en allassent afin de s'évader et de se mettre hors d'atteinte du roi, sinon dans les Pays-Bas espagnols, du moins dans tel lieu français qui serait proche de la frontière.

— Bien raisonné. Et comment le roi pouvait-il ne pas savoir, alors qu'autour d'elle les rediseurs et les rediseuses abondaient, qu'elle avait en effet ce dessein ?

1. Catégoriquement (ital.).

— Naturellement, il le savait.

— Et sait-on le nom du refuge français qu'elle convoitait ?

— Cela va sans dire. Il s'agit d'une place forte appelée La Capelle, fort proche d'Avesnes qu'occupe l'Espagnol. Elle est commandée par le marquis de Vardes, et meshui en son absence, elle l'est par son fils, petit béjaune écervelé, qui a accepté secrètement d'accueillir la reine-mère dans ses murs après son évasion. Et c'est là que vous intervenez, mon cher duc. D'une part, le roi appelle à la Cour le jeune Vardes et l'y garde le temps qu'il y faudra. Et pendant ce temps, mon cher duc, vous gagnez à bride abattue Gournay en Normandie où se trouve le marquis de Vardes afin de le convaincre de se rendre à La Capelle, d'en reprendre à son fils le commandement et de fermer ses portes à la reine-mère.

— Et pourquoi, dis-je, ai-je été choisi comme *missus dominicus* ?

— Le marquis de Vardes est assez haut, et le roi a pensé qu'il ne faudra pas moins d'un duc pour lui porter ses ordres.

— Trouvant les portes de La Capelle closes et sourdes à ses appels, que pensez-vous que fera la reine-mère ?

— Ce que vous pensez vous-même, mon cher duc : une folie. Elle demandera l'hospitalité aux Espagnols d'Avesnes, sans entendre le moins du monde que « traîtreuse à son roi et déserteuse à sa patrie », elle ne pourra plus jamais remettre le pied en France...

Un silence suivit ce propos.

— Je voudrais, reprit Monsieur de Guron, vous poser, mon cher duc, une question délicate. Pensez-vous que lorsque le roi a emmené la Cour et la reine-mère à Compiègne, il avait déjà imaginé ce qui allait s'en suivre ?

— Pour parler à la franche marguerite, j'en suis bien convaincu. Sans cela, pourquoi aurait-il accédé à la demande de la reine-mère de retirer les troupes qui la gardaient ? Il la connaissait trop pour ne pas savoir ce qu'elle allait faire de sa liberté.

— Le roi a donc, dit Guron, par de subtils degrés, poussé la reine-mère à la faute.

— J'en suis persuadé.

— Dieu bon ! s'écria Guron. N'y aurait-il pas là une certaine ressemblance de Louis avec le Prince décrit par Machiavel ? Qui le dirait en le voyant ? Et comme trompeuses sont les apparences !

— Mais, mon cher Guron, il faut qu'elles le soient. Le propre du Prince décrit par Machiavel, c'est de ne pas paraître machiavélique. Où serait la *finezza,* si on ne s'y trompait pas ?

CHAPITRE XIV

Mon intention première pour courre visiter le marquis de Vardes à Gournay, avait été d'emmener avec moi la moitié de mes Suisses, mais Richelieu, que je vis après Sa Majesté, m'annonça que mon escorte serait composée de vingt mousquetaires du roi commandés par Monsieur de Clérac, afin de me donner poids et autorité auprès du marquis de Vardes. Moi-même je voyagerais dans une carrosse aux armes royales avec mon écuyer et le comte de Sault.

Combien que ce ne fût pas pour moi qu'on fît tant de frais, j'en fus néanmoins assez titillé en mon for, encore que je me demandasse aussi, non sans quelque inquiétude, si j'allais de mes deniers nourrir et héberger tout ce monde en ce long voyage. Cependant, à peine eus-je pris congé du cardinal que Charpentier, dans l'antichambre, m'ôta ce souci en me remettant, avec un large sourire, un boursicot rondi à merveille. Et comme je lui demandais s'il me faudrait tenir des comptes, il me répondit :

— Nenni ! Nenni ! Le cardinal ne veut point vous donner ce souci. S'il y a un reste à votre retour, il sera à qui vous voudrez.

Je trouvai ce « à qui vous voudrez » plein de tact, le bénéficiaire étant évident. Et je me félicitais à ce propos d'avoir eu affaire en cette mission à Richelieu plutôt qu'au roi, car le roi, qui détestait le luxe et la dépense, était pour lui-même et pour tous plus chiche-face que pas un fils de bonne mère en France, tandis que le cardinal, aimant le faste, l'aimait aussi pour ses serviteurs et les récompensait largement pour les travaux ou les missions qu'ils accomplissaient pour lui.

Il me fallut annoncer à Catherine que j'allais partir en mission, et cette annonce, comme il était prévisible, ne se fit pas sans pleurs, ni récriminations, Catherine me reprochant de n'aimer que le roi et Richelieu. Et quant à elle, elle n'était, disait-elle, que la « cinquième roue de la carrosse » ; je la quittais pour un oui ou pour un non ; elle ne comptait pas pour moi ; somme toute, je ne l'avais épousée que pour la commodité de mes nuits ; elle ou une autre, peu importait ! De reste, j'aimais les femmes à toutes mains, et dès qu'une femelle pas trop laide pénétrait dans une pièce, j'étais béant, les yeux me sortaient de la tête, et on pouvait craindre que je me jetasse sur elle d'un moment à l'autre pour lui arracher sa vêture et coqueliquer avec elle *coram populo* [1].

Désirant mettre un terme à ces propos excessifs, je voulus prendre Catherine dans mes bras, mais dans l'état où je la voyais, il me fallut, de prime, lui emprisonner les deux poignets de peur qu'elle ne me griffât. Quand elle fut ainsi désarmée, je lui piquai un millier de petits baisers sur la face et le cou et lui dis à l'oreille que je ne la quittais que pour trois ou quatre jours seulement, et que la mission n'était en aucune façon périlleuse, et quant à elle qu'elle était mon petit belon, mon petit cœur gauche, et mon petit ange doré.

Tout en la mignonnant ainsi, je me disais qu'il se pouvait que chacun de nos défauts fût apparié à une vertu, et que si Catherine était assurément la plus

1. Publiquement (lat.).

possessive des épouses, elle était aussi la plus aimante.

Comme elle commençait à s'apazimer, le grand huis de notre hôtel fut tout soudain déclos à grande noise et fracas, et ma Catherine, ayant séché ses pleurs, n'en crut pas ses beaux yeux quand, se cachant à demi derrière le rideau d'une fenêtre, elle vit apparaître dans notre cour les vingt mousquetaires commandés par Monsieur de Clérac, et sortant de la carrosse royale, le comte de Sault — recruté en cette mission par Richelieu parce qu'il connaissait de longue date le marquis de Vardes.

Catherine commanda aussitôt à Madame de Bazimont de faire entrer dans la grand-salle le comte de Sault et Monsieur de Clérac (à qui j'ajoutai le capitaine Hörner, bien qu'il ne fût pas du voyage) et de leur servir vin et friandises de gueule, ainsi que, dans la cour, aux mousquetaires. Quant à moi, me pria-t-elle, pouvais-je descendre saluer ces gentilshommes pour les amener dans la grand-salle, et leur annoncer qu'elle serait quelque temps avant de nous rejoindre ? Elle apparut, en effet, dans la grand-salle, et bien plus tôt que je n'aurais cru, ayant réussi à se testonner le cheveu, à se repimplocher, et à changer de vêture avec une admirable dextérité.

Bien qu'il n'en montrât rien, Hörner fut flatté de boire le coup de l'étrier en compagnie du comte de Sault et d'un capitaine aux mousquetaires du roi, mais je vis bien qu'il se sentait en même temps quelque peu remochiné de ne pas être du voyage. Je lui glissai à l'oreille que c'était sur l'ordre du roi que j'étais cette fois escorté par les mousquetaires. À ce mot « ordre » qui commandait toute la vie de Hörner, soit qu'il le reçût, soit qu'il le donnât, il se rasséréna et devint même tout à fait heureux, quand je lui fis observer qu'en mon absence sa responsabilité serait gravissime, puisque c'est lui qui devrait veiller sur mon épouse, mon enfantelet, mon domestique et mon hôtel.

Je présentai à ma Catherine le comte de Sault qu'elle accueillit moins amicalement qu'elle n'eût dû, car elle voyait en lui le compagnon et le complice de mes tumultes supposés avec les fournaises ardentes de Suse. Dès qu'elle eut entendu que Nicolas me devait accompagner, elle dépêcha une chambrière pour le prévenir d'avoir à se préparer, et une autre à Honorée, pour qu'elle vînt avec notre enfantelet, afin de le pouvoir montrer à la compagnie. Fogacer disait que Catherine était si fière de sa progéniture que si le Seigneur Dieu descendait un jour sur terre, elle traverserait impavidement la foule innombrable de ses adorateurs pour Lui présenter le petit Emmanuel.

À la vérité, je ne saurais dire ce qui fit le plus d'impression sur le comte de Sault : la bonne mine de notre marmot ou le tétin d'Honorée. Mais de toute façon, étant un parfait gentilhomme, il ne montra en aucune façon sa préférence. À la parfin, entra Nicolas, suivi de son Henriette, déjà en pleurs d'être séparée de son mari, alors même que notre mission serait si courte et sans péril. Nicolas, après un salut des plus polis à la ronde, se jeta sans tant languir dans les bras de Monsieur de Clérac. Le lecteur se ramentoit sans doute que Monsieur de Clérac était son frère, que les deux frères s'aimaient prou, raison pour laquelle il était entendu que Nicolas me quitterait un jour pour servir chez les mousquetaires du roi. Mais, comme on sait, d'année en année, ce départ avait été retardé avec l'assentiment de Louis, tant Nicolas me rendait de services, et tant j'étais attaché à lui, et lui à moi.

Richelieu m'ayant commandé de faire ce voyage à brides avalées, je dus abréger le coup de l'étrier tant pour nous-mêmes que pour les mousquetaires à qui nos chambrières versaient dans la cour des gobelets de mon vin, ce qui était pour eux un double plaisir, nos chambrières étant si accortes que bien des fines moustaches se retroussaient à leur vue. Se peut que je doive préciser ici que lesdites chambrières avaient été choisies par mon père quand nous étions encore à La Rochelle, et que mon père, dans ce recrutement, avait consulté ses propres goûts, au grand déplaisir de Catherine qui, si prompte qu'elle fût à jeter à la porte une garcelette bien rondie, n'aurait jamais osé renvoyer celles que mon père avait élues. Je fus heureux de ce scrupule, car sans lui nous n'eussions eu, bientôt, pour nous servir dans mon hôtel que des laiderons.

Bien que je l'invitasse à faire le voyage dans la carrosse royale où Monsieur le comte de Sault et moi-même étions, Monsieur de Clérac noulut accepter l'invitation, désirant demeurer à la tête de ses mousquetaires, et Nicolas fraternellement l'imita, ce en quoi il eut bien tort, car n'ayant plus l'habitude des grandes randonnées à cheval, il eut les fesses si meurtries de cette longuissime trotte qu'à son arrivée à Gournay il marchait les jambes raides : ce qui le fit dauber, mais point méchamment, par les mousquetaires qui se revanchaient ainsi, sur le cadet, des punitions de l'aîné. De reste, à ce que j'ouïs, les sévérités de Monsieur de Clérac ne les offensaient en aucune manière. Ils savaient que dans la maison militaire du roi la rigueur était la règle : on n'y tolérait ni les retards, ni l'oubli des consignes, ni les conduites désordonnées, et moins encore les duels.

Le logis du marquis de Vardes à Gournay en Normandie méritait fort peu le nom de château, car il n'était flanqué que d'une seule tour, encore qu'elle fût ancienne et de belle allure. Et comme Monsieur de Vardes était réputé être de bonne et ancienne noblesse, et au demeurant fort riche, j'en conclus que c'était parce qu'il rechignait tant à la dépense qu'il n'avait pas rajouté à sa demeure les tours auxquelles il avait droit. Sa chicherie apparut de reste dès l'abord, car tout en étant parfaitement poli avec le comte de Sault et moi-même, il parut épouvanté à l'idée d'avoir à loger et nourrir une vingtaine de mousquetaires.

Je ne laissai pas aussitôt de le rassurer. Pour peu qu'il voulût bien leur prêter un de ses champs, nos mousquetaires seraient fort aise d'y nourrir leurs chevaux, d'y élever leurs tentes et d'y cuire en plein air leur rôt.

Il faut bien avouer que si Monsieur de Vardes était pleure-pain, la nature, en le façonnant, n'avait pas non plus été fort généreuse, car il était petit, fluet et malingre à n'y pas croire. Étrange particularité, son visage ne s'ouvrait que par des ouvertures très étroites : les yeux, les narines, les lèvres. Toutefois, se peut pour compenser cette apparente fragilité, Monsieur de Vardes parlait d'une voix si retentissante et si forte qu'on pouvait l'ouïr à une lieue à la ronde. Il ne faillait pas non plus en esprit et en décision, comme il apparut vite en notre bec à bec.

— Marquis, dis-je, allant droit au but, vous êtes gouverneur de la place forte de La Capelle. En votre absence, votre fils, Monsieur de Vardes, la commande. Par malheur, entraîné par la fougue de sa jeunesse, il est sur le point de commettre une erreur qui sera imputée à lèse-majesté à lui-même, et se peut à vous, si du moins nous n'arrivons pas à temps pour l'empêcher de se jeter tête basse dans la pire trahison.

— Qu'a-t-il fait ? Qu'a-t-il fait ? s'écria Monsieur de Vardes, pâle comme linge.

— Pour l'instant, rien. Mais demain un crime, si nous ne pouvons l'en empêcher. Marquis, je vous parle à la franche marguerite et je voudrais que vous sachiez qu'il s'agit là d'un secret d'État sur lequel vous devez garder bouche cousue. Voici l'affaire. La reine-mère, demain soir, s'évadera du château de Compiègne et prendra la direction du nord jusqu'à La Capelle où votre fils lui a promis de lui ouvrir les portes et de lui donner asile aussi longtemps qu'elle voudra.

— Qu'est cela ? Qu'est cela ? s'écria Monsieur de Vardes, sa voix forte s'étranglant dans son gargamel. Mais qu'est cela ? Je lui confie le commandement de La Capelle ! Et voilà ce qu'il en fait ! Sans me consulter le moindrement, moi, son père ! Quelle rage le prend de faire cette offense au roi ? Que se croit ce moucheron pour oser s'attaquer à un géant qui du plat de la main le peut écraser ? C'est folie pure, trahison vile, sottise incommensurable ! Et d'un autre côté, quel intérêt peut bien avoir la reine-mère à chercher refuge chez nous ?

— Je crois l'entendre, dis-je. La Capelle est place forte, et la reine-mère en sa folie imagine, qu'enclose en vos murs crénelés, elle sera en meilleure position pour négocier avec le roi. En revanche, si celui-ci la vient assiéger dans La Capelle, elle se flatte se peut de l'espoir que les Espagnols, tout proches de La Capelle puisqu'ils occupent Avesnes, viendraient à sa rescourre.

— Et mon fils associerait mon nom et ma lignée à cette infâme rébellion ! s'écria le marquis, recouvrant sa voix tonitruante. La peste soit du stupide béjaune ! Dès demain, hurla-t-il en se levant de sa chaire à bras avec la pétulance d'un jeune homme (il est vrai qu'il avait peu de poids à déplacer)... dès demain, reprit-il, à la pique du jour, je me mettrai en selle pour courre torcher le nez à ce morveux ! ce vaunéant ! ce pendard ! ce vilotier de merde ! Que le diable l'emporte et le jette dans ses marmites bouillantes, au moins le temps qu'il nous faudra pour arriver jusque-là, et qu'il pleure enfin sa sottise et ses péchés jusqu'à mon arrivée à La Capelle.

— Marquis, dis-je, vous ne trouverez mie votre fils à La Capelle. Le roi, apprenant par ses rediseurs ce qu'il en était des projets de la reine-mère, l'a fait venir au Louvre et l'y maintient sans lui piper mot de l'affaire.

— Eh quoi ! s'écria Monsieur de Vardes trémulant de colère. Pendant ce temps, La Capelle reste sans commandement aucun, et les Espagnols étant à Avesnes, ils sont à deux pas de nous et pourraient s'emparer de La Capelle par surprise, sans que ni le père ni le fils n'y soient. C'est une infamie que cette désertion !

— Marquis, dis-je alors, il vous faudra du temps pour préparer une escorte. Me permettez-vous de vous offrir la mienne, et sans aucun débours pour vous, puisque pour le logis et le rôt des mousquetaires je suis défrayé par le roi.

Cet argument toucha Monsieur de Vardes au point faible. Et il allait de soi que je ne pouvais me priver de mon escorte et m'en retourner à Paris, nu par les chemins.

Après le souper, qui fut d'une sobriété, hélas ! monacale, je priai le comte de Sault de venir dans ma chambre afin que nous puissions parler au bec à bec. Et comme j'avais remarqué qu'il était demeuré bouche cousue en présence de Monsieur de Vardes, je lui demandai ce qu'il pensait de notre hôte.

— Eh bien, je me suis demandé de prime s'il n'était pas de mèche avec son fils, tant il paraissait extravagant qu'un béjaune puisse se mettre en cervelle de cabaler seul contre le roi, à l'heure où l'exil et la Bastille frappent durement les cabaleurs. Mais la fureur du père fit prompte justice de ce soupçon. Cependant, je me pose encore une petite question : qu'arrivera-t-il si le fils de Monsieur de Vardes, de retour entre-temps à La Capelle, refusait d'ouvrir ses portes à son père ?

— Un beau tumulte, j'imagine !

— Et à supposer que pendant ce tumulte la reine-mère survienne, que ferez-vous, Monseigneur ? Allez-vous l'arrêter ?

— La Dieu merci, je n'en ai pas reçu l'ordre. Et je gagerais ma chemise que le roi ne lancera jamais personne sur la trace de la reine-mère, comme cela lui serait si facile, connaissant l'heure de sa fuite et son itinéraire.

— Et pourquoi cela ?

— La chose est claire. Il préfère sa mère hors du royaume que dedans.

— Et à votre sentiment, commettra-t-elle la faute irréparable de se réfugier chez des Espagnols si elle trouve clos et remparé l'huis de La Capelle ?

— C'est ce que le roi pense qu'elle fera. Il connaît son caractère : un entêtement sans bornes et une faible jugeote. Le roi a enlevé les troupes qui la gardent, à Compiègne et il sait que la porte de la cage à peine ouverte, elle n'hésitera pas un instant à s'envoler, croyant jouer un mauvais tour à son fils, alors que c'est à elle-même qu'elle le joue.

*

Nous parvînmes sous les murs de La Capelle sur le coup de dix heures. Un nuage, noir comme encre, nous ayant tout soudain caché la brillante lune qui avait éclairé nos chemins jusque-là, il se fit une nuit noire comme poix, et il fallut allumer les torches pour reconnaître les lieux. L'huis de La Capelle, comme nous l'avions prévu, était haut, puissant, aspé de fer et clos sans doute à triple verrou. Monsieur de Clérac donna l'ordre à deux de ses mousquetaires, qui avaient bonne trogne et forte carrure, d'aller toquer l'huis à la volée. Ce qu'ils firent à cœur content et à grande noise et vigueur, tant est qu'au bout d'un moment, au-dessus du mâchicoulis qui défendait l'huis, une tête ébouriffée apparut par un des créneaux.

— Messieurs, dit-il, appartenez-vous à la reine-mère ?

À ce moment-là, Monsieur de Vardes surgit de la carrosse comme diable d'une boîte, et hurla de sa voix de stentor :

— Holà ! Une torche, que le pendard me reconnaisse ! et pendard il est à poser une question aussi sotte et traîtreuse. Nenni, nenni, Sergent ! Nous n'appartenons pas à la reine-mère, mais comme tout bon Français nous sommes sujets du roi de France et à lui, et à lui seul, nous obéissons. Et maintenant ouvre, portier d'enfer !

— C'est que, Monsieur le Marquis, dit le sergent, nous avons reçu l'ordre de n'ouvrir qu'à la reine-mère.

— Et l'ordre de qui, Sergent de merde ? De mon fils ! Qui commande à La Capelle ? Mon fils ou moi ? Qui a reçu commission du roi pour ce commandement ? Qui a recruté les soldats ? Qui paye leurs soldes ? Ouvre, pendard, et sans tant languir, ou je demande aux mousquetaires de pétarder l'huis et de pénétrer par force ! Et je te jure, grand sottard, que si tu me pousses à cette extrémité, je pendrai de mes propres mains tous les soldats de la garnison, et toi-même le premier...

Bien que cette menace contînt quelque élément d'absurdité, elle fut hurlée avec tant de force que tous les créneaux — à tout le moins ce que nous pouvions voir — se garnirent de têtes d'où sortirent en confus tumulte des objurgations, et même des injures, à l'adresse du sergent, tant est qu'une minute à peine s'écoula avant que l'huis s'ouvrît, livrant passage au marquis, à moi-même, au comte de Sault, à Clérac et à nos mousquetaires.

Sans tant languir, le marquis de Vardes, toujours rouge de colère, nous amena dans une grand-salle qui eût été belle, si elle n'avait été ouverte d'un côté que par des meurtrières, les fenêtres n'apparaissant que du côté cour. Bien qu'on fût en été, la nuit était fraîche, et nous nous serions bien passés du vent coulis qui nous venait des meurtrières. Quant à la cheminée, du feu comme sur ma main, et le souper, bien entendu, se borna à deux flacons de vin et quelques friandises de gueule, tant est que jetant un œil par une fenêtre donnant sur la cour, laquelle était à demi ouverte, je vis — et hélas ! je sentis aussi — un rôt que nos mousquetaires étaient occupés à cuire. Et du diantre, lecteur, si à cet instant je n'eusse pas mieux aimé être mousquetaire que duc et pair...

Nous étions à peine assis autour d'une table ronde de bois brut quand entra un béjaune fort bien vêtu, grandet assez, les traits agréables, les cheveux longs et bouclés, mais l'œil pas trop vif, ce qui me donna à penser que le fils de Monsieur de Vardes avait plus à se glorifier dans la chair que dans ses mérangeoises.

— Monsieur mon père, dit-il en s'inclinant, je vous présente mes respects.

Le marquis de Vardes lui fit signe de s'asseoir d'un geste déprisant de la main, mais sans déclore le bec. Régna alors un silence qui me parut pénible. Le marquis envisageait son fils avec des yeux de feu et les dents à tel point serrées qu'il n'arrivait pas à dire ce qu'il avait sur le cœur. Il y parvint, pourtant. Et quand il parla, ce fut d'une voix sourde et détimbrée qui avait peine à franchir son gosier.

— François, dit-il, je dois de prime vous nommer les gentilshommes qui me prêtent une main secourable dans cette affaire dont vous êtes le triste héros. À ma droite, vous voyez le duc d'Orbieu, duc et pair, conseiller du roi. À ma gauche, le comte de Sault, colonel d'un régiment de Sa Majesté. À côté de lui, le capitaine de Clérac, capitaine aux mousquetaires. Ces trois gentilshommes sont connus par tout le royaume pour leur adamantine fidélité à Sa Majesté, et tous trois se feraient sans hésiter tuer pour le bien de son service.

« Messieurs, reprit-il, après un silence et en se tournant vers nous, plaise à vous de me permettre de vous présenter mon fils aîné, François de Vardes, traître et félon à son roi...

François à ces mots blêmit, et parut se tasser sur

sa chaire à bras, sans une larme, mais cillant des yeux. Pour moi, je n'aimais point trop ce début. Il me semblait que Monsieur de Vardes allait trop vite et trop loin. Son jugement impitoyable, au lieu d'être l'aboutissement d'un procès, le précédait. Cependant, je n'eusse pas pris les choses en main si François n'avait pas dit à ce moment, d'une voix faible et comme résignée :

— Messieurs, m'allez-vous emmener en Bastille ?

— Non, Monsieur, dis-je. Seul le roi de France a ce pouvoir. Nous ne l'avons pas. Nous ne sommes ni des juges, ni des geôliers, mais uniquement des amis du marquis de Vardes, et par conséquent le vôtre. Et tant pour lui que pour vous, nous cherchons à vous retirer du guêpier où votre jeunesse vous a fourré. Je voudrais à cet égard vous poser quelques questions en vous priant de répondre à la franche marguerite, engageant votre foi de gentilhomme sur la véracité de vos réponses.

— Monseigneur, je m'y tiendrai, dit François, qui me parut renaître à la vie.

— Comment avez-vous eu l'idée d'offrir l'hospitalité de La Capelle à la reine-mère ?

— Mais je ne l'ai pas offerte. On me l'a demandée avec insistance en son nom.

— Et qui ?

— Le comte de Moret.

— Ah vraiment, le comte de Moret ! dit le marquis de Vardes avec le plus grand déprisement.

— Le comte de Moret, reprit François, est venu tout exprès de Compiègne à La Capelle pour me prier, et même me supplier, d'accorder l'hospitalité de La Capelle à la reine-mère.

— Et vous avez accepté ?

— Oui, Monseigneur.

— Vous n'avez donc pas pensé qu'en se sauvant de Compiègne la reine-mère contrevenait à l'ordre du roi, et qu'en l'acceptant à La Capelle vous deveniez son complice ?

— C'est que, Monseigneur, j'avais grandement pitié d'elle. Et la demande avait aussi beaucoup de poids, venant de la reine-mère, et à moi présentée par un prince du sang.

— Le comte de Moret n'est pas un prince du sang, dit Monsieur de Vardes. C'est un bâtard royal.

— Et comment se fait-il, repris-je, que vous ayez accédé à la demande du comte de Moret sans en référer de prime au marquis de Vardes, qui est non seulement votre père, mais le gouverneur de La Capelle ?

— C'est que je craignais qu'il n'acceptât pas cette hospitalité.

— Pourquoi cela ?

— Monsieur mon père admire le cardinal et sa politique.

— Et vous ne partagez pas ce sentiment ?

— En aucune manière.

— Vous estimez donc que vous avez un meilleur jugement que votre père ?

— Sur ce sujet, oui.

— Cependant, le roi tient le cardinal Richelieu en très haute estime, puisqu'il le défend depuis des années contre les cabales. Vous estimez donc que vous entendez mieux que Sa Majesté le bien du royaume.

À cela François resta coi, et le marquis de Vardes dit cette fois sans aucune âpreté, mais avec une sorte de résignation :

— Monsieur mon fils, vous êtes le plus grand benêt de la création.

Mais je noulus le voir aller dans cette voie davantage, et je repris :

— François, êtes-vous allé à la Cour de vous-même ?

— Nenni, Monsieur ! Le roi m'y a mandé.

— Et que vous a-t-il dit ?

— Pas un mot.

— Qu'il vous ait convoqué ne vous a pas mis puce au poitrail qu'il sût quelque chose au sujet de La Capelle et du refuge qu'y allait trouver, grâce à vous, la reine-mère ?

— Nenni, Monseigneur. Et comme le silence du roi persistait, je lui ai demandé mon congé, et Sa Majesté l'a refusé.

— Cependant, vous voilà céans.

— C'est que je me suis échappé.

— Échappé ! s'écria le marquis de Vardes. Morbleu ! Vous voulez dire que vous avez quitté le Louvre sans prendre congé du roi ?

— C'est bien cela, en effet, dit François baissant la tête.

Nous nous regardâmes, béants.

— Savez-vous bien, François, s'écria le marquis de Vardes, ce que vous avez fait là ? Un outrage tel et si grand à Sa Majesté qu'il ne vous le pourra jamais pardonner ! Le dernier des faquins n'eût pas agi plus mal ! Cette discourtoisie viole outrageusement l'étiquette et elle aggrave tant votre trahison que trois perspectives et trois seulement s'ouvrent d'ores en avant devant vous : l'exil à perpétuité, ou l'embastillement, ou la hache du bourreau.

À ces mots, le pauvre François parut tout proche des larmes que cependant il refoula à grands efforts, tant il craignait qu'en plus, on le trouvât couard. Je voulus couper court.

— Marquis, dis-je à Monsieur de Vardes, il est temps, comme disait notre bon roi Henri, que notre sommeil nous dorme. Plaise à vous de permettre aux mousquetaires de dresser leurs tentes dans votre cour et de nous loger tous trois dans la citadelle.

Ce qui fut fait, mais au moment où le marquis de Vardes me montra ma chambre, je quis de lui un bec à bec et je lui dis dès que l'huis fut clos sur nous :

— Marquis, à mon sentiment, votre fils doit quitter la France sans délai.

— J'en suis bien convaincu. Mais où peut-il aller? Aux Pays-Bas? En Lorraine? En Allemagne? Ces pays sont nos ennemis et un séjour chez eux confirmerait le soupçon de félonie.

— Cependant, dis-je, il reste l'Angleterre. J'ai une amie à Londres qui pourrait recevoir votre fils et le prendre en main.

— Mais cela me va coûter les yeux de la tête! s'écria le marquis de Vardes, levant bras et yeux au ciel en son désarroi.

— Il vous en coûtera uniquement le bateau pour traverser la Manche. Mon amie, Lady Markby, est une haute dame, fort bien garnie en pécunes et fort généreuse.

— Et que fera votre haute dame de ce benêt?

— Elle lui trouvera, j'en suis sûr, quelque emploi en sa demeure.

Sur ce, je pris congé du marquis et m'allai coucher, mort de sommeil. À cet instant, avant que mon sommeil me dorme, je me sentis conforté dans une remarque que je m'étais déjà faite au siège de La Rochelle quand ce pendard de Sanceaux, par deux fois, avait failli m'empêcher de visiter Madame de Rohan : ceux qui dans les grandes affaires peuvent faire le plus de dégâts, ce ne sont pas toujours les Machiavels, mais deux espèces distinctes de petits fâcheux : les importants et les sots.

Toutefois, une fois dans les draps, je ne dormis pas, non que je me fisse beaucoup de souci pour François. Lady Markby aimant à la folie le haut-de-chausses, surtout quand il était jeune et vigoureux, ne fera qu'une bouchée du duveteux poussin. Et qu'y verrais-je à redire? Elle sera aussi pour lui une sorte de mère. Elle lui apprendra les bonnes manières, le jeu de paume, l'anglais, et que sais-je encore? De toute façon, en attendant que le roi lui pardonne, ce qui n'est pas pour demain, François sera beaucoup plus à sa place dans un lit qu'à la tête d'une place forte. Chacun a le talent qu'il peut.

*

— Monsieur, un mot de grâce.

— Est-ce vous, belle lectrice ?

— Peux-je vous poser question ?

— Vous l'avez toujours fait.

— C'est que meshui, il me semble que votre épouse, Madame la duchesse d'Orbieu, a quelque droit à quérir de vous des éclaircissements sur l'histoire que vous contez.

— Oui, mais pourquoi ce droit serait-il exclusif ? Je serais bien ingrat si je refusais de vous ouïr. Vous m'avez rendu tant de services par le passé.

— Moi ?

— Certes. Vous m'avez permis par vos questions de préciser des points qui n'étaient pas pour le lecteur tout à fait clairs.

— En voici un, Monsieur, avec votre gracieuse permission. Pourquoi est-ce un tel désastre pour la reine-mère de se réfugier à Avesnes, chez les Espagnols ?

— Parce que les Espagnols étant nos pires ennemis, quémander leur hospitalité c'était déserter sa patrie et trahir son roi.

— Mais Gaston en a fait tout autant je ne sais combien de fois, et, à chaque fois, il se réfugiait chez le duc de Lorraine, qui est aussi notre pire ennemi.

— Ce n'est pas du tout la même chose. Gaston est par son sang l'héritier présomptif du trône de France, son aîné n'ayant pas de dauphin. Où qu'il choisisse de se trouver, Gaston ne perd ni son sang, ni son rang, ni son héritage. En revanche, hors le royaume de son fils, la reine-mère n'est plus la reine-mère. Elle n'est plus rien, et contrairement à Gaston, elle n'a pas le moindre avenir. Ce « rien » se traduit par des pertes immenses, tant matérielles que morales. Elle perd Paris, elle perd le Louvre, elle perd ses belles résidences royales dans les provinces, elle perd surtout son magnifique Palais du Luxembourg que tant elle aime. Elle laisse derrière elle ses biens, plus d'un million d'or de revenus, sans compter les gratifications annuelles très généreuses du roi. Elle n'est plus la plus haute princesse de France. Elle ne peut plus assister au Grand Conseil du roi, ou selon les cas, refuser d'y assister, ce qui était une autre façon de faire sentir son pouvoir. Elle perd la possibilité de parler *da sola a solo* au roi. Et surtout, elle n'est plus qu'une générale qui abandonne ses troupes. Elle n'est plus le chef, l'inspiratrice et la caution de la cabale contre Richelieu. Elle n'a même plus le loisir d'accabler le roi de ses hurlantes scènes. Elle n'a plus le plus petit degré d'influence sur les affaires du royaume.

— Pensez-vous que Louis, un jour, la veuille rappeler en France ?

— Je suis bien assuré que non. Cette mère dure, hautaine et désaimante ne lui a jamais fait que du mal, en ses enfances et durant son règne. Louis n'a pas la mémoire courte. Belle lectrice, à mon tour de vous poser question.

— Monsieur, je vous ois.

— Mais vous riez !

— C'est que cela m'amuse et me titille de prendre votre place.

— Voici ma question, mais auparavant je voudrais vous demander de vous mettre dans la peau de la reine-mère.

— À vrai dire, Monsieur, je n'estime pas que c'est là un très grand honneur. Je le ferai pour vous complaire.

— La grand merci ! Reprenons notre conte. La reine-mère, s'étant enfuie de Compiègne, est avertie à Sains que la porte de La Capelle ne lui sera pas ouverte et restera close à ses appels. Elle se répand alors en récriminations : elle noulait sortir de France, mais la porte de La Capelle lui demeurant fermée, il a fallu à tout prix qu'elle quitte le royaume et c'est bien ce que voulaient ses ennemis. Qu'êtes-vous apensée de cette plainte ?

— Que c'est un propos d'une enfantine mauvaise foi. La reine-mère n'était pas forcée de faire ce que voulaient ses « ennemis ». La Capelle fermée, elle pouvait retourner, sinon à Compiègne, du moins dans une ville française, par exemple à Saint-Quentin. Et de Saint-Quentin, traiter derechef avec le roi.

— *Bravissimo !* Au lieu de cela, belle lectrice, le trente juillet 1631 à quatre heures du soir, elle pénètre à Avesnes où en l'absence du gouverneur, Monsieur de Crèvecœur, elle descend à l'hostellerie de l'*Écu de France.* Cette hostellerie, c'est bien peu de chose après les fastes du Palais du Luxembourg. Dix longs jours plus tard, elle est à Bruxelles et reçue par les Espagnols, non pas avec tous les honneurs, mais avec quelques-uns.

— Pourquoi quelques-uns seulement ?

— La reine était fort utile au gouvernement espagnol quand elle combattait à dents et griffes à Paris, au Conseil du roi, la politique anti-espagnole de Louis XIII. Mais à Bruxelles, cette vieille dame autoritaire et atrabilaire n'est plus de grand service.

— Cette attitude n'est-elle pas un peu cynique ?

— Dure et cynique. Mais c'est ainsi que les princes traitent les grandes affaires. Vous ramentez-vous, belle lectrice, que j'ai quis de vous un petit exercice qui est de vous mettre dans la situation de la reine-mère qui, à Bruxelles, se trouve déjà fort désenchantée. Le thème est le suivant. Elle écrit une lettre à Louis. Qu'eussiez-vous dit en cette missive si vous aviez été à sa place ? Oyez-moi bien : vous vous mettez à sa place, mais vous écrivez selon votre caractère, et non selon le sien.

— Ciel, Monsieur ! Quelle tâche difficile ! Que si j'échoue, jugez-moi avec indulgence. C'est la première et la dernière fois de ma vie que j'incarnerai une reine-mère.

— Faites-le en n'écoutant que votre instinct.

— Eh bien, de prime, avant de tailler ma plume, je me serais répété en mon for ce mot d'Henri IV sur le miel et le tonneau de vinaigre. Ensuite, écrivant à mon « fils », je me ferais douce, tendre, maternelle et repentante. Je lui assurerais de prime que si j'ai quitté Compiègne, ce fut seulement en raison des mauvais souvenirs attachés à ma captivité. J'ai pensé alors que je trouverais, se peut, à La Capelle, des gentilshommes plus amicaux que les troupes qui m'entouraient. Mais arrivée à La Capelle et trouvant l'huis reclos, j'ai perdu la tête tout à plein, et j'ai couru me réfugier à Avesnes, ce dont je me trouve meshui très malheureuse. Je demande pardon à Sa Majesté de m'être montrée avec Elle si opiniâtre sur le chapitre de Richelieu. Et que si mon fils voulait bien pardonner ma malheureuse équipée et me permettre de revenir à la Cour, je m'abstiendrais d'ores en avant de dire ou de faire quoi que ce soit à l'encontre du cardinal.

— Belle lectrice, vous êtes née quatre siècles trop tard ! Vous eussiez fait une reine-mère parfaite, et au reçu de votre lettre, le roi n'aurait pu faillir d'adoucir votre sort, non sans quelque défiance de prime, et quelques mises à l'épreuve ensuite. Hélas ! La véritable reine-mère a bien écrit une lettre au roi, mais sans du tout lui tendre, comme vous avez fait si joliment, un rameau d'olivier ! Tout le rebours. Sa missive est violente, haineuse, vindicative et, qui pis est, gâtée par deux impudents mensonges. Permettez-moi de résumer cette mercuriale : Si je suis ce jour d'hui hors de France c'est la faute du cardinal. C'est lui qui m'a incitée à fuir. *(C'est pourtant le roi, et le roi seul, qui a retiré, à la prière de la mère, les troupes qui la gardaient.)* C'est le cardinal qui a préparé le piège de La Capelle. *(C'est bien pourtant le comte de Moret qui suborna François de Vardes pour qu'il ouvrît à sa maîtresse la porte de La Capelle.)* Continuons : c'est Richelieu qui par la prise de La Capelle *(Richelieu n'a jamais pris La Capelle : elle s'est rendue d'elle-même à son propre gouverneur)* l'a *contrainte* à passer la frontière, alors que c'est ce qu'elle craignait le plus. *(Dans ce cas, pourquoi l'a-t-elle fait ?)* Elle explique encore que, si elle a passé la frontière, c'est qu'elle était poursuivie par la cavalerie du roi. *(Pure invention, il n'y avait pas de soldats du roi dans les parages, hors les mousquetaires, lesquels, quand elle passa devant La Capelle, dormaient paisiblement* intra muros.*)* Conclusion de la lettre de la reine-mère : le cardinal veut bouter hors de France la mère et le fils. Autre mensonge. Est-ce contraint et forcé par Richelieu que Gaston se réfugie répétitivement en Lorraine et la reine-mère, meshui, à Bruxelles ?

— En conclusion, Monsieur, qu'êtes-vous apensé de tout cela ?

— Que la reine-mère, ayant perdu la guerre sur le terrain, tâche puérilement de la gagner par unc lettre-missive, laquelle elle rendra d'ailleurs publique. Ce qu'elle fait avec maladresse et mauvaise foi, et ce qui n'a pas la moindre chance non plus d'améliorer sa position. D'autre part, si ce sont ses conseillers qui lui ont dicté cette diatribe, ils n'ont pas beaucoup plus de jugeote qu'elle en a, et nous devons, par conséquent, nous attendre à d'autres initiatives tout aussi malavisées.

« Si la reine a rendu publique sa lettre de plaintes contre son fils, c'est qu'elle souhaite chimériquement que les royaumes ennemis de son fils vont épouser et appuyer sa cause. Et c'est pour se défendre contre ces fausses accusations publiques que la réponse du roi est, elle aussi, rendue publique. Elle est de reste écrite en termes très mesurés. Elle ménage la reine-mère. Elle ne l'accuse pas de mensonges. Elle s'étonne seulement que « *ceux qui lui ont fait écrire cette lettre n'aient pas eu honte d'avancer des faits inexacts* ».

« Par malheur, belle lectrice, la reine-mère souffre, comme bien vous savez, d'une incurable opiniâtreté : conduite si aberrante qu'il est difficile de la bien entendre. Montaigne a écrit à ce sujet : "L'obstination est la plus sûre preuve de bêtise." Définition exacte, mais à mes yeux incomplète, car à la bêtise, il faudrait ajouter, bien entendu, l'orgueil et aussi la mauvaise foi, car le têtu tâche toujours de cacher, autant à lui-même qu'aux autres, les faiblesses de ses raisons, dût-il employer pour cela les à-peu-près, les faux-fuyants ou les inexactitudes.

« Dans l'obstination de la reine-mère, un autre élément entre encore en jeu : le sentiment de son impunité. La reine-mère n'avait guère, en effet, à craindre de sanctions, tant qu'elle était en France le deuxième personnage de l'État. Mais depuis qu'elle a, exilée volontaire, passé la frontière, les choses ont bien changé. Elle est devenue infiniment vulnérable, et ne s'en rendant compte le moins du monde, elle va poursuivre ses attaques. Persévérante et puérile dans la haine et la vengeance, la reine-mère imagine d'envoyer une requête, de la même farine que la lettre de son fils, au Parlement de Paris. Elle va plus loin : elle porte plainte auprès du Parlement contre Richelieu !...

« Comment, diantre, pense-t-elle pouvoir aboutir ? Ce serait à rire, s'il n'y avait pas lieu de pleurer, et même de pleurer pour elle. Car cette impudente démarche exaspère à ce point le roi qu'il se rend en personne devant le Parlement, dénonce le caractère calomnieux de la requête maternelle, ordonne de la supprimer et déclare les conseillers de la reine-mère criminels de lèse-majesté au premier chef. Il fait mieux ou pis, selon, belle lectrice, que vous avez le cœur tendre ou l'esprit de justice : il saisit et séquestre en France tous les revenus de sa mère, laquelle, pour la première fois de son existence, éprouve cette expérience nouvelle et humiliante : elle est punie.

« Or, belle lectrice, c'est là une sanction bien plus terrible qu'à vue de nez il n'y paraît. Car Louis n'ignore pas que sa mère est follement prodigue, et l'a toujours été. Ramentez-vous, de grâce, que le premier acte de son règne, quand elle devint régente, fut de se rendre en la Bastille, où elle se fit livrer par des ministres atterrés les trésors de l'État, si patiemment accumulés par Henri IV, soit une somme de deux millions d'or, qu'elle consacra à ses propres dépenses, et qui ne fit pas long feu dans ses mains. Elle contracta alors des dettes qui lui coûtaient peu : le Trésor les remboursait pour elle. Cependant, belle lectrice, ne versez pas encore de larmes. Elles sont prématurées. La reine-mère, quand elle quitta le Louvre pour Compiègne, et Compiègne pour Bruxelles, emporta, comme elle faisait toujours, tous ses bijoux avec elle, lesquels étaient en quantité telle et si grande et si pesante qu'il fallait une carrosse spéciale pour les transporter. J'en conclus que si elle avait été en son exil volontaire bonne ménagère de ses deniers, elle eût vendu de temps en temps un de ses bijoux, et aurait pu vivre ainsi fort à l'aise jusqu'à la fin de ses terrestres jours.

« Quant au roi qui, en ses maillots et enfances, voulait qu'on l'appelât "Louis le Juste", il réfléchit longuement avant que de séquestrer les biens et revenus de sa mère. Et ce qui le décida à prendre cette mesure, fut sans doute le souvenir du million d'or en bijoux que la reine-mère avait donné à son cadet pour lever une armée contre lui. Dès lors, sa décision fut prise. Il ne voulut pas que les revenus de la terre de France allassent en pays hostile aider la reine-mère à fomenter une nouvelle guerre civile dans la patrie qu'elle avait quittée.

— De grâce, Monsieur, une dernière question : que devint alors la reine-mère ?

— Belle lectrice, votre question n'est pas petite, elle couvre quelques années pendant lesquelles la reine-mère passa de Flandres en Angleterre, d'Angleterre en Hollande, de Hollande en Allemagne. Elle fut, de prime et partout, gracieusement accueillie, mais se rendit si vite si odieuse à tous en tous pays, qu'on lui donna courtoisement son congé. Et comme elle dépensait sans compter, elle n'eut bientôt plus de bijoux à vendre, et tomba dans une gêne telle et si grande qu'à Cologne elle aurait été jetée dehors par un hôtelier impayé si Rubens ne l'avait pas secourue. Cependant, trop prudent pour l'inviter chez lui, il lui offrit le libre usage d'une maison qu'il possédait. Il connaissait la reine-mère de longue date, ayant retracé sa vie dans vingt-quatre toiles admirables qui ornent une des ailes du Palais du Luxembourg.

« En France, la question se posa deux fois de savoir si on devait mettre fin à son exil et l'autoriser à revenir en ses lares domestiques. Une première fois par le père Gaussin, en 1637, qui le suggéra au roi, mais le roi s'y refusa. Elle était devenue, dit-il, tout Espagnole, et étant par ailleurs trop obstinée pour changer d'opinion, elle reprendrait ses brouilleries.

« En 1639, de nouveau pressé par son confesseur, le roi demanda leur avis par écrit à ses ministres sur le retour de la reine-mère. Ils furent unanimes à estimer qu'il n'était pas souhaitable. La reine-mère mourut le trois juillet 1642 dans la maison prêtée par Rubens. Elle y était fort seule, Rubens l'ayant précédée dans la mort, et ses conseillers, depuis belle heurette, l'ayant abandonnée comme les rats qui quittent un navire dont ils savent qu'il va couler.

CHAPITRE XV

La reine-mère s'exilant de son propre chef hors de France, la cabale qu'elle avait animée étant d'ores en avant rompue et dispersée, Louis voulut montrer *urbi et orbi* en quelle grandissime estime il tenait le ministre qui, au milieu de tant de vicissitudes, l'avait si bien servi : il érigea en duché-pairie la terre patrimoniale du cardinal de Richelieu.

Le cardinal-duc prêta serment le cinq décembre 1631 devant ses pairs, dont j'étais. Il va sans dire que cette élévation du cardinal à ce haut degré de noblesse provoqua de féroces grincements de dents chez nombre d'assistants. Le roi, pour le moment du moins, avait vaincu la cabale, mais les haines contre Richelieu flambaient toujours. Ni la reine-mère ni Gaston n'avaient renoncé à détruire le ministre. Alliés à nos ennemis de l'extérieur, la reine-mère avec les Espagnols des Pays-Bas, Gaston avec le duc de Lorraine, ils entreprirent de fomenter une guerre civile en leur propre pays contre leur propre sang.

Cependant, grâce à Richelieu et à ses rediseurs, Louis était fort bien renseigné sur leurs entreprises. C'est ainsi qu'il apprit que la reine-mère tâchait de gagner à sa cause les places de notre frontière du nord, comme elle avait déjà tâché de le faire pour La Capelle. Il envoya aussitôt une armée en Champagne, et apprenant d'autre part que le gouverneur de Calais, Monsieur de Valençay, était prêt à livrer sa ville à la reine-mère, il accourut à brides avalées à la tête d'une armée, renvoya Valençay dans ses terres et le remplaça par Monsieur de Chaumont. Il poussa alors, à ce qu'on m'a dit, un grand soupir de soulagement : Calais aux mains de la reine-mère, cela eût voulu dire que les Espagnols des Pays-Bas auraient eu, en leurs mains, une des clefs qui leur eût permis d'entrer en France quand ils voudraient.

Louis se tourna ensuite contre son ennemi déclaré, le duc de Lorraine, ami et allié de Gaston en tout ce que Gaston avait entrepris jusque-là contre son frère.

Le duc de Lorraine — comme en Italie le duc de Savoie — appartenait à cette insatiable et insufférable espèce de roitelets, ou comme disait le populaire, de « petits reyets de merde », qui, régnant sur un duché grand comme une province, ne rêvaient que de se tailler un royaume aux dépens de leurs voisins. Charles IV de Lorraine, lui, eût voulu annexer Bar et le Barrois pour ce que, d'après une généalogie douteuse, il revenait à son épouse Nicole. Par malheur, le Barrois était un fief de la couronne de France, et ladite couronne ne cédait pas facilement ses fiefs à ses voisins.

Derrière ce grief de Charles IV s'en cachait un autre : il trouvait scandaleux que les Français occupassent encore les trois évêchés de langue française : Metz, Toul et Verdun. À vrai dire, cette occupation remontait à Henri II, sans qu'on pût dire qu'il eût conquis ces villes. La réalité était toute différente : les princes luthériens d'Allemagne l'avaient appelé à les occuper, afin d'empêcher précisément le duc de Lorraine de s'en emparer, ce qui l'eût renforcé prou, les trois villes étant riches, tenant de grosses foires et prospérant dans un fructueux commerce avec l'est.

Henri II hésita de prime : il n'avait pas la tête politique. D'aucuns méchants prétendaient même *sotto voce* qu'il n'avait pas de tête du tout, et que, lorsqu'il penchait le front, ce n'était jamais sous le poids de ses mérangeoises. Pour dire le vrai, d'après ce qu'on m'a conté sur lui, c'était un homme simple, et même un peu simplet. Il n'avait que deux passions dans sa vie : il aimait les joutes, lesquelles, comme on sait, lui furent fatales, et il aimait aussi les tétins de Diane de Poitiers. S'asseyant sur ses genoux — ce qui était grand poids pour la pauvrette —, il lui pouitrait et pastissait sans fin lesdits tétins disant, ce faisant, à son chancelier : « Voyez, Monsieur le Chancelier, n'a-t-elle pas belle garde ? »

Ce roi adultère était très pieux. Il persécutait les protestants, mais en même temps il s'alliait aux princes luthériens d'Allemagne contre Charles Quint. Et quand les princes lui proposèrent d'occuper les trois évêchés, il finit par entendre que par là il fortifiait notre frontière de l'est contre la Lorraine et l'Empereur. C'est du moins ce que lui expliqua son épouse, Catherine de Médicis, la seule en cette famille qui eût la tête politique.

Henri IV, comme toujours bien inspiré, fortifia cette mainmise sur les trois évêchés, et Louis XIII imagina de rendre encore plus infranchissable sa frontière de l'est en confiant à Richelieu le soin de fortifier Verdun. La haine du duc de Lorraine contre la France s'accrut d'autant. Mais ne pouvant ouvertement l'attaquer, il lui fit, comme on a vu, une petite guerre trouble et sournoise par le soutien qu'il apporta aux folles équipées de Gaston contre son frère.

Une fois la cabale à terre, il fallut mettre la Lorraine à raison, et le roi, sans coup férir, l'envahit.

Je fus de cette expédition pour la raison que le duc, qui parlait français comme vous et moi, affectait, en présence de Louis, de ne parler qu'allemand.

Mais cette puérile comédie ne dura pas. Le duc finit par entendre que mon truchement pour passer de l'allemand en français et du français en allemand ralentissait prou la négociation, alors qu'il était si pressé de nous voir départir de son État.

Cependant, nous y demeurâmes plus que nous eussions voulu. Voici pourquoi. Avant que de quitter Paris, Louis avait, sur la suggestion de Richelieu, créé une juridiction extraordinaire destinée à instruire les crimes contre l'État. Cette juridiction, qu'il appela Chambre de l'Arsenal, hérissa prou le poil de nos parlementaires qui se voyaient enlever le monopole de la justice.

Ils entendirent bien que les longueurs et les atermoiements du procès du maréchal de Marillac leur valaient cette écorne, le roi désirant pour les criminels d'État une justice prompte et exemplaire.

Or, après le partement du roi pour la Lorraine, le Parlement, toujours soucieux de défendre ses droits et même de les accroître, en outre enhardi par l'absence du souverain, fit défense à la Chambre de l'Arsenal de se réunir... Quand il ouït cet abus d'autorité, Louis fut béant de l'arrogance des parlementaires et entra dans une de ces colères froides que son entourage redoutait : « Qu'est cela ? dit-il entre ses dents. Qu'est cela ? Mon Parlement me fait une écorne ? »

La décision comme toujours fut prompte : il dépêcha à Paris sous forte escorte un maréchal et le garde des sceaux, et somma les parlementaires de le venir rejoindre à Metz dans leurs propres carrosses.

Belle lectrice, ne vous y trompez pas : ce voyage en lui-même était déjà une punition. De prime, parce qu'il devait se faire en un décembre froidureux par des routes glacées et pis que cela, tout y était aux frais des voyageurs : gîtes aux étapes, repas, foin et écuries pour leurs chevaux. Or, le roi n'ignorait pas que nos magistrats, grands pleure-pain et chiche-face, aimaient mieux refermer les mains sur les écus des plaignants que les ouvrir pour leur propre dépense.

Arrivés un peu moins riches et tout à fait fourbus à Metz, les parlementaires s'y logèrent comme ils purent, et le roi les fit attendre encore vingt jours avant de leur donner audience. Il les reçut enfin, et ce fut pour leur rabattre le poil d'une manière impérieuse et imagée, qui rappelait en tous points les truculences de son père.

— Messieurs, dit-il, je ne veux plus écouter vos remontrances et ne veux plus souffrir que vous vous mêliez des affaires qui regardent mon service. Cet État est monarchique. Toutes choses y dépendent de la volonté du prince qui établit les juges comme il lui plaît. Je ne veux pas que vous entrepreniez contre l'autorité royale. Vous n'êtes établis que pour juger entre maître Pierre et maître Jean. Si vous continuez vos entreprises, je vous rognerai les ongles de si près qu'il vous en cuira...

*

Le Parlement, ainsi mis au pas, Louis revint avec son armée en France le neuf février 1632 et cette fois, par grâce toute spéciale de Sa Majesté, le Parlement fit le voyage aux frais du Trésor, ce qui lui donna, comme eût dit Henri IV « une petite cuillerée de miel après tout le vinaigre qu'il avait avalé [1] ». Je citai ce mot à Nicolas comme nous prenions notre dernier souper ensemble la veille du département, et il en rit à gueule bec.

— Monseigneur, dit-il, peux-je vous poser question ?

1. La citation exacte est quelque peu différente : « On attrape plus de mouches avec une cuillerée de miel qu'avec un tonneau de vinaigre. »

— Pose, Nicolas.

— Pourquoi le Parlement sort-il toujours ainsi de son rollet ? Déjà, il avait refusé d'enregistrer l'acte du roi déclarant les conseillers de Gaston coupables de lèse-majesté au premier chef. Et ce jour d'hui, il attaque la Chambre de l'Arsenal et lui interdit de se réunir.

— Je ne saurais dire, Nicolas, exactement ce qui se passe. Il me semble que les parlementaires suivent là une pente naturelle. Quand on est accoutumé comme eux à juger du matin au soir, on a tendance à se croire infaillible, et quand on se croit infaillible, on est tenté de se prononcer sur tout, y compris sur les affaires d'État. C'est ainsi que les juges aspirent souvent à avoir une part dans les grandes décisions : ce qui dans un État monarchique, comme le leur a rappelé sèchement Louis, se heurte au fondement même de la royauté. Cependant, ce n'est pas la première fois que nous avons vu le Parlement agir ainsi envers le roi, et ce ne sera probablement pas la dernière...

*

À la parfin, nous revînmes à Paris. Après la fureur de nos embrassements, je quis de Catherine si je pouvais voir Emmanuel. À quoi elle répondit que cela, pour le moment, ne se pouvait. Il dormait sur les tétins d'Honorée et il n'était pas question que je visse sa jolie tête sur ces monuments...

Dès qu'on fut à table, Catherine me posa quelques questions sur notre expédition de Lorraine, et je lui en fis un résumé dont la longueur était mesurée à l'aune de son intérêt. Elle me dit toutefois qu'elle était fort aise que le roi eût vaincu sans coup férir, et après ce début assez bref, elle en vint à ses idées de derrière la tête.

— Et chez qui étiez-vous logé à Metz ?

— Chez une dame avancée en âge.

— Ne la vieillissez-vous pas à plaisir ? dit Catherine d'un air suspicionneux.

— À plaisir, je ne sais, dis-je, mais il est vrai que je ne suis pas grand connaisseur de l'âge des dames. Et peut-être, ajoutai-je avec un brin de malice, pourriez-vous, pour cette précision, en appeler à Schomberg.

— Et pourquoi à Schomberg ?

— Parce qu'il partageait ma chambre.

— Eh quoi ! Un maréchal de France et un duc et pair partager la même chambre ? Et pourquoi diantre deviez-vous la partager, cette chambre ?

— Le manque de place nous y contraignit. Metz est belle et bonne ville, mais elle n'est pas immense, et nous étions nombreux.

— Et comment, dit-elle, passant abruptement du coq à l'âne, avez-vous trouvé les Lorraines ?

— Mais que vous dire là-dessus, m'amie ?

— La vérité.

— J'étais jusqu'au cou dans les négociations, et je les ai peu vues.

— Il ne se peut que vous ne les ayez vues. Que diable ! vous n'êtes pas aveugle, surtout dans ce domaine.

— Eh bien, je dirais qu'elles sont plutôt grandes.

— Grandes comment ?

— D'aucunes, à vue de nez, presque aussi grandes que moi.

— Vous vous êtes donc, Monsieur, mesuré à elles corps à corps ?

— Madame ! j'ai dit à « vue de nez ».

— Il n'importe ! et changeant de batterie elle dit avec un infini déprisement : grandes femmes, grands pieds.

— Il se peut. Je ne les ai jamais vus. Comme vous savez, le vertugadin cache les pieds.

— Alors, vous avez regardé les vertugadins et leur

délicieux balancement de gauche et de droite lorsque les Lorraines marchaient devant vous dans la rue.

— Cette agréable ondulation, Madame, est due à la conformation du bassin féminin. Il n'y a pas qu'à Metz qu'on le constate. Je l'ai aussi remarqué chez vous.

— Quand cela ?

— Mais pour la première fois en votre maison de Saint-Jean-des-Sables, quand notre entretien étant terminé, vous m'avez quitté, et pour passer l'huis vous vous êtes mise gracieusement de côté afin de permettre à votre vertugadin de franchir l'étroite ouverture. Ceci fut fait avec une fort jolie torsion de torse, et un mouvement de votre vertugadin qui me parut tout à fait ravissant.

— Comment, m'ami ! Vous vous ramentez ce détail ! Je craignais si fort que vous ne m'ayez trouvée gauche !

— Gauche, m'amie ! Je vous ai trouvée tout le rebours adorablement féminine.

— Ah, Monsieur, quelle langue dorée vous avez ! Et quelle façon aimable de dire les choses !

Et me jetant les deux mains autour du cou, elle m'étouffa de ses poutounes, et moi des miens. Et pour dire tout le fond de mon âme, lecteur, je me suis souvent apensé que si je suis heureux d'être un homme, c'est qu'il y a des femmes sur terre. Et que je le dise encore, j'adresse tous les jours une vibrante action de grâces au Seigneur en disant merci, merci, mon Dieu, d'avoir créé Ève...

Je craignis, au cours des semaines qui suivirent, d'ouïr derechef le thème des Lorraines aux grands pieds. Mais je crois bien que Catherine, en son for, ne trouva pas le thème assez sensuel. Car, même à ce jour, survit encore (eh oui, et à jamais, je crois) le thème des « fournaises ardentes » de Suse.

Il y a, se peut, une autre raison à ce choix : à Suse, le témoin de mon innocence était le comte de Sault, témoin aux yeux de Catherine douteux et suspect, puisqu'il avait lui-même succombé à la tentation, alors que mon témoin à Metz était le maréchal de Schomberg, dont était connue partout, célébrée, admirée, mais peu imitée, l'adamantine fidélité conjugale.

Je ne fus guère étonné quand, dès le lendemain de nos retrouvailles, le petit clerc que vous savez frappa quasiment aux aurores à mon huis pour quérir de moi en son jargon si je voulais bien recevoir, soit ce jour d'hui, soit demain, Monsieur le docteur médecin chanoine Fogacer, phrase qu'il déroula tout du long avec un certain air de pompe et de gourmandise.

Par Nicolas, je demandai alors à Henriette — seule personne à pouvoir approcher impunément Catherine en son pimplochement matinal — de lui poser la question : pouvions-nous recevoir Fogacer à la repue de midi ? La réponse fut « oui », et je m'en réjouis fort, car si je pouvais dire à Fogacer ma râtelée sur les négociations de Metz, il pourrait, de son côté, me dire ce qui en mon absence s'était passé à Paris. Comme on s'en ramentoit, Fogacer était dans l'emploi, avec la bénédiction de Richelieu, du nonce Bagni et dans la confidence du Vénitien Contarini [1], amis de la France l'un et l'autre.

— Mon cher duc, dit Fogacer, quand après le dîner nous en vînmes au bec à bec, le roi à Metz a fait une déclaration sur les parlementaires qui mérite qu'on y réfléchisse. Il a dit ceci : « Cet État est monarchique. » Comment, dès lors, expliquez-vous que dans un État monarchique on laisse les crieurs du Pont-Neuf lire, crier ou plutôt hurler, les manifestes de Gaston contre Richelieu, et indirectement contre le roi, lesquels sont pleins de menteries, de méchantises et d'injures. Mieux même, le roi y

1. Ambassadeur de Venise.

répond par la plume de Jean Sirmond ou d'autres scribes.

— À mon sentiment, dis-je, cela peut s'expliquer ainsi. Le roi aime mieux qu'on crie sur le Pont-Neuf les méchantises de Gaston, plutôt qu'elles ne circulent en catimini de main en main.

— Bien pensé ! dit Fogacer, mais vous savez, mon cher duc, que les crieurs du Pont-Neuf sont en passe de disparaître... eh oui, de disparaître ! sans qu'on les supprime d'ailleurs, ni qu'on les arrête. Et cela est dû au Révérend docteur médecin Théophraste Renaudot, et à ses bonnes curations.

— Et qui est donc ce Renaudot ?

— Un oiseau d'une espèce fort rare : un médecin philanthrope et désintéressé.

Théophraste Renaudot donnait en effet des consultations gratuites, ce qui eût fort indigné ses confrères, s'il ne leur avait pas envoyé ceux de ses malades qui étaient les plus huppés et cela sans demander, contrairement à tous usages (et refusant même), les retours de bâton d'usage dans ces cas-là. On entend bien que Renaudot n'était pas pauvre, sans cela il n'eût pu vivre en soignant gratuitement ses malades. D'évidence, il en eut beaucoup, et comme il aimait écouter les autres — vertu fort rare — il commença à connaître beaucoup de monde et de choses. Il eut alors l'idée d'ouvrir un bureau de placement, gratuit lui aussi, qui donna du travail à ceux qui n'en avaient pas et des travailleurs à ceux qui en cherchaient. Là aussi, il apprit beaucoup de choses sur beaucoup de sujets et de gens, tant est qu'il eut l'idée de publier ce qu'il avait appris dans une *Gazette* qu'il fit imprimer à ses frais, qui parut une fois par semaine et dont le succès fut immense.

Or, nul en France ne s'y intéressa davantage, et dès le premier jour, je dirais même plus avivement, que Richelieu et le roi, lesquels ne crurent pas déchoir en écrivant des articles à paraître dans ladite *Gazette*, le roi narrant avec sa précision coutumière, et dans un style à vrai dire un peu abrupt, les opérations militaires qu'il avait dirigées, et le cardinal, dans son style élégant et latin, se réservant la politique et la diplomatie. C'en était bien fini des textes polémiques, injurieux et vulgaires qu'on hurlait sur le Pont-Neuf. La *Gazette* disait tout, ou à tout le moins, tout ce que le roi et son ministre voulaient que l'on sût. Ah lecteur ! vous n'êtes pas sans vous apercevoir que l'État était meshui devenu véritablement « monarchique » en absorbant d'un seul coup de glotte le pouvoir naissant et puissant qui eût pu s'opposer à lui : la presse.

— Hélas, il y a encore un autre grand pouvoir, dit Fogacer : les Grands, et cette force-là dans le passé a fort bien réussi contre Henri III.

— Les choses sont différentes. Henri III, certes, avait beaucoup d'esprit. Mais il avait tant prodigué les pécunes du Trésor à son entourage et à ses favoris qu'il ne put jamais former une véritable armée, ni l'exercer, ni en devenir le chef. Croyez-vous qu'une ligue armée de grands seigneurs puisse ce jour d'hui avoir l'ombre d'une chance contre le roi-soldat, ses excellents maréchaux, ses fortes armées et l'émerveillable intendance de Richelieu ?

— Assurément non, dit Fogacer, mais d'aucuns de ces Grands sont de grands fols et je crains qu'en leur peu de jugeote ils ne croient la chose possible.

Là-dessus il ne se trompait pas. Gaston songeait en effet à organiser cette force. Réfugié aux Pays-Bas espagnols après la rapide défaite de la Lorraine — expérience qui ne lui avait rien appris —, il conçut le projet de fomenter une rébellion des Grands en France contre son frère. Il n'ignorait pas que les Grands détestaient, en effet, Richelieu et le roi : depuis six ans déjà, avec l'agrément du roi, le cardinal s'attachait à démanteler les tours de leurs châteaux, à combler leurs fossés, à abattre leurs ponts, à raser leurs murailles, le but étant qu'aucun seigneur révolté ne pût résister plus d'une heure à une armée royale.

D'aucuns, et des plus grands, avaient pâti bien plus. Le duc de Montmorency descendant de deux connétables, dont chacun avait été le bras armé de son roi, se vit enlever par Richelieu, comme on l'a vu, son titre d'amiral de France et les fonctions qui y étaient attachées. Qui pis y est, on lui retira le *droit d'épave* qui lui rapportait, bon an mal an, une fortune que Richelieu préférait voir tomber dans le Trésor du roi. Toutefois, Richelieu, en devenant le grand maître de la marine, noulut accepter les énormes émoluments qui y étaient attachés. Il ajouta donc, *gratis pro Deo*, cette tâche de plus à son immense besogne quotidienne en s'attachant à construire une marine de guerre qui fût digne d'un grand royaume. Une telle façon de penser et d'agir était étrangère à Montmorency comme aux Grands : l'intérêt personnel d'un grand féodal passait toujours à ses yeux avant celui du royaume.

Je vous laisse à penser, lecteur, si après cela Montmorency aimait le cardinal. En outre, son épouse, qui était par ailleurs une petite personne fort charmante qui adorait la poésie, se trouvait être parente des Médicis et par voie de conséquence, encore que la conséquence fût sotte, elle haïssait Richelieu et, adorant son mari, elle le poussait de toutes ses forces dans les voies qui devaient lui être fatales.

Par la géographie autant que par les sentiments et les ressentiments, le duc de Guise, gouverneur de la Provence, était fort proche de Montmorency, gouverneur du Languedoc. Et Gaston le savait bien qui prit langue avec l'un et l'autre par l'intermédiaire de l'abbé d'Elbène en leur confiant qu'il allait de nouveau pénétrer en France avec une armée. Il leur demanda de soulever, simultanément, contre l'autorité royale, leurs provinces respectives.

Gaston qui ne manquait pas d'esprit avait dix idées par jour, mais faute d'y réfléchir vraiment, aucune n'était bonne. Or, si la conception était mauvaise, l'exécution l'était davantage encore. Vacillant et velléitaire, à peine Gaston avait-il entrepris une action qu'il s'en dégoûtait et courait à brides abattues se réfugier dans sa coquille lorraine.

On se ramentoit qu'il avait voulu autrefois, à force forcée, participer au siège de La Rochelle et on lui avait donné à la parfin un commandement sous la surveillance d'un maréchal de France. Mais il noulut se donner peine pour apprendre le métier des armes, croyant qu'il le savait déjà, du fait de sa naissance, étant le fils cadet d'Henri IV. Au bout de quelques semaines, gagné par l'ennui, il planta là ses soldats et regagna Paris et ses plaisirs.

Quant aux soldats qu'il avait recrutés pour faire pièce à son frère, on se ramentoit qu'à Orléans ils étaient si médiocres qu'il lui aurait fallu un régiment pour affronter une escouade royale. De Gaston, de Guise et de Montmorency, seul le dernier nommé avait une expérience militaire. Il avait servi en Italie et pris Veillane au duc de Savoie. Il avait rassemblé autour de lui contre le roi quelques gentilshommes languedociens vaillants, certes, mais le nombre n'y était pas, et il allait de soi qu'à la première escarmouche, sa petite armée fondrait comme beurre au soleil.

*

Un différend s'étant élevé dans mon domaine d'Orbieu entre l'intendant et le curé, je demandai au roi la permission de m'y rendre, et la permission donnée, je m'y rendis seul. Catherine pensait être grosse et ne voulait pas voyager en carrosse.

Ce différend, quand je l'appris, m'étonna. En mon absence, Monsieur de Saint-Clair voulait ouïr la messe dans le chœur sur le siège doré qui m'était réservé. Et le curé noulait. Je décidai qu'une fois sur deux, en mon absence, Monsieur de Saint-Clair siégerait dans le chœur sur mon siège, et que la fois suivante, il serait assis au premier rang de l'église. Bien que la solution fût aussi absurde que la querelle, chose étrange, elle l'apaisa.

Le lendemain, je fis le tour des bâtiments, visitai le château, l'église, les étables, les écuries et accompagné dans cette tâche par Monsieur de Saint-Clair et par Arnold, l'homme qui à Orbieu savait tout faire : maçonnerie, menuiserie, serrurerie, peinture, et quoi encore... C'était un de mes Suisses chez qui j'avais découvert ce prodigieux éventail de talents et à la parfin je le déchargeai de ses devoirs de soldat et lui demandai de choisir lui-même parmi mes manants de jeunes drôles assez éveillés pour l'aider dans ses réparations. Vramy, il s'avéra si précieux que je le voulus établir à demeure dans mon domaine. Je lui baillai tout ce qu'il fallut pour construire de ses mains une maison entre château et église, et ayant observé qu'il avait l'œil très accroché par les tétins des garces, je lui choisis à Montfort-l'Amaury une fillette avenante à qui je donnai une petite dot pour qu'il ne fût pas effrayé par l'idée d'élever une famille. Dès lors qu'il fut marié et qu'il eut emménagé dans sa belle maison, les manants l'appelèrent « Monsieur Arnold » et, chose qui m'étonna, les Suisses aussi, lesquels ne laissèrent jamais paraître le moindre ombrage, ou dépit, qu'Arnold fût monté si haut au-dessus d'eux. Ces braves gens estimaient cette élévation méritée, tant Arnold avait de talents et tant il se donnait peine pour les exploiter.

Le jour avant mon partement pour Paris, j'invitai mon curé à dîner, et si je n'avais écouté que mon bon cœur, j'aurais invité aussi sa gouvernante, Léontine, laquelle prenait grand soin de lui, et même, à ce qu'on disait, un peu plus qu'il n'eût fallu. Mais comment peut-on arrêter une femme aimante dans ses dévouements ? Cependant, je renonçai à les inviter ensemble : c'eût été les traiter en couple. Et je me contentai d'envoyer un flacon de mon meilleur vin à Léontine, au moment où son curé bien-aimé s'attablait avec moi. Lequel curé, qui s'appelait Miremont, mangea à bonnes dents et but à large gosier, et, raffermi à la parfin par tous les bouts, il me dit, non sans hésitation, ce qu'il avait sur le cœur : depuis trois mois son évêque ne lui avait pas envoyé ses gages.

— Les avez-vous réclamés ?

— Nenni ! Nenni ! Je me serais fait fort mal voir à l'évêché. Ceux qui protestent contre ces oublis ne reçoivent plus rien du tout.

— Ces oublis ! dis-je, mais c'est malhonnêteté toute pure ! D'autant que l'évêque n'est jamais en retard, lui, pour envoyer ses commissaires au moment des moissons prélever sa part de blé. Je vais de ce pas lui écrire.

— Au nom du Ciel, Monseigneur, n'en faites rien ! C'est pour le coup qu'il me gardera à vie une fort mauvaise dent.

J'apazimai ses craintes, et dès qu'il se fut retiré je rédigeai une lettre aigre-douce audit évêque pour lui ramentevoir que j'avais dû réparer à mes frais le toit de l'église d'Orbieu, l'évêché ayant remis d'année en année de le faire. Cependant, je n'étais pas du tout décidé à payer, à sa place, les gages de mon curé. J'espérais — *in cauda venenum* — que ce petit différend se réglerait facilement de lui à moi, sans qu'il soit besoin que j'en touche mot au roi, lequel était, comme bien il savait, fort chatouilleux sur la façon dont les évêques traitaient leurs pauvres curés.

*

— Monsieur, un mot de grâce !

— Belle lectrice, vous céans ? Je vous ois avec joie.

— Le roi peut-il révoquer un évêque ?

— Non. Mais il peut décider qu'à la mort dudit évêque l'évêché ne reste pas dans sa famille.

— Qu'est cela ? Un évêché est-il donc une sorte de privilège héréditaire ?

— Assurément. C'est le roi qui nomme le titulaire à toute abbaye et à tout évêché, et c'est une fort belle récompense pour une famille fidèle, à laquelle Sa Majesté veut témoigner sa reconnaissance, car elle comporte un revenu important. Qui plus est, si le roi le veut ainsi, la dignité d'évêque devient héréditaire dans une famille. Elle y est, en principe, réservée au cadet, lequel, de naissance, est fort dépourvu, le titre et le domaine devant aller à son aîné. L'évêché est pour le cadet de famille non seulement un titre honorable et respecté, mais comporte aussi, comme j'ai dit, un revenu substantiel, parfois même considérable.

— Autrement dit, il n'est nul besoin de vocation pour devenir évêque, ni même nécessaire de recevoir une formation. Mais n'est-ce pas là, Monsieur, un détestable recrutement ?

— Belle lectrice, je dirais même un recrutement impie. L'évêché est meshui bien davantage un revenu qu'un sacerdoce. L'évêque s'occupe fort peu de ses églises, de ses curés et de ses ouailles. D'où le triste état des églises de village, la misère des curés de campagne, la désaffection des fidèles. L'évêque est un grand seigneur. Il vit en grand seigneur, les banquets succédant aux banquets, et les amours aux amours. Mon demi-frère, feu cardinal de Guise, ne craignait pas d'entretenir une concubine dans son palais épiscopal et de lui faire des enfants. Mais pardonnez-moi, belle lectrice, d'écourter cet entretien : je vois Monsieur de Saint-Clair s'avancer vers moi à grands pas et la mine passablement effarée.

*

— Monseigneur, dit Saint-Clair, Monsieur le duc de Guise demande l'entrant de notre châtelet d'entrée. Il désire vous entretenir.

Je me levai, béant.

— Guise ! Comment sais-tu que le quidam est bien le duc de Guise ?

— Aux armoiries sur sa carrosse.

— Est-il accompagné ?

— Assez peu pour un duc : une dizaine de cavaliers en tout.

— Et quelle mine ont-ils ?

— De jolis muguets de cour, si blonds, si roses, que vos Suisses, le cas échéant, n'en feraient qu'une bouchée.

— Tu oublies que j'ai laissé la moitié de mes Suisses à Paris pour garder l'hôtel des Bourbons et ma femme.

— L'autre moitié serait suffisante pour mettre nos galants à vauderoute s'ils nous cherchaient noise. Mais ils n'en ont guère envie.

— Préviens néanmoins Hörner d'avoir à armer nos Suisses et à les former en haie d'honneur devant le perron, laquelle haie pourrait se muer, le cas échéant, en ligne d'attaque.

Pour moi, je me ceinturai de mon épée, me coiffai de mon plus beau chapeau à plumes, et allai attendre mon hôte en haut du perron, fort ébahi par cette visite inopinée. J'ai si souvent rafraîchi la mémoire du lecteur sur ma naissance qu'il serait bien oublieux de ne point se ramentevoir que j'étais le fruit des amours secrètes (mais quel secret ? en est-il un à la Cour de France ?) de Madame la duchesse douairière de Guise et de mon père, le marquis de Siorac. L'actuel duc de Guise est donc mon demi-frère, au même titre que la princesse de Conti. Mais alors que mes rapports avec la princesse, du fait qu'elle est une femme, sont adoucis par tous les compliments que je lui fais sur sa beauté, mes rapports avec mes frères Guise restent froids et distants. En outre, s'étant donnés corps et âme à la cabale, ils voient en moi un suppôt du cardinal, lequel est à leurs yeux le diable incarné.

J'avais à peine gagné le haut du perron que la carrosse du duc de Guise apparut, suivi de ses gentilshommes. Le valet ouvrit la porte, déplia le marchepied, et le duc de Guise mit noblement pied à terre. Alors, commença de lui à moi une petite scène longuette, muette et, à mon sentiment, passablement comique. Dès que le duc fut hors de sa carrosse, j'ôtai mon chapeau et le saluai d'un geste ample. Il ôta son chapeau à son tour et me salua avec une ampleur un peu plus faible que la mienne. Il indiquait par là que le duc de Guise, gouverneur de la Provence, avait le pas sur le duc d'Orbieu, pour la raison qu'il avait reçu de sa famille, en se donnant la peine de naître le premier des mâles, le titre de duc et pair, alors que moi, j'avais été à grand-peine et en maintes missions et périls pour mériter que le roi me le conférât.

Cette nuance me déplut, étant si sotte et si infatuée. Aussi, au lieu de descendre les degrés à l'encontre du duc de Guise, je ne branlai pas d'un pouce, et me contentai de lui dire du haut du perron, avec un geste d'accueil :

— Mon cher duc, vous êtes le très bien venu céans.

— Je vous remercie, mon cousin, dit le duc de Guise, mais sans branler d'un pouce lui non plus, attendant d'évidence que je descendisse les marches vers lui au lieu de les gravir vers moi.

Tout se passa alors comme si une méchante fée, d'un coup de sa maléfique baguette, nous eût changés l'un et l'autre en statues de pierre. Que diantre ! m'apensai-je, si ce coquebin me vient voir, c'est pour quérir de moi quelque recours et secours ! En ce cas, ne peut-il se donner peine de monter quelques marches sans que je l'aille chercher ?

— Mon cher duc, dis-je enfin, il fait très froid. Je vais de ce pas donner l'ordre à un valet d'allumer un grand feu dans mon petit salon, et si vous voulez bien suivre Monsieur de Saint-Clair, il vous y conduira, et par ce temps froidureux nous y serons beaucoup mieux que céans pour un petit bec à bec.

Là-dessus, je le saluai avec tout le respect du monde et m'en allai. Je n'avais pas résolu le problème, mais je l'avais, du moins, éludé de façon à ce qu'il n'y eût ni vainqueur ni vaincu dans cette sotte bataille de protocole. Et en effet, quelques minutes plus tard et le feu flambant haut et clair dans le petit salon, le duc de Guise apparut, me donna pour la première fois de sa vie une forte brassée, et sur ma prière s'assit et but avidement un bon gobelet de vin chaud qui le rebiscoula en un battement de cils.

J'ouvre ici une petite parenthèse. Belle lectrice, le fait que je n'aime guère le duc de Guise ne doit pas vous frustrer du plaisir de sa description. Il avait hérité de son illustre père une haute taille, une membrature carrée, une tournure élégante, un visage d'une beauté virile. Toutefois, il n'avait ni l'audace ni l'ambition de son père, combien qu'il s'efforçât de les parader. Comme son père, qui mourut sous les dagues des Quarante-Cinq pour avoir voulu supplanter son roi, le duc avait reçu de cet ancêtre un grain de folie dans ses entreprises.

— Mon cher duc, dit-il, j'ai deux prières à vous adresser : la première, de me bien vouloir bailler pour moi et mes gentilshommes le gîte d'une nuit. La seconde est de me donner un conseil dans le périlleux prédicament où meshui je me trouve.

— Pour le gîte, mon cher duc, dis-je après un moment de silence, cela va de soi, et aussi quant au pot et au rôt pour vous-même et vos gentilshommes, sans oublier les montures. Mais pour le conseil, il n'y faut point compter.

— Me le refuseriez-vous ? dit-il d'un air déquiété.

Vous dont on loue partout le jugement et la générosité ?

— C'est que, mon cher duc, je suis fort rebelute au rôle de donneur de conseils, le tenant pour le plus ingrat du monde. Ou bien le conseil est rejeté et l'on se sent, avec lui, quelque peu déprisé, ou bien il est accepté, et malheur à vous s'il aboutit à un désastre : votre obligé vous chantera pouilles jusqu'à la fin des temps !

— Je ne vous chanterai rien de ce genre, dit Guise. Je vous en fais le serment.

— Eh bien, qu'en est-il de ce périlleux prédicament où vous dites que vous êtes tombé ?

— Le roi m'a ordonné de le venir trouver en Paris sans retard, et je ne sais s'il est prudent de me rendre à ce commandement.

— Vramy, dis-je, et pourquoi non ?

— C'est que cette convocation me met dans des tourments et des angoisses qui ne peuvent se dire.

— Des angoisses ? Vous qu'on connaît si vaillant ! Et que craignez-vous donc ?

— Rien que de très mauvais : l'exil, l'embastillement, ou la hache du bourreau.

— Diantre ! dis-je béant. Voilà qui est sérieux. Mon cher duc, repris-je au bout d'un moment, n'étant ni juge ni procureur, je ne vous poserai pas de question, mais il faut bien que vous pensez avoir manqué gravement à ce que vous devez au roi pour redouter de si cruelles punitions.

— En réalité, reprit le duc de Guise, tout cela est uniquement la faute de Richelieu.

— Je le pensais aussi, dis-je, avec une ironie qui fut perdue pour mon interlocuteur.

— Je vous prends à témoin. Qu'avait-il besoin de changer la perception de la taille ? Jusque-là elle était perçue par les agents de chaque province (celle que je gouverne étant, comme vous savez, la Provence) et les fonds recueillis étaient, par les soins du gouverneur, envoyés au roi. Et voilà que Richelieu imagine de créer des commissaires royaux qui, sans passer par les États de la province, prélèveront directement la taille à la source.

— Et pourquoi a-t-il fait cela ? dis-je, en faisant le naïf.

— Par un esprit de basse et sordide économie. Dans l'ancien système, ceux qui levaient la taille retenaient pour eux une commission avant d'envoyer au roi les pécunes recueillies.

Et m'apensai-je aussitôt, la plus petite commission n'était certes pas celle du gouverneur de la province...

— *Secundo*, poursuivit Guise, les nouveaux officiers royaux, percepteurs de la taille, achètent leur charge au roi, tant est que, là aussi, le Trésor y gagne. Mais vous imaginez le remue-ménage dans ma province de tous ceux qui sont lésés par cette infâme mesure. Il y eut même des émotions populaires, et quasiment des révoltes. Et c'est là que le roi commença à me garder mauvaise dent de ma conduite.

— Et pourquoi donc ?

— Je ne réprimai pas lesdits tumultes. Et comment l'aurais-je pu, étant moi-même lésé au premier chef ?

C'était raisonné comme un féodal : l'intérêt du royaume ne comptait pas. Seul le sien était légitime...

— On peut comprendre, dis-je, que Louis soit mécontent que vous n'ayez pas réprimé ces tumultes. Mais ce n'est sûrement pas pour cela qu'il confierait votre cou aux bons soins du bourreau.

— C'est que, en effet, il y a pis et bien pis, dit Guise, avec un soupir.

— Pis ? Qu'est-ce donc que ce pis-là ?

— Excusez-moi, mon cousin, étant tenu au secret, je ne saurais vous en dire davantage.

— Et ce serait, dis-je, superflu. Je sais ce que vous me taisez. Vous vous êtes bien follement engagé dans une ligue avec Gaston et Montmorency. Dès que Gaston pénétrera en France avec une armée, Montmorency soulèvera contre le roi le Languedoc, et vous-même, la Provence.

— Et Richelieu connaît ces projets ? dit Guise en pâlissant et serrant ses deux mains l'une contre l'autre pour les empêcher de trembler.

— Comment les saurais-je, s'il les ignorait ?

— Me voilà donc perdu !

— Mon cher Guise, vous l'étiez, dès la conception de votre insensé projet. Où auriez-vous trouvé des soldats qui puissent résister aux fantassins du roi, les meilleurs du monde, et qui puissent résister aussi à sa brillante cavalerie ? Où auriez-vous trouvé les canons, les munitions, les soldes ? Et où auriez-vous trouvé l'or qu'il faut pour soutenir une guerre ?

— Eh bien, d'Orbieu, s'écria Guise qui n'avait rien écouté de ces remarques, que me conseillez-vous, maintenant que vous savez tout ?

Je l'envisageai alors, à la fois béant et consterné.

— Mais, dis-je, de grâce entendez à la parfin que je ne peux rien vous conseiller, maintenant que vous avez de votre bouche même confirmé ce complot.

— Et pourquoi cela ?

— Mais mon cher Guise, le roi, connaissant vos projets, va vous proclamer criminel de lèse-majesté, si ce n'est déjà fait, et dès cette minute même, si je vous donne un conseil, je serai considéré comme votre complice.

— Suis-je donc devenu meshui une sorte de pestiféré, dit Guise, que personne ne m'ose approcher ?

— Je vous reçois chez moi ce jour et cette nuit et je ne peux pas faire plus. Vous avez mille fois raison de vous croire très menacé, mais c'est à vous, et à vous seul, de décider de ce que vous allez faire.

Guise me quitta le lendemain à la pique du jour

fort froidureusement et sans le moindre merci pour mon hospitalité. Je demandai en aparté à Monsieur de Saint-Clair de se porter avec lui au châtelet d'entrée sous prétexte de lui rendre honneur, en réalité pour observer quelle direction il allait prendre : le Nord ou le Sud. Et la carrosse du duc de Guise s'en alla, suivie de l'œil déprisant de mes Suisses qui avaient soigné et referré cinq de leurs chevaux et bichonné et nourri les autres, sans recevoir, au départir, la moindre piécette « pour leur graisser les roues », comme eussent dit les Italiens.

J'étais si trémulant de savoir quel chemin Guise allait prendre, celui de Paris ou celui de la Provence, que dès qu'il eut passé le châtelet d'entrée j'allai à la rencontre de Saint-Clair, et marchai si vite que Nicolas pouvait à peine me suivre.

— Eh bien, criai-je de loin à Saint-Clair, quelle direction a-t-il prise ?

— Le Sud.

— La Dieu merci ! m'écriai-je. Il retourne en Provence.

Et je regagnai à grands pas mon logis suivi de Nicolas, toujours sur mes talons.

— Monseigneur, dit Nicolas, dès que nous eûmes atteint le haut du perron, peux-je vous poser question ?

— Pose !

— Pourquoi êtes-vous si heureux que Monsieur de Guise ait pris la route du Sud ?

— Parce que cela veut dire qu'il s'en retourne en sa Provence au lieu de gagner Paris.

— Et pourquoi est-ce important qu'il retourne en sa Provence ?

— Parce qu'il va la quitter.

— Pardonnez-moi, Monseigneur, mais je n'entends goutte à ce propos. Il est heureux qu'il retourne en sa Provence parce qu'il va la quitter ?

— Eh oui ! À peine arrivé, il va racler jusqu'au dernier écu ses coffres, remplir ses boursicots, et non sans jeter un regard mélancolique sur son palais du gouverneur, sur son château où il donnait de si belles fêtes, il gagnera l'étranger, probablement l'Italie.

— Pourquoi l'Italie, Monseigneur ?

— C'est le pays le plus proche et dont le climat lui rappellera le plus sa Provence.

— Et pourquoi va-t-il ainsi s'exiler de soi ?

— Pour éviter les bons soins du bourreau.

— Qu'il avait mérités ?

— Largement. Ramentois, je te prie, qu'il est entré dans un complot avec Gaston et Montmorency pour abattre le roi de France. Elles étaient trois, ces pauvres ambitieuses grenouilles ! Après la défection de Guise, elles ne seront plus que deux. Quant à la Provence, dès lors que Guise part, elle restera fidèle à son roi.

CHAPITRE XVI

Belle lectrice, je quiers d'avance votre pardon : vos beaux yeux vont pleurer. Et moi-même je confesse que rien ne me fait plus chagrin que le malheureux destin du duc de Montmorency.

Les Dieux lui avaient tout donné : une haute ascendance, des aïeux illustres, un maréchalat de France, le gouvernement d'une province renommée pour sa douceur de vivre, une apparence qui faisait de lui, à la Cour, le parangon de la beauté virile, une épouse adorable qui n'adorait que lui, une affabilité si chaleureuse et si généreuse qu'elle lui valait beaucoup d'amis, une santé de corps si émerveillable que son médecin lui prédisait la longévité de Lesdiguières [1], et enfin par ses biens propres et ceux de sa femme, il était si bien garni en pécunes que même s'il avait vécu deux ou trois vies dans le faste et la dissipation, il n'eût pu épuiser ses coffres... Et la question, belle lectrice, que je me pose est celle-ci : comment Montmorency a-t-il pu hasarder tout ce qu'il était et tout ce qu'il avait dans une équipée aussi folle, je dirais même aussi puérile, que celle

1. Le maréchal de Lesdiguières mourut à quatre-vingt-trois ans. Devenu veuf neuf ans plus tôt, il se remaria à soixante-quatorze ans.

que je vais conter, alors qu'on eût pu dire de lui, pour citer le poète latin, qu'il eût été « trop heureux, s'il avait connu son bonheur » ?

Il est vrai qu'il nourrissait, comme on l'a vu, de sérieux griefs personnels contre Richelieu. La suppression de son titre d'amiral de France, et de son *droit d'épave,* lui avait enlevé de hautes fonctions et de gros revenus.

Mais il baignait aussi dans un entourage où chacun, pour des raisons différentes, haïssait Richelieu. Son épouse, Marie-Félicie des Ursins, était par sa naissance liée aux Médicis et voulait mal de mort au « persécuteur » de la reine-mère. L'évêque d'Elbène, que Montmorency admirait, pensait que Richelieu disparu, on pourrait enfin appliquer le concile de Trente et éradiquer les protestants par le fer et le feu. Le duc de Guise, gouverneur de la proche Provence, dont le père avait été le roi de Paris, rêvait lui aussi d'un grand destin. En outre, les circonstances paraissaient favorables. Le roi était d'une santé fragile, les horoscopes annonçaient sa mort pour la fin de l'année, et il allait sans dire que ceux qui, avant cette mort, se seraient rangés dans le camp de Gaston, recevraient alors la récompense de leur choix.

Gaston, dans les missives qu'il faisait parvenir à Montmorency par l'intermédiaire de l'évêque d'Elbène, le caressait prou. Des trois conspirateurs, Montmorency était le seul à « savoir la guerre ». Pendant le siège de La Rochelle, il avait, sur l'ordre de Louis, combattu Soubise qui faisait le « dégât » sur les arrières de l'armée royale, et l'avait contraint à se réembarquer pour l'Angleterre. Enfin, il s'était illustré dans la campagne d'Italie en prenant Veillane et Saluces au duc de Savoie.

Rien ne permet d'affirmer que Gaston ait promis à Montmorency, le jour où il deviendrait roi, la connétablie, suprême dignité à laquelle deux de ses ancêtres avaient déjà accédé. Mais en lui écrivant que l'armée avec laquelle il comptait envahir le royaume avait été recrutée par le duc de Lorraine et par les Espagnols, il semble qu'il l'ait volontairement induit en erreur. Car c'était peu de chose, en définitive, que cette force-là : une petite armée mercenaire de mauvais soldats. Mais il est possible que Gaston lui-même, qui vivait dans ses rêves et ne savait rien de la guerre, se soit trompé tout le premier sur sa valeur.

Dès que Gaston, plein d'un illusoire espoir, pénétra en France, il fut rejoint, suivi, talonné, mais non attaqué, par la cavalerie du maréchal de La Force et par l'infanterie du maréchal de Schomberg, c'est-à-dire par deux formations qui n'avaient pas leurs égales en Europe. Belle lectrice, vous allez, se peut, quérir de moi pourquoi lesdites forces, au lieu de talonner Gaston, n'attaquaient pas tout de gob sa pauvre petite armée. C'est que ni La Force, ni Schomberg ne devaient courir le risque, en engageant le combat, de blesser ou de tuer l'héritier présomptif de France. Et cela, qui le savait mieux que Gaston, à qui son impunité permettait, quand et quand, de tirer l'épée contre son aîné, sans affronter le moindre danger ?

De reste, dès que la situation lui paraissait un peu trop périlleuse, il se retirait vivement et rentrait chez lui, c'est-à-dire chez les ennemis de sa patrie. Ce n'était, en fait, qu'une petite guerre qui lui permettait, de prime, de se mascarader glorieusement en chef d'armée, et ensuite de faire la paix avec son aîné en tirant de lui quelques avantages, le plus souvent financiers.

Néanmoins, dans sa marche à travers la France pour gagner le Languedoc et rejoindre Montmorency, Gaston tâcha de rallier à sa cause les villes sur son chemin, proclamant qu'il s'agissait de jeter bas le ministre qui avait réduit le roi en esclavage...

L'argument était un peu gros et ressemblait beaucoup aux stupidités qu'avaient hurlées quotidiennement les crieurs du Pont-Neuf à l'instigation de la cabale. Dijon n'y fut pas sensible, ni la Bourgogne, et en fait, aucune des villes que sur son chemin Gaston essaya de rallier à sa cause ne se laissèrent prendre. Pour toute réponse, elles lui closèrent leurs portes au bec.

Montmorency se plaignit plus tard que Gaston, qu'il avait prié de retarder son invasion, pénétrât trop tôt en France, ce qui ne donna pas à son allié le temps qu'il eût fallu pour ameuter la population du Languedoc afin qu'elle prît parti contre le pouvoir royal. Mais ce n'est là qu'une illusion de plus dans une entreprise qui en comporta plus d'une. « Plus tôt » ou « plus tard », c'eût été tout du même. À part quelques évêques qui se prononcèrent en faveur de Montmorency pour les raisons que l'on sait, et qui pesaient peu dans un conflit armé, Montmorency ne rallia personne à sa cause. Toulouse, la plus grande et la plus belle des villes du Languedoc, fit savoir qu'elle demeurait adamantinement fidèle au roi. Les protestants, qui avaient conçu pour Louis une gratitude infinie de ce qu'il leur eût baillé l'Édit de grâce, se fermèrent à tout appel de rébellion. À part quelques gentilshommes qui se rallièrent à Montmorency par amitié, la population ne se souleva pas. Et Montmorency en fut réduit à un petit coup de force à l'intérieur de l'assemblée des États du Languedoc qu'il avait convoquée dans son château de Pezenas.

À mon sentiment, ce qu'il accomplit là fut fort peu glorieux et encore moins habile. Une transaction entre le roi et les États était intervenue quant à la levée de la taille, dont les Languedociens étaient contents : d'ores en avant, les commissaires du roi dans le Languedoc seraient remplacés par des commissaires nommés par les États. Montmorency avait accepté et signé cet accord. Et là, tout soudain, en présence des États, il le dénonça. Grande fut l'indignation, et haut et fort le tollé chez les députés du roi, sans toutefois que rien d'insolent fût prononcé. Montmorency prit néanmoins une décision qui est et restera unique dans les annales : il fit arrêter les députés qui le désapprouvaient, et comme l'archevêque de Narbonne qui présidait la séance protestait contre cette brutale procédure, il le fit à son tour emprisonner.

Dans la confusion qui suivit, les députés qui lui étaient acquis décidèrent d'armer la province sans nommer ni préciser contre qui on l'armait. Cette sotte petite ruse ne trompa personne, et dès que le roi apprit ce qui s'était passé, il déclara coupables de lèse-majesté au premier chef tous ceux qui soutiendraient « Monsieur [1] » dans son entreprise de guerre civile.

En même temps, toujours prompt en ses décisions, il fit prendre les armes aux gardes françaises, aux gardes suisses et aux régiments de Navarre et de Vervins, pour se porter contre les rebelles. Rien que ces noms-là eussent fait frémir Montmorency s'ils avaient pu résonner à son oreille. En revanche, ce qu'il connut, et qui le plongea dans le désespoir, ce fut l'armée de Gaston, quand Gaston, en juillet, le rejoignit à Lunel.

Havre de grâce! Quel ramassis de pauvres hères c'était là! Défaits, boitillants, toussotants, exténués. On avait dû les faire trotter trop vite, leur accorder trop peu de temps aux étapes, et les nourrir fort mal. *À mau chat, mau rat* [2]*!* Ce n'est certes pas Louis qui eût agi ainsi, lui qui veillait, je dirais quasiment comme un père, sur la santé de ses soldats. Et non plus Richelieu, l'admirable intendant, grâce à qui le pain, le vin, et le pot arrivaient toujours à l'heure, les éclopés étant soignés sans tant languir à l'étape, les

1. Titre donné traditionnellement au frère cadet du roi.
2. Proverbe périgourdin : À mauvais chef, mauvais soldats!

malades reconnus tels par les barbiers-chirurgiens, aussitôt évacués.

Je conterai plus loin, je ne dirais pas le combat, mais l'escarmouche de Castelnaudary où fut battue et dispersée en un tournemain la petite armée de Gaston. Quant à Montmorency, il fut en toutes les parties du corps, hors les vitales, blessé, transporté au Capitole de Toulouse, à la fois pour le soigner de ses blessures et lui faire son procès. Mais avant ce procès, Richelieu quit de moi de l'aller voir sur son lit de souffrances, visite qui ne préjugeait en aucune façon du choix qu'on allait faire de lui : la mort ou le pardon. Richelieu, qui était la raison même, essayait seulement d'entendre par mon truchement ce qui s'était passé dans l'esprit de ce grand féodal pour qu'il choisît de se jeter follement dans une entreprise, dès lors qu'il savait qu'elle était perdue d'avance.

Je craignais, étant tenu par la cabale comme une des âmes damnées du cardinal, que Montmorency noulût me recevoir, mais il n'en fit rien. Dans l'isolement où il était gardé, sans doute était-il avide de nouvelles. Il me fit à vrai dire ni bon ni mauvais accueil. Il est difficile d'être hautain quand on est couvert de pansements de la tête aux pieds, le plus ensanglanté étant celui qui entourait sa gorge, tant est qu'à l'abord je craignis qu'il ne pût parler, pour la raison que le docteur médecin m'avait appris que gisant sur le champ de bataille, le sang lui coulait de par la bouche. En fait, sa voix était faible et lente, mais distincte assez. Chose étonnante, ce n'est pas moi, mais lui qui posa la première question.

— Duc, dit-il, je suppose que vous venez me dire ce que l'on va faire de moi ?

— Nullement, Monseigneur.

Les ducs et pairs étant égaux entre eux, ce « Monseigneur » dont j'usais n'était pas imposé par l'étiquette et ne faisait référence qu'à son illustre lignée, et aussi le fait qu'il était maréchal-duc, ce qui le haussait d'un cran au-dessus de moi.

Bien que sa face demeurât impassible, Montmorency battit un cil, ce qui me donna à penser que dans la situation qui était meshui la sienne, il ne laissait pas d'être sensible à cette courtoisie.

Je repris :

— Monseigneur, si j'étais venu pour vous dire la décision qui va être prise à votre sujet, j'eusse été accompagné par le garde des sceaux.

— En effet.

Il se tut, et sentant l'angoisse qui le poignait, je pris sur moi de l'éclairer un peu plus.

— En fait, Monseigneur, à steure aucune décision n'est prise. Le roi et son ministre en sont encore à délibérer à votre endroit.

— Oui-da ! dit Montmorency avec une profonde amertume. Je sais comme les choses, dans ce cas-là, se passent. Richelieu écrit et propose au roi un mémoire fort habile où il plaide d'abord pour la mansuétude, ensuite pour la sévérité. Si vous me promettez de ne pas répéter mon propos, je vous dirais que cette façon de présenter de prime la plaidoirie, ensuite le réquisitoire, me paraît tout à plein chattemite...

— Monseigneur, dis-je, je vous promets de ne pas répéter ce propos.

— Et pourquoi ? reprit-il en se posant à lui-même la question dont sans doute il eût voulu ouïr la réponse de ma bouche. Parce que Richelieu, s'il veut la mort du pécheur, est trop habile pour ne point bailler plus de force à son réquisitoire qu'à sa plaidoirie. Il s'agit donc d'une fausse impartialité qui se donne les couleurs de la vraie.

Montmorency se tut, ce discours l'ayant fatigué. Et quant à ce qu'il venait de dire, je n'étais pas loin, pour parler à la franche marguerite, de lui donner raison. Cependant, ne pouvant ni acquiescer ni le contredire, je demeurai coi. Montmorency, sauf en politique, ayant beaucoup de finesse, il ne fut pas sans deviner ce que je pensais, et il devint à mon endroit plus amical. Je me ramentois à ce propos ce que m'avait dit Fogacer : ce n'était pas seulement parce qu'il était beau, mais aussi parce qu'il était fin, que les dames étaient si raffolées de lui. Le beau sexe ne souffre ni les lourdauds ni les balourds.

— Eh bien, Duc, dit-il avec une sorte d'enjouement, quel renseignement êtes-vous venu quérir de moi ?

— Monseigneur, dis-je, la Dieu merci, je ne suis ni juge ni procureur. Mais j'oserai toutefois quérir de vous pourquoi vous vous êtes lancé à l'assaut de Castelnaudary, alors que vous saviez d'avance que l'affaire était déjà perdue.

— Oh ! je l'ai su beaucoup plus tôt ! Je l'ai su dès que Gaston m'ayant rejoint à Lunel, j'ai vu son armée. Et en voyant ce ramassis de mauvais soldats, j'en conclus que le premier choc avec les royaux le briserait en miettes.

— Saviez-vous à ce moment-là, Monseigneur, que le roi avait déclaré criminel de lèse-majesté au premier chef quiconque soutiendrait Gaston ?

— Je le savais.

— Saviez-vous que Schomberg occupait Castelnaudary et fortifiait la ville ?

— Je le savais.

— Saviez-vous que Louis, à la tête de ses régiments d'élite, descendait la vallée du Rhône à votre rencontre, tant est que menacé à l'ouest par Schomberg, vous l'étiez aussi par le roi venant du nord ?

— Je le savais.

— Et que décida Gaston en ce prédicament ?

— De gagner Castelnaudary et d'affronter Schomberg.

— Mais c'est une longuissime trotte de Lunel à Castelnaudary, et quand la misérable petite armée de Gaston parvint à destination, dans quel état était-elle ?

— À vrai dire, misérable.

— Vous n'aviez donc aucun espoir de vaincre ?

— Aucun.

— Que cherchiez-vous donc en livrant bataille ?

— Pour moi ?

— Oui, Monseigneur, pour vous.

— La mort après un farouche et ultime combat.

— N'y avait-il pas d'autre solution ? Par exemple, quitter Gaston, qui lui, de toute façon, ne risquait ni la captivité ni la mort, et prendre comme Guise le chemin de l'exil.

— En effet, j'eusse pu prendre cette décision. Mais elle eût été contraire à l'honneur.

Cette phrase me laissa béant.

— Elle eût été contraire à l'honneur ?

— Assurément ! N'avais-je pas donné ma parole à Gaston ? Je ne pouvais donc la trahir.

J'eus alors forte envie de lui dire qu'il y avait bien pis que manquer de parole à Gaston : c'était trahir le roi. Je ne sais si Montmorency devina ma pensée, mais prétextant sa fatigue il mit fin assez brusquement à notre bec à bec. Je pris alors congé de lui avec beaucoup de mercis, assez béant de sa franchise, laquelle me toucha fort, car j'y sentis le désespoir de n'avoir pas réussi sa mort comme il l'eût souhaité : au cœur de la bataille et les armes à la main.

*

Schomberg, après sa victoire à Castelnaudary, prit le chemin de Paris et choisit, comme dernière étape, Montfort-l'Amaury, pour la raison que le campement était facile et vaste sur le camp Henri IV, et aussi parce qu'il désirait m'encontrer en mon domaine d'Orbieu. J'en fus fort joyeux, et Catherine aussi, car le maréchal étant à ses yeux, comme aux yeux de tous, le parangon de la fidélité conjugale, elle me le donnait souvent en exemple et eût voulu qu'il me fréquentât davantage, espérant que sa fidélité finirait par déteindre sur moi. Et comme je lui faisais remarquer que je ne l'avais encore jamais trompée, elle répliqua qu'en effet, jusque-là, c'était vrai, mais qu'elle était continuellement en doute que je continuasse cette fidélité, car dès qu'une jolie femme apparaissait en quelque endroit que ce fût, mes yeux brillaient et mon corps trahissait aussitôt par son frémissement la violence de mes appétits.

— N'est-ce pas injuste, confiai-je un jour à Nicolas, que Madame la duchesse me préjuge coupable avant que je le sois ?

— Pardon, Monseigneur, dit Nicolas, mais avec mon infini respect, peux-je vous dire que Madame la duchesse n'a pas, se peut, tout à fait tort, à tout le moins dans la description qu'elle fait de votre comportement à la vue d'une jolie femme.

— Nicolas, dis-je avec sévérité, tu es un traître. Étant mon écuyer, tu devrais prendre mon parti.

— Mais c'est bien ce que je fais, dit Nicolas avec un damnable sourire, devant Madame la duchesse, car devant vous, je ne sais pourquoi, cela me troublerait de vous débiter des mensonges.

— La peste soit de toi, pendard ! m'écriai-je. Tu trouves encore le moyen de me dauber ! Nicolas, t'ai-je déjà baillé un soufflet ?

— Non, Monseigneur, vous n'êtes pas ce genre de maître.

— C'est bien pourtant ce qui va t'arriver, si tu t'obstines à me dauber.

Là-dessus, je lui saisis la nuque de la main gauche et la serrai, mais sans le douloir vraiment. Le croiriez-vous ? Le galapian rit aux anges, mais en faisant d'affreuses grimaces comme si je l'étranglais...

Mais revenons, lecteur, à nos moutons, c'est-à-dire à Schomberg, lequel me parut à la fois jouir d'une émerveillable santé, et trahir en même temps une humeur triste et marmiteuse. Dès que le dîner fut terminé, Catherine s'excusa de nous quitter, disant qu'elle voulait s'assurer qu'Emmanuel se fût bien endormi. En réalité, ce n'était là qu'un prétexte pour rassasier son insatiable appétit à le voir, car à'steure, il dormait tout ococoulé sur le vaste tétin de notre Honorée.

Dès que Catherine fut hors, je ne laissai pas de demander à Schomberg ce qu'il pensait du combat de Castelnaudary.

— Je sais, dit Schomberg. À moi-même le roi me l'a demandé par écrit, mais vous n'ignorez pas, autant je suis à l'aise sur un champ de bataille, autant je me sens déconforté une plume à la main. Cependant, si vous voulez bien me dire ce que vous savez, je compléterai ou corrigerai votre récit, vous priant toutefois de me citer en votre rapport comme votre source principale...

Je lui promis de le faire, et je lui dis alors ma râtelée de ce que j'avais appris. Schomberg l'écouta, tantôt en haussant les épaules et tantôt en levant les yeux au ciel, ce qui, j'imagine, voulait dire que mon récit était loin d'être fidèle aux faits.

— Hélas, mon ami, dit Schomberg quand j'eus fini, vous avez tout faux : itinéraire et combat. *Primo,* Gaston pour gagner Lunel et rejoindre Montmorency ne passa pas par Toulouse, mais par l'Auvergne.

— On m'a dit pourtant que Toulouse noulut lui déclore ses portes.

— Toulouse annonça à cor et cri qu'elle se closerait comme huître à sa venue, mais elle n'eut pas à le faire, car Gaston ne passa pas par là. En fait, c'est Dijon qui lui claqua la porte au bec. Et comme néanmoins il approchait des murs de la ville, celle-ci lui tira une salve de coups de canon, dont un boulet faillit l'atteindre. *Secundo,* la peinture que vous faites de ses mercenaires pour déprisante qu'elle soit, est encore très au-dessous de la réalité. C'était, en fait, gens de sac et de corde qui, sans en avoir reçu l'ordre, envahissaient tout soudain un village, forçaient femmes et filles et jusqu'aux fillettes impubères, pillaient ensuite les maisons pour se faire une picorée [1], après quoi, avant de départir, ils brûlaient tout. Quand Gaston les vit à ces exploits, il menaça de pendaison ceux qui pillaient et forçaient filles. La réponse ne se fit pas attendre : quand il se réveilla le lendemain, le tiers de son armée avait disparu.

— Le recrutement sur le chemin de gentilshommes hostiles à Richelieu ne compensa-t-il pas cette perte ?

— Très insuffisamment. Beaucoup qui avaient promis de loin à Gaston de se joindre à lui, de près se dérobèrent. D'autres, qui eussent respecté leur parole, s'en délièrent, dès qu'ils virent le ramassis de mercenaires avec lequel Gaston comptait affronter les armées royales.

« Pour moi, grâce aux rediseurs qui surgissaient partout où l'intérêt du royaume l'exigeait, je savais, au jour près, ce qui se passait dans le camp de Gaston en Lunel. J'appris ainsi qu'il s'agissait d'un triumvirat car le comte de Moret, bâtard d'Henri IV, qui, on s'en ramentoit, avait tâché de favoriser l'évasion de la reine-mère en la faisant admettre dans la place forte de La Capelle, s'était joint en fin de compte à Gaston et à Montmorency.

« Je voulus alors savoir des rediseurs qui de ce trio commandait. Mais leur réponse : “Tous les trois en principe, mais personne en réalité”, combien qu'elle me parût de prime peu satisfaisante, s'avéra dramatiquement juste dans la suite de cette aventure.

« Toujours par les rediseurs, j'appris l'intention des rebelles de me venir attaquer à Castelnaudary, et m'ayant battu, de conquérir ensuite le Languedoc...

1. Butin.

Je fus béant ! M'attaquer, moi, Schomberg, qui étais si bien remparé, et avec quoi, Seigneur ? avec une cavalerie qui ne dépassait pas huit cents chevaux, et une infanterie moitié moins nombreuse et composée de vaunéants. Et qui pis est, ils m'allaient attaquer dans mes murs, sans échelles, sans canons, et j'en jugerais, sans même un seul pétard pour tâcher de pétarder mon huis ! Du diantre si je peux entendre, même à ce jour, l'enfantillage qui fut le leur.

« Or, j'avais le choix, à leur approche, entre deux solutions : demeurer entre mes murs et les recevoir avec des salves de canon accompagnées par une mousquetade nourrie. Mais cette solution présentait un évident inconvénient. De cette façon, je les repoussais certes, mais je ne les battais pas.

« Je décidai donc de les attendre, à faible distance de mes murs, dans une plaine fermée de dextre et de senestre par deux coteaux, évitant ainsi de leur part toute manœuvre tournante. En outre, cette plaine était bordée par un ruisseau qui n'était pas, à vrai dire, une défense, car on le pouvait aisément traverser à cheval, mais une sorte de frontière morale que les rebelles devraient franchir pour attaquer, l'épée à la main, les fidèles serviteurs de leur roi.

« Si l'armée de Gaston avait été une véritable armée commandée par un capitaine sachant la guerre, ledit capitaine aurait de prime attendu que tous ses combattants fussent rassemblés, et là, hors de portée des mousquets adversaires, il aurait étudié la situation avant de l'affronter. Ce sont là des principes simples, mon cher duc, dictés par le bon sens, et tout ce qu'il y faut de plus, c'est un apprentissage sur le terrain et sous le feu de l'ennemi.

« Mais déjà, j'avais appris, en envoyant quelques enfants perdus [1] à la rencontre de leur troupe, qu'ils

1. Des enfants perdus sont des soldats volontaires que l'on envoie reconnaître l'ennemi et déclencher son feu, afin de pouvoir situer où il se dissimule.

cheminaient dans un ordre qui n'indiquait pas quel était le chef de l'expédition, car le comte de Moret venait le premier avec ses gentilshommes, ensuite Montmorency avec les siens, et Gaston enfin qui marchait en queue, bien qu'il fût, par le sang, le premier des trois, et celui qui avait initié la rébellion. Mais surtout, ce qui me laissa béant, c'est que l'attaque se fit follement, à la volée, sans rassemblement des troupes, sans concertation des chefs, et par la soudaine et insensée décision d'un seul.

« En effet, dès que le comte de Moret aperçut l'armée royale superbement rangée en bataille, les mousquetaires sur trois rangs dans le fond, et les cavaliers répartis sur les deux côtés, les uns et les autres silencieux, graves et attentifs, il fut pris d'une sorte de délire, et poussant son cheval au-delà du ruisseau, il se jeta à l'attaque, entraînant dans la mort les gentilshommes qui le suivaient.

« Ce carnage s'achevait quand Montmorency survint, et voyant Moret et les siens hachés par la mitraille, follement, lui aussi, il sauta le ruisseau avec ses gentilshommes et s'enfonça, l'épée à la main, dans la mêlée. Toutefois, les mousquets n'étant pas encore rechargés, ce fut cette fois un combat de cavalerie avec le dénouement que l'on sait, le duc sabrant et étant sabré, jeté enfin à bas de son cheval, et capturé.

Lecteur, le récit de Schomberg s'arrête ici, mais pour moi je voudrais ajouter ceci qu'il ne dit pas ou ne voulut pas dire. Quand Gaston parvint enfin sur les lieux, tout était fini. Et vous pensez bien, lecteur, qu'il eût bien voulu, lui aussi, se jeter dans la bataille, mais aussitôt ses serviteurs, ses conseillers et ses gentilshommes se pressèrent autour de lui pour le supplier de n'en rien faire : c'eût été sa mort. Et j'ajouterais, quant à moi : c'eût été aussi la leur...

Gaston retira alors ce qui lui restait de troupes à distance pour bivouaquer, et le lendemain, ayant repris ses esprits, il écrivit au cardinal-infant qui gouvernait les Pays-Bas : « Le champ de bataille m'est demeuré », ce qui était littéralement vrai car après l'escarmouche, Schomberg s'était retiré derrière les murs de Castelnaudary, mais militairement archifaux, car Gaston avait perdu le comte de Moret, le duc de Montmorency et bon nombre de gentilshommes, c'est-à-dire le plus valable de sa petite armée, les mercenaires ne s'étant, quant à eux, mêlés que fort mollement au combat. Néanmoins, le lendemain, Gaston ne craignit pas d'offrir de nouveau le combat à Schomberg.

— Et que lui avez-vous répondu, mon cher Schomberg ?

— J'entends bien qu'il ne me proposait la bataille que pour que je la refusasse. Et c'est bien ce que je fis : « Monseigneur, dis-je, vous ayant, bien à contrecœur, tué hier beaucoup de vos gentilshommes, je m'en voudrais de vous en tuer d'autres à'steure, et d'autant plus inutilement que le roi et sa puissante armée ne vont pas tarder à me rejoindre. »

« Gaston se retira alors d'un air hautain, paonnant comme s'il m'avait battu, et comme je l'appris plus tard, il dépêcha le sire de Chaudebonne à Montpellier où se trouvait le roi, afin de venir à composition avec lui.

*

Au moment des négociations entre le roi et son cadet, Louis, désirant demeurer à Montpellier, enjoignit à son frère de s'arrêter à Béziers, la négociation se faisant par l'intermédiaire d'un secrétaire d'État et du sire de Chaudebonne.

Et c'est ici, lecteur, qu'éclate la légèreté, pour ne pas dire la puérilité de Gaston. Quoiqu'il fût visiblement et piteusement vaincu, à son frère aîné il demanda la lune, d'aucunes de ses exigences étant si exorbitantes qu'elles en devenaient risibles. Les voici, une par une.

Primo, le duc de Montmorency devra être gracié et libéré. *Secundo,* la reine-mère sera remise dans ses biens. *Tertio,* le roi devra donner à son cadet un million d'or pour rembourser le roi d'Espagne et le duc de Lorraine des frais qu'ils avaient encourus pour lui bailler une armée.

Gaston, il va sans dire, n'obtint rien de tout cela, seulement le pardon royal pour lui-même, et ceux de ses serviteurs qui se trouvaient avec lui devant Castelnaudary. Cette clause excluait ceux de ses conseillers qui étaient demeurés à Bruxelles, à savoir Le Coigneux, Monsigot et Vieuville, que le roi et le cardinal tenaient pour les vrais inspirateurs des rébellions de Gaston. Au sujet de Montmorency dont Gaston réclamait la grâce, le roi roidement répondit : « Montmorency est venu combattre mes troupes, et il a été pris commandant une armée contre moi, et ayant l'épée à la main teintée du sang de mes fidèles sujets. »

Cette phrase donna à réfléchir à Gaston, tant elle pouvait s'appliquer à lui-même. Il y vit une menace pour sa vie, et ne se sentant plus en sécurité en France, derechef il se réfugia à Bruxelles.

*

En ce qui me concerne, d'ordre de Richelieu, je gagnai Toulouse pour y demeurer jusqu'à ce que Montmorency fût jugé et exécuté, et remontai ensuite en Paris et y retrouvai avec transport ma petite bien-aimée dont la beauté me consola de toutes les horreurs de cette guerre fratricide. Mais le cardinal — qui savait tout, et par conséquent mon arrivée — ne me laissa pas à Catherine plus qu'une petite journée de bonheur, car dès le lendemain il m'envoya quérir par un de ses mousquetaires. Et une fois que je fus là, sans perdre son temps en paroles, il me demanda tout de gob ce que j'avais tiré de Montmorency lors de la visite que je lui avais faite à Toulouse, tandis qu'il gisait sur son lit de douleurs. Je lui en fis aussitôt le récit qu'il écouta, comme toujours, d'une oreille avide, mettant en magasin tout ce que je disais dans sa prodigieuse mémoire. Et quand je lui dis que Montmorency, sentant très vite que l'affaire était perdue, noulut s'en retirer, comme Guise auparavant avait fait, parce qu'il voulait par point d'honneur rester fidèle à Gaston, il s'exclama :

— L'honneur ! Ces grands féodaux n'ont que ce mot-là au bec ! Mais l'honneur, ils ne le respectent qu'entre eux ! Hors de leur petit cercle, ils l'ignorent ou l'oublient. Montmorency a juré trois fois fidélité à Louis. La première fois au couronnement, la deuxième fois quand Louis l'a fait maréchal de France, et la troisième fois quand il le nomma gouverneur du Languedoc. Et qu'a-t-il fait, notre Montmorency, de ces serments et de cette fidélité ? Il les a piétinés sans que sa conscience le remordît le moindre. Voyez ce que les Guise firent à Henri III dans le passé : un roitelet qui n'avait plus de capitale. Et ce que fit notre reine-mère quand elle était régente : la pauvre courait après les Grands avec des sacs d'or pour les ramener à l'obéissance, ce qui, évidemment, les incitait à recommencer leurs rébellions.

Après un silence, reprenant, en le modifiant, un mot de Louis, Richelieu dit : « Cet État ne sera jamais monarchique que lorsque le roi aura limé crocs et griffes à ces gens-là. »

*

De retour en mon hôtel des Bourbons, ma Catherine, qui mignotait Emmanuel, le confia sans tant languir à Honorée (sur qui je me gardai bien de jeter un œil, fût-il furtif) et m'entraîna dans le petit salon rose qu'elle aimait. Et là, elle quit de moi ce que Richelieu m'avait demandé, et comme il ne s'agissait de rien qui fût secret, je lui en fis un récit succinct.

— Et sur le procès de Montmorency, vous a-t-il questionné ?

— Il n'avait pas à le faire. Il y assistait, bien que fort à la discrétion. Quant au roi, il s'en abstint complètement et préféra rester dans sa chambre de l'archevêché. Cependant, chaque soir Richelieu lui en disait sa râtelée.

— M'ami, poursuivez, de grâce.

— Avant que le procès ne commençât, le cardinal dépêcha Monsieur de Guron pour faire remarquer à Montmorency qu'étant duc et pair, il avait le droit de demander à être jugé à Paris, et non à Toulouse.

« À quoi Montmorency répondit d'une façon très civile :

« — Nenni ! Nenni ! Je ne sais pas chicaner ma vie.

— Et comment se conduisit-il devant les juges ?

— M'amie, à Toulouse, on appelle les juges les « capitouls », du nom du Capitole où ils siègent.

— Les « capitouls » ! Quel joli mot !

— C'est langue d'oc, comme « s'ococouler » que tant vous aimez.

— Hélas ! Pauvre Montmorency, dit-elle, je doute qu'il se soit beaucoup ococoulé au Capitole !

— M'amie, que croyez-vous ? Qu'on l'y serrât en geôle ! Havre de grâce ! Il couchait dans une belle chambre, servi par deux valets.

— Et comment se conduisit-il pendant son procès ?

— Avec la plus parfaite bonne grâce. Il répondit aux questions des capitouls avec franchise, même quand cette franchise l'accusait davantage. Cependant, dans ses aveux, il ne montra ni forfanterie, ni *bravura,* mais une sorte de courtois repentir. Tout à plein certain du sévère verdict des capitouls, il se fit faire pour le jour de ses adieux à la vie un « habit d'exécution », tout de toile blanche.

— Tout de toile blanche ! N'était-ce pas un peu puéril ?

— M'amie, n'était-ce pas un peu touchant ?

— Si fait, Monsieur mon mari. Mais pourquoi choisir la toile comme dernier habit ?

— J'imagine par humilité.

— Et pourquoi blanche ?

— J'imagine que Montmorency désirait, une fois que sa punition terrestre l'aurait purgé de son crime, apparaître vêtu d'innocence devant le Seigneur.

— Et ses immenses biens, que devinrent-ils ?

— Peu avant la condamnation royale, il apprit que d'ordre du roi ses biens étaient confisqués [1]. Il écrivit alors au roi et quit de lui la permission de disposer de certains meubles. Le roi acquiesça. Et Montmorency légua à Richelieu un petit salon dont la pièce maîtresse était un tableau par Carrache représentant saint Sébastien mourant [2]. Ce n'était là ni *captatio benevolentiae,* ni appel à mansuétude, mais seulement le repentir d'avoir, avec incivilité, refusé de donner ledit tableau au cardinal, quand il le lui avait demandé.

À cet instant de mon récit Catherine m'interrompit et dit, passant du coq à l'âne :

— Chez qui étiez-vous logé à Toulouse ?

— Chez le comte de la Haute Frau, le gouverneur de la ville. À vrai dire, je ne le voyais pas souvent. Il était fort occupé.

— Est-il marié ?

— Oui-da, et son épouse Françoise est, la Dieu merci, la meilleure des hôtesses, étant avec tous si

1. Ils furent remis plus tard aux deux sœurs de Montmorency.
2. Ce tableau est aujourd'hui au Louvre.

bonne, si chaleureuse, et à ses enfants et à ses petits-enfants si affectionnée.

— Et de son physique, comment est-elle ?

— Blonde, l'œil bleu.

— Et sa charnure ?

Nous y voilà ! m'apensai-je, infiniment titillé en mon for.

— Bien rondie.

— Et bien entendu, vous l'aimiez prou.

— Mais bien entendu, je l'aimais prou.

À cet instant, je ne laissais pas d'ouïr quelques petits serpents siffler autour de ma tête, et avant qu'ils ne me mordent, je me hâtai de dire la vérité.

— M'amie, y trouveriez-vous à redire ? N'est-il pas naturel chez un frère d'aimer sa sœur tendrement ?

— Que me dites-vous là ? Madame de la Haute Frau est votre sœur ? Mais vous ne m'en avez jamais parlé !

— Mais si. Quand je fus visiter mes deux frères à Nantes, je vous ai dit que j'avais deux sœurs, lesquelles étaient mariées et établies dans le midi de la France.

— Et votre autre sœur ?

— Elle se nomme Élisabeth, et c'est la forte femme dont parlent les Écritures. Elle est très élégante, elle a beaucoup d'esprit et gère au mieux tout ce qu'elle fait.

— Et l'aimez-vous autant que Françoise ?

— Tout autant, mais vu son caractère et le mien, nous avons eu jadis nos petites querelles.

— Vous admettez donc, Monsieur mon mari, que vous n'avez pas un caractère facile.

— Madame, seuls les saints ont un caractère facile, et ils n'y ont pas grand mérite, puisqu'ils ne sont pas mariés.

À quoi Catherine sourit, ce qui me soulagea prou, car elle eût pu tout aussi bien se remochiner de cette pique.

— Revenons, dit-elle, à nos tristes moutons.

— Eh oui, et ils ont raison, m'amie, d'être tristes, car le crime de lèse-majesté au premier chef était patent ; les aveux de l'accusé le confirmaient amplement ; aucune circonstance n'était atténuante ; et le verdict était fatal. Le trente octobre 1632, le duc de Montmorency fut condamné par les capitouls de Toulouse à avoir la tête tranchée sur la place du Salin. Selon la coutume propre à Toulouse, la sentence fut lue deux fois. La première fois dans la salle du jugement, la seconde fois dans la chapelle du Capitole.

— Étrange répétition ! dit Catherine.

— Se peut que la première lecture soit destinée aux hommes, et la seconde au Seigneur. N'est-ce pas une grandissime décision que de prendre à un être vivant la vie que le Seigneur lui a donnée ?

— Et comment le condamné accueillit-il la sentence ?

— Avec une grande courtoisie : « Messieurs, dit-il, je vous remercie, et toute votre compagnie, à qui je vous prie de dire de ma part que je tiens cet arrêt de la justice du roi pour un arrêt de la miséricorde de Dieu. Priez Dieu qu'il me fasse la grâce de souffrir chrétiennement l'exécution que l'on vient de lire. »

— La phrase est courtoise, dit Catherine, mais elle est aussi contradictoire. Comment peut-on considérer une condamnation à mort comme un arrêt de la miséricorde de Dieu ? La miséricorde céleste ne s'exprime pas par la hache !

— Se peut, m'amie, que l'esprit de Montmorency était quelque peu troublé par la sentence qu'il venait d'ouïr.

— Et pendant ce temps, reprit-elle, que disait et que faisait le roi ?

— Eh bien, je vous l'ai dit, il était dans sa chambre de l'archevêché et il apprit la sentence à son lever en présence d'une trentaine de courtisans, lesquels étaient là fort anxieux à l'idée qu'un grand seigneur comme Montmorency pût mourir sous la hache du bourreau comme le dernier des assassins.

« Se peut pour imposer aux présents le silence, le roi s'était mis à jouer aux échecs avec Monsieur de Guron. Et un grand silence régnait dans la chambre quand quelqu'un toqua à l'huis. Louis fit signe à Beringhen d'aller déclore. Monsieur de Charlus entra, et non sans un certain air de pompe, il se mit à genoux devant le roi et dit :

« — Sire, je viens de la part du duc de Montmorency vous apporter son collier de l'ordre du Saint-Esprit et son bâton de maréchal dont vous l'avez ci-devant honoré, et vous dire, en même temps, qu'il meurt avec un sensible déplaisir de vous avoir offensé, tant est que loin de se plaindre de la mort à laquelle il est condamné, il la trouve trop douce par rapport au crime qu'il a commis.

— Mon ami, dit Catherine, n'est-ce pas pitié que le duc n'ait pas éprouvé « ce sensible déplaisir d'offenser le roi » au moment où il se jeta à l'attaque de l'armée royale à Castelnaudary ?

— M'amie, l'infatuation du grand féodal lui gâte souvent la jugeote. Vivant dans un rêve de gloire, il ne voyait plus la disproportion des forces, ni la trahison à la foi jurée. Peux-je poursuivre, mon petit belon ?

— Votre petit belon vous oit des oreilles et vous mange des yeux.

— Quelle n'est pas ma joie et soulas d'être croqué ainsi !

— Mais qui est ce Monsieur de Charlus que j'ois nommer pour la première fois ?

— Un gentilhomme dont le cœur est bon, et la langue méchante.

— Et le roi souffre les méchantises ?

— Pour peu qu'elles ne le concernent pas, le roi accueille toutes les méchantises, tant il est avide d'être renseigné sur tous. Toutefois, au moment que je dis, ce n'était pas la vipère qui l'emportait chez Monsieur de Charlus, mais la compassion la plus chaleureuse. Les larmes lui coulaient des yeux, grosses comme des pois, et à genoux devant Sa Majesté, il lui embrassait les pieds en le suppliant de surseoir à l'exécution du duc de Montmorency. Voyant quoi, tous les courtisans qui se trouvaient là se mirent eux aussi à genoux et demandèrent d'une seule voix la grâce du condamné.

— Et que fit le roi ?

— Il leva la main. On fit silence. Et la face elle aussi toute chaffourrée de chagrin, mais sans larmes, Louis prononça des paroles qui me frappèrent par leur rigueur.

— Et que dit-il ?

— « Non, Messieurs, il n'y aura point de grâce. Il faut que Montmorency meure. On ne doit pas être fâché de voir mourir un homme qui l'a si bien mérité. On doit seulement le plaindre de ce qu'il soit tombé par sa faute dans un si grand malheur. » Eh bien, m'amie, qu'êtes-vous apensée ?

— Que le roi eût pu tout aussi bien se contenter d'embastiller Montmorency comme il l'a fait pour Bassompierre.

— Nenni, nenni, m'amie ! Les deux cas sont du tout au tout différents. Bassompierre n'est pas un grand féodal, un duc au nom illustre comme Montmorency, gouverneur d'une grande province. Bassompierre est un Allemand naturalisé Français et avant tout un soldat, un bon soldat. Il s'est laissé entraîner dans un complot contre le cardinal au moment de la maladie du roi à Lyon. Ce n'est pas « un criminel de lèse-majesté au premier chef ». Il a intrigué. Il n'a pas pris les armes contre son roi. On s'est donc contenté de l'arrêter et de le serrer en Bastille.

« En revanche, la condamnation de Montmorency

à mort répond, elle, à une véritable inquiétude concernant la nouvelle stratégie de Gaston. Au moment où Gaston fortifia Orléans, il avait débauché pas moins de quatre ducs pour combattre avec lui le roi. Et comme il n'y eut pas de combat, l'exil fut leur lot. Dans l'affaire de Castelnaudary, Gaston réussit à rallier à sa cause deux ducs parmi les plus considérés, Guise et Montmorency. Guise s'exila de soi à temps sans engager le fer, mais Montmorency, lui, s'est battu, et le roi a fait de lui un exemple qui est un avertissement très fort aux autres ducs, afin qu'ils n'écoutent plus d'ores en avant le chant des sirènes. Imaginez, mon amour, la situation d'un royaume où cinq ou six ducs, gouverneurs de province, se révoltent en même temps contre le roi leur souverain. Ne serait-ce pas le moment rêvé pour les Espagnols des Pays-Bas, les Lorrains, et les Impériaux, de franchir nos frontières et d'envahir notre pays ?

*

— Lecteur, Madame la duchesse d'Orbieu noulant rien ouïr de l'exécution de Montmorency de peur de tomber dans les pleurements et la désolation, peux-je te prier de me prêter l'ouïe pour que je t'en fasse le récit, lequel compte des particularités si intéressantes que je ne voudrais pas qu'elles demeurent ignorées.

— Eh, Monsieur ! je suis béant ! Eh quoi ! Je n'en crois pas mes oreilles ! Vous excluez pour la première fois le bec à bec avec votre belle lectrice !

— Je ne l'exclus pas. Je ne voudrais pas la voir, elle aussi, verser des larmes. Cependant, lecteur, accordez-moi que je m'adresse souvent à vous.

— Oui-da ! Mais par de brefs clins d'yeux d'homme à homme, jamais pour des questions importantes.

— Lecteur, remplaçant la belle lectrice, vous jouirez de tous les privilèges attachés au bec à bec, questions comprises.

— Fort bien donc. Je vous ois.

— Lecteur, de prime, sachez bien qu'un duc condamné à mort jouit même alors de quelques privilèges octroyés par le roi. L'usage à Toulouse est d'exécuter le condamné deux heures après la sentence. On octroya à Montmorency un jour entier pour se mettre en paix avec sa conscience. Il reçut la permission d'écrire des lettres et il en écrivit trois. Mais pour des raisons que j'ignore, le roi ne laissa passer qu'une seule, celle adressée à Madame son épouse. *Secundo,* l'exécution, selon la sentence, devait avoir lieu publiquement sur la place du Salin. Le roi ordonna qu'elle se ferait hors de la vue du populaire, à l'intérieur du Capitole, dans la cour, et que personne n'y assisterait, sauf le prévôt et ses archers, les officiers de la ville et leur capitaine, les capitouls, et je le cite en dernier, bien qu'il ne soit pas le moindre, le nonce Bagni, que j'accompagnais en qualité de truchement, et qui était là pour donner au pape une description véridique de l'exécution. La raison en était que les folliculaires à la solde de Gaston n'allaient pas faillir à déverser sur l'événement un monceau de fallaces et de perfidies que le roi voulait d'avance démentir.

« En fait, Louis accorda à Montmorency toutes les grâces qu'il pût, y compris celle de ne pas être touché par le bourreau.

— Et pourquoi cela ?

— Parce que le bourreau, lecteur, étant considéré comme un personnage infâme, le seul fait d'être touché par lui était déshonorant. Voici une autre particularité que je te voudrais signaler : sans qu'on l'eût voulu le moindrement du monde, le fait d'avoir le cou tranché à Toulouse était dans le malheur une sorte de privilège, car le procédé qu'on y utilisait par la mise à mort était si sûr qu'il excluait la possibilité que le bourreau manquât son premier coup de hache, tant est qu'au grand dol et souffrance du supplicié, le bourreau devait alors recommencer à le frapper deux ou trois fois pour arriver à ses fins. C'est ce qui s'était passé, à la grande horreur des assistants, pour le pauvre maréchal de Marillac quelques mois plus tôt.

« À Toulouse, les deux rebords extérieurs de la hache sont insérés dans les rainures pratiquées dans deux longs montants de bois maintenus à la verticale [1]. La tête du condamné ayant été placée sur le billot entre ces deux montants de bois, le bourreau n'a qu'à enlever la clavette qui, une toise plus haut, maintient la hache et celle-ci coulisse alors entre les deux montants de bois avec la vitesse de l'éclair, et sa vitesse, ajoutée à son poids, lui donne une telle force qu'elle sépare d'un seul coup la tête du tronc.

« Le cœur me battit quand accompagné par son confesseur je vis Montmorency paraître, dans la cour du Capitole, un crucifix à la main, et vêtu de son habit d'exécution, tout de toile blanche. Ayant passé la grande porte du Capitole, il s'arrêta et regarda derrière lui la statue d'Henri IV qui la surmontait.

« — Que regardez-vous, Monseigneur ? dit alors le prêtre.

« — L'effigie de ce grand monarque dont j'ai eu l'honneur d'être le filleul. Je me souviens de lui comme d'un prince très bon et très généreux.

« Était-ce là une critique voilée de la rigueur pratiquée à son propre égard par le fils de ce grand monarque ? Je l'ignore. Mais si tel est le cas, Montmorency oubliait que la bonté d'Henri IV ne l'avait

1. L'invention tristement fameuse à laquelle le docteur Guillotin a donné son nom n'était donc pas si nouvelle. (Note de l'auteur.)

pas retenu de condamner à mort un de ses meilleurs lieutenants, le maréchal de Biron, coupable, lui aussi, de haute trahison.

« Montmorency monta d'un pas alerte les marches de l'échafaud, et se trouvant face à face avec le bourreau, il lui demanda de ne le point toucher. À quoi le bourreau répondit avec beaucoup de respect qu'il le devait pourtant, ses cheveux étant trop longs pour la hache. Montmorency, alors, le laissa faire sa coupe, il se banda lui-même les yeux, mais il eut des difficultés à poser sa tête sur le billot. Craignant que l'on ne prît ces difficultés pour de la couardise, il dit tout haut que son cou étant navré en maintes places depuis Castelnaudary, il avait du mal à se placer bien. Il recommanda ensuite au bourreau d'avoir soin que sa tête ne tombât point de l'échafaud à terre, et ayant à la parfin trouvé une position commode, il dit au bourreau d'une voix forte :

« — Frappe hardiment.

« Et il ajouta :

« — Seigneur Jésus, recevez mon âme.

« La hache tomba, et le sang jaillit si haut qu'il éclaboussa la statue d'Henri IV.

*

Dès que Catherine fut hors, je dis à Schomberg que le roi m'avait chargé d'ouïr les uns et les autres sur le combat de Castelnaudary afin de lui pouvoir présenter un récit complet et cohérent de l'affaire.

CHAPITRE XVII

Au grand déplaisir de Catherine, le roi me dépêcha avec Fogacer à Bordeaux en novembre 1632 afin d'y rencontrer Richelieu, Anne d'Autriche et la Chevreuse, lesquels étaient de retour de Brouage que Son Éminence avait tenu à montrer à la reine, tant il se paonnait d'avoir fait d'un modeste havre un port, remparé au surplus côté terre par des fortifications. Et c'était là, en effet, une œuvre remarquable, mais vous jugerez, lecteur, de l'intérêt que notre petite reine pouvait y prendre...

Par malheur, sur le chemin du retour, à Bordeaux, Richelieu tomba malade, les coquebins de cour arguant aussitôt qu'il n'avait pu supporter plus d'une semaine la compagnie de deux femmes. Le roi en apprit promptement la nouvelle et, comme j'ai dit déjà, dépêcha sur les lieux Fogacer et moi : Fogacer pour tâcher de guérir le ministre de son intempérie, et moi, pour éviter que l'entourage de la reine ne profitât de sa faiblesse pour entreprendre contre lui.

Dès qu'il eut vu Richelieu, Fogacer ne me cacha pas qu'il était assez mal allant, ayant un aposthume à « la porte de derrière » que les médecins soignaient par la diète, la saignée et la purgation.

Dès qu'il eut examiné le cardinal, Fogacer le pria de bien vouloir lui permettre de lui parler de son mal à la franche marguerite. Et sur un « oui » que Richelieu lui fit de la tête, il reprit :

— Éminence, la diète et la saignée vous affaiblissent, et la purgation traite le dedans au lieu de traiter le dehors. Ce qu'il faut, c'est crever l'aposthume, car celui-ci ne crèvera pas de soi, comme celui du roi à Lyon.

— Et le pouvez-vous faire ?

— Moi, non. Mais je pourrais assurément trouver à Bordeaux un barbier-chirurgien, propre et suffisant, qui pourra, en un tournemain, vous opérer.

Ainsi fut fait, et par la grâce de Dieu, le cardinal, deux jours plus tard, était debout, non pas tant gaillard qu'il eût voulu en raison de la diète qu'il avait subie, mais comme disait à mon père la Malicou sa cuisinière : « La faim est une intempérie qui se guérit vite, quand on a du pain dans sa huche. »

J'étais à Bordeaux l'hôte du gouverneur, et à peine Richelieu fut-il de nouveau gaillard que je reçus la visite d'une garcelette qui eut quelque peine à parvenir jusqu'à moi, tant on était sourcilleux, à Bordeaux, sur l'apparence et les manières des visiteurs. Et il faut bien dire que la Zocoli, avec sa pimplochure éclatante, son décolleté généreux, sa hanche ondulante et son parler parisien pointu et précipité, pouvait inspirer au regardant quelques mésaises.

Raison pour laquelle Monsieur de La Rousselle, le *maggiordomo* du gouverneur de Bordeaux, quand Nicolas lui eut déclos la porte, demanda de prime à me voir, et m'ayant vu, me pria avec la plus grande courtoisie de lui dire si je connaissais la personne qui était avec lui, et si j'étais consentant à la recevoir. Je dis « oui » assurément, et m'en retournai très vivement jusqu'à mon petit salon, laissant à Nicolas le soin d'accueillir ma visiteuse. Je vous laisse à deviner, lecteur, ce que Monsieur de La Rousselle aurait pensé, s'il avait pu voir la Zocoli sauter à mon cou et se lover autour de moi comme un petit serpent. Ce qu'elle fit assurément, mais plus tard et loin de ses yeux. L'huis reclos sur ledit *maggiordomo,* je ne laissais pas de craindre que ce fût Nicolas qui subît la tornade. Et en effet, lorsque enfin il amena la Zocoli dans mon petit salon, il avait les cheveux tout ébouriffés et la vêture en désordre. Pour moi, sachant qu'il n'y avait qu'une chose au monde qui, au moins temporairement, pût détourner la Zocoli de son insatiable appétit pour le sexe fort, je lui fis aussitôt servir du vin et des friandises de gueule, qu'elle gloutit avec une joyeuseté qui faisait plaisir à voir.

— M'amie, dis-je à la parfin, que fais-tu céans ?

— Monseigneur, je suis chambrière de la duchesse de Chevreuse, et comme elle est intime avec la reine...

— Intime ?

— Intimissime. Elle la suit partout où elle va, et c'est ainsi que nous fûmes à Brouage avec le cardinal, et sommes de retour à Bordeaux. Pour moi, je suis furieuse contre les Bordelais...

— Et pourquoi donc ? Ce sont fort bonnes gens, honnêtes et laborieux.

— Il se peut, Monseigneur, mais moi, je les trouve froids comme des concombres. Je recherche par toute la ville le chanoine Fogacer, et de partout je me fais repousser avec horreur par les Bordelais.

— M'amie, dis-je avec un sourire, ce doit être l'effet que leur font ton décolleté, ton pimplochement, la brièveté de ton cotillon, et l'ondulation de tes hanches.

— Ah pour cela ! cria-t-elle comme indignée, mon cul fait ce qu'il veut ! Je n'y peux rien ! Vais-je me contraindre à marcher comme un homme, alors que femme je suis ?

— Et pourquoi veux-tu encontrer le chanoine Fogacer ?

— Vous savez bien pourquoi, dit-elle d'un air entendu.

— Oui, je t'entends, mais là où il gîte on ne te laissera pas entrer.

— Et où gîte-t-il ?

— À l'évêché.

— Diantre ! s'écria-t-elle, levant au ciel ses bras potelés. De pis en pis !

— De grâce, m'amie, n'invoque pas le diable quand tu parles de l'évêché !

— C'est que le diable y a peut-être ses petites entrées, comme dans le château du cardinal de Guise votre cousin...

— M'amie, ceci nous égare. Revenons à nos moutons. Monsieur le chanoine Fogacer prend céans ce jour d'hui sa repue de midi. Ajouterai-je une assiette pour toi ?

— Avec joie, Monseigneur.

Comme elle achevait, Nicolas, après avoir longuement toqué à l'huis, mais faiblement de peur de nous déranger dans notre entretien, jeta à la Zocoli, à son entrant, un regard à la fois subreptice et friand et me dit :

— Monseigneur, Monsieur de La Rousselle derechef est céans. Il demande si vous connaissez Monsieur le maréchal de Schomberg qui, comme vous, loge chez lui en ces lieux. Si oui, il pense que vous aimeriez peut-être l'aller visiter sur l'heure. Il est on ne peut plus mal...

Tout alarmé, j'y courus et je trouvai mon pauvre ami étendu sur sa couche, pâle comme la mort, et luttant pour son souffle, les yeux clos. Quand je lui pris la main, il ouvrit à demi les paupières, les referma, et parut vouloir parler, mais il ne le put. Son souffle devint de plus en plus rauque, et quelques minutes plus tard, il expira. Tous ceux qui étaient là se mirent à genoux, souvent avec des larmes qu'on n'eût pas attendues chez de vieux officiers, et commencèrent à prier à voix haute à l'unisson.

Chez tous, la stupéfaction s'ajoutait au chagrin, tant Schomberg nous paraissait bâti à chaux et sable, si plein de réserves de forces qu'il ne les pourrait épuiser jamais, sans jamais pâtir en campagne des maux dont souffraient la plupart d'entre nous : catarrhe, mal de gorge, courbature, dérèglement du gaster ou des entrailles ; un homme enfin, dans toutes ses parties, si favorisé des Dieux, qu'il paraissait indestructible.

Fogacer me dit à l'oreille qu'il s'était levé à la pique du jour, qu'il avait vaqué à ses tâches coutumières, pris gaiement sa repue de midi, et tout soudain, comme il se levait de table, il s'était écroulé à terre, pâle, sans voix, ayant de grandes difficultés à reprendre son souffle. « On me prévint, ajouta-t-il, j'accourus, mais il mourait déjà, et faute de le pouvoir confesser, je lui administrai l'extrême-onction... De reste, qu'aurait pu me confesser cet homme qui, en notre monde dévergogné, brillait de toutes les vertus ?... »

Ayant achevé son récit, Fogacer, me voyant chancelant, sans voix et comme hors de mes sens, me bailla une forte brassée, et m'aida à me mettre à genoux, en quoi il fit bien, car mes jambes ne me portaient plus. Une fois à genoux et mon torse reposant sur le côté de la couche où gisait mon pauvre Schomberg, terrassé comme un Hercule en bronze tombé de son socle, je me sentis mieux, mais bien que je fusse infiniment triste, dépit et chagrineux, je ne pus verser une seule larme. Et quand je voulus prier, l'angoisse de voir départir de cette terre le compagnon que, hors mon père, j'admirais le plus au monde, tant me poignait la gorge que je ne pus articuler les mots d'un Pater. Je tâchai alors de prier au-dedans, en mes mérangeoises, et sans articuler, mais cela ne me réussit en aucune façon. Chacun sait que prière est chant ou récitation : il me semblait que le Seigneur ne pouvait m'ouïr. Incapable que j'étais alors de mêler mon oraison à celle des serviteurs, des officiers, et des amis qui étaient là, agenouillés autour du lit funèbre, je fermai les yeux et tombai dans un grand pensement de Monsieur de Schomberg, lequel me fit grand mal.

En ce monde où tout passe et efface même, à la longue dans nos remembrances, les visages des êtres que nous avons aimés, permettez-moi, lecteur, de vous ramentevoir qui était le maréchal de Schomberg.

De longue date, mais surtout à partir du XVIe siècle, nos rois avaient renforcé leurs armées par des mercenaires allemands qui bientôt furent beaucoup mieux considérés que de simples mercenaires, car ils étaient vaillants, fidèles, durs à la peine, et fort disciplinés. Leurs officiers aussi, cadets impécunieux de bonne noblesse allemande, venus en France chercher gloire et fortune, étaient excellents, et l'un d'eux, colonel des *reîtres* (comme on appelait alors les cavaliers germaniques), fut naturalisé français en 1570 par Charles IX.

Cinq ans plus tard, il lui naquit un fils qui, bien que de mère et de père allemands, hérita à sa naissance la nouvelle nationalité de ses parents. Et plus tard, à l'âge d'homme, il succéda à son père dans ses charges, devint à son tour maréchal de camp général des troupes allemandes en France. Son mérite, ou plutôt ses mérites, étaient si évidents qu'il devint par la suite gouverneur de La Marche, conseiller d'État, lieutenant général, grand maître de l'artillerie, et enfin en 1625, maréchal de France. Hélas, en 1619, le roi le nomma surintendant des finances, poste pour lequel il était singulièrement mal qualifié, n'entendant rien aux mathématiques et moins encore aux pécunes. D'aucuns renards, dans son ombre, s'en avisèrent, et ne craignirent pas de l'accuser devant le roi des malversations qu'ils avaient eux-mêmes commises. Le roi, qui était alors d'autant plus jaloux de son pouvoir royal que la reine-mère l'en avait tenu éloigné si longtemps, se montra à la fois hâtif et implacable, et sans s'éclairer plus outre, disgracia tout de gob Schomberg.

Tout béjaune que j'étais alors, j'eus l'immense audace d'aller me jeter aux pieds de Louis et de le supplier de diligenter une enquête sur la gestion de Schomberg. Le roi me foudroya du regard et je crus qu'il allait sur l'heure m'embastiller pour avoir osé révoquer en doute son jugement, ce qui, à ses yeux, était alors quasiment un crime de lèse-majesté. Mais ma jeunesse, mes larmes, les grands services rendus par mon père au sien, et aussi le souci que Louis eut toujours d'être juste, me sauvèrent. L'enquête fut faite, les méchants, confondus, Schomberg innocenté. Toutefois, fort sagement, on ne lui rendit pas les finances, mais on le remit à sa place véritable : à la tête d'une armée.

Belle lectrice, j'ai fait ce conte dans un des volumes de mes Mémoires et si je vous le ramentois céans, ce n'est point pour m'en paonner, mais parce qu'il peint le roi en ses jeunes années vif, coléreux, précipiteux, c'est-à-dire tel qu'il était, avant que Richelieu commençât à lui apprendre, avec une prudence et un tact infinis, son métier de roi. Si ce jour-là je rendis à Schomberg ce service, il me rendit, et il rendit au royaume entier, un immense service en chassant les Anglais de l'île de Ré qu'ils occupaient, mais sans avoir pu se saisir de la forteresse où Toiras et moi-même étions enfermés depuis des mois, invaincus, mais après ce longuissime siège, quasiment morts de verte faim. À la Cour qui juge légèrement de tout et se soucie peu du bien du royaume, Schomberg était surtout réputé pour son adamantine fidélité à son épouse, tant est que Catherine me le donnait perpétuellement en modèle. Mais à la Cour, on en faisait de chaudes gorges, des épigrammes et des chansonnettes, dans lesquelles — ô finesse ! — on reprochait à Schomberg d'avoir les doigts trop gourds pour dégrafer un vertugadin...

Il avait tant de mérites et il avait remporté tant de victoires dans toutes ses campagnes, qu'il ne parlait qu'à contrecœur de la dernière, celle de Castelnaudary qu'il tenait pour dérisoire. À ce sujet, je l'ai ouï dire qu'il eût souhaité que Montmorency ait succombé à ses blessures, plutôt que d'avoir à l'arrêter et à le livrer à la justice du roi. À Toulouse, par un de ces scrupules de conscience qui le rendaient si cher à ses amis, il noulut assister à l'exécution de Montmorency. Et comment aurait-il pu alors imaginer que, dix-sept jours plus tard, il le rejoindrait dans la mort ?

*

Quand Fogacer eut fini ses oraisons, je m'approchai de son oreille et lui dis *sotto voce* : « J'ai chez moi une pénitente qui porte un nom italien et qui désire que vous l'entendiez sur l'heure en confession.
— En ce moment ? » dit Fogacer, ses sourcils se relevant sur les tempes. « Mon cher chanoine, dis-je, vous savez bien que le service du roi n'attend pas. » Avant de quitter cette chambre, je jetai un dernier coup d'œil au corps sans vie de Schomberg, me disant, la gorge serrée : « Comment est-ce Dieu possible que ce soit le *dernier* regard ? » Quel immense étonnement plein de dol vous étreint alors le cœur ! La mort est-elle donc possible ? Mon père disait que toute religion est promesse de vie après la mort, mais comme personne n'est jamais revenu de l'au-delà pour nous dire ce qu'il en est de cette promesse-là, nous prions pour qu'elle soit vraie — cette prière même, mille fois répétée, nous donnant de l'espoir. Dans la chambre de mon hôtel de la rue des Bourbons à Paris, comme dans l'église de mon domaine d'Orbieu, je prie tous les dimanches, soit

avec mon domestique à Paris, soit à Orbieu avec mes manants, pour les conforter dans l'espoir que leur vie, courte et laborieuse, ne se sera pas déroulée pour rien. Je le fais, et pour eux et pour moi, car ma foi et la leur, de s'être liées dans cette oraison, se confortent mutuellement.

Quand, accompagné de Fogacer, je regagnai mes appartements, ce que je vis, en pénétrant dans le petit salon, m'étonna. La Zocoli était assise, ou plutôt allongée dans une des plus belles chaires à bras, et paraissait ensommeillée, heureuse, les yeux mi-clos, les lèvres entrouvertes, donnant le sentiment d'un inouï bien-être, ce genre de bien-être que l'on voit chez un chat quand il a bien mangé et quand il se repose de tout son long sur le tapis devant le feu. Non loin d'elle, Nicolas était pauvrement assis sur une escabelle, les deux coudes sur les genoux, et les deux mains soutenant son visage tout chaffourré de chagrin et de déquiétude. Je lui en aurais demandé la raison, si je n'avais pas eu alors d'autres chiens à fouetter.

Après une prompte repue, et sans mot piper sur la mort de Schomberg, je laissai dans sa désolation le pauvre Nicolas, et m'enfermai dans un cabinet attenant avec Fogacer et la Zocoli. Elle lui apprit ce que je savais déjà, qu'elle était meshui chambrière chez la duchesse de Chevreuse, depuis la journée des Dupes, sur la recommandation de son *maggiordomo* qui avait quelques raisons, bonnes et intimes, de vouloir du bien à notre garcelette.

— Et qu'en est-il, demandai-je, des relations de la duchesse et de la reine ?

— Intimes.

— Intimes ?

— Intimissimes. À la lettre on ne se quitte plus ! On s'entrebaise, on s'entracolle, on caquette, on jase, on invente à l'infini bricoles et chatonnies. En Paris, dans ma rue qui n'est point trop bien famée, on dirait qu'elles sont comme cul et chemise.

— La reine ! m'amie, la reine ! dit pieusement Fogacer.

— Aussi ne le dirai-je pas, Monsieur le Chanoine, dit la Zocoli avec de petites mines gracieuses, ayant trop de respect pour ces hautes dames.

— Bref, dis-je, ce ne sont entre elles que parlotes.

— Oui-da ! parlotes, confidences, lettres lues et écrites ensemble.

— Et complots politiques ?

— Je le croirais, car la duchesse envoie d'innumérables lettres en tous pays : Angleterre, Lorraine, Pays-Bas, Espagne, lesquels, si j'en crois le peu que je sais, ne sont pas amis de notre roi. Mais la duchesse excelle aussi dans les lettres d'amour. Elle les écrit avec le plus grand soin et après avoir fait des brouillons, que, bien sûr, je ne laisse pas quand et quand de recueillir ensuite dans sa corbeille...

— Et que dit-elle en ces missives à ses admirateurs ?

— Ah ! la duchesse est aussi rusée et rouée que pas une fille de bonne mère en France ! De ses admirateurs, elle exige adoration et soumission. En revanche, elle promet tout, mais elle ne donne rien.

— Et quel est présentement le peu heureux élu ?

— Monsieur de Châteauneuf.

— Le garde des sceaux ?

— Lui-même.

— Vramy ! dit Fogacer en se redressant sur sa chaire et le sourcil froncé. Voilà qui change tout !

Il y eut alors un silence. Et Fogacer, en m'envisageant avec le dernier sérieux, me dit en latin. « *Non est parva res, sed res magni ponderis* [1]. »

— M'amie, dis-je, à votre sentiment, jusqu'où la chevrette veut-elle aller avec Châteauneuf ?

— À ce qu'il en vienne à haïr Richelieu, et à faire

1. « Ce n'est pas là petite chose, mais chose d'un grand poids » (lat.).

tout ce qu'elle veut, en trahissant le roi. Et pour cela, elle prétend que Richelieu est amoureux d'elle, et fait tout pour le séparer de Châteauneuf. Quant à elle, elle lui promet tout, pourvu qu'il soit soumis. Voici un fragment de brouillon écrit de sa main qu'avec votre permission j'aimerais vous lire.

— Nous vous oyons, m'amie.

— « Je vous assure, écrit-elle à Châteauneuf, que je vous commanderai toujours, et vous ordonne de m'obéir non seulement pour suivre votre inclination, si elle vous y convie, mais pour satisfaire à mon désir qui est de disposer absolument de votre volonté... »

— Et le fol consent à cela ? dis-je.

— À le voir avec elle, il y consent.

— Si j'en crois mes oreilles, dit Fogacer, la chose est gravissime ! Châteauneuf est ministre, membre du Grand Conseil du roi, il connaît des secrets d'État. Et en réalité, ce n'est plus le roi ni Richelieu qu'il sert, mais cette encharnée diablesse, ennemie jurée de ce grand ministre.

Je repris :

— Et comment ces dames, en leur intimité, parlent du roi et du cardinal ?

— Ah, Monseigneur ! dit la Zocoli en rougissant, je n'oserai vous le répéter, tant cela est grossier, vilain et mal sonnant.

— Vramy ?

— Vramy, Monseigneur ! Elles parlent d'eux comme parlent entre elles des harengères des halles ! Qui dirait que ce sont là reine et duchesse ? J'aurais, moi, vergogne à répéter leurs propos, tant ils sont ordes, sales, et dégoûtants. Ils me saliraient la bouche.

— Fais-le toutefois pour m'obéir.

— Fi donc ! Je n'oserai !

— Je te l'ordonne.

— Je le dirai donc à la parfin, mais bien à contrecœur. Quand Son Éminence le cardinal a souffert de son aposthume à la porte de derrière, la reine et la chevrette lui ont trouvé un surnom, que toutes deux ont répété à l'envi, en en faisant de chaudes gorges.

— Et quel fut ce surnom ?

— « Cul pourri. »

— Dieu bon ! dit Fogacer, que cela est fin et galant !

Et béants, nous échangeâmes des regards.

— Et lors, m'amie, repris-je, dis-moi meshui le pire de ce qu'elles disaient du roi.

— Nenni, nenni, Monseigneur. Point ne le dirai ! C'est trop vilain ! La tête sur le billot, et la hache sur la nuque, je ne le dirais pas !

— Dis-moi, du moins à mots couverts et langage poli ce qu'elle lui reprochait.

— Eh bien, elle disait tout cru que si elle n'avait pas encore de dauphin, cela n'était pas dû à ses successifs avortissements [1], mais à la débilité du roi.

— C'est là propos déshonté ! dis-je avec feu. Je tiens de feu le docteur Héroard que Louis s'allait coutumièrement coucher avec la reine plusieurs fois par mois. Comment croire, dès lors, que toutes ces conceptions de la reine se soient faites par l'opération du Saint-Esprit ?

— Et comment supporter, dit Fogacer, que la reine alimente par ses insinuations les vicieux caquets de la Cour ? Cependant, le délicat de la chose, reprit-il après un silence, sera de répéter ces méchantises au roi.

— J'y ai songé, dis-je. Aussi ne les redirai-je pas tout de gob au roi, mais à Richelieu... Richelieu, lui, peut tout dire.

À ce moment-là, la Zocoli prit la parole, et chose qui nous laissa béants, en faveur de la reine.

— Monseigneur, dit-elle en tournant vers moi son petit bec, il ne faut pas trop en vouloir à la reine. La

1. On disait alors « avortir », et non « avorter ».

Cour l'a tant brocardée pour ses avortissements qu'elle tâche d'en faire retomber la faute sur le roi.

— Ce sera meshui au roi de lui pardonner, dit Fogacer, comme il a fait tant de fois déjà. Pour nous, notre rollet n'est pas de juger, mais seulement de rapporter ces propos. Qu'ils soient bas et damnables n'est pas notre affaire.

Fogacer voulut partir avant la Zocoli, et je devinais bien pourquoi, tant la garcelette attirait le regard dans la rue par sa démarche et sa vêture. Au moment où Nicolas déclouit l'huis pour lui, Fogacer me donna une forte brassée et me dit à l'oreille : « Ne pleurez pas trop ce brave, ce bon Schomberg. Il serait plutôt à envier, tant il a bien vécu sa vie, aimé et respecté de tous. » Et il partit de son pas alerte. Je ne suis pas sûr que le fait d'avoir bien vécu sa vie puisse vous consoler de la mort, mais de toutes les façons l'amitié de Fogacer me fit beaucoup de bien.

La Zocoli, au départir, voulut accoler Nicolas et moi, ce que j'acceptai du bon du cœur, mais ce que Nicolas noulut, montrant à la garcelette une face chagrine et rancuneuse. Tant est que retournant au salon où mon valet nous servit quelques friandises de gueule et un gobelet de mon vin de Bourgogne, je demandai à Nicolas pourquoi diantre il montrait une si triste figure à la Zocoli. À cette question, les larmes lui coulèrent des yeux, grosses comme des pois.

— Monseigneur, dit-il, je suis un misérable ! J'ai trompé mon Henriette !

— Avec la Zocoli ?

— Hélas ! Et que le diable emporte la mâtine !

— Fi donc ! Une si bonne rediseuse ! Et que t'a-t-elle fait ?

— Monseigneur, à peine étiez-vous hors pour courre au chevet de Monsieur de Schomberg, que cette chatte en chaleur se jette sur moi, m'accole, me crible de poutounes la face, le cou, la bouche, et qui pis est, elle réussit à fourrer sa menotte dans mon haut-de-chausses et m'empoigne par le...

— Le nephliseth.

— Qu'est cela ?

— C'est le mot que tu cherchais. Il est en hébreu, pour ne pas affronter la délicatesse des dames.

— Et l'entendront-elles ?

— Les dames entendent tout.

— Hélas, Monseigneur, il se passa alors une chose étrange avec cette diablesse. Plus sa menotte me raidissait, plus mes bonnes résolutions mollissaient. Tant est qu'à la parfin je me retrouvai sur l'avérée démone, la coqueliquant à la fureur, tandis qu'elle poussait soupirs, cris et hurlades à faire tomber les murs.

— Voilà qui était, du moins, très récompensant.

— Ah, Monseigneur ! Je ne l'éprouvais pas ainsi ! Tandis que j'achevais cette horrible fornication, j'eus le sentiment d'être entouré par des diables hurleurs qui m'allaient faire cuire dans leurs chaudrons pour l'éternité.

— Nicolas, n'oublie pas, je te prie, la miséricorde divine. Le Seigneur Dieu ne condamne pas si vite les pécheurs, dès lors qu'ils se confessent et se repentent.

— Ah Monseigneur ! dit Nicolas, les pleurs ruisselant derechef sur sa juvénile face. Ce n'est pas là encore le pire ! Le pire m'attend, quand il me faudra en Paris confesser mon péché à Henriette.

— Parce que tu comptes le lui dire ?

— N'est-ce pas mon devoir ?

— Mais point du tout ! Ce ne serait qu'ajouter folie à folie ! Pourquoi infligerais-tu à la pauvrette un chagrin tel et si grand qu'il la condamnerait à te suspicionner jusqu'à la fin des temps ?

— Je ne sais. Mon confesseur est si sévère, il se peut qu'il me fasse de cet aveu à Henriette une obligation.

— Dans ce cas, il n'y aurait aucun droit. Pourquoi faut-il faire souffrir une innocente ? Confesse-toi plutôt au chanoine Fogacer. Il connaît la vie. Et il ne te jugera pas, lui, comme le ferait un moine escouillé en cellule.

Dès que Nicolas se fut rebiscoulé à l'idée de confesser son péché à Fogacer, et à lui seul, je le dépêchai chez le cardinal, afin qu'il dît à Charpentier que je désirais avoir l'honneur de rencontrer Son Éminence dès que possible afin de lui répéter une redisance du plus grand intérêt. Nicolas, à qui je recommandai de ne point s'aller flâner sur les bords de la Gironde, dont la largeur l'ébahissait, mais de faire sa course en toute hastiveté, partit au galop, et revint plus vite que le vent me dire que le cardinal départirait de Paris le lendemain sous le coup de huit heures du matin, et que j'eusse à le suivre dans ma propre carrosse et qu'il me recevrait dans la sienne à la plus proche étape.

Ce qui se fit. J'en fus fort aise, car cette fin novembre était fort froidureuse, et la carrosse du cardinal, fort bien tempérée par les chaufferettes sur lesquelles l'on posait les pieds.

Richelieu, pour qui les journées étaient toujours trop courtes, ne perdit pas de temps à me faire conter la redisance de la Zocoli. Ce que je fis sans rien omettre, mais le plus succinctement possible, le cardinal ne perdant pas un seul mot de ce que je lui disais.

Il me parut fort piqué des propos tenus par la reine et la chevrette à son endroit, ou plutôt à son envers, et sans aller jusqu'à dire tout crûment qu'il valait mieux que le cul soit pourri plutôt que le cœur, il le laissa entendre. Mais ce n'était encore là que badinerie, car il parut excessivement alarmé quand je lui appris l'asservissement de Châteauneuf à la chevrette. Toutefois, il montra encore quelque doute à ce sujet : un homme comme il était lui-même, d'une si grande fermeté d'âme, et en outre, si peu sensible au charme féminin, pouvait difficilement se mettre dans la peau d'un barbon amoureux d'une archicoquette.

Certes, il savait déjà que Châteauneuf caressait l'ambition de lui succéder, et qu'au moment de son aposthume à Bordeaux, il avait écrit à la chevrette qu'il était « en grande impatience de savoir si Son Éminence allait mourir de cette maladie ». Mais à ce moment, Châteauneuf n'était pas encore sur le point de trahir. Voyant que le cardinal hésitait encore à croire à toute l'emprise que la chevrette avait prise sur le galant vieillissant, je lui voulus ôter un doute et je lui tendis le brouillon de la lettre, où la dame exigeait de Châteauneuf, en des termes hautains, une abjecte obéissance. Richelieu fut de prime béant, ensuite fort inquiet de ce que Châteauneuf avait pu dire aux vertugadins diaboliques sur les secrets d'État, étant si avant dans lesdits secrets.

Si bien je me ramentois, nous mîmes une bonne dizaine de jours pour gagner Paris, la froidure devenant de plus en plus mordante au fur et à mesure que nous remontions vers le nord. Pour Richelieu, ces voyages en carrosse étaient le seul repos dont il jouît jamais, étant éloigné du tohu-va-bohu de son ministère et n'ayant avec lui qu'un seul secrétaire. La plupart du temps il demeurait les yeux clos, ce qui ne voulait pas dire qu'il dormait, mais qu'il entendait ne pas être dérangé dans ses méditations.

Une fois en Paris, il me dit de renvoyer ma carrosse avec son escorte en mon hôtel de la rue des Bourbons avec un billet expliquant à Madame la duchesse d'Orbieu qu'il m'avait emmené chez le roi, mais qu'il me renverrait chez elle avant midi.

Le roi fut tout rayonnant de revoir son ministre, le seul homme qu'il aimait vraiment et en qui il nourrissait une totale confiance. Et si sa grandeur ne lui permettait pas de lui bailler une forte brassée, il lui serra néanmoins les deux mains dans les siennes et lui témoigna, par ses regards, la plus vive amitié. Il va sans dire que je bénéficiai moi-même, en quelque sorte, du prolongement de cet accueil chaleureux, et que j'en ressentis un plaisir extrême.

Il avait été convenu entre Richelieu et moi que je conterais à Sa Majesté la redisance de la Zocoli, à l'exception des propos ordes et sales tenus par la reine et la Chevreuse sur Sa Majesté, lesquels Richelieu préférait, non sans raison, redire à Louis au bec à bec.

Le roi n'eut pas l'air autrement étonné de ce qu'il apprenait sur les relations entre Châteauneuf et la chevrette ainsi que la tyrannie qu'elle exerçait sur lui.

— Tout est clair, meshui, dit-il. Vous ramentez-vous quand nous avons attaqué cette petite place en Lorraine, que nous savions faible et mal défendue, et tout d'un coup, nous nous sommes trouvés devant une forte garnison ? il allait sans dire que notre projet avait été éventé. Et éventé par qui ? Sinon parce que Châteauneuf, dans sa coupable faiblesse, avait confié le secret de notre attaque à la chevrette, laquelle en avait aussitôt averti le duc de Lorraine...

Sa Majesté, se tournant vers moi, me dit qu'il départirait le lendemain pour le château de Saint-Germain et qu'il avait donné ordre qu'on y réservât un appartement pour la duchesse d'Orbieu et moi-même. À la grande déception de Catherine, cela ne se put faire, car sa grossesse la mettait constamment entre nausées et vomissures, et je dus la laisser, seulette et désolée, en mon hôtel des Bourbons.

La date du vingt-cinq février 1633 ne risque pas de saillir jamais de ma remembrance, car ce jour-là Louis réunit à Saint-Germain, dans la même salle, le Conseil des ministres et en même temps le Grand Conseil du roi, ce qu'il n'avait jamais fait jusque-là, et qui mit puce à l'oreille à plus d'un qu'il allait se passer quelque chose, tant est que les regards s'échangeaient de l'un à l'autre, avant que l'huis ne fût reclos sur nous.

Dès que le silence se fit, et il se fit vite, tant les conseillers et les ministres redoutaient les remontrances du roi, lequel, comme un magister rabrouant ses écoliers, rappelait sèchement les jaseurs attardés à l'ordre.

— Messieurs, dit le roi d'une voix froide et bien articulée, j'ai voulu ce jour vous ramentevoir que tout ce qui est dit au Conseil des ministres comme au Grand Conseil du roi, fait de vous les dépositaires de secrets d'État de grande conséquence, et que vous ne devez, ni en partie ni en totalité, les répéter à personne, sous peine d'attenter à la sûreté de l'État et du roi. Tout oubli de cette règle sera d'ores en avant sanctionné impitoyablement.

Louis promena alors son regard sur l'assemblée et l'arrêtant sur Châteauneuf, il lui dit d'une voix à la fois courtoise et coupante :

— Monsieur de Châteauneuf, je vous prie de me rendre les sceaux.

Châteauneuf, blanc comme linge, et trémulant en sa démarche, s'avança. Aussitôt, les ministres et les conseillers qui se trouvaient sur son chemin s'écartèrent de lui comme s'il eût été atteint de la peste, sans lui faire l'aumône d'un regard.

C'est en trébuchant que le malheureux monta les deux degrés qui le menaient au roi, lequel mit fin à son supplice en demandant à l'huissier de recevoir les sceaux. Mais il fallut encore que Châteauneuf se dessaisît de la clef qui fermait les coffrets et qu'il portait, comme la loi l'y obligeait, au bout d'une chaînette qui entourait son cou. La restitution de cette clef prit du temps, car Châteauneuf ne pouvait maîtriser le tremblement de ses mains tandis qu'il essayait d'ouvrir le fermoir. Il y parvint enfin, et tendit à l'huissier ce qui avait été jusque-là son devoir et sa gloire. Mais il n'était pas au bout de son humiliation. Monsieur de Gordes, capitaine aux gardes, s'avança alors vers lui et très à la militaire, d'une voix inutilement forte, il dit :

— Monsieur de Châteauneuf, j'ai l'ordre de vous arrêter.

— Je suis à votre disposition, Monsieur, dit Châteauneuf, essayant de rassembler autour de lui comme il pouvait les lambeaux de sa dignité.

*

Belle lectrice, vous n'avez pas laissé d'observer que Monsieur de Châteauneuf fut le deuxième garde des sceaux que Louis disgracia. Le premier, Monsieur de Marillac, fut arrêté et exilé en 1630. Étant pieux et pour donner quelque sens à sa vie recluse, il s'attacha alors à la traduction des Psaumes. Mais, en toute apparence, il n'y trouva pas de raison suffisante pour vivre, et mourut deux petites années plus tard en 1632.

Monsieur de Châteauneuf, lui, fut exilé un an plus tard en 1633, et relégué au château d'Angoulême. Il fut, comme son prédécesseur, bien logé, bien nourri et bien servi, quoique à ses frais. Cependant, sa passion pour le *gentil sesso* le sauva. Il ne manqua pas, en effet, de tomber amoureux d'une fraîchelette fille qui, en qualité de chambrière, l'habillait le matin et le déshabillait le soir. En cette qualité, la mignote, ayant le cœur tendre, le combla de ses soins attentifs. Dans une captivité si douce, et dirais-je, si caressante, Monsieur de Châteauneuf survécut fort bien, et à la mort de Louis XIII, dix ans plus tard en 1643, il revint à la Cour, frais comme un gardon. Mon père fit observer à cet égard qu'il avait tout perdu à cause d'une femme et survécu à cause d'une autre. « Comme quoi, conclut-il, parlant en tant que docteur médecin, je dirais que ce qui est venin peut devenir remède. »

Le roi ne fit pas de procès à Monsieur de Châteauneuf pour la raison qu'en fouillant son hôtel on trouva quantité de lettres de Madame de Chevreuse établissant, sans le moindre doute, les indiscrétions du ministre. Cependant, quand Richelieu interrogea Châteauneuf, celui-ci ne parut pas aussi troublé qu'on eût pu croire : « Je m'accuse, dit-il, tant qu'on voudra d'avoir trop aimé les dames, mais pour le reste ce ne sont que *folies de femmes et badineries.* » Le plus extravagant de l'affaire, c'est que, sur ce point du moins, il avait raison, car à part le duc de Lorraine qui, aimant la chevrette, tenait compte et tirait parti de ses indiscrétions, aucun des souverains ennemis de la France ne les prit au sérieux, venant d'une femme, et en particulier le dédaigneux Mirabel, ministre espagnol, qui, au reçu d'une lettre de notre chevrette, remarqua que pas un de ces Français n'avait « un mark [1] de plomb dans la tête ». Quant à cette *mujer,* si elle apprenait un jour qu'elle était folle, cuidant être sage, elle se cacherait la tête sous son vertugadin. Ce disant, il jeta la lettre au panier sans la lire. En quoi lui-même, pour retourner la phrase, était fol en se cuidant sage, car la lettre contenait des indiscrétions qui lui eussent été fort utiles dans ses entreprises contre la France.

*

Deux jours après l'arrestation de Monsieur de Châteauneuf, je reçus de la duchesse de Chevreuse une lettre portée par un de ses écuyers qui, pour cette occasion, ne portait pas de livrée. Cette lettre ne faillit pas de me laisser béant, car du fait que j'étais aux yeux de la chevrette un suppôt de Satan en raison de ma fidélité au roi et à Richelieu, elle n'avait jamais accepté de me voir, « même, avait-elle dit, en pein-

1. Deux sous de jugeote.

ture », alors que son mari était mon demi-frère, m'appelait « mon cousin » et ne laissait pas de me témoigner à l'occasion beaucoup d'affection.

Ce poulet de la chevrette était ainsi conçu :

« Mon cousin (quel diantre d'honneur elle me faisait là !), j'aimerais vous visiter meshui après la repue du midi. Si cela vous agrée, je viendrai dans une carrosse de louage, pour que votre voisinage ne sache pas, par mon blason, qui je suis, et je serai masquée, quand mon écuyer frappera pour moi à votre huis.

Votre cousine
Marie-Aimée de Chevreuse »

Je montrai la lettre à Catherine qui eût bien voulu que je refusasse, mais la visite étant de toute évidence politique, je noulus, et je lui conseillai, si elle ne voulait pas voir la diablesse, de se cacher, l'huis entrebâillé, dans un cabinet attenant à mon salon.

— Nenni ! Nenni ! dit Catherine avec hauteur. Je ne crains nullement les rapaces. J'ai moi-même mes griffes. Je serai là.

Pendant tout le temps que dura le dîner, Catherine ne pipa pas un seul mot, et en vain lui répétai-je qu'en aucune façon je ne pourrais tomber victime des tours et magies de cette nouvelle Circé, de prime parce que j'aimais ma Catherine, et n'aimerais jamais qu'elle, ensuite parce que cette détestable chevrette s'était conduite en ennemie encharnée de Richelieu, du roi et de l'État, à qui elle avait tâché de nuire avec une obstination diabolique, étant traîtresse au premier chef à son roi et à sa patrie.

Ce discours ne servit de rien, tant Catherine était convaincue qu'aucun homme, et moi moins qu'un autre, ne pouvait résister à la beauté, à la finesse et la coquetterie des femmes.

— Fort heureusement, je serai là ! conclut-elle d'un air résolu.

Ayant dit, elle convoqua trois de ses meilleures chambrières et se retira dans sa chambre pour se recoiffer, se repimplocher, et changer de vêture. Pendant qu'elle était ainsi occupée à fourbir ses armes, j'appelai Nicolas, et j'écrivis pour le cardinal un petit mot accompagnant la lettre à moi adressée de la chevrette, lui promettant de lui faire un rapport complet de notre entretien. Nicolas, à qui j'ordonnai de ne pas flâner en route, partit comme carreau d'arbalète et revint de même, m'annonçant que le cardinal lui avait fait l'immense honneur de le recevoir pour lui dire que la nouvelle lui paraissait du plus grand intérêt, et qu'il viendrait chez moi à l'improviste pour voir la chevrette et l'entretenir au bec à bec.

Belle lectrice, imaginez, je vous prie, la scène qui suivit. L'écuyer de qui vous savez, frappant à mon huis, mon *maggiordomo* conduisit Madame de Chevreuse dans le grand salon où nous l'attendions, et les deux dames se saluant simultanément, leurs vertugadins s'arrondirent autour d'elles de la façon la plus gracieuse. Après quoi, se relevant, le visage tout brillant de l'amitié qu'elles éprouvaient l'une pour l'autre, elles se saluèrent de la tête. À ne voir de reste que le superficiel de la chose, Madame de Chevreuse avait déjà montré une grande condescendance à ne pas attendre que ma Catherine saluât la première, la devançant de beaucoup en quartiers de noblesse. Quant aux sourires qu'elles échangèrent alors, vous eussiez dit deux duellistes se saluant courtoisement de leurs épées avant de se lancer l'un contre l'autre dans un féroce froissement de fer.

La Dieu merci, il ne se passa rien de ce genre, la chevrette ne jetant sur moi ni charmes proférés à mi-voix, ni filets invisibles, et moi-même ne trahissant aucun des frémissements qu'à vrai dire je ressentis en la voyant. Jusqu'à ce jour, je n'avais vu Madame de Chevreuse que d'assez loin à la Cour, les fidèles serviteurs du roi et de Richelieu évitant la proximité des gens de la cabale et ceux-ci de leur côté nous fuyant comme lépreux. C'était donc bien la première fois que je la voyais de ces yeux que voilà, à moins d'une toise de moi et m'adressant la parole d'une voix tendre et mélodieuse.

Bien que sa taille tirât plutôt sur le petit, elle était si svelte qu'elle paraissait grande. Je dis svelte, mais non maigrelette, car tout le rebours, ni de front, ni de dos, elle ne faillait en rondeurs. Je ne saurais dire si elle était belle, il lui manquait se peut quelques pouces pour qu'on la désignât comme telle. Mais elle était à coup sûr extrêmement jolie, et toute rouée qu'elle fût, elle portait cet air enfantin et fragile qui attire tant les hommes, et à mon avis, bien à tort. L'ovale de son visage était parfait, ses traits délicatement ciselés, ses yeux du bleu le plus bleu, le front fort beau et auréolé de cheveux longs, blonds et soyeux, et enfin ses lèvres, dont elle usait beaucoup en ses petites mines séductrices, étaient charnues et bien dessinées. Même quand elle ne parlait pas, elle les laissait quelque peu entrouvertes, comme si elle attendait des baisers. Monsieur de Bautru, notre grand faiseur de bons mots à la Cour, disait d'elle : « Quand je la regarde comme cela et que je vois sa petite bouche entrouverte, à peu que je ne me jette sur elle pour la pénétrer par toutes les portes qu'elle voudra. »

Le silence entre Catherine, la chevrette et moi devenant pesant en se prolongeant, je décidai, à la parfin de le rompre.

— Madame, dis-je d'un air aimable, mais sans aller jusqu'au sourire, vous avez demandé à me voir, c'est donc que vous avez quelque chose à me dire.

— En effet, mon cher duc, dit Madame de Chevreuse, bien que n'ayant pas grand commerce avec vous jusque-là pour les raisons que vous savez, je n'oublie pas cependant que vous êtes le demi-frère de mon mari, qu'il vous appelle « mon cousin », et qu'il ne jure que par vous. Je suis donc fondée, si du moins vous me le permettez, de vous appeler aussi « mon cousin », et de faire appel à vous en ma détresse.

— Ma cousine, dis-je, ce sentiment de famille de vous à moi est un peu nouveau, mais je ne laisserais pas d'y répondre, si vous vouliez bien me dire en quoi je puis vous être de quelque service.

— Mon cousin, reprit-elle, les yeux embrumés, mais pas au point qu'une larme pût couler sur sa joue qui eût gâté son pimplochement, je suis dans une situation, en effet, de très grande détresse. Le roi a exilé Monsieur de Châteauneuf, et je suis épouvantée à l'idée que Sa Majesté puisse demain en faire autant avec moi.

— Ma cousine, dis-je, vous ne pouvez ignorer ce que le roi vous reproche. Et ne croyez-vous pas qu'il soit fondé à vous garder quelque mauvaise dent pour les méchants tours que vous lui avez joués, sans compter les petites moqueries dont vous l'avez personnellement accablé ?

— Comment ! dit la chevrette étourdiment, le roi sait aussi cela ?

— Le roi sait tout, ma cousine. Et il connaît aussi les lettres, les intermédiaires, les courriers, les conciliabules... Croyez-moi, ma cousine, vous ne pouvez ouvrir la bouche sans qu'il sache quasiment à l'avance ce que vous allez dire.

— Je suis donc perdue ! s'écria Madame de Chevreuse.

— Je n'ai pas dit cela.

— Nenni ! Nenni ! Je le vois ! Mon destin est scellé d'ores et déjà ! On va m'arracher à la reine, à la Cour, à Paris, et me reléguer en province en coin perdu, pour y vivre d'ores en avant une vie de recluse !

— À ma connaissance, cela non plus n'est pas décidé.

— Ah, mon cousin ! Si j'osais vous demander une faveur grandissime, ce serait d'obtenir que le cardinal veuille bien me recevoir quelques minutes pour lui dire mon repentir et mon désir de servir désormais le roi et lui seul.

— Madame, si c'est là votre requête, elle est à peine présentée que déjà elle reçoit satisfaction. J'ai prévenu le cardinal de votre visite chez moi et il va se joindre à nous dans quelques instants.

— Dieu bon ! s'écria Madame de Chevreuse, et elle faillit pâmer, ce que toutefois elle ne fit pas jusqu'au bout, étant aussi maîtresse de ses pâmoisons que de ses larmes.

CHAPITRE XVIII

Pour la bonne intelligence de ce que vont se dire chez moi au bec à bec les deux mortels ennemis : le cardinal et Madame de Chevreuse, il me faut, lecteur, revenir sur le conflit qui opposait depuis belle heurette le duc de Lorraine Charles IV à notre bien-aimé souverain.

Chose étrange, la dispute n'était pas notre fait mais celui du duc. Et il peut paraître extravagant qu'un si petit chat ait osé taquiner si souvent les moustaches d'un tigre. La cause de cette confrontation est Gaston, frère du roi, qui chaque fois qu'il veut affronter son frère — pour de multiples raisons et souvent sans raison du tout — secoue la poussière de ses bottes sur la France, franchit nos frontières et se réfugie en Lorraine où il trouve bon gîte, accueil amical et allié indéfectible.

Charles IV va même, on l'a vu, jusqu'à lever pour lui une petite armée qui eût dû lui permettre, avec l'aide de Montmorency, de vaincre le roi de France... Mieux même, il lui donne pour épouse sa propre sœur Marguerite, mariage célébré en secret sans consulter le roi de France : affront qui, lorsqu'on le connut, nous laissa tous pantois.

Cette politique de Charles IV paraît follement aventurée, et elle l'est dans une large mesure, mais elle a cependant sa logique. Les vicissitudes de l'Histoire ont voulu que le duché du duc ne soit qu'en partie à lui, la France y occupant des cités riches et importantes, lesquelles Louis n'a aucunement le désir de restituer car elles fortifient grandement la défense de ses armées contre une éventuelle attaque lancée contre la France par les Impériaux.

Les villes que Louis détient en Lorraine lui apparaissent comme autant de bastions bien remparés pour arrêter et retarder une invasion venue de l'est. Et dès lors, la restitution de ces villes ne sera jamais accordée par le roi de France. Bien accueillir Gaston quand, affrontant Louis il quitte le royaume, peut apparaître comme une politique avisée. Car le roi de France étant sans dauphin, Gaston est son héritier présomptif, et la santé de Louis paraissant si précaire, le duc pouvait espérer que Gaston, bientôt le remplaçant, serait plus accommodant pour son beau-frère quant à la restitution à la Lorraine des villes qu'y occupe le roi de France.

D'un autre côté, Louis ne peut laisser sans réponse les écornes répétées du duc de Lorraine à son endroit et en particulier la dernière et la plus déplaisante : l'armée donnée à Gaston pour combattre son frère, les armes à la main.

C'est donc avec une armée que Louis entra en Lorraine après l'affaire de Castelnaudary, mais non point pour l'occuper et s'y établir. Le voisin de l'est n'eût pas souffert de voir la France s'agrandir si près de sa frontière. Il s'agissait, sur le moment, de demander des comptes à Charles IV, lequel n'ayant pas de parole, ne croit pas à celle de Louis, et craignant que le roi le veuille arrêter, lui envoie son frère le cardinal de Lorraine, lequel a été fait cardinal sans avoir été reçu prêtre. Or, ledit cardinal est plus que souple. Il glisse comme une anguille dans les doigts les plus fermes. Le oui et le non, en lui, se confondent. Il récuse le lendemain ce qu'il a accepté la veille. Et dans notre présent prédicament, il est prêt à présenter des regrets pour l'aide armée apportée à Gaston pour combattre Louis. Mais il refuse à plus l'aider dans ses entreprises, car une telle promesse serait, dit-il, porter atteinte à la souveraineté du duc de Lorraine. Toutefois, il ne rompt pas les ponts. Au fur et à mesure que l'armée du roi pénètre en Lorraine, le cardinal multiplie certes les rencontres, mais toujours sans la moindre volonté d'aboutir.

Le lecteur se ramentoit sans doute que le duc de Savoie usa de la même temporisation à l'égard de Louis : pas plus qu'au Savoyard, la tactique ne profita au Lorrain. Le roi, sans se dérober pour autant aux entretiens avec le cardinal de Lorraine qui en ces tractations représentait son frère, s'avança jusqu'au cœur du duché, ne s'arrêtant que pour sommer et soumettre les villes petites et grandes sur son chemin. Ainsi tombèrent en son escarcelle Pont-à-Mousson, Lunéville, et La Neuville. Il y reçut derechef le cardinal de Lorraine et derechef sans tirer de lui la moindre concession : Louis mit alors le siège devant Nancy, et la ville de Charmes tomba dans les mains du comte de La Suze. Alors se déroula une nouvelle entrevue, au cours de laquelle le cardinal signa enfin le traité de paix. Mais le lendemain, l'anguille glissa de nouveau hors nos mains, le duc reprit sa parole et le roi, sans quitter le siège de Nancy, soumit alors Charmes, Épinal et Méricourt. Bien que le duc fût fort marri qu'on lui rognât ainsi son duché morceau par morceau, il n'en poursuivit pas moins ses puérils atermoiements. À la parfin, Louis prit Nancy, et Charles IV, la mort dans l'âme, se soumit. Mais bien fol qui se fût fié à cette soumission. Cette nouvelle campagne fut fort brève, et dura du vingt-cinq août au vingt-cinq septembre, et laissa dans les mains de Louis un gage grandissime : Nancy. Plaise à toi, lecteur, de consulter une carte du nord de la France. Tu constateras que Nancy complète d'une façon très heureuse la disposition stratégique de Toul, Verdun et Metz. Il faudrait qu'un envahisseur éventuel venu de l'est mît simultanément le siège devant ces quatre villes si proches l'une de l'autre, s'il ne voulait pas être pris à revers par celle qu'il aurait négligée.

*

Les pages qui précèdent ayant éclairé notre lanterne sur nos démêlés avec le duc de Lorraine, nous pouvons meshui retourner à nos moutons : j'entends à l'entrevue en mon hôtel des Bourbons entre le cardinal et la duchesse de Chevreuse. Je ne l'attendais pas sans mésaise, sachant que la Chevreuse avait traité Son Éminence de « cul pourri » et qu'il disait d'elle qu'elle était une « incarnée diablesse ». Mais tout se passa de la façon la plus aimable. Posant sur ses lèvres son plus joli sourire et envisageant Richelieu de ses yeux les plus tendres, la chevrette lui fit une révérence fort gracieuse, et Richelieu un salut fort courtois. Après quoi, s'asseyant, le cardinal prit aussitôt le commandement de l'entretien. À ma grande surprise, s'exprimant en langage de la Cour, il dit à la chevrette :

— Madame, vous avez, je crois, demandé à me voir. Et semblable à tous les galants qu'attire votre émerveillable beauté, j'accours à votre commandement.

À la réflexion, il me sembla qu'une petite goutte de vinaigre se mêlait à cette cuillerée de miel, car on pouvait y voir une réminiscence des plus piquantes de la lettre où la chevrette exigeait de Châteauneuf une totale obéissance.

Qu'elle perçût ou non cette pointe, la dame n'en laissa rien paraître, et sans rien changer au charme et à l'humilité dont elle s'était revêtue, elle considéra Richelieu de ses grands yeux bleus et dit d'une voix triste et mélodieuse :

— Éminence, je ne suis pas aveugle au péril où je me suis moi-même fourrée par de présomptueuses petites intrigues qui ne conviennent ni à mon âge ni à mon sexe. Je vous confesse aussi que je suis tout à plein épouvantée à l'idée que je puisse être meshui frappée par une sanction aussi terrible que celle que Sa Majesté vient d'infliger à son garde des sceaux.

— Il est bien vrai, Madame, dit Richelieu d'une voix grave, que vous avez rendu à Sa Majesté quelques desservices qui eussent pu être fort détrimenteux à son État, si Elle n'avait été si vigilante. Mais, à votre égard, rassurez-vous, Elle n'a encore rien décidé.

— Voilà qui ne me rassure en aucune façon, dit la chevrette avec une petite moue que je trouvai charmante.

Et j'eus bien tort de la trouver telle, car ma Catherine en un éclair s'en aperçut, ce qui augurait mal, la nuit venue, de notre jaserie des courtines.

— Cependant, Éminence, poursuivit la chevrette, l'indiscrétion dont vous avez pu me faire grief peut jouer dans les deux sens. Et je suis en mesure de vous découvrir meshui sur la Lorraine une information de grande et dangereuse conséquence pour le roi et le royaume, et je puis aussi intervenir pour tuer dans l'œuf ce danger.

— Madame, dit Richelieu s'avançant avec autant de prudence que s'il marchait sur un terrain miné, qu'il soit bien entendu de prime entre nous que, si j'accepte de vous ouïr, je ne conclus pas de bargoin avec vous, et ne pourrai rien faire en votre faveur. Le roi seul doit décider de votre sort. Mais il se peut que Sa Majesté soit, en effet, plus indulgente à votre égard si vos desservices à son endroit se concluaient par un service de grande conséquence.

— Éminence, dit alors la chevrette, encore que vos conditions me paraissent un peu dures, force m'est de les accepter. Voici de prime mon information. Je sais, de source absolument sûre, que Charles IV de Lorraine est en train de mettre sur pied une armée qui sera assez forte pour reprendre toutes les villes que Louis lui a prises. Vous souriez, Éminence, mais de grâce, oyez-moi plus avant. J'en viens à l'essentiel. Dans le cas où Charles IV échouerait, il a obtenu une formelle promesse de l'Empereur d'Autriche d'envoyer en Lorraine ses troupes pour soutenir ses armes.

Il y eut un silence, et bien que le visage de Richelieu demeurât impassible, je discernais sur ses traits quelque mésaise comme si, connaissant avant elle le secret que la chevrette venait de lui « révéler », il était béant qu'elle le sût aussi, alors qu'elle était surveillée des matines à minuit, son courrier étant ouvert avant de lui parvenir, et le moindre de ses visiteurs suivi et identifié.

— Madame, dit-il au bout d'un moment, pensez-vous vraiment par votre persuasion amener Charles IV de Lorraine à renoncer à son belliqueux projet ?

— Éminence, dit-elle, avec une parfaite impudence, non seulement je suis sûre d'amener le duc à résipiscence, mais je pense aussi que je suis la seule à le pouvoir faire...

Fallait-il, en ce contexte, parler d'impudence ou d'impudeur, je me posais la question, et je vis bien sur le visage de Richelieu qu'il se la posait aussi, tant il était enclin à voir en toute femme, et en celle-ci en particulier, un vase d'iniquités. Il est vrai que les yeux, la bouche et la voix de la chevrette, et aussi une sorte d'ondulation qu'elle imprimait à son corps, montraient qu'elle connaissait toute son emprise sur le duc de Lorraine et qu'au surplus, il lui était indifférent que le monde entier en sût la raison.

— Madame, dit Richelieu, comme toujours bref et expéditif dès qu'une affaire était close, vous plairait-il de partir dès demain en compagnie de Monsieur l'abbé de Dorat, dont le rôle ne sera que de mettre en forme ce que vous aurez décidé avec le duc de Lorraine. Monsieur l'abbé de Dorat se présentera demain à votre hôtel, avec une carrosse et une suite importante. Tout le débours de ce voyage sera assuré par le roi.

À son retour de Lorraine, la duchesse de Chevreuse aurait pu dire, comme Jules César quand il eut battu Pharmakes II à Zela : *veni, vidi, vici* [1].

Quoique avec d'autres armes, la chevrette, partie à l'assaut en un tournemain, convainquit le duc de Lorraine de licencier son armée. Grandissime service qu'elle rendit là au roi de France car si ladite armée ne valait pas un maravédis [2], en revanche celle des Impériaux volant à son secours et envahissant Lorraine et France eût été un gros os à ronger.

Au retour en France de la chevrette, Richelieu, considérant que la duchesse était lavée en cette mission de ses péchés, eût voulu qu'on lui pardonnât les erreurs passées. Mais Louis XIII ne l'entendait pas de cette douce oreille. Il était roi dans sa justice, et se peut aussi quelque peu jaloux de l'intimité intimissime qui liait la reine à cette Circé. Il imposa l'exil à la chevrette, mais un exil des plus doux : sur ses propres terres, en Touraine, et en son propre château, où elle pouvait recevoir qui elle voulait et quand elle voulait. Elle avait même le droit d'aller à Tours discuter de ses intérêts avec ses hommes d'affaires. Elle y passait à la vérité de longues heures avec son bottier, son couturier et son joaillier. Elle fit tant de grâces à l'octogénaire archevêque de Tours qu'il lui loua, dans la ville, un des hôtels qu'il possédait. Et à plusieurs reprises il lui prêta de grosses sommes d'argent qu'elle ne lui rendit jamais. Comme tu vois, lecteur, le désir n'a pas d'âge...

1. Je suis venue, j'ai vu, j'ai vaincu (lat.).
2. Monnaie espagnole de faible valeur.

D'aucuns dirent qu'elle eut à Tours des liaisons plus juvéniles. D'autres le décroient. Pour moi, je me suis souvent apensé que bien qu'elle fût une très haute dame, la chevrette avait bien des points communs avec la Zocoli, et pas plus que je ne porte jugement sur la Zocoli, je n'en porterai sur la duchesse. Mais bien pourtant je me ramentois qu'ayant un jour demandé à mon demi-frère le duc de Chevreuse pourquoi il avait déserté si vite la couche conjugale, il me répondit sans battre un cil : « Elle était trop encombrée. »

*

— Eh quoi, belle lectrice, plus un mot ? Vous voilà meshui coite et quiète ! Que sont vos pertinentes questions devenues ?

— J'en ai plusieurs, Monsieur, mais la première est si frivole que je n'ose la formuler.

— Madame, derrière la frivolité peut se cacher une question sérieuse. Allons ! Point de quartier ! Dites-moi ce qu'il en est !

— Je me suis demandé si après la visite de la chevrette en votre hôtel de la rue des Bourbons, la « jaserie des courtines » avait retenu ce soir-là contre vous l'émeuvement fugace que vous aviez éprouvé pour une des charmantes mines de la visiteuse.

— Que voilà une question bien féminine !

— Est-ce un tort ?

— Pas à mes yeux, et la preuve c'est que j'y vais répondre. En tel prédicament, m'amie, il n'est que deux réponses : ou vous niez, ou vous avouez, et elles sont toutes les deux mauvaises.

— Vous avez donc gardé le silence ?

— Nenni ! Nenni ! Le silence est insultant. Je lui ai brossé à traits rapides un portrait très noir de l'incarnée diablesse et j'ai conclu que si on pouvait se laisser séduire le quart d'une seconde par une de ses petites mines languissantes, seul un niquedouille s'y laisserait prendre plus durablement.

— Réponse habile.

— C'est ce que m'a dit Catherine : « Oui-da, beau Sire ! dit-elle, vous êtes habile et vous usez fort bien du plat de la langue ! » Toutefois, faute d'aliments, ce feu-là ne fut qu'un feu de paille.

— Et à parler au bec à bec avec moi dans le plus grand secret, n'avez-vous pas, en fait, été tenté ?

— Nenni ! Nenni ! La pensée ne m'en a même pas effleuré. Céder aux coquetteries de la chevrette, c'eût été me fâcher avec le roi, Richelieu et Catherine. Et sans eux — sans elle — que fût ma vie devenue ? Dieu bon ! Madame, si nous en revenions à vos autres moutons ?

— Je n'ai qu'un seul mouton, Monsieur, mais il est de taille et il tient beaucoup de place, c'est Gaston.

— Et que voulez-vous savoir de Gaston ?

— Si bien je me ramentois, Gaston, après le désastre de Castelnaudary, obtint de son frère un accommodement à Béziers, et pourtant le dix novembre 1632 Gaston quitta pour la quatrième fois la terre de France et gagna Bruxelles. Sur ce départ et ses raisons vous n'avez rien dit, alors même que vous avez conté en détail la prise de Nancy qui se situe un an après la fuite de Gaston hors de France.

— C'est là, Madame, une lacune évidente. Belle lectrice, j'admire votre attention et votre perspicacité. Elles me laissent béant.

— Si lacune il y a, ne pourrions-nous pas la combler ?

— M'amie, vous ne sauriez croire combien j'aime ce « nous ». Il témoigne que mes Mémoires appartiennent à mes lecteurs autant qu'à leur auteur. Mettons-nous donc au travail sans tant languir. Il y a deux façons d'expliquer cette nouvelle évasion. Gaston en route pour Bruxelles écrit à son aîné qu'il quitte la France parce que le roi ne lui a pas tenu la promesse qu'il lui avait faite de gracier Montmorency : mensonge puéril que le roi réfute fortement : « Pas plus à vous, lui écrit-il, qu'à nul autre je n'ai fait pareille promesse. »

— Et si c'est là propos mensonger, quelle est la véritable cause de cette nouvelle fuite hors de France ?

— Gaston a pris peur.

— Peur ! Pourquoi ?

— Pour deux raisons. De prime, il a été épouvanté par l'exécution de Montmorency qui n'était pourtant qu'un complice de la rébellion alors que c'est lui-même qui en était le chef et l'avait fomentée. Dès lors, si son frère pouvait condamner à mort un si haut seigneur, pourquoi ne pourrait-il pas clore son frère cadet dans un château, comme il avait fait pour la reine-mère ? *Secundo,* sans consulter son frère, il s'était marié secrètement avec la sœur du duc de Lorraine. Et il n'ignore pas que le choix de l'épouse — la sœur de l'ennemi juré du royaume —, l'absence de consentement du roi et le secret de la cérémonie sont également damnables et qu'un jour ou l'autre — ayant partout des rediseurs — le roi ne peut qu'il ne l'apprenne. Et que fera alors Sa Majesté de Gaston ?

— Et pourquoi gagne-t-il alors Bruxelles au lieu d'aller retrouver ses amis en Lorraine ?

— Gaston est un grand fol, sa tête tourne à tous vents, mais il ne manque pas d'esprit. Il sait que son frère ne peut faillir à punir Charles IV pour lui avoir fait cet outrage de lever une armée contre lui, et d'en avoir confié le commandement à son frère prodigue. Or, si la Lorraine est attaquée, et comme il est prévisible, vaincue, Gaston, s'il s'y trouve, fera figure de traître. En outre, régnait alors à Bruxelles sur les Pays-Bas, l'Infante Claire-Isabelle-Eugénie, petite-fille d'Henri II de France et fille de Philippe II d'Espagne. Raison pour laquelle les Ibériques l'appelaient non sans dédain la *mezza francese,* la demifrançaise. Or, cette haute dame était d'une si grande bonté qu'elle s'était fait aimer même des populations occupées des Pays-Bas. Et ce fut en raison de cette popularité que, lorsque son mari mourut, le gouvernement de Madrid fit d'elle le gouverneur de la province conquise.

J'ai eu le privilège de voir souvent l'Infante Claire-Isabelle-Eugénie (que j'aime la douce sonorité de ses prénoms !) quand Louis m'envoya à Bruxelles pour persuader Gaston de revenir en France. L'Infante le poussait aussi dans ce sens, non qu'elle ne l'aimât point, tout le rebours. Elle était de lui raffolée, pour la raison qu'il lui rappelait, par sa gaieté, ses saillies et son enjouement, l'aimable Cour de Valois qui avait fait le bonheur de ses enfances. Il est vrai que Gaston lui cachait ses frasques. Elle ne les aurait pas souffertes, étant si pieuse. Quand je l'ai encontrée, l'Infante avait soixante-six ans. Je ne sus que penser d'elle de prime, car je la vis vêtue de l'habit des clarisses de Saint-François, sans néanmoins faire partie de cet ordre. Le lecteur (pardon, belle lectrice, de m'adresser aussi à lui, je ne voudrais pas qu'il se croie délaissé) n'ignore pas que je fais une grande différence entre les pieux et les dévots. Je respecte fort les pieux quand ils appliquent en leur vie les préceptes sacrés — comme Schomberg ou comme Louis (encore que Louis, à mon humble sentiment, pourrait encore progresser quelque peu dans les voies de la mansuétude) —, mais je déteste comme peste les dévots comme Marillac et Bérulle. Ce sont hommes de pouvoir qui ne rêvent qu'à régner afin d'éradiquer les protestants par le fer et le feu. Ce ne sont pas là mes évangiles...

Quand je vis pour la première fois à Bruxelles, pour la mission que j'ai dite, l'Infante Claire-Isabelle-Eugénie, il ne me fallut que quelques mots et quelques regards pour que je découvrisse en elle la vieille dame la plus adorable de la création. Le temps — le temps inéluctable — qui creuse, affaisse et déforme les faces les plus belles, l'avait touchée d'une aile légère, la vieillissant sans l'enlaidir. Son visage reflétait une douceur telle et si grande qu'aucune fillette fraîchement éclose n'aurait pu l'égaler. Alors que sur les vieux visages les peines de la vie ont laissé à l'ordinaire des traces de tristesse et d'amertume, le sien était lisse et serein, et ses yeux mordorés ne reflétaient que douceur et tendresse pour les gens qui l'entouraient.

Le fait qu'elle portât l'habit des clarisses ne l'empêchait point d'avoir le cheveu testonné en boucles bien faites, le visage discrètement pimploché, le sourcil et les cils soulignés d'un trait léger, et de reluire des pieds à la tête d'une propreté méticuleuse. Elle parlait d'une voix basse, douce et mélodieuse : un enchantement chez une femme.

Il me parut évident que Gaston avait trouvé là une nouvelle mère, infiniment plus aimante et aimée que la sienne. Je ne voudrais pas qu'on s'y trompât. Le fait que la reine-mère le préférait à son frère aîné — surtout pour la raison qu'avec Gaston, qui n'était pas le roi, elle n'avait pas de conflit de pouvoir — ne voulait pas dire qu'elle l'aimât plus que ne le pouvaient son cœur dur, son caractère escalabreux, ses bouderies infinies, et ses stupides entêtements.

Qui eût cru que la piété de l'Infante causerait un jour sa mort ? En novembre 1633, alors qu'elle était déjà toussante et mal allante, elle voulut de force forcée, et maugré l'avis de son médecin, suivre une procession. Elle y prit froid et mourut le deux décembre 1633.

Les Belges se désolèrent de cette perte, se doutant bien que le successeur espagnol n'aurait pas d'aussi bonnes dispositions à leur égard que la *mezza francese*. Mais plus que tous, Gaston la pleura. Il s'était filialement ococoulé dans la tendresse de l'Infante et il perdait une mère infiniment plus aimante que la sienne. Quand le nouveau gouverneur des Pays-Bas, El Marqués d'Aytona, arriva à Bruxelles, Gaston, rien qu'à le voir, sentit qu'il se trouvait meshui beaucoup plus proche de l'Enfer que du Paradis.

El Marqués d'Aytona était un de ces hidalgos roides, rudes et infiniment hautains qui considéraient que si le Seigneur avait choisi de donner à l'Espagne l'or des Amériques, c'était pour qu'elle fondât en Europe, avec l'aide des Habsbourg d'Autriche, une royauté universelle qui, en les rendant maîtres des Pays-Bas, de l'Italie, de la France, de l'Angleterre et des princes luthériens d'Allemagne, pourrait enfin éradiquer partout en ces pays l'hérésie protestante. Cependant, ne fût-ce qu'en arrière-pensée, les plaisirs violents de la conquête et de l'occupation n'étaient pas exclus de cette pieuse pensée.

Nommé gouverneur des Pays-Bas, El Marqués d'Aytona n'avait reçu de Madrid qu'une seule consigne à l'endroit de Gaston : le retenir le plus longtemps possible à Bruxelles. Le reste était laissé à sa discrétion, et sa discrétion ne fut pas bien habile, le marquis ayant trop de hauteur pour avoir du tact : il ne prit plus ses repues avec Gaston et le faisait suivre quand il se promenait à Bruxelles. Gaston entendit alors qu'il n'était plus un hôte, mais un otage, et décida de quitter en catimini les Pays-Bas, sans demander au Marqués un assentiment qui se révélait douteux.

Gaston, qui ne faillait pas pourtant en finesse, commit l'erreur de parler de ses projets d'évasion à la reine-mère. Aussitôt, se gonflant comme une oie, la face rouge brique, échevelée, suante, dépoitraillée, la reine-mère poussa des cris d'orfraie dans cet étrange baragouin franco-italien qu'elle n'avait jamais pu dépasser. Il est vrai que certains mots d'injure en italien me paraissent plus expressifs que les mots français correspondants. Je préfère, par exemple, à « méchant », le mot « *brutto* », surtout si on prononce fortement les deux « t ». En revanche, le « ch » de « méchant » est beaucoup trop gentil et chuchoté. Raison pour laquelle les « méchant » et « méchante » que les amants s'adressent sont davantage des caresses que des insultes.

Pour en revenir à nos moutons, lesquels m'ont été contés non point par Gaston, mais par son conseiller Monsieur de Puylaurens qui était présent à la hurlade, ainsi que le père de Chanteloupe, favori de la reine-mère, chacun épousant la thèse de la personne royale qu'il servait, à telle enseigne que pendant ce dialogue, si dialogue il y eut, entre mère et fils ils échangeaient des regards peu amènes, chacun prenant parti pour la cause de son maître ou de sa maîtresse.

La reine-mère, cuite et recuite en son ire, était en sa mercuriale quasi inépuisable, je n'en donnerai céans qu'un petitime échantillon.

— Et tu voudrais, *miserabile,* retourner en France sans ta mère ! *Tu, figlio mio !* Moi vivante, je ne te le permettrai jamais. *Che incredibile impudenza ! Come può comportarsi cosi ! Ingrato ! Miserabile ! Brutto !*

— Madame, dit Gaston, je ne suis pas venu céans pour ouïr de votre bouche des paroles mal sonnantes, et moins encore pour vous demander la permission de regagner la France. J'entends bien que vous soyez chagrin que je regagne seul le royaume dont votre aîné est le roi. Mais vous l'avez quitté, comme moi, de votre plein gré. Et vous pourriez, comme moi, y être de nouveau reçue, pour peu que vous acceptiez les conditions de Richelieu : remettre à la justice du roi d'une part Mathieu de Morgues qui a écrit pour vous tant de déplaisants pamphlets contre le roi, et d'autre part le père de Chanteloupe, votre conseil.

— Et qui vous en donne de si mauvais ! dit Puylaurens en dardant sur Chanteloupe un regard méprisant.

Remarque inopportune, et qui faillit le soir même lui coûter la vie. À la nuit tombante, entouré de quelques gentilshommes, Puylaurens montait l'escalier peu éclairé qui menait aux appartements de son maître, quand une mousquetade lui fut tirée sus, laquelle ne fit que l'effleurer, mais blessa deux de ses compagnons. Il y avait peu de doute sur l'auteur de cet attentat, et moins encore de chances de le confondre.

Le coup de feu fut tiré le trois mai 1634, et le lendemain, El Marqués d'Aytona, plus hautain que jamais, convoqua chez lui Gaston et le mit en demeure de signer un traité dans lequel il s'engageait à ne point se raccommoder avec le roi de France avant un délai de cinq ans. Là aussi, El Marqués manqua de finesse : c'était révéler à Gaston que la reine-mère, la seule personne à qui il s'était confié, avait révélé à l'Espagnol ses projets de fuite.

Pour ma part, j'arrivai le quatre mai à Bruxelles, porteur de deux lettres pour Gaston, toutes deux écrites par le roi, bien que contradictoires. La première, rude et roide, que je portais sur moi, annonçait à Gaston qu'il ne pourrait revenir en France, ses exigences étant jugées insufférables. La seconde, portée par Nicolas sous sa chemise, fournissait à Gaston un passeport au cachet du roi, l'autorisant à rentrer en France par quelque chemin et ville qu'il choisirait. Comme je m'y attendais, lors de la première nuit que je passai à Bruxelles dans une auberge fort propre, mes affaires furent subrepticement fouillées pendant la nuit, et la lettre du roi s'envola, mais on ne toucha pas aux bagues [1] de Nicolas. Tant est que le lendemain, au bec à bec avec Gaston, je pus lui remettre le passeport royal. Dès qu'il l'eut ouvert, et jeté l'œil sur lui, il fut au comble du bonheur, et homme de prime saut comme il fut

1. Bagages.

toujours, il me sauta au cou, et me donna une forte brassée, les larmes, grosses comme des pois, coulant sur ses joues. Et comme s'il eût trouvé en moi tout soudain un intime et immutable ami, il me conta tout ce qui s'était passé en sa vie depuis la mort de l'Infante Claire-Isabelle-Eugénie, jusqu'à la querelle avec sa propre mère, l'assassinat dont Puylaurens avait failli être victime, le traité qu'El Marqués d'Aytona l'avait contraint à signer, et le fait que l'Espagnol avait été très probablement renseigné par la reine-mère sur ses projets d'évasion. C'est là surtout que le bât le blessait, et il me fit sur la reine-mère des plaintes à l'infini, concluant avec énergie qu'à partir de ce jour, et jusqu'à la fin de sa vie — de sa vie à elle, cela allait sans dire — il ne verrait plus la traîtresse.

Là-dessus, et dans le vif du moment, Gaston se tourna vers moi et me demanda mon avis.

— Votre Altesse, dis-je, vous avez en Monsieur de Puylaurens un conseiller fidèle et avisé, et il semble que c'est de lui que vous devriez quérir de prime son opinion.

— Nenni! Nenni! dit vivement Puylaurens. La logique, comme la préséance, exige, Monseigneur, que ce soit vous qui opiniez le premier.

— Je le crois aussi, dit Gaston.

— Puisque Votre Altesse me demande mon opinion, je la lui vais bailler, si Elle m'y autorise, à la franche marguerite.

— Parlez, parlez, Monsieur d'Orbieu, dit Gaston.

— Votre Altesse, il me semble que le moment est mal choisi pour vous fâcher avec la reine-mère. Il est vrai qu'à'steure elle ne peut vous faire aucun bien, mais en revanche, elle peut vous faire beaucoup de mal. Par exemple, mettre des espions sur la queue de vos serviteurs, et découvrir le jour, l'heure et l'itinéraire de votre évasion. Ce qu'en son ire elle pourrait bien redire au Marqués d'Aytona. Elle pourrait imaginer pis : un second attentement contre un de vos plus fidèles serviteurs.

Je jetai alors un œil en tapinois sur Puylaurens et constatai que cette hypothèse, comme bien j'y comptais, le rangeait d'ores et déjà de mon côté.

— Mais que dirai-je à la reine-mère ? dit Gaston.

— De prime, que vous vous reconnaissez tous les torts dans votre chamaillis.

— Morbleu ! dit Gaston les dents serrées.

— Bah ! ce n'est là, Votre Altesse, qu'une de ces petites cuillerées de miel dont votre auguste père recommandait l'emploi pour réussir une *captatio benevolentiae.*

Je ne sais ce qui fit alors le plus d'effet sur Gaston, la citation latine ou l'autorité de son père, mais il ravala aussitôt sa rancœur et dit avec un soupir :

— Siorac, poursuivez, de grâce.

— Ensuite, vous apprenez à la reine-mère (qui doit déjà le savoir) que vous vous êtes engagé, par écrit, auprès du Marqués d'Aytona à demeurer cinq ans encore à Bruxelles, et qu'il y va de votre honneur de gentilhomme d'être fidèle à votre signature.

Lecteur, cela m'amusa fort *in petto* de faire dire cela à Gaston, car, de sa vie, il n'avait honoré son serment, ou sa signature. Mais lui-même ne trouva rien à redire à cette comédie, étant inconscient de son inconstance...

— Bref, conclus-je, vous ne vous évadez plus, vous demeurez à Bruxelles, heureux de tenir compagnie à votre mère en sa détresse.

— Morbleu, mon cousin, dit Gaston, qui dans son enthousiasme mélangea quelque peu les métaphores. Votre plan est divin ! Par ma foi, vous êtes le diable ! Qu'en pensez-vous, Puylaurens ?

— Que le plan, Votre Altesse, est excellent, et qu'il sied de l'appliquer sans retard.

Puylaurens me sourit alors, et je lui contresouris, tant je sentais combien il était impatient quant à lui de regagner Paris et d'y recevoir le duché-pairie que lui avait promis Richelieu, s'il réussissait à ramener en France le frère cadet du roi.

*

Instruit par ses précédentes indiscrétions de leurs mauvais effets, Gaston tint fort secret son plan d'évasion, et ne me le communiqua que parce que j'y devais jouer un rôle que j'explique plus loin.

La veille du sept octobre, Gaston annonça au Marqués d'Aytona qu'il voulait le lendemain chasser avec ses gentilshommes dans une forêt giboyeuse sise au sud de Bruxelles. Après quoi, à la nuitée, il irait ouïr les vêpres dans le proche couvent des Cordeliers et y demanderait aux moines vivre et couvert, s'il était possible. El Marqués ne trouva rien à redire à une chasse qui finissait si pieusement, et le huit octobre, à la pique du jour, Gaston partit avec sa suite pour ladite forêt qu'il traversa sans s'arrêter, sa destination véritable étant la place forte française de La Capelle, laquelle se trouvait à vingt-cinq lieues [1] de Bruxelles.

Gaston avait calculé que pour parcourir cette distance il lui faudrait dix-huit heures, en trottant à trot soutenu, sans s'arrêter ni boire : cela voulait dire que d'aucuns cavaliers à cette allure et sur cette distance ne pourraient que tuer leurs chevaux sous eux. Il quit alors de moi si je voulais bien, étant parti un jour avant eux, de m'arrêter en chemin à Mons, et là de louer ou acheter une douzaine de bons chevaux pour prendre le relais des montures à bout de forces.

— Monsieur, un mot de grâce.

— Est-ce vous, belle lectrice, qui ne craignez pas d'interrompre le récit de cet épisode dramatique ?

— C'est moi, hélas, Monsieur, je le fais le rouge au

1. Environ cent kilomètres.

front. Et il faut bien avouer que je suis bien impertinente.

— M'amie, une phrase de ce genre, chez une dame, n'est pas une excuse, mais une coquetterie.

— Ou, comme vous diriez, Monsieur, une *captatio benevolentiae.*

— M'amie, de grâce, point de badinerie ! Posez votre question.

— Gaston s'évade. J'en suis fort aise. Mais que devient son épouse Marguerite de Lorraine ?

— Que voilà encore une question bien féminine !

— Monsieur, étant femme, toutes mes questions sont féminines. Dois-je changer de sexe pour vous lire ?

— Ce serait dommage.

— Monsieur, n'est-ce pas là une de ces badineries que vous venez de réprouver ?

— Grâce, m'amie ! Grâce ! Je vous laisse le privilège féminin du dernier mot. Quant à Marguerite, elle ne pouvait pas d'évidence supporter, étant si frêle, cette infernale trotte de Bruxelles à La Capelle. Et la mort dans l'âme, Gaston dut la laisser aux bons soins de la reine-mère.

— Ma fé ! Les bons soins de la reine-mère ! Je plains la pauvrette !

— Nenni ! Nenni ! Ne la plaignez pas ! Marguerite était si adorablement douce et tendre qu'elle apprivoisa la tigresse, laquelle dans sa solitude se prit d'affection pour elle, à telle enseigne qu'il fallut quasiment arracher Marguerite de ses bras quand le moment fut venu de la rendre à son époux. Cependant, les pauvrets n'étaient pas au bout de leur peine. Gaston, en violation d'un us centenaire, s'était marié sans le consentement du roi, créant un précédent que ni le roi ni Richelieu ne pouvaient souffrir. Ils entamèrent alors de longues démarches pour faire dissoudre cette union, mais s'ils arrachèrent l'acquiescement du clergé français, le pape, quant à lui, suprême espoir de Gaston, se montra fort réticent.

Mais ceci est une longue histoire que je ne saurais vous conter meshui, étant à Mons avec mon escorte de Suisses et les chevaux que j'avais achetés, et qui furent à peine suffisants pour remonter ceux que la mort de leurs montures avait démontés. Je sais bien que d'aucuns de mes lecteurs vont trouver barbare l'effort meurtrier qui fut imposé à ces pauvres bêtes. Il le fallait pourtant pour échapper à la poursuite des cavaliers espagnols qui couraient sus aux évadés, et les auraient sans honte ni vergogne anéantis, s'ils avaient pu les rattraper.

À Mons je laissai trottinant derrière moi ma carrosse, et montai mon Accla, Nicolas et mes Suisses me suivant. Le jour baissait déjà, ce qui nous fit appréhender que le reste du parcours, dans l'obscurité, sur un chemin médiocre, allait devenir fort malaisé. Mais au moment même où le soleil disparaissait, apparut, comme posée sur l'horizon, une lune fort ronde, fort grosse et fort lumineuse. C'était là à n'en pas douter un cadeau du ciel, car de ma vie je n'avais vu une lune de telles proportions. Il est vrai qu'elle les perdit, ces proportions, au fur et à mesure qu'elle monta dans le ciel, mais en gardant toutefois sa luminosité, laquelle était si grande et si forte que vous eussiez pu lire un livre à sa clarté.

Enfin, apparurent les hauts murs crénelés de La Capelle, ses tourelles et son mâchicoulis, et à peine fûmes-nous là que les trompettes se mirent à sonner l'alarme à l'intérieur de la citadelle, avec des lumières et des gens courant de tous côtés, et bientôt, je ne sais combien de mousquets apparurent aux créneaux pointant leurs canons sur nous, tandis qu'une voix forte hurla :

— Qui va là ?

— Monsieur, dit Gaston, je suis Monsieur, frère du roi.

— Vous vous moquez ! dit la grosse voix. Vous n'êtes en rien de ce genre ! Et qui pis est, vous parlez avec un accent espagnol (ce qui fit rire la suite de Gaston).

« Et vous osez me dauber, par-dessus le marché ! Escampez-vous d'ici, vaunéants, et dans la minute, ou mes mousquets vont faire de la dentelle avec vos tripes !

— Votre Altesse, dis-je à Gaston, peux-je parler au gouverneur ?

— De grâce, faites-le !

Je m'avançai alors d'un pas et je dis :

— Baron du Becq, peux-je vous parler ?

— En voilà bien d'une autre ! Comment sais-tu mon nom, spadassin ?

— Parce que je suis un ami de Monsieur de Vardes, votre prédécesseur, à qui j'ai rendu grand service quand j'ai retiré son fils d'un très mauvais pas où il s'était fourré.

— Quel mauvais pas ? demanda le baron d'une voix forte, mais, me sembla-t-il, avec beaucoup moins de hargne.

— Monsieur de Vardes étant retenu en ses domaines de Normandie avait confié le gouvernement de La Capelle à son fils, lequel, grand niquedouille qu'il était, avait promis au comte de Moret d'ouvrir les portes de La Capelle à la reine-mère si elle s'évadait de Compiègne. Ce que grâce à Dieu j'ai pu, avec Monsieur de Vardes, éviter.

— Monsieur, dit le baron d'une voix presque polie, quel est votre nom ?

— Baron, je suis le duc d'Orbieu, pair de France, et le gentilhomme qui en premier vous a parlé est bel et bien Monsieur, frère du roi, duc d'Orléans et comte de Blois. Il est porteur d'un passeport avec la signature et le sceau du roi lui permettant de rentrer en France. Si vous le désirez, je peux entrer seul par le pont-levis et vous montrer ce passeport.

— Faites ! dit le baron du Becq, mais que personne d'autre n'ose avancer, fût-ce d'un pas, ou j'aurai le regret de lui tirer sus.

C'était là propos encore un peu menaçant, mais à bien l'ouïr, bien moins brutal que le projet de « faire de la dentelle avec nos tripes ».

L'ouverture de l'huis fut si étroite que je ne l'eusse pu passer avec une bedondaine, et aussitôt que je fus sur place je tendis au baron du Becq le passeport que Gaston venait de me remettre. Le baron lui consacra un assez long coup d'œil, ce qui me donna à penser que lire n'était pas son fort. À ce sésame toutefois, l'huis s'ouvrit largement enfin et le baron mit un genou à terre devant Gaston qui le releva aussitôt en disant :

— Baron, vous n'avez fait que votre métier. C'est très bien, et ce sera mieux encore, si vous nous donnez à manger et à boire. N'ayant rien pris pendant les dix-huit heures que dura cette longue trotte, je me meurs de verte faim.

*

Le lendemain, je me réveillai avec un catarrhe et une petite fièvre, et quand Nicolas me vint visiter, je lui commandai d'aller dire au baron du Becq ce qu'il en était. Il ne vint pas, craignant que j'eusse au moins la peste, mais m'envoya le médecin de La Capelle, lequel s'appelait Marcellin. Et ce Marcellin, le mouchoir sur le nez, ne m'approcha pas plus d'une demi-toise et me pria de me dénuder, ce que je fis en disant :

— Rassurez-vous, Révérend docteur médecin, je n'ai ni bubon, ni charbons, ni pourpre.

— Mais, Monseigneur, dit le médecin, comment connaissez-vous si bien les symptômes de la peste ?

— Mon père, le marquis de Siorac, a fait des études de médecine en Montpellier et m'en a appris quelques éléments.

— Et sur vous-même, dit le docteur Marcellin avec un sourire, quel serait votre diagnostic ?

— Catarrhe avec petite fièvre.

— Et le traitement ?

— Ni saignée ! ni purgation ! Repos couché et petite dose de quinine.

— Hélas ! Monseigneur, je n'ai pas de quinine. Mais il y a une maison de jésuites à Vervins. Ils la reçoivent, toute préparée, de leur maison d'Amérique et ils la vendent malheureusement à un prix qui fait frémir.

— Je vais donc de ce pas dépêcher mon écuyer à Vervins avec une bourse.

— Monseigneur, donnez du ventre à cette bourse, sinon vous n'aurez rien.

Je donnai trois écus au Révérend docteur médecin Marcellin pour le récompenser de mon examen, de mon diagnostic et de ma prescription. Puis j'appelai Nicolas et lui confiai une bourse ventrue pour courre acheter ladite quinine aux jésuites de Vervins.

— Nicolas, dis-je, emmène avec toi nos Suisses.

— Et pour que faire, Monseigneur ?

— Pour faire pression sur les jésuites, s'ils te font des difficultés.

Le baron du Becq, sachant par le docteur Marcellin qu'il ne courait plus aucun danger à me visiter, me vint voir après le départ de Nicolas, et s'enquit de mes besoins.

— La grand merci, Baron, dis-je. Pourriez-vous dire à votre cuisinier que je désire pour mon déjeuner une fine purée de pommes de terre et deux œufs frais sur le plat.

— Eh quoi ? dit le baron, quelque peu effaré, point de diète ?

— Qu'ai-je besoin de jeûner ? dis-je. Je n'ai mal ni au gaster ni aux boyaux.

On toqua alors à l'huis, et Gaston entra, suivi de Puylaurens.

— Mon cousin, dit Gaston, j'ai voulu vous faire mes adieux avant mon départir, mais le roi m'attend, je ne peux tarder davantage sans l'offenser. (Et pourtant, m'apensai-je, combien de fois l'a-t-il offensé au cours de ses quatre années de volontaire exil ?) Cependant, poursuivit Gaston, je ne laisserai pas de dire à Sa Majesté combien vous m'avez aidé par vos judicieux conseils au moment où le principal obstacle à mon évasion était ma propre mère... C'est à Saint-Germain que les retrouvailles avec le roi mon frère doivent avoir lieu, et dès lors que vous serez sur pied, j'aimerais que vous nous y retrouviez.

La poudre de nos chers jésuites — et pour chers, certes, ils l'étaient — fit merveille, et deux jours plus tard je me sentis assez rebiscoulé pour sonner le boute-selle, du moins pour mes Suisses, car étant encore moulu et courbatu de ma longuissime trotte de Bruxelles à La Capelle, je préférai voyager en ma carrosse. Sans consentir à épuiser mes chevaux, j'allai aussi bon train que je pus, m'arrêtant tard le soir aux étapes et repartant tôt le matin. Mais maugré mes efforts, je ne parvins à Saint-Germain-en-Laye que le vingt-deux octobre 1634, c'est-à-dire le lendemain du jour où les deux frères s'étaient retrouvés.

Je fus néanmoins fort bien accueilli par le roi et Richelieu, et en public, et au bec à bec.

— La colère de Gaston contre sa mère, me dit Louis, après la tentative de meurtre sur Puylaurens, lui eût fait tout gâcher. Heureusement, vous étiez là et votre adresse a tout arrangé, et je ne sais comment vous remercier. J'ai pensé pour vous au maréchalat ?

— Mais, Sire, je ne sais pas la guerre, dis-je promptement.

— Ou à vous nommer gouverneur de province.

— Sire, ce serait la pire des punitions. Je serais éloigné de Votre Majesté.

— Ou ambassadeur à Londres.

— Nenni, nenni, Sire! Je n'appète aucunement à tout cela, je suis très heureux de vous servir comme je fais : par de petites missions çà et là en Europe.

— Mon cousin, dit le roi, sauver la mise de Gaston à Bruxelles n'était pas mission petite. C'était un grand service rendu à l'État.

Le bec à bec avec Richelieu fut aussi flatteur et se peut encore plus réconfortant pour la raison que le cardinal-duc n'oubliait jamais les détails.

— Mon cousin, dit-il, songez à me faire un compte de tous les débours que vous avez encourus en cette mission, y compris, ajouta-t-il avec un sourire, la poudre de quinine de qui vous savez.

C'est lui qui savait toujours tout sur tout : je m'en apercevais en toute occasion. Après ce petit sourire, il reprit son ton de gravité :

— En fin de compte, Gaston en son exil nous a fait plus de bien que de mal : c'est grâce à Castelnaudary que nous avons pu porter un coup terrible à nos grands féodaux : Louis vivant, ils n'y reviendront plus. Et c'est aussi grâce à Gaston et à ses frasques que nous avons pu conquérir la Lorraine, cette conquête fortifiant fort notre frontière de l'est, au moment où paraît imminente la guerre avec les Impériaux. En bref, je vous dirai que Gaston nous a fait, malgré les apparences, du bien en s'en allant, et du bien aussi en nous revenant. Son retour au bercail est un échec considérable pour les Espagnols qui perdent ainsi dans la guerre qui se prépare un gage des plus précieux. En outre, dans les moments périlleux que nous allons vivre, le retour de Gaston, en ressoudant la famille royale, et par voie de conséquence en redonnant confiance au peuple, nous rend les plus grands services. Le seul point noir demeure la présence autour de Gaston de dangereux conseillers. Mais ce problème, grâce à Dieu, nous l'allons résoudre sans que je sache encore quand ni comment. L'avenir nous le dira.

Du même auteur

ROMANS

Week-end à Zuydcoote, NRF, Prix Goncourt, 1949.
La mort est mon métier, NRF, 1952.
L'Île, NRF, 1962.
Un animal doué de raison, NRF, 1967.
Derrière la vitre, NRF, 1970.
Malevil, NRF, 1972.
Les Hommes protégés, NRF, 1974.
Madrapour, Le Seuil, 1976.
Le jour ne se lève pas pour nous, Plon, 1986.
L'Idole, Plon, 1987.
Le Propre de l'Homme, Éditions de Fallois, 1989.

La Volte des Vertugadins, Éditions de Fallois, 1991.
L'Enfant-Roi, Éditions de Fallois, 1993.
Les Roses de la vie, Éditions de Fallois, 1995.
Le Lys et la Pourpre, Éditions de Fallois, 1997.
La Gloire et les Périls, Éditions de Fallois, 1999.

FORTUNE DE FRANCE
(*aux Éditions de Fallois*)

Tome I : *Fortune de France* (1977), *En nos vertes années* (1979).
Tome II : *Paris ma bonne ville* (1980), *Le Prince que voilà* (1982).
Tome III : *La Violente Amour* (1983), *La Pique du jour* (1985).
Tome IV : *La Volte des Vertugadins* (1991), *L'Enfant-Roi* (1993).
Tome V : *Les Roses de la vie* (1995), *Le Lys et la Pourpre* (1997).

HISTOIRE CONTEMPORAINE

Moncada, premier combat de Fidel Castro, Laffont, 1965, épuisé.
Ahmed Ben Bella, NRF, 1985.

THÉÂTRE

Tome I : *Sisiphe et la mort, Flamineo, Les Sonderling,* NRF, 1950.
Tome II : *Nouveau Sisiphe, Justice à Miramar, L'Assemblée des femmes,* NRF, 1957.
Tome III : *Le Mort et le Vif* suivi de *Nanterre la Folie* (adaptation de Sylvie Gravagna), Éditions de Fallois, 1992.
Pièces pies et impies, Éditions de Fallois, 1996.

ESSAIS

Oscar Wilde ou la « destinée » de l'homosexuel, NRF, 1955.
Oscar Wilde (1984), Éditions de Fallois.

EN COLLABORATION AVEC MAGALI MERLE

ERNESTO « CHE » GUEVARA, *Souvenirs de la Guerre révolutionnaire,* Maspero, 1967.
RALPH ELLISON, *Homme invisible,* Grasset, 1969.
P. COLLIER et D. HOROWITZ, *Les Rockefeller,* Le Seuil, 1976.

Composition réalisée par EURONUMÉRIQUE

Imprimé en France sur Presse Offset par

BRODARD & TAUPIN

GROUPE CPI

La Flèche (Sarthe).
N° d'imprimeur : 22461 – Dépôt légal Éditeur 44196-04/2004
Édition 2
LIBRAIRIE GÉNÉRALE FRANÇAISE - 43, quai de Grenelle - 75015 Paris.

ISBN : 2 - 253 - 15304 - 4 31/5304/6